평양
PYONGYANG
CINEM

«Канатоходка» – это не потому, что я была воздушной эквилибристкой и умею ходить по канату.

Жизнь – гораздо более сложный, мучительный и часто опасный баланс между ЛЮБОВЬЮ и НЕЛЮБОВЬЮ, СПРАВЕДЛИВОСТЬЮ и НЕСПРАВЕДЛИВОСТЬЮ, ПОНИМАНИЕМ и НЕПОНИМАНИЕМ, ЖИЗНЬЮ и СМЕРТЬЮ.

Книга об этом. И о тех, кого люблю.

Наталья Варлей

НАТАЛЬЯ ВАРЛЕЙ

КАНАТОХОДКА

Автобиография

МОСКВА
2019

УДК 791:929 Варлей Н.
ББК 85.374(2)6-8 Варлей Н.
В18

Литературный редактор *Н. Муркова*
Художественное оформление *С. Власова*
Фотографии на обложке из личного архива автора

*Во внутреннем оформлении использованы фотографии из личного архива автора,
а также из архива Электротеатра Станиславский
(фотографии М.Т. Стрюкова, Б.Ц. Кравеца)*

Во внутреннем оформлении использованы фото:
© И.И. Гневашев;
© Мирослав Муразов / РИА Новости;
Архив РИА Новости;
Кадр из фильма «Преждевременный человек», реж. А. Роом,
© Киноконцерн «Мосфильм», 1971 год;
Кадр из фильма «Русское поле», реж. Н. Москаленко,
© Киноконцерн «Мосфильм», 1972 год;
Кадр из фильма «Кавказская пленница, или Новые приключения Шурика»,
реж. Л. Гайдай, © Киноконцерн «Мосфильм», 1967 год;
Кадр из фильма «Вий», реж. К. Ершов, Г. Кропачёв,
© Киноконцерн «Мосфильм», 1967 год;
Кадр из фильма «Золото», реж. Д. Вятич-Бережных,
© Киноконцерн «Мосфильм», 1969 год;
Кадр из фильма «12 стульев», реж. Л. Гайдай, © Киноконцерн «Мосфильм», 1971 год;
Кадр из фильма «Бег», реж. А. Алов, В. Наумов, © Киноконцерн «Мосфильм», 1970 год;
Кадр из фильма «Три дня в Москве», реж. А. Коренев,
© Киноконцерн «Мосфильм», 1974 год;
Кадр из фильма «Большой аттракцион», реж. В. Георгиев,
© Киноконцерн «Мосфильм», 1974 год;
Кадр из фильма «Не хочу быть взрослым», реж. Ю. Чулюкин,
© Киноконцерн «Мосфильм», 1982 год

ВАРЛЕЙ, Наталья Владимировна.

В18   Канатоходка : автобиография / Наталья Варлей. —
Москва : Эксмо, 2019. — 480 с.

ISBN 978-5-699-96812-1

Наталья Варлей! И сразу ассоциация с героиней фильма «Кавказская пленница». Конечно, в этой книге есть главы, посвященные фильму и его создателям, — как же без этого! Но автор рассказывает не только смешные, но и горькие истории...

Автор тонко, точно и остроумно повествует о своей цирковой молодости, о работе в кино и театре, о детстве и родителях, о путешествиях, о друзьях, о своей уникальной родословной и встречах с замечательными людьми: Юрием Никулиным, Георгием Вициным, Леонидом Гайдаем, Нонной Мордюковой, Виталием Соломиным и другими.

Любимая актриса раскроет читателям то сокровенное, что раньше она доверяла только дневникам...

Это книга о любви. О вечных ценностях. О поиске смысла жизни.

УДК 791:929 Варлей Н.
ББК 85.374(2)6-8 Варлей Н.

ISBN 978-5-699-96812-1

Содержание

К читателям

Я прочитал эту книгу залпом, взахлёб, получив массу положительных эмоций — и лишь одна эмоция меня огорчила.

Я вдруг понял, что, оказывается, не знал Наталью Варлей. Ну, то есть: я её давно знаю и люблю, люблю её роли и фильмы (и любовь моя к артистке Варлей началась вовсе не со знаменитой «Кавказской пленницы» и даже не с «Вия», а с драматической ленты «Так и будет», где Наташа сыграла сложнейшую возрастную роль, и с её весёлых героинь в фильмах «Соло для слона с оркестром» и «Большой аттракцион»), я читаю её светлые, печальные стихи, такие трепетные и эмоциональные, я слушаю песни в её исполнении — всегда личностном, авторском; наконец, я дружу с ней, страшно сказать, с прошлого тысячелетия и даже имел счастье снимать её в своей кинокартине «Волкодав из рода Серых Псов», — но, к стыду своему, я не знал, что, оказывается, Наталья Варлей — ко всему ещё и такой интересный, глубокий писатель.

Нечасто встретишь столь незамутнённую искренность, открытость, исповедальность — и такой такт и достоинство, — какие проявила Наташа в этой книге. Это — автопортрет пылкой, всегда юной, сильной и при этом трогательно ранимой женщины, сумевшей, несмотря ни на какие трудности и испытания, сохранить себя в жёстком мире. И я точно знаю, что перед вами в высшей степени аутентичный автопортрет, лишённый приукрашательства и кокетства. Могу подтвердить это, ибо был свидетелем, а иногда даже участником некоторых событий, описанных на страницах книги. Да, такая она и есть, Наташа.

Николай Лебедев и Наталья Варлей (в роли Матери Кендарат)
на съемках фильма «Волкодав из рода Серых Псов»

А ещё вы встретите в книге яркие, образные и порой некомплиментарные портреты множества современников, от знаменитых звёзд — Леонида Гайдая, Юрия Никулина, Нонны Мордюковой, Георгия Жжёнова, многих других — до тех, чьи имена неизвестны широкой публике (вернее сказать, были неизвестны — до появления этой книги!), очерки весёлых и печальных историй и ситуаций, через которые проходит жизнь автора; а ещё — тонкие, драматичные размышления о днях минувших и дне сегодняшнем, о стране, в которой мы живём, о ценностях нашего бытия — подлинных и мнимых.

Перед читателем за калейдоскопом лиц и событий встаёт образ времени, образ эпохи — и образ сложной, яркой, многогранной творческой личности, запечатлевшей это время на страницах искреннего, пронзительного и очень человечного произведения, которое вы держите сейчас в своих руках.

Николай Лебедев,
дважды лауреат Государственной премии России, кинорежиссёр,
кинодраматург, лауреат всероссийских
и международных кинофестивалей

Во имя любви
(вместо предисловия)

Часто приходится слышать, что время полетело быстрее. И правда: вот только началось лето, а вот уже и Новый год...

В Пророчествах есть слова о том, что в последние времена «век будет как день... день — как минута...». Да, наверно, «земля вертится» быстрее. Но ощущение времени связано ещё и с возрастом: та скорость, с которой несётся по жизни здоровый ребёнок, и та вынужденно медленная походка, которой бредёт по жизни старик, — не одно и то же. В короткий отрезок времени ребёнок втискивает миллион дел, мыслей, поступков, проступков, общений, счастий, разочарований, огорчений. От завтрака до обеда — целая жизнь... А старик...

Удивительный старец, замечательный мудрый священник — отец Иннокентий (Вениаминов) говорил мне: «Я успеваю за день только помолиться и согрешить». — «Как это, — недоумевала я, — батюшка, а что же тогда говорить нам, по-настоящему грешным?! Ваш-то грех в чём?» Отец Иннокентий терпеливо объяснял: «Проснулся. Помолился. И тут же в мыслях на кого-то рассердился, на кого-то разгневался, кого-то обидел, кого-то не простил, кого-то не понял. Кого-то не защитил...»

Тогда я не до конца осознала сказанное. Во-первых, батюшка Иннокентий был настолько духовен и светел, столько в нём было смирения и всепрощающей доброты, что его слова о собственных грехах никак не соединялись с его обликом, с тем светом, который шёл от него...

А во-вторых, я сама жила в такой суете, с такой скоростью неслась «по жизни, смеясь», так торопилась всё успеть — и работать, и детей растить, и любить, и верить... Кто же тогда я по меркам о. Иннокентия?! Грешница, грешница, грешница!..

Да, я тогда ещё редко заставляла себя «остановиться, оглянуться»... Всё приходит с возрастом. Счастлив тот, кому дарована мудрость с юности... Но вот уже и я ловлю себя на мысли, что если я не на гастролях (а там уж точно день посвящён спектаклю, концерту — подготовиться, сконцентрироваться!), то только и успеваю: проснуться, помолиться... и согрешить. Унываю, что ничего не успеваю. А значит — опять грешу...

Вдруг со всей очевидностью я осознала, что ещё немного, и я ничего уже не успею — не напишу, не сыграю, не объясню, не донесу, не расскажу...

Все эти тетради, листочки, записи, которые, казалось, ждали моего свободного времени, чтобы из обрывков мыслей, наблюдений, рассуждений и воспоминаний превратиться в книги стихов и прозы, в невероятные детективные истории, захватывающие любовные романы, волшебные сказки, истории про умных животных, повествования о моём детстве, о моих родителях, о детях, о счастье, о чувстве вины...

Всё это так и останется на бумаге. А записи эти под силу расшифровать только мне...

Хорошо помню, как после смерти тёти Шуры, крёстной моих сыновей, я сидела в её пустой квартире и вынимала из ящиков стола и сумочек листочки с адресами, открытки, письма, квитанции...

А спустя несколько лет так же сидела, обливаясь слезами, осиротевшая, после ухода мамы в её комнате и перебирала дорогие её сердцу открытки с нашими поздравлениями, детские рисунки, конвертики с надписями вроде: «Наташеньке 1 год и 2 месяца» с белобрысым завитком внутри, выцветшие фотографии, любовные записки из маминой юности, рецепты «хвороста», эклеров и «наполеона», листочки календаря с «полезными советами»... Всё это лежало, копилось годами, переезжало из города в город, из одной квартиры в другую в надежде на то, что «когда-нибудь пригодится»...

Так и после меня останется груда дорогих для меня мелочей — подарков, записок, заметок, дневников, черновиков, которые рука не поднимается выбросить, — но совершенно бессмысленных для остальных: кому интересно, что сломанная брошка или крошечная плюшевая игрушка всколыхнут в моей памяти сентиментальную историю...

Ну вот. Я всегда думала: придёт время. А оно ушло, быстро и безвозвратно. Опоздала. Как почти всегда опаздывала в жизни. Но в юности и в молодости всё равно кажется, что всё впереди. Как не успеть?!. А потом...

Мама в последнее время часто повторяла: «Как же быстро всё пролетело!..» Но, пока она была жива, я не вникала глубоко в эти слова. А теперь — да, и я повторяю: «Как же быстро всё пролетело!..»

Года за полтора до ухода мама вдруг захотела написать воспоминания. Видимо, в памяти пролетала вся её жизнь и то, о чём раньше она не вспоминала...

И то, о чём теперь уже никто не узнает — потому что, когда через день я принесла толстую тетрадку в красивой обложке и несколько ручек (мама попросила, и я с любовью выбирала в *Доме книги*), мама сказала: «Нет! Я больше не хочу ничего писать...» Я опоздала...

Ещё почему-то в последние свои месяцы жизни мама читала наизусть стихи Есенина... Странно, почему именно они стали всплывать в её памяти — раньше она никогда не говорила, что любит этого поэта. А тут — она декламировала «с выражением», со «вторым планом», только ей очевидным. Она пытала сиделку-молдаванку Иру (большую деревенскую тётку): «Ира! Как это вы не знаете наизусть «Письмо к матери» Есенина?! Не понимаю!» «Та, Сергеевна! Я в школе учила, да позабыла», — оправдывалась сиделка. «Стыдно, Ира! Стыдно не знать «Письмо к матери» Есенина!» — строго пеняла ей мама. И принималась читать сама...

Мы потом со смехом пересказывали эту историю. И веселились — казалось весело!.. А сейчас — не смешно. Грустно. Мамы нет. И её воспоминания, её декламация стихов «с выражением» — ушли вместе с ней. И так обидно и глупо, что мне не пришло в голову записать всё это на диктофон. Тоже всё казалось — успею...

Бабушка Тата, мамина мама, помню, тоже читала нам стихи: Фета, Надсона, Бальмонта — «с выражением», с завываниями, как, вероятно, модно было читать во времена её юности. Этакий декаданс... А мы — семейство! — ухохатывались... А я, дура (будущая артистка!), пародировала бабушкины интонации («один в один», «точь-в-точь» — так называются нынче передачи, где обезьянничают!)... И все опять-таки веселились...

Ушла бабушка и её воспоминания об ушедшей юности, детстве, молодости, об ушедшей любви... Об ушедшей эпохе (бабушка родилась в 1899 году!)... А нам тогда казалось, что это было вообще в какие-то неандертальские времена (да и было ли вообще?!). И нас почему-то не посещало любопытство — наша сегодняшняя, сиюминутная жизнь была для нас значительнее, ярче и понятнее...

И ведь уже ничего не восстановить и не вернуть...

Старость сентиментальна и слезлива. А молодость — категорична и жестока...

Отец, мой отец — моряк, герой, — плакал, когда видел по телевизору марширующих пионеров, курсантов, моряков, когда слышал марш «Прощание славянки» или «Футбольный марш»... А мы недоумевали — чего тут плакать-то?! Чего тут грустного?!. А того!!!..

В старости вдруг пронзительно ощущаешь и понимаешь, что всё прошло и никогда уже не вернётся. И некому «подхватить выпавшее из ослабевших рук знамя»... И ты, как рыба, выброшенная из родной стихии на песок, хватаешь воздух ртом — воздух воспоминаний о своей «так быстро пролетевшей» жизни... А те, кто смотрит на тебя в это время, недоумевают или даже стыдятся, стараются не замечать твоих некрасивых слёз, но только не позволяют себя утянуть в эти волны, которые ещё бушуют внутри тебя... У них своя жизнь, свой путь, свой мир... И в этом мире тебе отводится совсем небольшое место... И эти миры не пересекаются. Пока...

У меня нет своего сайта. Я не «пользователь». Поэтому все мои лжебиографии, всё, что гуляет в статьях, энциклопедиях, википедиях, — плод творчества недобросовестных, бессовестных «шустриков» от журналистики и литературы. Всевозможные «звёздные имена», «звёздные пары» и прочая дребедень — не ложь, а приблизительность, перемешанная со сплетнями, вымыслами и домыслами, НЕМНОЖКО разбавленная реальными фактами. Раньше читать это было до слёз стыдно. Хотелось бежать в суд. Или просто — найти «писателя» и дать пощёчину. Потом поняла, что это глупо. Опровергать — нет сил и желания. Бороться с этим — невозможно и бессмысленно. Поэтому лучше написать самой о том, как всё было. Всё, что помню. О тех, кого люблю. О тех, перед кем в долгу. ВО ИМЯ ЛЮБВИ.

Детство. Аз есмь

Моё первое осознание себя в этом мире, видимо, стало основой моего мироощущения: хрупкость счастья, страх потерять любовь; несправедливость, с которой невозможно справиться, хотя она причиняет невыносимую боль...

Огромный пустынный пляж... до горизонта, до бесконечности, за которой начинается другая бесконечность — море... Песок... Я стою на не очень уверенных ногах (или это страх не даёт мне уверенно стоять?!) на песке. Мама резким голосом меня ругает. Сердитый голос мамы, которая, очевидно, впервые его на меня повысила, и пробудил меня к сознанию — «аз есмь»...

С той минуты точно я себя и помню — я «зажила» от потрясения...

Но — помню и то, что было минутой раньше, «до»...

Мама держит меня на руках, прижимая к себе. Мне тепло и уютно. Я счастлива — от красоты и бескрайности мира, ласкового солнышка, маминой нежности, любви — такой надёжной! От переизбытка чувств я дрыгаю ножкой и... мир переворачивается: я нечаянно сбиваю часы с маминой руки... Часики были золотые — единственная, кроме обручального кольца, мамина драгоценность в ту пору, тем более что они были папиным подарком по случаю рождения дочки: папа купил их в Констанце, на моей родине, чуть ли не на все имеющиеся у него деньги...

Конечно, все эти подробности я узнала намного позже, когда рассказала маме всё про этот день, описывая пляж, свои ощущения, резкую перемену состояния. Мама ахнула и не поверила, что я могу это помнить. Она стала меня убеждать, что кто-то мне всё это рассказал. Но я описала несколько деталей, о которых никто не мог знать, нарисовала картинку морского берега — где было море, где небо, где песок и в какую сторону мы потом ушли... Я помню! Помню свои ощущения. Помню этот пейзаж. Помню ярко даже сегодня...

Мама всё ищет и ищет что-то в песке... И не находит... И ругает меня, ругает... А я стою, совершенно несчастная. Мне страшно и горько, и в животе пустота... Я, маленькая (а мне было тогда чуть больше года — год и два месяца!), почувствовала, что есть на свете ещё что-то, кроме всеобъемлющей радости и любви — НЕСПРАВЕДЛИВОСТЬ НЕЛЮБВИ!..

Но мама находит то, что искала, опять берёт меня на руки, прижимает к себе, целует, щебечет какие-то нежные слова... Но — нет радости восстановленной справедливости и любви... Я уже знаю, что ЕСТЬ СЧАСТЬЕ И ЛЮБОВЬ, НО ИХ ЛЕГКО ПОТЕРЯТЬ... Мама уносит меня домой...

Спустя много лет я нашла это место под Владивостоком на 19-м километре. Я вышла на этот пляж и, конечно, его не узнала... Узкая полоска грязно-бурого песка между морем и лесопарком — вот и всё, что осталось от того вольного, светлого простора, в котором я очнулась к жизни. И с тех пор помню всё...

Есть фотография того времени — я у мамы на руках. Мама очень красивая: светлоглазая, светловолосая. Толстая коса уложена вокруг маленькой гордой головы. Вздёрнутый носик. Длиннющие ресницы. Нежная, немножко застенчивая улыбка. Крепдешиновое платье в цветочек, подчёркивающее по моде того времени тоненькую талию... Я — довольно-таки нескладная. Большая, почти лысая (так, немножко светлого пуха!) голова с высоким затылком и плоским темечком (рахит, что ли?!). Пухлые губы. Грустные глаза. На платье сверху надет фартучек с вышитой на кармане вишенкой...

Говорят, женщина на корабле — к беде. Мой папа, капитан, не мог этого не знать. И тем не менее взял в рейс мою беременную маму. Родители полагали, что я появлюсь на свет в Варне. Но я родилась в Констанце. И в свидетельстве о рождении, и в паспорте стоит именно это место моего рождения, хотя в обратный путь по морю я отправилась, когда мне был всего месяц от роду...

Мама на сносях ела не солёные огурцы (как приписывается беременным), а в огромных количествах халву — сначала в Болгарии, а потом в Румынии — до самых родов. Кстати, халву я тоже очень люблю. Но, когда я была (с интервалом в 12 лет) беременна моими сыновьями, почему-то не могла есть ничего, кроме бутербродов с маслом и сыром, запивая это «бочковым» (и никаким другим!) кофе с молоком в дешёвых кафе. «Полезные продукты» портились в холодильнике — одна мысль о них усугубляла и без того тяжеленный токсикоз. А чтобы избавиться от него, я заходила в магазины, где продавалась резиновая обувь — сапоги, галоши, — и стояла, нюхала... И приходила в себя...

Итак... Я родилась в 4 утра 22 июня в Констанце. Туда я приплыла в мамином животе. А через месяц возвращалась по морю к родным берегам уже вполне пузатеньким и курносым ребёночком (есть фотография и того времени — на шерстяном одеяльце, повернув голову в сторону фотографирующего, лежит, задрав ноги, нечто с не очень-то осмысленными глазами). На обратной стороне папиной рукой написано: «Натке 1 месяц». К слову: дома «Наткой» меня никто никогда не называл; много лет спустя меня так звал только один человек — Лёня Филатов...

Потом был Ленинград, родной город мамы (хотя родилась мама в Вятской губернии), потом Москва — родной город отца. А потом по месту назначения папы, на Тихоокеанский флот, мы «всем табором» — папа, мама, бабушка Тата (мамина мама) и я — отправились во Владивосток. С небогатым скарбом мы 11 дней ехали на поезде через всю страну...

Мне тогда было всего 3 месяца! Трудно даже представить, как мама и бабушка управлялись с грудным ребёнком в общем вагоне столько дней — без ванночек, памперсов (их тогда и в природе не было!). Где подмывали, купали какающего и писающего младенца?!. Не представляю!.. Сейчас даже в комфортных условиях не все отваживаются путешествовать с маленькими. А тогда?!.

Хотя леденящие душу семейные мифы звучат в ушах и по сей день. Например, как бабушка Тата отправилась на маленькой станции за кипятком (вот как раз, наверное, чтобы меня помыть!) и чуть не отстала от поезда, потому что дорогу преградил пришедший в это время на первый путь товарный состав. И бабушка, чтобы не отстать от поезда, подлезала под вагон, бросив драгоценную воду. Представляю, чего ей это стоило — бабушка была ужасная паникёрша!.. Или (эту страшную историю трагически дрожащим голосом тоже рассказывала бабушка — подозреваю, что в ней погибла великая актриса!) как мой молодой отец отправился по вагонам «выпивать с друзьями», а в это время «какой-то хам» на меня, младенца, с 3-й полки (почему с третьей? откуда третья?!) опрокинул горячий борщ!!! (Подозреваю, что борщ не попал на меня или всё-таки попал, но в небольшом количестве и совсем не горячий, иначе я была бы сильно травмирована, а об этом «трагическая история» умалчивает!) Дальше — мама и бабушка бились в истерике, а вернувшийся «навеселе» отец «не захотел делать замечание» соседу с 3-й полки. Но тут нужно сказать, что отец не любил «делать замечания» чужим людям и вообще не любил конфликтов на ровном месте. Видимо, да, смолчал. Но бабушка с мамой, сколько себя помню, часто припоминали ему, как он «не вступился»!!!

Жили под Владивостоком мы, как я уже упоминала, на 19-м километре, где как раз и произошло для меня открытие мира. Когда мне было около трёх лет, отец уехал учиться в Ленинград, в военно-морскую академию, а мы вернулись в Москву.

Я очень хорошо помню, как мы входим в огромную, почти пустую комнату с двумя окнами и свежепобелённой печкой, которая как бы срезает один из углов комнаты. В комнате стоит старый-престарый буфет со скрипучими, плохо закрывающимися дверцами. На нижней полке этого буфета бабушка потом хранила много вкусностей: изюм, сушёные грибы, снетки (кто не знает — маленькие сушёные рыбки, из которых потом получался замечательный суп!). Я всё это очень любила потихоньку грызть, не дожидаясь превращения волшебных продуктов в компот или суп...

Ещё в комнате стоял потёртый кожаный диван с высокой спинкой, которая заканчивалась замысловатой полочкой. А посредине — круглый стол и тяжёлые тёмные стулья, тоже обитые кожей, сильно потёртой. Кожаными были сиденья и спинки. Я помню даже золотистые обивочные гвозди и три планочки, соединяющие спинку и сиденья...

Позже, когда мы немножко обжились, в комнате появились две железные кровати: одна маленькая, на которой спала я, а вторая — побольше и повыше, на ней спала мама. Бабушка спала на диване. А когда приезжал отец, он спал на полу на матрасе, чуть ли не под столом. Я просыпалась первая, ныряла под стол и будила отца, щекоча его за пятки — он очень боялся щекотки...

Убого? А ничего — жили — не тужили. И даже радовались! И вообще, я думаю, чем меньше ты обременён материально, тем больше радуешься самой жизни, самым простым её проявлениям, самым мелочам. Сегодняшним «упакованным» людям трудно это понять — им вечно чего-то не хватает для счастья, а счастье — в нас самих. И чем меньше ты избалован, чем менее пресыщен благами, тем ценнее каждый подарок жизни, каждый праздник, каждый сюрприз...

Семья отца жила в стареньком двухэтажном доме на Бутырской улице. Нет, они не владели двухэтажным домом — в доме было несколько квартир, и одна из них, трёхкомнатная, принадлежала папиным родителям. Дом этот стоял напротив часовни времён Наполеона — тогда это были жалкие развалины. Сейчас часовня восстановлена, и там даже идут церковные службы. А вот дом моего детства давно уже снесён. На его месте стоит стандартная блочная девятиэтажка.

На первом этаже двухэтажного дома был продовольственный магазин. С улицы всегда пахло бочковой селёдкой. Я селёдку любила, поэтому запах не казался мне противным. «Удобства» в доме были на втором этаже, там же, где квартиры, но как бы в отдельном отсеке. В каждой квартире имелись ключи от «своего» сортира с деревянным «толчком» (или «очком», как именовали его обитатели дома). Зимой нечистоты летели со второго этажа и внизу замерзали, превращаясь в лёд. Однажды в туалет случайно забрёл и провалился наш котёнок, но не погиб, не утонул, а спасся «на льдине», и мы его вытащили, опустив на верёвочке вниз коробку с кусочком колбасы...

Воду носили круглый год из колонки, которая находилась довольно далеко, за трамвайными путями, но до них нужно было ещё миновать длинный двор. Умывались мы из железного рукомойника — вода была всегда очень холодная. А мыться взрослые ходили в баню. Меня туда брали редко — и хорошо, потому что мне там не нравилось: мокро, скользко и чужие голые тётки кругом. Обычно меня купали дома в корыте. На газовой плите грели воду... Отопление в доме, как я уже говорила, было печное. Прямо в комнате бабушка закладывала «дровишки» или уголь. Печка долго нагревалась. Правда, к утру всё равно было так холодно, что невозможно было вылезти из постели...

Дедушек своих я не знала. И папин, и мамин отцы ушли из жизни ещё задолго до моего рождения...

В квартире на Бутырской жили две семьи: в двадцатидвухметровой комнате — папа, мама, бабушка Тата и я (потом родилась сестрёнка), а в двух смежных, справа от кухни, — папина сестра Галина с мужем Алексеем и дочкой Ларисой (позже у них родилась Олечка) и папина мать — Матильда Максимовна (до сих пор не знаю, почему её так звали, — по паспорту она была Матрёна Максимовна).

Лариска

Лариска, моя двоюродная сестра, была почти на год младше меня. Она была обладательницей огромных печальных глаз — серых, окаймлённых длинными чёрными ресницами, — и замечательных слуха и голоса (кстати, папина сестра, тётя Галя, тоже очень хорошо пела). Ещё у Лариски был широкий курносый нос и вечные сопли. Моя чувствительная бабушка постоянно боялась «заразы», которую Лариска «могла принести из детского сада» — туда Лариска ходила, в отличие от меня, домашней.

Мы с Лариской очень дружили и очень любили друг друга. По возможности мы всё время проводили вместе. В туалет — на холод — нас, естественно, не пускали, боясь, что мы можем повторить судьбу котёнка. У нас были горшки, на которые нас синхронно усаживали в разных концах коридора. Если усаживали только меня, Лариска тут же волокла свой горшок и садилась на своё место. У нас был такой своеобразный клуб. Мы подолгу сидели на горшках, вели беседы о жизни, смотрели книжки, а когда научились читать — читали. Я научилась раньше и читала Лариске свои любимые произведения: «Что я видел?» Житкова, сказки и стихи Маршака, сказки Андерсена...

Читать я стала в четыре года. Причём особо меня никто не учил — просто и родители, и бабушка мне всегда много читали. И меня это увлекло. Я читала запоем, всё подряд: книги, журналы, вывески, надписи на заборах и скамейках... Родители мной гордились, и, когда приходили гости, меня ставили на стульчик, давали в руки газету, и я читала передовую статью — не по слогам, а бегло. Все изумлялись и ахали...

Вообще, основную часть литературы я буквально проглотила с четырёх до четырнадцати лет. Потом уже подчитывала, перечитывала. Почти сразу же я научилась и писать. И тут же начала писать стихи...

Лариска была очень трогательным ребёнком. И очень одиноким. Не помню, чтобы родители ею как-то отдельно занимались. Тётя Галя весь день была на работе, а всё оставшееся «свободное время» занималась хозяйством — печка, вода с колонки, магазины, приготовление еды... Дядя Лёша от быта был освобождён — он работал и учился. К тому же он был инвалидом: вместо ампутированной ноги он носил деревянный протез, который, как и костыли, на которых он ходил, страшно грохотал. Я ужасно боялась этого грохота, а заодно и дядю Лёшу...

Бабушка Матильда Максимовна редко бывала дома. Она уезжала в гости к сестре Марине Максимовне. (Я вообще её плохо помню, она вскоре умерла.)

Дядя Лёша был белёсый, как будто выцветший, — волосы, брови, ресницы и даже глаза, которые, по идее, были голубые. А тётя Галя была настоящей красавицей: черноволосая, сероглазая, высокая и стройная (правда, по моде тех лет высокий рост и большая нога считались скорее недостатками — в моде были миниатюрные женщины; моя мама была как раз такой, поэтому пользовалась бешеным успехом у мужчин!). Красота тёте Гале счастья не принесла. Пока дядя Лёша учился, она работала за двоих — да что там за двоих, за четверых: Лариска — маленькая, мать — пожилая. Потом родилась Оленька — вся в отца: льняные волосы, голубые глаза. Говорят, если дочь похожа на отца, она счастлива, а на мать — нет... Лариска была похожа на мать...

Галина, которой пришлось работать уже за пятерых, конечно, надорвалась. Она заболела туберкулёзом. Условия, в которых мы жили, тоже к этому располагали. Тётя Галя долго лечилась, выздоровела, вернулась домой...

И узнала, что у мужа Алексея есть другая женщина (вот такая банальная мужская «благодарность»). От переживаний болезнь нагрянула с новой силой, а у тёти Гали сил бороться за своё здоровье и счастье уже не осталось. Болезнь победила. Галина умерла. И Лариска практически растила сестрёнку, которая была моложе её всего на 7 лет...

Но я забежала вперёд. Вернёмся к тому времени, когда все ещё были живы и относительно здоровы.

Жили мы трудно. Но воспоминания — светлые. Это было время, когда люди приходили в себя от недавней войны, поэтому радовались просто жизни, строили планы, всегда стремились помогать друг другу. Люди тогда умели общаться, умели веселиться...

Когда отец приезжал в отпуск в Москву, у нас обязательно собирались гости. Приходили друзья: Свешниковы — славная интеллигентная пара, Волчанецкие — красавец-пьяница художник, похожий на жгучего усатого испанца, и его тихая томная жена Лариса, с головкой, причёсанной под Натали Гончарову, мамина подруга Вера Гордеева...

С Верочкой — я так её зову, хотя ей 93 года, — мы подолгу разговариваем по телефону и сейчас, а когда мама была жива, Верочка гостила у нас на даче, навещала маму в Москве. У неё ясный ум и прекрасная память. Я очень дорожу общением с ней, тем более что это почти последняя ниточка, связывающая меня с маминой жизнью...

К приходу гостей накрывался стол. На белой крахмальной скатерти стояли разносолы — не только селёдочка, картошка, солёные огурчики и помидорчики, но и шпроты, крабы, икра (они, кстати, стояли в магазинах пирамидами, вопреки утверждениям о пустых полках), очень вкусные колбаса и сыр, конечно же, салат оливье, рыба под маринадом. Всё очень качественное — пальчики оближешь! К чаю обязательно пекли домашнее печенье, пирожки, торт...

Играет патефон. Все танцуют под пение Клавдии Шульженко, Петра Лещенко... Веселятся. Женщины пьют шампанское. Мужчины — водочку...

Я умудрялась каким-то образом заснуть в той же комнате, где шёл пир горой. Один раз во сне свалилась с кровати. Проснулась от хохота взрослых и от стыда...

Бабушка ходила со мной гулять на стадион «Пищевик» — через трамвайную линию. Там были деревья, росла трава, стояли лавочки. Мы с бабушкой садились и читали — каждая своё...

А на поле стадиона тренировались спортсмены-легкоатлеты... Зимой на том же поле заливали каток, и я помню, как на коньках шла туда через двор поздно вечером (чтобы никто не увидел!) — пыталась научиться кататься...

Ещё бабушка водила меня в крошечную кондитерскую на Бутырской улице, ближе к Савёловскому вокзалу. В этой кондитерской от «бывших» остались кожаные диванчики, удобные столики и красивая витрина, в которой чего только не было: потрясающе вкусные торты, с нежнейшим кремом пирожные «Наполеон», ещё горячие — чудо как вкусно! — эклеры с заварным кремом, песочные корзиночки, наполненные фруктами, и — венец творения! — крошечные «птифуры»...

Мы съедали по пирожному. Немножко брали с собой. «Немножко» по двум причинам: с деньгами было негусто, к тому же не помню, чтобы у нас тогда был холодильник. Поэтому продукты не закупались впрок.

В булочной на Хуторской (это если мы шли в гости к Свешниковым) мы обязательно покупали (и тут же по одному съедали) пирожки с повидлом по пять копеек, вкус которых я помню до сих пор! Никакого «машинного» масла, и горячее свежее яблочное повидло! Хотя, вообще-то, я не была сладкоежкой — наоборот, я очень любила всё солёное: селёдку, шпроты, снетки. Но больше всего я любила (и эту любовь пронесла через всю жизнь!) твёрдокопчёную колбасу. Я прятала несколько кусочков под подушку и, когда мама и бабушка засыпали, доставала своё сокровище и могла его смаковать...

Засыпала я плохо. С детства отношусь к «совам» — легче вообще не спать, чем просыпаться рано. К тому же мешал свет фонаря под окном, от которого по потолку бежали замысловатые световые дорожки, когда по улице проезжали редкие машины и троллейбусы...

Я лежала и мечтала. Мне было о чём мечтать — о замужестве, о будущей моей семье (это в 4-то года!)... Мы с Лариской, сидя на горшках, часто обращались к этой теме. «Мой муж пришёл домой пьяный, — важно и с придыханием говорила сестра, — я его очень ругала, тогда он меня побил, а потом стал целовать!» (Очевидно, это была картинка из жизни её матери и отца — дядя Лёша любил выпить.) Меня эта история очень волновала, особенно та её часть, где «начал целовать»... И ночами, вместо сна, я фантазировала историю своей будущей семьи, убрав фрагмент с «битьём»... Объектом моих фантазий и любви стал мальчик с нашего двора, Саша Кукушкин, четырёхлетний голубоглазый блондин. Почему он? Да потому что других рядом не было.

Да и Сашу-то я видела всего два раза, когда мы играли во дворе в «клады». Суть игры в том, что в земле рылась ямка, там из разноцветных стёкол, осколков битой посуды, конфетных фантиков, тряпичных лоскутков, ниток, пробок, бусинок и прочих «драгоценностей» выкладывался замысловатый узор, он накрывался бумагой или тканью и аккуратненько закапывался, а сверху закидывался землёй, травой — чтобы трудно было найти...

Ну и всё. Кто нашёл «клад» — молодец и счастливец! (Вряд ли поймут нашу радость и смысл игры сегодняшние дети, задаренные всякими «пазлами», конструкторами и «лего»)...

И ещё мы бегали, играя в «салочки»: «Салочка, дай колбаски! Я не ела с самой Пасхи...»

Вот и всё моё общение с мальчиком Сашей Кукушкиным. Но это не мешало мне мечтать ночами: он приходит с работы — я его жду. Накрыт стол. И мы садимся обедать — я, муж и много детей...

Куда потом делся Кукушкин из моих мечтаний и из моей жизни — не помню... А вот картинку счастливой семейной жизни я себе нарисовала именно тогда и именно такой: большой стол, за которым собралась большая и дружная семья... И всю жизнь я стремилась воплотить эту детскую мечту... Не очень получилось...

Однажды я лежала, как всегда в своих мечтах, глядя на коврик над моей кроватью. И постепенно узоры и полоски на нём оформились в огромного тигра, который готовится к прыжку. И вот, когда он с рёвом бросился на меня, я, с не меньшим рёвом, проснулась и с криком «Тигр! Тигр!!!» — бросилась к маме, которая крепко спала на своей кровати. Та спросонья ничего не поняла и переадресовала меня бабушке. Бабушка долго объясняла мне, что это сон, но видение моё было настолько реальным, что я доказывала бабушке обратное. Наконец, осознав бессмысленность ночных препирательств, бабушка укладывает меня рядом с собой, обнимает меня своей тяжёлой мягкой рукой и засыпает...

Бабушка — полная и горячая. Я слышу, как урчит и булькает у неё в животе. От бабушки пахнет, как часто пахнет от старых людей — кисловатым тестом. (Хотя сейчас я понимаю, что бабушка по сегодняшним меркам совсем не была старой — ей было чуть больше 50)... Мне жарко и неудобно. Но я успокаиваюсь. Выныриваю из-под бабушкиной руки и уже бесстрашно иду в свою постель, успевшую остыть, а потому — приятно прохладную...

Лариска была хоть и младше меня, но «опытнее». От неё я многое узнавала «о жизни». В каком-то смысле она была моим учителем... Однажды, когда мы сидели с ней на лавочке на стадионе «Пищевик», я, по своей привычке читать всё подряд, громко прочитала нацарапанное на скамейке: «Рита — п.....!», причём с ударением на первом слоге. Лариска громко захохотала. Я обиделась: «А что ты смеёшься?! Может, это фамилия такая?!.» Лариска просто упала со скамейки от хохота. Отсмеявшись, она преподала мне очередной «урок жизни», объяснив значение некоторых «фамилий»... Я была домашним растением, а Лариска ходила в детский сад...

Возвращаясь из детского сада, она летела прямиком к нам, но осторожная бабушка допрашивала её с пристрастием, нет ли в саду карантина?.. А так как Лариска и дома-то вела вполне самостоятельный образ жизни и к тому же была страшно любопытной, с ней иногда случались казусы...

Однажды она добывала себе на кухне что-нибудь поесть, и вдруг раздался душераздирающий крик, переходящий в страшный вой... Бабушка бросилась на кухню, при этом преграждая дорогу мне... Но я всё равно рванула на помощь... Открыв рот, держась за горло, Лариска дико орала: «А-аа! Больно!..» — «Ну-ка покажи горло!» — приказала бабушка. Горло оказалось огненно-красным, просто багровым... «Скарлатина!» — поставила диагноз испуганная бабушка, запихивая меня поглубже в комнату... Лариска выла под дверью...

Вызвали врача. И выяснилось, что ребёнок попробовал на вкус стручок жгучего перца. Но бабушкин «карантин» на всякий случай длился ещё несколько дней. Меня не выпускали даже на горшок в коридор. Лариска страдала и не знала, что придумать, чтобы к нам пробраться...

И однажды в дверь раздался прямо-таки грозный стук: «Татьяна Егеевна (так она трансформировала бабушкино отчество «Евгеньевна»)! Откройте, пожалуйста! Мне надо сказать вам что-то очень важное!» — строго и взволнованно кричала Лариска. Бабушка, не менее любопытная, потеряла бдительность и открыла... «Татьяна Егеевна! Сталин умер!..» — торжественно произнёс ребёнок... Немая сцена...

К тому времени со дня смерти Сталина прошло больше полугода...

Эта фраза стала у нас нарицательной — когда нужно было рассказать о сильно запоздавшем известии, говорили: «Татьяна Евгеньевна! Сталин умер...»

Когда мы уезжали к папе в Мурманск, или к родственникам в Ленинград, или на отдых в Сочи — да неважно куда! — Лариска обязательно готовилась к побегу из дома — ехать вместе с нами. Я ей помогала, тоже наивно полагая: а вдруг на этот раз получится!.. Мы подробно обдумывали совершенно утопический план действий: она незаметно (?!) сядет с нами в такси, в поезде (тоже незаметно!) залезет на багажную полку. Ну, а когда поезд тронется, будет уже поздно что-либо предпринимать, и она уедет с нами. На этом месте план обрывался... Лариска паковала маленький игрушечный чемоданчик — необходимые вещички, провизию. Но, когда приходило такси, наши родители раскрывали «план побега». И мы уезжали, оставив «за кормой» отчаянно ревущего от безутешного горя ребёнка...

Да, объясню, почему в географии передвижений нашей семьи возник Мурманск. После окончания академии папа работал в «Севморпути», в Министерстве морского флота, а потом его направили в Мурманск заместителем начальника Мурманского пароходства. И мы сначала ездили к нему погостить, а потом остались на севере на семь лет...

Когда мы вернулись в Москву, дядя Лёша с семьёй уже получил квартиру в новом районе, а в их двух комнатах

28

поселились чужие люди. Но и мы недолго жили на Бутырской — отцу дали две комнаты на Суворовском бульваре (нынче опять Никитском) в Доме полярников. А вскоре дом на Бутырской улице снесли...

Мы с Лариской теперь жили далеко друг от друга, в разных районах. Виделись редко, чаще писали друг другу письма. Скучали друг о друге. Но началась взрослая жизнь. Я поступила в цирковое училище. Позже начала работать в цирке и сниматься в кино...

Лариска некоторое время встречалась с моим сокурсником по цирковому училищу Борей Селивановым. Почему они расстались, никогда не спрашивала, а они мне не рассказывали... Потом Лариса вышла замуж...

В последний раз я виделась с ней, когда она уже родила девочку. Я приехала к ней в гости на Нагорную улицу, где она тогда жила с мужем и маленькой дочкой. Мы долго сидели и разговаривали. Лариска говорила мне, как она счастлива в замужестве. Но чем дольше она об этом рассказывала, тем больше убеждалась я в том, что она выдаёт желаемое за действительность. Ей очень бы этого хотелось, но это было совсем не так. Не только Ларискины и так всегда печальные глаза выдавали её. Я почувствовала — в первый раз в нашей жизни, — что она со мной не откровенна, мучительно закрыта... К сожалению, интуиция меня не подвела...

Я уже была принята в труппу театра и уже знала, что у меня будет ребёнок, когда пришло страшное известие о смерти Ларисы...

Побелевший от горя дядя Лёша на похоронах и на поминках твердил одну фразу: «Это мне наказание за Галину...»

Не знаю, насколько это достоверно, но история, которую мне дядя Лёша рассказал, такова: Лариска, её муж и ещё одна пара пошли ночью купаться на озеро, и Лариса утонула. Её вытащили, но не успели откачать... Дядя Лёша утверждал, что муж Ларисы разлюбил её, встретил другую и, желая от нелюбимой избавиться, сам её и утопил...

Хотели завести уголовное дело, но отец молодого вдовца был какой-то «шишкой» в милиции. И дело замяли...

Через два месяца «безутешный» вдовец женился на своей пассии и уехал вместе с ней и с дочкой в неизвестном направлении... Дочка Ларисы, скорее всего, так и не узнала, кто её настоящая мать...

Удивительно и трагично переплелись судьбы Ларисы и её мамы Галины, на которую она была так похожа...

Дядя Лёша пережил свою старшую дочь ненадолго...

А Оленька приходила ко мне на спектакль, когда мы играли в Зеленограде. Она там живёт и преподаёт хореографию...

Как жёлты были одуванчики...

Хоть и трудно после тяжёлых воспоминаний возвращаться к продолжению рассказа о детстве, но я возвращаюсь, потому что именно там разгадка всей последующей жизни. Там корни всего: жизненного уклада, взглядов на мир, отношения к дружбе, любви, природе, к животным — всё из детства...

Ещё одно яркое воспоминание. Ещё одно потрясение, о котором расскажу...

Мы снимали на лето дачу в деревне Аносино по Рижской дороге. Ну, на самом-то деле просто комнату в деревенской избе (иногда с терраской, иногда только терраску). «Удобства» — во дворе, в конце сада. Снимать нужно было чуть ли не зимой — тогда мало у кого были свои дачи, поэтому во всех деревенских домах всегда были дачники. Но, чтобы хата была ближе к лесу или к реке, об этом нужно было позаботиться заранее. «Хозяевам» оставляли задаток...

Оно того стоило — места там были райские: волшебные леса, сказочные пейзажи, чистая как хрусталь река, родники, поля, косогоры, покрытые нежным разнотравьем и полевыми цветами. Когда я стала постарше, я любила скатываться с высокого пригорка «бочонком» вниз к реке.

И, заметьте, никакого мусора, битых стёкол, консервных банок! Так что я «докатывалась» целая, невредимая и счастливая!..

Никаких «короедов» и клещей — об этом даже и не слышали. Мы ходили в лес и на речку босиком. После обеда часто шли в лес с одеялом, которое расстилали прямо на траве. И ложились с книжкой...

Девственная природа, несмотря на присутствие дачников. Ну, разве что можно было иногда вляпаться в коровью «лепёшку». Но и их собирали для огорода бережливые хозяева. Поэтому отравиться нитратами, съев морковку, тоже было невозможно...

Позже речку Истру изуродовали плотиной, и вода перестала быть хрустальной, и не стало видно плещущихся в ней серебристых рыбок (да и рыбки тоже исчезли)...

А я помню хлипкий деревянный мостик через речку. По нему страшно было идти, но видна была каждая песчинка, каждая травинка...

Деревня Аносино стоит на горе. «Центральная» улица и три перпендикулярно от неё идущие в сторону реки слободы... Поля, засеянные рожью или пшеницей, с яркими васильками у обочин (какие сказочные букеты мы собирали!), луга, засеянные кормами для скота — клевером и горохом (ох, до чего вкусным!).

До сих пор стоит перед глазами эта красота...

Когда я была уже взрослой, в одном из своих стихотворений написала:

...лесов заворожённость русская...
Тропинка колкая и узкая...
И бабушки походка грузная...
И скрип бидона молока...
Как жёлты были одуванчики!..

Вот эти «жёлтые одуванчики» и есть то самое потрясение, о котором я хотела рассказать, да никак не доберусь, захлебнувшись в других воспоминаниях...

Мы едем на дачу со всем скарбом в тряском грузовике. Бабушка в кузове с вещами: кровати, тумбы, стулья, столы, раскладушки; подушки, одеяла, покрывала, занавески, игрушки, безделушки, посуда. Всё упаковано в простыни и завязано тюками. В отдельной коробке керосинка и керосин (а как вы думаете, на чём еда будет готовиться?!). Ещё в одной коробке — продукты: крупы, макароны, сухофрукты и т. п.

Мы с мамой едем в кабине грузовика вместе с шофёром. Ехать около 50 километров, но для меня дорога мучительно нескончаема: меня и без того укачивает, а тут ещё рытвины и ухабы — это там, где асфальт, а так дорога местами грунтовая, а по деревням — песок или глина...

Там, где сегодня плохой, но асфальт, корявые и бестолковые, но развязки, — в пору моего детства асфальт кончался где-то в Нахабино. А дальше шли грунтовые дороги, а потом и вовсе (особенно в дождливую погоду) бездорожье...

Однажды в конце лета мы уезжали с дачи... Шёл сильный дождь... Мы с мамой поехали на электричке, что тоже было не совсем просто — до электрички идти нужно было около пяти километров: под горку, через речку (по хлипкому мостику), потом полем, потом в горку, ну а там уже по относительно ровной дороге вдоль леса...

Бабушка (мы решили, что ей будет всё-таки легче на машине) должна была приехать на грузовике (на сей раз в кабине!) с вещами... но... ведь шёл сильный дождь...

Мы с мамой, с грехом пополам, добрались до Москвы и от станции «Дмитровская» на троллейбусе приехали домой. А бабушки дома ещё нет...

Стемнело... Мама стоит у окна, волнуется (рядом с мамой легко было понять этимологию слова — от неё волнами шли страх, тревога, потом ужас, отчаяние и безысходность!!!). Её состояние передаётся мне...

И вот мы уже обе стоим и волнуемся... Ночь... Бабушки всё нет... Мама начинает метаться: куда бежать?! куда звонить?!.

А действительно, куда? Понятно, что тогда не было мобильной связи, но у нас не было ВООБЩЕ НИКАКОЙ телефонной связи! Чтобы позвонить, нужно было бежать в ближайший телефон-автомат, да и то при условии, что он не сломан, и при ещё одном условии, что в доме найдётся несколько двухкопеечных монет — автоматы любили «двушки» безнаказанно заглатывать!..

Наконец, под утро, когда мы с мамой уже сошли с ума от волнения и беспомощности, бабушка приезжает...

Оказывается, сразу при выезде из Аносина машина увязла в глине... Ни проезжающих машин, ни прохожих (да, так было в ныне густонаселённых местах, где машины идут нескончаемым потоком!)... И — никакой связи... Шёл сильный дождь, а бабушка по природе своей была и совершенно не приспособленной к жизни, и паникёршей, как я уже говорила... Можно понять глубину её отчаяния... Но — русская женщина в экстремальной ситуации часто проявляет себя героиней! И бабушка Тата вышла на какой-то там перекрёсток дорог (по глине, в дождь!) и нашла «какого-то колхозника», который потом пригнал трактор, и цепями грузовик с бабушкой и вещами вытащили из глины, выволокли на приемлемую дорогу, и дальше, слава Богу, они добрались до Москвы...

Но сейчас я возвращаюсь к той, самой первой поездке на дачу... Меня укачало так, что периодически машину тормозят и меня выводят поблевать. Я не разделяю восхищений моей романтичной мамы. Я не умиляюсь красотой родных просторов, потому что страдаю!..

Наконец, машина останавливается. Меня вынимают из кабины и ставят на землю — на лужайку перед домом. Она вся в жёлтых одуванчиках!!! Их много-много!..

Сердце моё выпрыгивает от счастья — я никогда не видела такой красоты!..

На крыльце дома сидит деревенская девчонка, моя ровесница... Она нарочито не обращает на меня внимания, а строго смотрит на курицу, которая топчется у крыльца. Девчонка с хрустом откусывает от огурца, который держит в руках, и, выплёвывая на землю кусочки, приговаривает: «Кура! На...» И мне тоже ужасно хочется вот так же смело и независимо сидеть, грызть огурец и делиться им с курицей...

А в середине лета бабушка упала с этого крыльца, чуть ли не до кости ободрав ногу, а её нежная кожа на попе (у бабушки до последних дней была необыкновенная — атласная! — кожа, которой она очень гордилась) оказалась вся в занозах. Ну, и что вы думаете — я взяла йод и иголку и все занозы вытащила...

А больше было некому: мама и бабушка всю жизнь боялись вида крови, царапин, ран — до обмороков. А я не боялась (и сейчас не боюсь, мало того — в подобных ситуациях я, наоборот, мобилизовываюсь)...

Именно тогда бабушка и мама решили, что я обязательно должна стать врачом... Но я хотела быть пианисткой...

Много лет подряд мы снимали дачу в Аносине, но однажды произошёл сбой — не знаю почему: видимо, не успели снять, — и на всё лето мы уехали в Фирсановку (это уже по Ленинградской дороге). Сейчас там практически город, а тогда — лес, природа, хотя местность довольно болотистая...

Хозяйку дачи звали Ольгой Александровной. В нашем распоряжении — второй этаж дома и часть огромного лесного участка с хвойными деревьями, где росли грибы и ягоды. И хотя собирать их мы могли только в «строго отведённых местах», всё равно это вызывало бурное восхищение...

Я — тихая, застенчивая и пугливая девочка, совершенно не приспособленная к жизни. Умею читать и всё время читаю. Отец зовёт меня «професся» (видимо, оттого, что в малолетстве я так выговаривала слово «профессор»). Бегать по саду можно только под присмотром (вдруг упаду!).

С детьми за калиткой играть не разрешают (могут обидеть!). Я чувствую себя неловкой, неуклюжей, одинокой...

В зеркале я вижу худую, некрасивую, глазастую девочку с тёмно-карими глазами, похожими на вишни, и блестящими каштановыми волосами, с чёлкой и стрижкой, которая сегодня называется «каре» и которую потом мне подобрали гримёры для «Кавказской пленницы»... Я — несчастная, бледненькая!..

Хочется на волю. И я делаю попытку: покидаю сад, выхожу за калитку, поворачиваю за угол и... останавливаюсь, потому что не знаю, куда идти и что делать дальше...

Здесь высохшее торфяное болото. Земля чёрная, трухлявая и мягкая... Кочки... Пахнет прелой тиной...

Неведомо откуда появляется стайка мальчишек... Они старше меня. Они — чужие... Страх сковывает меня по рукам и ногам, и мальчишки, как и все злые зверьки, моментально это чувствуют и понимают, что меня не только можно, но и нужно обидеть, потому что я — слабее... «Ешь землю!» — командует старший из мальчишек... «Зачем?.. Не хочу...» — отвечаю я шёпотом. «Ешь-ешь...» — говорят мне уже азартно и напористо. Я порываюсь убежать, но меня быстро окружают: «Ешь!»...

Отщипнув мягкий чёрный комочек, обливаясь слезами, я ем (на удивление, земля на вкус не противная!)... Мальчишки гогочут, довольные. Развлечение окончено... Униженная и заплаканная, я бегу домой и тут уж вырёвываюсь вволю...

Больше за калитку меня не отпускают. А я и не рвусь!..

Конец августа. Зарядили дожди... Глинистые дорожки в саду мокрые и скользкие, как лёд... Мама отправляет меня «как большую» в конец сада — к деревянному сортиру: я должна вынести собственный горшок... Я послушно иду, бережно несу тяжёлый фаянсовый горшок, закрытый крышкой. Горжусь самостоятельностью...

Ох, не объяснили мне с младенчества, что гордыня — грех!.. Почти дойдя до цели, я поскальзываюсь и падаю плашмя на спину, опрокинув содержимое горшка себе на голову... Я лежу на спине, даже не пытаясь встать, и ору во всё горло...

По саду уже бегут мне на помощь испуганные бабушка и мама, поднимают, отряхивают, ведут мыться, успокаивают, но при этом обе безудержно хохочут... Я не успокаиваюсь, а реву ещё горше и громче — мне не больно, но так стыдно и обидно!.. Да ещё этот смех!..

Всё в той же Фирсановке мне почему-то однажды пришло в голову погрызть заколку для волос. Хотя, скорее всего, я хотела почистить что-то застрявшее между зубами. В результате застряла и заколка. Как ни дёргай — ни туда, ни сюда! Рот при этом не закрывается. И больно. И безысходно как-то... Отец потащил меня на руках на станцию, чтобы везти к врачу. Я упиралась. Меня уговаривали и пугали какими-то чудовищными последствиями и, видимо, настолько запугали, что я в отчаянии, непрерывно дёргая заколку, в результате так расшатала зуб (к счастью, молочный), что сумела вытащить заколку вместе с зубом... Мы вернулись на дачу. Ура!

Вообще, я была ребёнком слабеньким и — повторюсь — неприспособленным к жизни. Болячки и неприятности липли ко мне, чувствуя благодатную почву. И ещё, наверное, потому, что мама с бабушкой излишне за меня тряслись, я болела постоянно: то уши, то печень, то бронхит. Как там в поговорке: «не понос, так золотуха»...

В 6 лет я заболела конъюнктивитом, причём произошло это как-то нелепо...

Перед самым Новым годом мы шли с Бутырского рынка — бабушка, Лариска и я — и несли домой ёлку... А в руках у Лариски была ещё еловая ветка... Настроение было радостное, предпраздничное. Лариска вертелась, крутилась, пританцовывала и... нечаянно попала веткой мне в глаз. Вот и всё — даже особенно больно не было...

Но, вероятно, в маленькую ранку попала инфекция. В результате я мучилась глазами несколько лет: я уже пошла в школу, мы жили уже в Мурманске, а глаза всё болели...

Это было ужасно: возвращаюсь из школы, поднимаюсь по лестнице, плача, — так болят глаза. С утра мне закапывали какие-то лекарства, но к моменту возвращения из школы их действие заканчивалось, и меня просто скручивало от боли... Я не могла смотреть на свет. Хорошо хоть день в Мурманске зимой совсем короткий...

Но всё равно — окна завешивались плотными шторами, чтобы даже свет уличных фонарей не попадал в комнату... Я падала на кровать лицом в подушку и плакала в темноте...

Потом бабушка или мама опять мне что-то закапывали... Я приходила в себя и могла делать уроки...

Сестрёнка Ира

Мне 6 лет. Мы ещё живём на Бутырской улице. Я возвращаюсь с Лариской с прогулки. Мамы почему-то нет дома, хотя в последнее время она никуда и не ходила... Взволнованная бабушка говорит, что её увезли в больницу...

Куда? Зачем? Говорит — ничего страшного!.. Через несколько дней мама возвращается домой с завёрнутым в одеяло, на мой взгляд, уродливым, сине-красным и безостановочно орущим созданием...

Для меня это — обвал мира: мои неразумные родственники и не подумали подготовить меня к этому событию...

А я по своей глупой наивности не понимала, почему у мамы такой живот — ну мало ли, поправилась... вот у нашей пожилой родственницы, тёти Зины, почти такой же...

И вдруг... Мне говорят: «Это твоя сестрёнка! Ты теперь большая... Радуйся!..»

Я в полуобморочном состоянии... Обо мне забыли! Меня разлюбили... Теперь все скачут вокруг кроватки, где лежит и орёт яростно требующее к себе внимания существо...

Мама, противно сюсюкая, поёт неестественным голосом:

Сколько какашек навалило —
По колено вязнешь...
Ты скажи — скажи, Ирина,
Любишь али дразнишь?..

«Ирина» — это потому что папа прислал из Мурманска телеграмму: «Поздравляю Иринкой тчк». Бабушка сердится, потому что она заготовила для ребёнка другое имя!..

А я смотрю на счастливую, восторженно поющую маму, и мне страшно: вот она, любовь, которая уходит. Которая ещё вчера была!.. Как же мне горько!..

Молодые (и не очень молодые) мамы и папы! Когда у вас появляется на свет младшенький(-ая) — не забывайте ни на минуту о старших детях! Любите их ещё сильнее! Ласкайте и обнимайте их чаще! Говорите, как вы их любите!.. Никогда не подчёркивайте: ты теперь большой(-ая)!.. Тогда они не будут страдать и мучительно ревновать. Тогда будут любить друг друга и помогать друг другу и вам... Запомните!.. Внимание к старшему ребёнку после рождения младшего должно быть удвоенным, утроенным, удесятерённым!..

Я стою посреди комнаты как в вакууме — вся любовь и нежность мамы и бабушки сосредоточена на этом орущем создании... Меня тошнит от запаха пелёнок и от нестерпимого чувства одиночества, ненужности, несправедливости... Меня душит чувство ревности — меня разлюбили и предали!..

К сожалению, глупая детская ревность, которую вовремя не вылечили, пустила корни и дала злые всходы — перекинула мостик из детства и во взрослую жизнь...

Когда мы были маленькими, мы с Иркой часто ссорились, иногда даже дрались. В принципе, это нормально — дети и ссорятся, и дерутся. Но родители обязательно ругали меня. А Ирка, поняв это, при малейшем раздоре бежала жаловаться. Мои оправдания и попытки восстановить справедливость во внимание не принимались — аргумент был всегда один:

«Ты же большая!» И боль моя копилась, и желание стать опять «маленькой» было недостижимым, и опекать, и защищать зловредную младшую сестрицу (к чему меня призывали родители!) мне — ну совершенно не хотелось. Я всё глубже уходила в себя, в свои стихи и дневники, всё больше разрасталось во мне стремление оторваться от дома, от этого обидного сговора (что я в конце концов и сделала!)...

Нет, конечно, в наших отношениях бывали периоды близости и любви. Но они как раз и наступили, когда я начала становиться самостоятельной. И в эту взрослую и независимую жизнь Ирка сразу потянулась. Я хорошо помню эти отрезки времени...

Двенадцатилетний ребёнок с чемоданчиком в руках, в котором «джентльменский набор»: игрушки, альбомы, книжка, свитер, смена белья и туалетные принадлежности, — приезжает ко мне на школьные каникулы в Ярославль, где я гастролирую с цирком...

Я встречаю сестрёнку на заснеженном перроне поздно вечером — вернее, около полуночи... Мы едем на квартиру, которую для меня снимает цирк...

Хотя как раз в каникулы времени, чтобы как-то отдельно развлекать ребёнка, у меня и нет: в цирке — «ёлки». У артистов по три представления в день: два дневных — для детей и одно вечернее — для взрослых. Представьте, все представления шли с аншлагами! Ещё далеки те времена, когда в цирках, как и в кинотеатрах, станут располагать мебельные или автомобильные салоны. И по сей день огромные цирки, построенные по всему Советскому Союзу, часто пустуют. В лучшем случае там выступают поп-«звёзды». А тогда это не могло присниться даже в страшном сне!..

В общем, я работаю по три раза в день, но тем не менее мы замечательно проводим время. Конечно, Ирка (совершенно естественно и по собственному желанию) часто сидит и смотрит представления, но у нас остаётся время и погулять, и походить по музеям...

Ну, а когда мне совсем некогда, я покупаю ей билеты в кино, и она купается в своей самостоятельности...

Мы встречаем Новый год. К нам приходят мои цирковые друзья, с которыми я работаю в одной программе, — Янек Польди, Гена Горлов, Толик Вязов...

Хотя 1 января у нас в цирке «утренник», встреча Нового года проходит очень весело...

Каникулы пролетают быстро. И вот я уже провожаю мою девочку в Москву... Тот же заснеженный перрон... Только не ночь, а день... Ждём поезда... Ребёнок стоит, нагруженный подарками... Обе плачем...

Ещё один счастливый эпизод в нашей общей жизни... Ира приезжает ко мне, в то время уже двадцатидвухлетней студентке четвёртого курса театрального института, в Вильнюс, где живёт съёмочная группа фильма «Золото» (по роману Бориса Полевого). Я играю в этой картине главную героиню — Мусю Волкову... Моей сестре шестнадцать лет. В этом отрезке времени мы внешне были похожи друг на друга...

Есть снимок, где мы стоим рядом, окружённые «фашистами» из массовки (фильм о реальных событиях Великой Отечественной), как двойняшки. Для фильма меня красили в блондинку, «фирменную» чёлку со лба убирали, и это ещё больше добавляло сходства (Ириша была русоволосой и не носила чёлки)...

Картина «Золото» была «мосфильмовская», но съёмки проходили и в самом Вильнюсе, и в пригородных лесах... Группа подобралась замечательная. Мы не только дружно работали, но и между съёмками дружили...

В картине снимались Саша Январёв и Витя Перевалов (мы его звали «мальчик-перевальчик»: он внешне не взрослел — после «Республики Шкид» и фильма «Я вас любил...» остался таким же мальчиком... «перевальчиком»). Матрёну Рубцову играла Лариса Лужина... Администратором был Саша Слонимский. Оператором — Валера Шувалов...

На картине Лариса и Валера полюбили друг друга и вскоре поженились...

Была замечательная бригада осветителей во главе с Володей Репниковым (он сейчас стал крупным продюсером)... Мы жили радостно, постоянно шутили...

Однажды, когда мы уже вернулись из экспедиции в Москву, осветители прислали мне телеграмму: «Встречай тюльпанами тчк светики»...

Все вместе мы в перерывах между съёмками собирали в лесу грибы-ягоды, а в городе ходили по музеям и костёлам или просто шатались по улицам. По вечерам собирались в чьём-нибудь номере в гостинице — играли на гитаре (я свою везде таскала с собой), пели песни и частушки, рассказывали анекдоты и всякие интересные истории...

В общем, жили весело, наполненно и, как сейчас говорят, позитивно... Ирка всегда была с нами. И даже немножко снималась в массовке — то есть могла заработать немножко денег «на карманные расходы»...

Кстати, вслед за мной (когда я уже выпустилась) Ира поступила в цирковое училище — только, в отличие от меня, в детскую студию. Правда, потом ушла — показалось трудно, к тому же я начала активно сниматься, и Ирина тоже решила стать киноактрисой.

А что — все данные для этого у неё были с раннего детства: в отличие от меня, застенчивой и зажатой, Ирка с готовностью выходила перед любой аудиторией. Однажды, совсем маленькая, сестрица вскарабкалась на ресторанную эстраду в Сочи и объявила: «*Выступляет* великая АЛЬТИСТКА Ирина Варлей!»...

В десятом классе она снялась в главной роли в фильме «Вальс» Виктора Титова (этот фильм и этого режиссёра очень любил мой сокурсник по театральному институту Юра Богатырёв). Потом сыграла Юльку в картине Одесской киностудии «Юлька»... Потом снялась в роли Верочки в фильме «Преждевременный человек» («Яков Богомолов») Абрама Роома.

На эту роль была утверждена я, но поняла, что не успею сняться, поскольку была беременна Васенькой. Нужно было срочно найти мне замену, и важно было, чтобы актриса была моей комплекции, чтобы она смогла влезть в сшитые для меня платья — с талией 59 сантиметров.

Долго искали, пока не сообразили, что у меня есть сестра, у которой и опыт работы в кино, и хорошенькая, и платье сидит так, будто специально на неё сшили!..

В общем, Ирина подошла на роль Верочки по всем параметрам. И очень понравилась Абраму Матвеевичу...

Так что фильмография у начинающей артистки получалась отличная...

Но в Щукинское по моим следам Ира не поступила — срезалась на коллоквиуме, к которому отнеслась легкомысленно...

А на следующий год на одно место претендовали Ира и Женя Симонова. Взяли Женю... Мама требовала, чтобы я пошла к Захаве — я отказалась: глупо идти просить, когда и так все знали, что Ира — «сестра Наташи Варлей»...

Мама и Ира на меня тогда очень обиделись. И напрасно. Всё, что ни делается — к лучшему...

Ирина очень способный человек, но вряд ли она смогла бы пойти тем мучительным и тяжёлым путём, которым приходится идти актрисе...

Глядя на меня, она теперь часто говорит: «Какое счастье, что я не стала актрисой. Я бы не смогла так жить!..»

Конечно! Она права. Стоит ли эта профессия таких жертв, постоянно размышляю и я...

У Ирины прекрасная дружная семья, заботливый, обеспечивающий семью муж Николай, сын Серёжа, невестка Даша, внуки Маша и Андрюша.

Вряд ли Ирка в детстве мечтала об этом, в отличие от меня. А вот у неё как раз именно так получилось!..

Мы нечасто общались — у каждой была своя жизнь. И жизни эти были очень разными...

Но после маминой смерти мы опять потянулись друг к другу, опять почувствовали себя родными сёстрами, близкими людьми... Сиротство объединяет...

Какое прекрасное слово — «объединяет»! Какое горькое слово — «сиротство»...

Сбор металлолома

Возвращаюсь в своё нескладное детство... Мне 9 лет. Мы живём в Мурманске. Я учусь во втором классе. Меня приняли в пионеры и выбрали членом совета отряда. Я пришла домой и с гордостью сообщила, что «я теперь член»! Лукаво улыбаясь, папа интересуется: «Кто-кто?..» Не понимая подвоха, я объясняю, что меня «выбрали членом»! «Членом чего?» — уже смеётся папа. «Просто членом!» — чуть не плача, кричу я...

И вот я, «просто член», иду вдоль пионерского строя «сдавать рапорт». На ногах новые рыжие кожаные полуботинки, намазанные бабушкой касторовым маслом — чтобы они блестели и не скрипели...

Но они всё равно жутко скрипят. Вряд ли кто-то обращает на это внимание, но я иду и страдаю. Я вся деревянная. Мне кажется, что все слышат этот скрип и смеются надо мной...

Эти комплексы, этот страх перед толпой как раз и притягивают неприятности: толпа чувствует слабость и нападает (вот как тогда почувствовали мой страх перед ними, мою слабость «маменькиной дочки» мальчишки, заставившие меня есть землю!)...

Так и у животных: бегущая по улице собака, если она одна, редко делается агрессивной. А если их две или больше — они уже сила, стая. Если стая чувствует, что её боятся, она набрасывается...

Не выношу «стадности», не люблю публичной «обнажённости» (не путать с оголённостью нервов!)... Как при этом я стала актрисой, как решилась опубликовать своё сокровенное — стихи, — как, наконец, я согласилась на написание этой книги — это и для меня загадка...

И ещё. Когда родители думают, что их дети — несмышлёныши: ничего не видят, не слышат, не понимают, — как же они заблуждаются!.. Дети всё видят, слышат и замечают — даже если не наблюдают за окружающими специально. Видимо, срабатывает какое-то шестое чувство...

Хорошо помню, как папа с мамой на какие-то мои слова, которые им кажутся смешными или глупыми, «незаметно» переглядываются, улыбаясь!.. А я всё вижу, всё понимаю. И мне от этого так обидно!!!

Так, вернёмся к «стадности»... Я училась уже в пятом классе мурманской школы № 8...

Из-за того, что постоянно болела, у меня начались ревматизм и ревмокардит, и от физкультуры меня освободили. Мой класс в тот день должен был собирать металлолом (были тогда такие странные мероприятия, как сбор металлолома или макулатуры)...

Ну, какие для меня могут быть холодные тяжёлые железки, когда воспалены суставы и сердечная мышца?! Естественно, врачи мне запретили. Я осталась дома...

В середине дня раздался телефонный звонок. Я сняла трубку... Мои дорогие одноклассники, захлёбываясь от злости, по очереди выкрикивали в трубку разнообразные гадости, но смысл их сводился к тому, что я, мол, потому «оторвалась от коллектива», что могу себе это позволить только «по блату», поскольку я «дочка председателя исполкома»...

Отец действительно в ту пору возглавлял Мурманский горисполком... Но при чём тут это?!. Папа, всю жизнь занимавший руководящие должности, был кристально честным и принципиальным человеком, и понятие «блат» вообще отсутствовало в его лексиконе. Это во-первых. А во-вторых, ребята знали, что я болею...

Поэтому вся ситуация была дикой, нечестной и несправедливой!.. Сейчас-то я уверена, что без подстрекательства завистливых взрослых тут не обошлось. А тогда... Я пыталась что-то объяснить по телефону, заикалась, оправдывалась...

Но... я никогда не умела (и не умею!) ни объясниться, ни оправдаться... Я что-то лепетала, но меня никто не слушал. Хамство разрасталось, в трубку выкрикивали гадости. Тогда я положила её на рычаг, но звонки продолжались...

Когда пришла мама, у меня уже была настоящая истерика. Вернулись с прогулки бабушка с Иркой. Пришёл с работы папа...

Всей семьёй меня пытались успокоить. Наконец, опухшая от слёз, я поднялась и сказала, что в эту школу я больше НИКОГДА не пойду. И вот здесь я стояла как стена — сдвинуть меня было совершенно невозможно. Да, я была слабенькой и закомплексованной, но при этом обладала твёрдым характером: переболев и перемучавшись, выплакав все слёзы, я двигалась дальше, и не было такой силы, которая могла бы меня вернуть назад... Хорошо это или плохо — не знаю. Но это так...

Меня перевели в другую школу под номером 23. Совершенно не помню — ни как я там училась, ни с кем, ни кто меня учил. Просто стёрлось из памяти. Правда, и проучилась я в новой школе совсем недолго...

Отец получил новое назначение — начальником порта в бухту Провидения на Чукотке. Он должен был ещё завершить работу в Мурманске, а мама, бабушка и мы с сестрёнкой начали перебираться в Москву...

Так что с середины 6-го класса и до окончания 7-го я училась уже в московских школах. Сначала на Бутырской. А когда мы переехали на Суворовский бульвар, я пошла в школу № 91 на улице Воровского (это та, что нынче опять Поварская!). Школа была с математическим уклоном, и это, конечно, стало бы для меня катастрофой, но...

Судьба моя сделала резкий поворот — я поступила в цирковое училище. И детство закончилось. Началась взрослая, трудная, но необыкновенно интересная жизнь...

Как это произошло? Опять мне придётся возвращаться в своём повествовании назад...

Но пока я не перешла к следующей теме, хочу рассказать о том, как однажды, где-то на гастролях, ко мне за кулисы зашла женщина и показала мне фотографию того самого моего класса, который так безжалостно со мной обошёлся, и я на этой фотографии, и все улыбаются...

И она стала мне напоминать, как во время какого-то праздника все веселились и как танцевала моя мама — «такая красивая»!.. Я совершенно не вспомнила этот праздник, но просто, как кровь горлом, поднялась та моя боль, о которой я уже забыла, казалось...

Мне не хватило мудрости и смирения. И я так и сказала этой моей однокласснице: «А вы помните, как я плакала в трубку, а вы от этого становились ещё злее?..» Она сначала растерялась, а потом ответила, что да, что-то припоминает. А то она «всё думала», куда же я «потом исчезла?»...

То есть мои бывшие одноклассники мой уход из класса и из школы даже и не увязали с тем, запомнившимся мне на всю жизнь, детским потрясением!.. С той моей отчаянной болью! С тем, что меня несправедливо обидели!..

У-ди-ви-тель-но!!!

Мечта о пианино

Итак, тщетны были надежды родителей, что я буду врачом — я мечтала стать пианисткой. Конечно, это было в генах — бабушка прекрасно играла на пианино, и вся её ленинградская родня была очень музыкальной: в доме постоянно крутились пластинки классической музыки, а родственники с упоением подпевали арии...

Но самое главное — в одной из комнат огромной ленинградской квартиры на Васильевском острове стоял старинный рояль, в который я влюбилась так, как умею влюбляться только я — моментально и безоговорочно. И стала мечтать о том, как я буду играть на этом волшебном инструменте (по-настоящему, а не «Чижик-пыжик», которому научила меня моя 9-летняя тётя Ира). Загвоздка была в малом — в Москве у нас не было пианино, и не могло быть по целому ряду причин — например, потому что денег на покупку инструмента у нас не было. Жалко, конечно, но я понимала ситуацию — не канючила, не просила... Я просто нарисовала клавиши на бумаге и самозабвенно «играла». Тогда мне купили «сольфеджио», а там был целый разворот «нотного стана». Я играла на нём!..

В конце концов меня повезли поступать в музыкальную школу на Лесной улице (недалеко от Новослободской — теперь это Долгоруковская улица). Бабушка и тётя Зина (наша родственница) разучили со мной песню из репертуара Лемешева, которого тётя Зина обожала:

Светит солнышко на небе ясное,
Цветут сады, шумят поля.
Россия вольная, страна прекрасная,
Советский край — моя земля...

Не самая простая в вокальном плане песня. А если учесть мою патологическую застенчивость и робость, то нетрудно понять, почему на экзамене, когда проверяли слух, я запела шёпотом. «Погромче, пожалуйста!» — просят члены приёмной комиссии, но я «пою» ещё тише... Не помню, с какой попытки слабое подобие звука прорезалось, но и этого было достаточно для того, чтобы мне «поставили диагноз» — абсолютный слух и предложили мне учиться по классу скрипки.

Какая скрипка, когда я мечтаю играть на пианино?!! В конце концов (и уже не в этот день) принято решение в мою пользу: меня принимают в музыкальную школу на обучение «по классу фортепиано»! О, счастье! Ура-ура-ура!!!

Но пианино-то у нас дома нет!..

В результате три раза в неделю бабушка возит меня на Хуторскую улицу, к друзьям семьи, Свешниковым, чтобы в течение полутора счастливых часов я могла играть гаммы, этюды, упражнения, пьески на их инструменте...

И три раза в неделю я вместе с бабушкой на троллейбусе езжу на Лесную. Там находится музыкальная школа, в которой я успешно учусь и где, конечно, даже не подозревают, что у нас дома нет инструмента. Я приезжаю на уроки всегда хорошо подготовленная...

Сама по себе поездка на троллейбусе для меня была зверским испытанием — я уже рассказывала, что в транспорте меня сразу укачивало, а до школы нужно было проехать семь остановок... Иногда приходилось выходить, чтобы не опозориться, и продышаться... Троллейбусы ходили не так уж часто (но всё-таки, наверное, почаще, чем сейчас!), поэтому приходили переполненными... Бабушка была трепетная и суетливая и всегда боялась опоздать, как будто этот троллейбус — последний...

Помню, мы с ней бежим к только что подошедшему троллейбусу, и понятно, что места в нём уже нет, даже на подножке, но бабушка всё равно подсаживает меня. Я тяну руки, чтобы за что-нибудь или за кого-нибудь зацепиться. Но тут водитель захлопывает двери, и троллейбус трогается с места... Я еду с прихлопнутыми руками, а бабушка бежит за троллейбусом с криком: «Немедленно откройте двери! Девочку прищемило!..» Начинают орать и другие пассажиры... «Вожатый удивился — трамвай остановился...» (В нашем случае — троллейбус...) Двери раскрылись...

В музыкальную школу «после такого потрясения» бабушка меня уже не повезла. Мы перешли на другую сторону улицы и вернулись домой. Трагическим голосом бабушка рассказывала ахающей маме «этот ужасный случай». И хотя мои прихлопнутые руки ни капельки не болели — резиновая прокладка троллейбусных дверей замечательно самортизировала, — меня заставили, «чтобы не было синяков после ушиба», на собственные руки пописать... Я попыталась воспротивиться, но мама и бабушка были так взволнованы и возбуждены, что я, как послушный ребёнок, сдалась...

Несмотря на все тяготы, связанные с дорогой, занятия музыкой стали для меня настоящим счастьем. Бабушка очень помогала мне — и разбирать произведения, которые мне приходилось играть, и одолевать сложности сольфеджио...

Когда, уже в Мурманске, у нас наконец появилось в доме моё любимое чёрное пианино «Красный Октябрь», не только я терзала его своими бесконечными гаммами, этюдами Гедике и Черни, — из комнаты, где оно стояло, часто доносилась музыка Шумана, Бетховена, вальсы Шопена в прекрасном исполнении бабушки.

Часто приходила Назо Качарава, жена папиного друга, капитана Анатолия Качарава. Они «музицировали» вместе: бабушка аккомпанировала, а Назо (или, как с лёгкой руки моей сестрички, все звали её «Назоня») пела низким грудным голосом с сильным грузинским акцентом: «Ми толко знакоми... Как странно...»

Моё любимое пианино было членом нашей семьи. Оно переезжало из города в город, из квартиры на квартиру вместе с нами...

Когда на какое-то время прервалась моя любовь к нему, оно задержалось до поры до времени на квартире родителей. Но когда мои сыновья, Вася и Саша, решили его отдать или выбросить за ненадобностью, я тут же перевезла его к себе, на Мерзляковский, и в редкие свободные минуты садилась играть. За много лет «простоя» я разучилась, пальцы не слушались. К тому же от старости колки пианино плохо держали, и оно постоянно расстраивалось (надо же — двойной смысл слова!). Отец Сашиных одноклассников — Валя Галюзов — приходил его настраивать. И я опять играла. Покупала ноты... Доставала старые, ещё бабушкины...

Мне трудно это объяснить, но я привязываюсь не только к людям, животным, месту жительства, но и к вещам... Пианино было частью моей жизни, частью меня, членом моей семьи, моим другом... Тем горше осознавать, что я его предала...

Мы продали нашу квартиру на Мерзляковском, разъезжаясь с Сашей. (Я и квартиру предала!) Купили две: Сане на Краснопресненской набережной, а мне — на Новинском бульваре...

Мне так не хотелось переезжать! Я была так убита и деморализована, что, когда дети, «до кучи», стали мне вбивать в голову, что пианино уже не подлежит настройке, настройщики, мол, уже не берутся, и зачем тащить «бесполезные доски» в новую квартиру... ну и так далее, я сдалась. Я не защитила и не отстояла моего старенького друга...

Я не могу себе простить, что с моего молчаливого согласия оно оказалось разобранным и на помойке!..

В наказание мне и в назидание за предательство на светлой японской пианоле, электронной и бездушной, которую Саша купил мне «взамен», стоит сохранённая мне «на память», вырезанная моими жестокими детьми из пианино надпись белыми буквами по чёрному лаку — «Красный Октябрь»...

Есть ли жизнь в полярную ночь?..

В первый класс я пошла в Москве. Смутно помню это «первый раз в первый класс», то есть 1 сентября. Были, конечно, и коричневое школьное платье с белыми воротничком и манжетами, и белый фартук, и белые банты в косах, и букет цветов в руках, и портфель с тетрадками и учебниками... Мама вела меня за руку — школа находилась в конце Вятской улицы, почти у Савёловского вокзала...

Помню линейку, когда десятиклассники (среди них был младший сын Свешниковых — Андрей, невысокий, но очень красивый юноша) приветствовали первоклашек, и Андрей даже нёс меня на плечах с колокольчиком в руке...

На этом мои воспоминания о московской школе заканчиваются — больше ничего не помню: ни класса, в котором училась, ни соучеников, ни «учительницу первую мою»... Видимо, потому что ярких событий не происходило, а училась там я совсем мало — мы на шесть лет переехали в Мурманск...

Первый приезд в Мурманск — пробный, но всей семьёй, — мы совершили весной того же года, то есть когда я ещё не ходила в школу, а Ирка ещё просто не ходила — ей было месяцев 8—9. Тот приезд я очень ярко помню...

Квартиру отцу, который работал заместителем начальника Мурманского пароходства, тогда ещё не дали, и мы поселились в Доме моряка — такой абсолютно типичной советской гостинице — в двухкомнатном люксе: большая кровать в нише за пологом, диваны, столы, шкафы, стулья — ничего особенного...

Но мне это временное жильё после московской комнаты казалось хоромами: никаких печек с дровами — центральное отопление и раскалённые, как всегда на Севере, батареи! А главное — санузел с фаянсовым унитазом и огромной чугунной эмалированной ванной, которая — о чудо! — заполнялась горячей водой!!! Правда, вода была абсолютно ржавая...

Но это уже такие мелочи жизни!!!.. Как же я радовалась, залезая в эту почти коричневую воду, в которой можно было согреться и расслабиться, а вылези лёгкой, чистой, новенькой...

С тех пор горячая ванна для меня — не только купание, не только одно из любимых занятий, но и необходимость. После долгой дороги я обязательно залезаю в горячую воду. А если утро началось не с гимнастики и ванны — можно считать, что я не проснулась...

Когда мы только приехали в Мурманск и мама с бабушкой начали распаковывать вещи, меня отпустили пройтись по Дому моряка. Я отправилась обследовать территорию и на втором этаже обнаружила настоящий клад — весь этаж был завален книгами: там находилась библиотека, в которой шла то ли ревизия, то ли инвентаризация, то ли ещё что-то — неважно!..

Книги лежали на полу стопками и вразвал, беспорядочно!.. Я сошла с ума от восторга и радости, когда мне разрешили в этом богатстве не только покопаться, но и взять с собой в номер почитать всё, что захочу и сколько захочу!.. Я взяла столько, сколько смогла унести — целую гору... Быстро перечитав эту гору, я шла менять её на следующую...

Невозможно передать, какое это было счастье!.. Я приходила в номер, садилась за стол, бабушка ставила передо мной стакан теплого молока и блюдечко с песочным пирожным. И я читала, читала, читала...

Как же это здорово! (До сих пор не могу избавиться от вредной привычки «заедать» чтение чем-нибудь вкусненьким!)

Представьте себе, как любила я в Мурманске болеть, потому что меня сразу укладывали в чистую постель, и, когда спадал жар, мне приносили стопку книг и тарелку с бутербродами или пирожками... Бутерброды бывали с чёрной икрой (которая не была тогда ни дорогой, ни дефицитной) или с вяленой рыбкой, или с моей любимой копчёной колбасой. А пирожки бабушка пекла невероятно вкусные — маленькие, с мясом или с капустой...

Болела я часто — конечно, не потому, что в результате это было приятным занятием, а потому что мурманский климат к тому располагал.

К середине моего первого класса мы уже перебрались в Мурманск и жили в двухкомнатной квартире на улице то ли Карла Маркса, то ли Карла Либкнехта. То есть мы жили на обеих улицах — сначала в двухкомнатной квартире, а потом, по мере повышения папиных должностей, переехали в трёхкомнатную. Вот только не помню, где какой был Карл. Но это и не суть важно...

Я пошла в школу № 8. И вот там я очень хорошо запомнила свою первую учительницу — Валентину Серафимовну Ненахову. Помню её и люблю до сих пор, и до недавнего времени мы даже изредка писали друг другу... Она замечательная... Я смотрю на свои «похвальные грамоты», заполненные и подписанные её каллиграфическим почерком, и отчётливо вижу её милое доброе лицо...

А вот учёбу вспоминаю с ужасом — не потому, что она давалась с трудом — нет, я всегда была отличницей! — а потому что не было сил утром встать и идти не просто в школу, а куда-то в полярную ночь и в северный мороз!!!.. Я и вообще-то не ранняя пташка... а тут... Меня вытаскивали из тёплой постели, тщетно пытались накормить завтраком — но не могли соблазнить даже кусочком моей любимой копчёной колбасы, — укутывали и волоком тянули сквозь ледяной ветер и вьюгу в школу!..

Только к третьему или четвёртому уроку я просыпалась настолько, что даже доставала на перемене из портфеля свёрток с яблоком и бутербродом и без аппетита съедала...

Небо к этому времени немножко серело. Это называлось рассветом. Но, когда я возвращалась из школы домой, полярная ночь опять нависала над городом... Я брела по чёрным промёрзшим улицам, с трудом вскарабкивалась на третий этаж, звонила в дверь квартиры...

Бабушка кормила меня обедом и... выпихивала на улицу «гулять»!.. Ужас!.. Я стояла у сугроба, который был выше меня раза в три-четыре, укутанная, как кочан капусты, и всё равно дико мёрзла...

Стуча зубами, я ждала, когда пройдёт хоть полчаса, после которых можно вернуться и сообщить, что я «уже нагулялась»...

Иногда я выдерживала минут двадцать и опять карабкалась в своих тяжёлых одеждах, задыхаясь, на свой третий этаж, мотивируя тем, что «много уроков задали», и обречённо садилась учить. Хотя предпочла бы забраться в огромный чулан, где я любила читать...

В общем, теперь должно быть понятно, почему я так часто болела и любила болеть. Организм просто спасал меня, поэтому с упоением схватывал все возможные микробы и болячки... Мы с сестрицей, заражаясь друг от друга и наперегонки, переболели почти всеми «детскими инфекционными» свинками, корями, скарлатинами и коклюшами...

После каждой «болячки» меня освобождали от физкультуры. То есть в результате освобождение стало постоянным, и — порочный круг! — без физических нагрузок у меня стало побаливать сердце. Вот так в конце концов у меня развился ревмокардит и обнаружили ревматизм...

Не так давно знакомый ветеринар сказал мне, глядя на одного моего котёнка, перенесшего операцию, что, как и котёнок, ребёнок после болезни взрослеет гораздо быстрее сверстников — то есть он как бы подсознательно (а иногда и сознательно!) начинает оценивать происходящее с ним, анализировать свою жизнь... Верно. Это так. Когда ты болеешь, тебе, конечно, плохо, но о тебе заботятся (по крайней мере, в детстве!) и ты избавлен от многих обязанностей и обязательств. Высвобождается время для размышлений, мечтаний, и прорастает творческое вдохновение. Может, потому я и начала писать стихи, что, болея, много читала — читала запоем. И тут же пробовала писать сама — стихи, а потом и дневники...

Конечно, болезни формируют и закаляют характер. Со мной так и было. Отчасти, наверное, и потому, что я, как у Высоцкого, «нужные книги в детстве читала».

«Вы меня обманули!..»

В восьмилетнем возрасте мне удалили аппендицит. От этой операции на память у меня на всю жизнь остался грубый косой шрам на животе. А вот был ли сам аппендицит? На этот вопрос трудно ответить. Я до сих пор не уверена —

по существу ли меня разрезали, помучили и потом опять зашили...

Память у меня почти фотографическая, поэтому я очень хорошо помню тот нескончаемо длинный день...

С утра меня немножко мутило. Хотя со мной это случалось и прежде. Вряд ли ребёнку полезно лакомиться копчёностями, но, когда к родителям приходили гости, разве можно было спокойно смотреть на тоненько нарезанную колбасу на кухне! Конечно, я утягивала пару кусочков к себе «в норку» — под подушку — для ночных мечтаний...

А гости приходили часто. На Севере какая-то особая дружба (к тому же и времена были такие, располагающие к дружбе, открытости, радости). Все праздники встречали вместе, большими компаниями, от каждой семьи на столе оказывалось фирменное блюдо, заранее договаривались, кто что принесёт, в складчину покупалось спиртное...

Приходили Саркисовы — сам Саркисов был тайно влюблён в мою красавицу-маму, а его жена, Ира, вовсю кокетничала с моим отцом, причём это был, похоже, «секрет Полишинеля», если даже я, ребёнок, это понимала, — но, видимо, это добавляло в настроение элемент игры — все любят всех! Обязательно была пара Лапицких — глава семьи, Филипп, работал главврачом детской больницы. Всегда на домашних празднествах присутствовал папин друг, капитан Анатолий Качарава с женой Назо (я уже рассказывала о них немножко).

Добавлю только, что у самого Качаравы когда-то, по его рассказам, была неземная любовь со знаменитой кинематографической красавицей Нато Вачнадзе. И якобы она летела к возлюбленному Анатолию на свидание, но самолёт разбился и все погибли...

Капитан долго был безутешен, а потом женился на Назо и постоянно всех спрашивал с восторгом: «А правда, она похожа на Нату?»

И никто не решался ему сказать, что ничего общего, — Назо была большая, толстая, очень домашняя, вкусно готовила и, несмотря на любовь к пению, артистичностью не обладала...

Все веселились в большой гостиной. Играли на пианино (том самом!). Пели, танцевали под патефонные пластинки: тогда очень модной была песня: «Мишка-Мишка! Где твоя улыбка, полная задора и огня? Самая нелепая ошибка — то, что ты уходишь от меня!..» Компания подпевала...

Отец с успехом демонстрировал свои нереализованные актёрские таланты: показывал какие-то сценки с переодеванием, что-то там было из репертуара Аркадия Райкина; читал придуманные им самим монологи, пел, рассказывал анекдоты. Все хохотали...

Потом раздавался тонкий-звонкий голос мамы: «Давайте выпьем!» — призывала она. Раздавался звон бокалов, звяканье посуды...

А я в это время дожёвывала очередной кусочек колбаски, сочиняла стихи или мечтала о будущей жизни...

Так вот. В то утро мне стало нехорошо — затошнило, заболел живот. Решено было, что в школу я не иду. А так как мама и бабушка всю жизнь панически боялись аппендицита (ни мне, ни сестрице, ни впоследствии нашим детям и внукам не разрешалось грызть семечки — из боязни аппендицита; естественно, все грызли — тайно от надзора; но бабушкины страшилки, всегда начинавшиеся со слов «а вот один мальчик» — дальше следовала кровавая история про то, как непослушному мальчику, грызшему семечки и орешки, в конце концов «врачи разрезали живот», — помню до сих пор), то в злополучное утро они моментально поставили мне диагноз. То есть все последующие приезды врачей и их консультации были не так уж и важны...

Отец в ту пору уже был председателем Мурманского горисполкома (мэром, по-нашему, по-сегодняшнему!), поэтому врачи шли косяком. Последним приехал местный светила, папин друг, доктор Гершкович. К этому времени предыдущие эскулапы так намяли мой бедный живот, что он совсем разболелся. Гершкович ещё не успел ко мне прикоснуться, а я уже взвыла!.. «Аппендицит!» — вынес он окончательный вердикт. В доме началась паника...

Вскоре машина везла меня в больницу. Консилиум врачей постановил, что при ревматизме и ревмокардите общий наркоз противопоказан, поэтому решили заменить его местной анестезией...

На каталке меня привезли в операционную, положили на стол и всадили в живот дико болезненный укол. Я стерпела. Я умею терпеть боль, как партизан...

Прямо перед моими глазами высоко на стене висели часы. Я засекла время и деловито спросила врачей, сколько будет длиться операция. «Десять минут!» — не моргнув глазом соврали мне глупые врачи. (Конечно, чего уж там, — ребёнок, «сюси-пуси»...) И начали резать. Операция пошла...

Я всё чувствовала: как они какими-то клещами пытаются подцепить этот, подозреваю, вовсе в том не нуждающийся аппендикс и отщипнуть его. А он не давался, ускользал... Попытки (а точнее, пытки!) повторялись. Всё это было чудовищно больно. Боль отдавалась в мозгу так, что даже зубы болели... Я терпела. И смотрела, не отрываясь, на часы...

Через десять минут я строго спросила, почему время вышло, а операция не заканчивается. Врачи не ожидали. «Сейчас-сейчас...» — фальшивым голосом сказал кто-то из них...

Когда вышли и одиннадцать минут, я завопила: «Вы меня обманули!» Рыдать от боли мне было стыдно, а вот рыдать, уличая в обмане, почему-то не стыдно! Вроде бы теперь я борец за правду...

Прервав партизанское молчание во время пыток, я заорала уже во весь голос: «Вы меня обманули! Сказали, что десять минут!..» И надрывала голосовые связки все пятьдесят минут (!!!), пока длилась операция. Пока не зашили, я всё орала диким голосом...

А за дверью, в вестибюле, рыдала мама...

Сочи. Море. Цирк

Конечно, о Мурманске у меня есть и много светлых воспоминаний. Например, мне невероятно повезло с педагогом по фортепиано. Его звали Михаил Наумович Гринберг. Он был некрасивый. Рыжий. Великий!..

Я ходила в музыкальную школу, которая находилась в нашем дворе. И занятия музыкой с Михаилом Наумовичем были настоящим счастьем!.. Так почему же я потом резко забросила занятия, почему много лет не подходила к инструменту? Попробую издалека...

Каждый год в самом конце мая мы из Мурманска уезжали — сначала на месяц в Сочи. Потом — на два — в наше любимое подмосковное Аносино...

К учебному году возвращались в Мурманск, где в это время отцветала короткая золотая осень... Невероятно красиво: карликовые берёзки и осины с ещё не опавшими листьями фантастических, сказочных расцветок. А среди этой красоты — невероятное, нереальное изобилие грибов...

И целые поляны ягод: черники, брусники, костяники, голубики, морошки...

Мы ездили собирать грибы и ягоды...

Это было как-то даже неправдоподобно, как во сне: только выехали за черту города — и сразу с обочины в этот карликовый лес, а там можно и не ходить. Не сходя с места, два раза обернулся, как в сказке, вокруг своей оси — и полно ведёрко крепеньких, совсем не карликовых, абсолютно не червивых — белых, подосиновиков, подберёзовиков. А остальные можно не брать...

И полная корзинка крупных сочных ягод... Восторг!.. Бабушка и мама потом грибы солили, мариновали, сушили, жарили, варили из них супы...

А ягоды, те, что не съедались сразу, шли на компоты, варенья, начинки...

Ну вот, опять отвлеклась... Я-то собиралась рассказать о Сочи, городе, перевернувшем мою жизнь...

Впервые попав в Сочи, я испытала два потрясения: море и цирк!.. С морем я познакомилась ещё во чреве матери, но по-настоящему увидела его и почувствовала именно там, в Сочи...

Оно вошло в вагон поезда рано утром, ещё на подъезде к городу, в открытое окно — запахом соли, водорослей и ещё чего-то, чем пахнет только море...

> Когда из тьмы туннеля вырвались,
> В меня влетело море с вызовом —
> Солёной пеною и брызгами,
> И нерастраченностью сил...

Из окна вагона изумлённо смотрела я на это удивительное Божье творение...

Когда в Сочи мы подошли к берегу, я долго стояла как вкопанная, заворожённая чудом!.. К морю с тех пор я всегда относилась и отношусь как к живому, всё понимающему и справедливому (а потому имеющему право покарать!) Существу, воплощению Божьего величия и Его воли... Море я не просто люблю. Я его уважаю. Я с ним разговариваю. Советуюсь. Боюсь...

А цирк?!. Когда впервые в жизни я попала в Сочи на цирковое представление, мне понравилось всё, но УВИДЕЛА я двух прекрасных женщин: в первом отделении — парящую под куполом на трапеции-луне в белом сплошном трико, с гладко зачёсанными зеркально-блестящими чёрными волосами — невероятную, неземную, волшебную Раису Немчинскую!.. А во втором отделении — нежную и беззащитную блондинку с мушкой на щеке, Маргариту Назарову, перед которой, когда она выходила на арену, падали, восхищённые её красотой и женственностью, превращаясь в огромный полосатый ковёр, на который она победно запрыгивала и изящно ложилась, — громадные, клыкастые тигры!..

Я была сражена! Я поняла, для чего родилась — вот так парить под куполом и говорить на одном языке с тиграми!!!.. Когда я сообщила об этом родителям, они поулыбались друг другу, как всегда считая, что я не вижу их перемигиваний и улыбок «в усы», и промолчали. Понятно было, о чём они синхронно думают: «Рассосётся. Какой ещё цирк с ревматизмом, ревмокардитом, освобождением от физкультуры и панической боязнью высоты!..»

Но я для себя уже поставила цель, и свернуть с дороги было просто некуда... Правда, я не знала, с какой стороны к этой цели подступиться. Тогда сама жизнь начала предлагать мне свои подсказки...

Елизавета Зиновьевна

В Сочи мы снимали комнатку у Елизаветы Зиновьевны Пешковой, дочери того самого Зиновия, незаконного (по другой версии — приёмного) сына Алексея Максимовича Горького (Пешкова).

Она была человеком удивительным, потрясающей личностью, невероятно образованной и интеллигентной, хотя судьба сделала всё для того, чтобы её сломать...

Много лет прожив с мужем-дипломатом на Капри, она наконец вернулась с ним и двумя маленькими сыновьями — одним грудным, а вторым двухлетним — в СССР.

Мужа сразу арестовали, и больше она никогда его не видела. Её с младшим сыном Алёшей отправили, как жену «врага народа», по этапу. Старшего, двухлетнего Сашу, забрали, и на несколько лет она его потеряла, найдя спустя годы у дальних родственников.

Когда Саша был уже взрослым, она потеряла его ещё раз, и теперь навсегда, — он попал под машину...

К тому моменту, когда мы с Елизаветой Зиновьевной познакомились, она уже пережила эти страшные трагедии:

этап, известие о том, что мужа репрессировали, гибель Саши...

И тем не менее, несмотря на перенесённые несчастья и несмотря на то, что она жила в очень стеснённых условиях, она была настоящей леди: спину держала прямо, была всегда приветлива, говорила на нескольких языках, а на русском — с французским грассированием...

Работала «леди» в поликлинике, в регистратуре, — какая уж там зарплата!.. Поэтому она сдавала две свои комнатки на лето, а сама жила в пристройке — сарай сараем. Туалет — не просто во дворе, а один на несколько домов...

Ну и что!.. Когда живёшь почти в раю — и до моря идти минут пять, а над большим общим столом, за которым мы все вместе завтракаем и ужинаем, висит настоящий виноград, — при чём тут туалет?!.

Елизавета Зиновьевна жила в гражданском браке с Виктором, очень простецким на её фоне мужичком, к тому же лет на десять моложе. Тогда как-то не приняты были неузаконенные и разновозрастные взаимоотношения, и Елизавета Зиновьевна говорила, что Витя — её племянник. Но мы всё понимали...

К моей мамочке Елизавета Зиновьевна относилась с большой симпатией и нежностью. И даже когда выяснилось, что юный Алексей, её младший сын, влюбился по уши в мою маму и начал за ней серьёзно ухаживать: дарил цветы, приглашал на прогулки, краснел-бледнел (но мама была так хороша, что не влюбиться было невозможно!) — Елизавета Зиновьевна аристократически «ничего не заметила». И мамочку продолжала любить.

Со мной она занималась итальянским языком...

Это было время повальной любви к мальчику Робертино Лоретти. Изо всех окон звучала «Джамайка». У меня даже сохранился карандашный портрет маленького певца, который я нарисовала в порыве сильных чувств. Конечно, я знала все его песни, которые можно было услышать у нас — на пластинках, в радиопередачах...

И у меня появилась мечта: когда-нибудь с Робертино встретиться. Ну, а если мы встретимся... а он по-русски не говорит, а я не знаю итальянского?!. Вот я и учила язык. До сих пор у меня хранятся учебники и словари. Но моей единственной учительницей итальянского была Елизавета Зиновьевна Пешкова.

Мама передала мне эстафету дружбы, и, несмотря на большую разницу в возрасте, я дружила с этой уникальной женщиной до самой её смерти... Она несколько раз приезжала в Москву...

Последний приезд был печальным — она знала, что умирает от рака, и приехала на Каширку для консультации (надежда умирает последней!)... Виктор к тому времени женился на молодой девахе — кто бы сомневался!.. Елизавета Зиновьевна прощалась с нами, с жизнью... Она очень сдала, но спину держала всё так же — безупречно прямо...

Цирк — моя судьба

Поток сознания всё время уводит меня от «магистральных» тем. Но о Елизавете Зиновьевне я не могла не рассказать. И жаль, что так мало... Я надеюсь, у меня ещё будет возможность написать о её горькой и всё равно прекрасной, как она сама, жизни...

А теперь опять о цирке...

Однажды в Сочи, поссорившись с мамой и бабушкой (что-то там мы не поделили со зловредной Иркой, а они, как всегда, встали на её сторону!), я ушла «куда глаза глядят»... Глаза, вообще-то, никуда не глядели из-за наворачивающихся слёз, а вот ноги привели меня к цирку...

Тогда в Сочи ещё был цирк-шапито с брезентовым куполом. В цирке шло представление. Играл оркестр... Звучала барабанная дробь (я уже знала, что это означает: кто-то сейчас будет выполнять опасный трюк!)... Гремели аплодисменты... Пахло опилками и конюшней — волнующий запах цирка, волшебства, смелости... Поскольку стояла южная жара (а кондиционеры тогда ещё не изобрели), боковые проходы были открыты... Я приблизилась к ним, но войти не решилась — так и стояла за чертой...

И тут ко мне подошёл немолодой человек и спросил: что, мол, ты здесь стоишь, девочка, не хочешь ли посмотреть представление?.. Я посмотрела на доброго дядю, удостоверилась, что он не смеётся надо мной, и, не веря своему счастью, прошептала, что «конечно, очень хочу»... Он взял меня за руку, провёл через проход внутрь цирка и усадил в первом ряду!.. Это был директор Сочинского цирка по фамилии Пищик...

Когда счастливая и самостоятельная я вернулась домой, там уже была «тревога номер один»... Но, узнав, где я была, и увидев мою ошалевшую от радости физиономию, мама с бабушкой были так потрясены, что даже не стали меня ругать...

А я ещё раз убедилась, что цирк — моя судьба. И ещё на один шажок приблизилась к осуществлению своей мечты...

Наблюдая сквозь забор, как дочки дагестанского канатоходца Яраги Гаджикурбанова — всего их было семь, от двух лет до пятнадцати, со сказочными именами: Алмаз, Изумруд, Айшат, Патимат (больше не помню) — делают с утра в своём дворике (цирк снимал им жильё рядом с нашим сочинским обиталищем) мостики, стойки, «берёзки», шпагаты, — я пыталась повторить это дома на кровати... Немножко стало получаться...

Моя юная питерская тётя Ира (она старше меня на шесть лет, и в ту пору ей было 14) занималась спортивной гимнастикой. Когда мы приезжали в Ленинград, Ира (в семье её всегда звали Дитька — от «дитя», видимо) проводила со мной почти всё время и очень многому меня научила: я села на шпагат, стала делать мостик, почти освоила «берёзку»...

Выяснилось, что не такая уж я и неуклюжая! Что у меня природная гибкость и растяжка!..

Замечательно!.. А дальше-то что?!. Как попасть в цирк, не будучи ребёнком из цирковой династии?.. Судьба помогла и на этот раз.

Детская студия

Однажды, поддавшись моим уговорам, в конце лета мама повела меня в цирк...

Вообще, мама и бабушка всегда боялись опоздать — на вокзал мы приезжали за полтора-два часа до отхода поезда, в кино приходили минут за сорок до начала сеанса. И так далее.

На цирковое представление на Цветном бульваре (сейчас это «Цирк Никулина») мама привезла меня за час. Вход в цирк был ещё закрыт. Погода стояла осенняя, начал накрапывать дождик... Мы укрылись в помещении касс...

Вот там я и увидела объявление о приёме в детскую цирковую студию при Московском цирке, куда приглашались дети от 11 до 15 лет!.. Молодец мама со своим страхом опоздания!..

Через два дня я поехала поступать. Конкурс был большой и долгий. Не буду его описывать. Скажу сразу, что меня приняли, несмотря на отсутствие подготовки, несмотря на то, что я не умела делать стойку, несмотря на то, что не сумела ни разу подтянуться и висела на кольцах «как сосиська» (так выразился один из членов приёмной комиссии!). Всё равно я всем чем-то понравилась. Так я стала «студийкой»...

И началась сумасшедшая и счастливая жизнь!.. Мы занимались три раза в неделю — акробатикой, гимнастикой на трапеции, жонглированием... Нам преподавали настоящие цирковые артисты!.. Танец у нас вёл знаменитый цирковой балетмейстер Пётр Гродницкий — невероятно артистичный, эксцентричный и талантливый...

А ведь ещё была общеобразовательная школа!.. Шестой класс!.. Несмотря на огромную нагрузку, я не чувствовала усталости (ревмокардит! ау!)... Вот что значит любимое дело!.. В любое время мы могли пойти посмотреть цирковое представление!..

А потом и нас стали занимать в постановках, многие из которых тогда были сюжетными. И мы, «студийцы», танцевали кубинские танцы, поставленные Гродницким, в представлении «Куба — любовь моя!» (а в прологе студенты Гнесинки Иосиф Кобзон и Виктор Кахно пели песню под таким же названием)...

Мы, «студийцы», в головных уборах из перьев и разноцветных юбочках, танцевали «Танец маленьких индейцев» в детском представлении «Трубка мира», где главных злодеев-богачей (один именовался Богач-Кукарач, второй — не помню как) играли Юрий Никулин и Михаил Шуйдин — дядя Юра и дядя Миша, как мы их звали...

Негритёнка Бомми играла жена Никулина, Таня, а маленького индейца Томми — сын дяди Миши, Славка Шуйдин, «студиец», мой ровесник — страшненький, маленький, но невероятно обаятельный (как сейчас говорят, «харизматичный»).

Вероятно, он был очень талантлив. Потому что я моментально влюбилась в него на долгие два года — сильно, больно, с «остановкой дыхания». Просто потеряла голову. Влюбилась так, как можно влюбиться в талант и вдохновение (ну и плюс моя способность всё гиперболизировать!). Когда Славка был далеко — мне хотелось его видеть. Когда близко — кружилась голова, и я готова была упасть в обморок... Да! Вот так!..

Естественно, мои переживания отражались в стихах и дневниках... Любопытные бабушка и мама прочитали мои записи и ужаснулись!.. Уж не знаю, что они себе нафантазировали — повода для этого не было никакого, но взрослость моих чувств, отчаяние от «недостижимого» (о, эти поэтические преувеличения!), видимо, заставили их содрогнуться: как это в 12 лет — любовь?! Этого не может быть! Разврат какой-то! Это подружка Лидка виновата!..

И мне было запрещено с Лидкой дружить!.. А вот это уж — фигушки!.. Единственное, чего они добились, так это того, что я перестала вести дневники (а жаль!) и перестала им доверять и делиться с ними тем, что меня волнует, — на очень долгие годы (тоже жаль!)... А стихи о любви стала прятать подальше, потому что они всё равно рождались — Славку-то ведь я не разлюбила! Пожалуй, полюбила ещё больше, потому что помню, как молила Бога (хотя была ещё не крещена!), чтобы я больше не росла, чтобы не быть выше Славки...

К сожалению, Бог выполнил мою неосмотрительную просьбу — я больше не выросла, так и осталась ростом в 1 м 60 см (но тогда это был вполне высокий рост, а сейчас от дополнительных сантиметров десяти я бы совсем не отказалась)...

Позже, когда почти всей студией мы поступили в цирковое училище, моя трепетная любовь к Славке постепенно улетучилась. А стихи и маленький рост — остались...

Ещё один сюжет из моей студийной истории...

Для вечернего представления Гродницкий репетировал с нами «Танец копеек». Смешно? Не очень. Тогда была хрущёвская денежная реформа, и, как это бывает во времена всех реформ, народу втолковывали, что это правильно и выгодно. Под девизом «копейка рубль бережёт» и был придуман этот дурацкий танец...

В белых бальных платьях, но с фанерными «копейками» по бокам (там так и было всё написано и нарисовано со всеми цифрами и гербами, как на копейке) мы танцевали, насколько это было возможно, красиво и под красивую музыку. А потом выстраивались в шеренгу и начинали «расчёт»: «Копейка... копейка... копейка...» Десятая, последняя в шеренге и самая маленькая, делала шаг вперёд и звонким голосом выкрикивала: «Гривенник!..» И под торжественную музыку и сомнительные аплодисменты «копейки» убегали за кулисы...

И всё бы хорошо, но в начале одного из представлений, когда мы, «копейки», загримированные и сложно причёсанные, толпились у прохода в ожидании третьего звонка, музыки и выхода, народ из буфетов и гардероба после третьего звонка тоже ломанулся в те же проходы, к своим местам, цепляясь за фанерные круги, доедая на ходу мороженое и бутерброды... Оркестр заиграл увертюру... Мы — «на низком старте»... Вступление к «Танцу копеек»... «Копейки» начинают перелезать через барьер на арену. Пошёл танец...

А я бьюсь в проходе, потому что какой-то хрен преградил мне дорогу и никак не может понять, куда это я рвусь, мешая ему занять место в зрительном зале... Он, сам габаритный, зацепился за мою не менее габаритную «копейку»...

Танец подходит к концу... Девятая, а не десятая «копейка» выкрикивает: «Гривенник!»... Девчонки давятся от смеха, наблюдая, как я веду отчаянную борьбу за место на арене...

Пролог закончен... Зрители, ещё не до конца рассевшиеся, ничего не заметили. Представление начинается!.. Туш!..

Цирковое училище и дружба с Лидкой

В цирке есть замечательная традиция (наверное, точнее было бы назвать это потребностью, необходимостью) — там принято после своего номера стоять в проходе, смотреть представление и поддерживать в моменты исполнения сложных трюков своих коллег, работающих в это время на арене, сжимая кулачки и посылая им в помощь заряды положительной энергии. И это действительно помогает!..

Цирковые артисты — особая каста. Их главная жизнь проходит на манеже. Всё остальное — второстепенно. Уйдя на пенсию (а выйти на пенсию цирковые артисты, как и балетние, имеют право через 20 лет, но они редко пользуются этим правом), цирковые стараются поменять жанр, чтобы работать, пока есть силы. К сожалению, это факт — уйдя с арены, многие очень быстро уходят и из жизни, не найдя себя в ней, часто спиваясь...

Но жизнь циркового артиста — ежедневный труд и ежедневный риск... Может быть, поэтому цирковая дружба — то самое «чувство локтя», которого так не хватает в других видах искусства. (Я сама остро «почувствовала разницу», когда позже начала работать в театре.)

Занимаясь в детской цирковой студии, я понимала, что для того, чтобы стать настоящей артисткой цирка, нужно что-то ещё. Но что?! Что делать дальше?..

И вдруг, когда я уже почти два года прозанималась в студии, мы с моей подружкой Лидкой выяснили, что разгадка была совсем близко — в Москве, оказывается, есть ЕДИНСТВЕННОЕ В МИРЕ Государственное училище циркового и эстрадного искусства — ГУЦЭИ, которое готовит цирковых артистов и выпускает цирковые номера всех жанров! Какое чудо! И какое счастье, что я живу в Москве!!! «Принимаются юноши и девушки от 14 до 20 лет с образованием 7—10 классов»...

Я оканчивала 7-й класс, Лидка — 8-й. Мы ринулись на 5-ю улицу Ямского поля, в училище, чтобы узнать, что нужно для поступления, кроме данных. Оказалось, что не так много: фотографии крупным планом, на документы и в полный рост в купальнике. Отбор в три тура. Потом, если всё состоится, — собеседование и три экзамена по общеобразовательным предметам: русский, литература, иностранный язык...

Мы бросились фотографироваться, подавать заявления и собирать документы...

Здесь я должна сделать отступление. К этому времени уже вся моя семья, включая и отца, вернулась из Мурманска в Москву и перебралась с Бутырской улицы на Суворовский бульвар (ныне опять Никитский).

Отцу дали две комнаты в доме № 9 — известном Доме полярника, где жили полярники, в том числе и знаменитые папанинцы и их семьи. Квартира, в которой кроме наших было ещё две комнаты (в маленькой жила старушка Клавдия Ивановна, а в 22-метровой — семья из пяти человек: бывший полярник Караулов, его жена Лидия, белоруска, тёща, их дочь Галина с мужем, научным сотрудником; позже появился ещё и внук Саша), находилась на шестом этаже. А вдоль наших комнат тянулась громадная лоджия...

На этой лоджии мы гуляли, мама выращивала цветы — и летом там пахло настурциями и душистым табаком, росли анютины глазки и ромашки. Машин в ту пору было мало, и можно было поставить раскладушку и спать — тогда в ночной тишине был слышен бой курантов...

Папа получил назначение на должность начальника порта в бухту Провидения на Чукотке. Он улетел туда с мамой и сестрёнкой Ирой...

А я осталась в Москве с бабушкой.

В конце 7-го класса я должна была сдавать экзамены по фортепиано, чтобы получить место в 7-м классе московской музыкальной школы. В Мурманске я успела проучиться в музыкальной школе 6 лет. Не помню почему, но простого перевода не получилось.

Да, как-то совсем выпала из рассказа моя «музыкальная история». Учась в школе и детской цирковой студии, я продолжала играть на пианино и для того, чтобы сдать этот самый экзамен, занималась с педагогом из консерватории. Вот здесь — родители, внимание!!! НЕ ВСЯКОМУ ПЕДАГОГУ МОЖНО ДОВЕРИТЬ СВОЕГО РЕБЁНКА!

Не знаю, что делала эта тётка в консерватории, но к музыке она отбила у меня охоту надолго (слава Богу, что не навсегда!)... Я не помню её лица, не помню, как её звали, но вижу, как сейчас, её пухлые руки с ярко-красным маникюром на коротко остриженных ногтях. Этими «ручками» она злобно чиркала мои ноты жирным простым карандашом и била меня по рукам линейкой, если я ошибалась или, играя, случайно попадала не на ту клавишу...

Я продержалась в этом кошмаре около года, а потом сказала бабушке, что музыкой заниматься больше не хочу, экзамены сдавать не буду. Тем более что с целью я определилась. И это точно не игра на фортепиано! Про цирковое училище я благоразумно промолчала, иначе бабушка забила бы тревогу. А так она настаивала: не хочешь становиться пианисткой — не надо, но сдавать экзамены всё равно пойдёшь! Бабушку можно было понять — родители возложили на неё ответственность за меня. Как же она могла разрушить их надежды?!.

Ну и тогда, чтобы окончательно снять эту тему, я чиркнула бритвой по подушечке безымянного пальца на правой руке (маленький шрамик можно и сейчас разглядеть), сказала бабушке, что играть не могу, и с почти спокойной совестью отправилась поступать в цирковое училище и поступила...

У нас были потрясающие педагоги: Юрий Гаврилович Мандыч, Зиновий Бонич Гуревич, И. Ларин, Н. Денисов, Н. Бауман и многие другие. Они научили нас преодолевать усталость, работать до тех пор, пока не добьёшься нужного результата, верить в себя.

Наверное, это самое главное: ещё в детстве понять, что ничто стоящее в жизни не даётся без труда, а то, что «упало сверху», — это аванс, который необходимо закрепить осмысленным трудом. И для того, чтобы ощутить радость от результата труда, — необходимо упорство. И очень важно знать, что до получения результата нельзя отступать назад.

Горячо любя своих детей, мы иногда избавляем их от «излишних» трудностей, и потом выясняется, что сослужили им плохую службу. А нужно было их не «жалеть», а заполнять день сложными, не всегда любимыми занятиями и развивать то, что даровано им Богом, и то, что любимо...

Потому что, как выясняется, если влюбляешься в своё дело, силы непонятно откуда, но находятся...

Я помню, как Юрий Гаврилович, воспитывая нас, трусих, разучивал трюки на лонже, а потом быстро её снимал и сам стоял на страховке. В результате на экзамене по воздушной гимнастике группа другого педагога висела на лонжах, а мы летали без страховки и без страха!..

Мастерство актёра нам преподавал Марк Борисович Корабельник. Мы делали всякие актёрские упражнения, этюды, разыгрывали сценки. Марк Борисович первым сказал, что у меня есть актёрские способности, и, когда он на телевидении режиссировал фильм для подростков «День рожденья Жени», он пригласил меня в нём сняться (это было в конце первого курса)...

Грим преподавал педагог по фамилии Лемпарт. Как его звали — забыла: у моей памяти есть защитная реакция — стирать болевые моменты. При чём тут Лемпарт — расскажу чуть позже. А вообще, предмет этот я очень любила, он проходил интересно и творчески. Нас учили не только сценическому (театральному, цирковому — когда просто нужно выделить, сделать ярче собственные черты лица и сгладить недостатки) гриму, но и создавать образы. На экзамене у меня было задание: портрет Моны Лизы. Передо мной стояла репродукция, и я переносила прекрасные черты на своё полудетское лицо. А получилось очень похоже! И экзаменационная комиссия единогласно поставила мне пятёрку!..

Кстати, грим тогда продавался в замечательном театральном магазине ВТО в картонных коробках — там была целая палитра, а к нему прилагались скрученные картонные палочки для грима. Там же можно было купить жировую основу, которую нужно было класть под грим, а потом ею же грим снимать, всевозможные кисточки, пудра всех тонов, накладные ресницы и брови, усы и бороды; всевозможные парики, шиньоны, накладки, букли. Был целый отдел театральных костюмов. Отдельно продавались балетные тапочки, пачки, пуанты, трико и гимнастические купальники. И ещё много чего...

На втором этаже этого здания был прекрасный зал и театральная гостиная, где проходили самые разнообразные мероприятия: встречи с актёрами, капустники, премьеры фильмов (во время кинофестивалей — фестивальные показы), поэтические вечера и т. д. Кроме того, там праздновались юбилеи, Новый год. И множество других событий...

На втором же этаже, только с другого входа, была богатейшая библиотека, куда мы приходили готовиться к экзаменам, потому что там выбор книг был огромен...

Ну, а на первом этаже был ресторан с очень хорошей и недорогой кухней. Многие великие артисты и их друзья приходили сюда — днём пообедать, а вечером, после спектаклей, — поужинать, выпить, обменяться мнениями с коллегами, почитать стихи или просто расслабиться...

Всё это в одночасье сгорело в тот страшный период, который зовётся «перестройкой». Сгорело дотла вместе с уникальной библиотекой, чтобы на этом месте «бизнесмены» смогли соорудить супердорогой торговый центр с издевательским названием «Галерея «Актёр»...

Уроки грима как средство против приёма в комсомол

Ну а теперь вернусь к истории с Лемпартом. Она непонятная и дикая. Сегодня, когда я к ней возвращаюсь, я склонна думать, что в тот день наш педагог был попросту нетрезв. А мы, две малолетние дурочки, этого не поняли...

Хотя и во взрослом состоянии я никогда не знала, как правильно и мудро вести себя с пьяными...

Так вот — сама история.

После всех занятий (а заканчивались они где-то около семи вечера) мы с Лидкой, если не нужно было торопиться в театр или в бассейн, обычно шли до Белорусского вокзала к метро пешком. Естественно, к этому времени мы были уставшие и голодные, поэтому по пути заходили в продовольственный магазин и покупали окуня или треску горячего копчения, свежий батон белого хлеба и какой-нибудь сок...

Как мы ухитрялись всё это есть на ходу, при этом безостановочно болтая, — сложно представить, но так было...

Мы с Лидкой доходили до станции «Белорусская» кратчайшей дорогой — то есть спускались на железнодорожные пути и шли по шпалам. У вокзала карабкались на платформу, а дальше перебирались в метро...

Наши опасные прогулки прекратились после того, как однажды Лидка чуть не попала под электричку, которую мы заметили слишком поздно. Мы побежали, но Лидка зацепилась за шпалы и рухнула... Она покорно осталась лежать и даже положила голову на рельсы...

К счастью, электричка пошла по другому пути — прямо как в фильме «Чистое небо»... Мы хохотали как сумасшедшие, наверное, от шока...

В тот день, о котором я всё никак не расскажу, мы с Лидкой торопились. Во-первых, занятия закончились позже обычного, во-вторых, назавтра у нас было важное событие — приём в комсомол, и мы хотели подготовиться, ну и подобрать подобающую для случая одежду.

Поэтому мы решили поехать до метро на такси. Поймали машину и уже начали в неё садиться, как вдруг откуда ни возьмись появился Лемпарт и стал как-то очень агрессивно вопрошать, куда мы едем. Я сказала: «К метро!» Строптивая Лидка ответила что-то типа: «Куда надо!» — уж больно не понравился ей тон Лемпарта.

И тут наш педагог заорал, чтобы мы «немедленно вышли»! То ли ему спьяну «что-то показалось», то ли это из серии «наши люди в булочную на такси не ездят». Это было уж как-то совсем по-хамски. И мы уже без всяких разговоров сели и уехали. Ослушались...

А на другой день... ни Лидку, ни меня в комсомол не приняли! Лемпарт, восседавший в приёмной комиссии, обвинил нас — вот даже сейчас не сформулирую его аргументацию, — кажется, в том, что мы ему грубили, дерзили и не подчинились — не уточняя, как именно...

Мы с Лидкой растерялись, что-то испуганно мямлили... Свои права мы защищать не умели (не совру, если скажу, что и сейчас не умеем!).

В общем, в комсомол нас не приняли. Ситуация дикая и неприятная — как будто ни за что ни про что по физиономии получили... Ни за что и несправедливо..

Но не могу сказать, что мы долго горевали — некогда было. Жизнь наша была заполнена до предела: на ногах с половины седьмого, а с занятий я приезжала в лучшем случае в половине девятого. Ну, и... садилась за уроки. По общеобразовательным предметам нас тоже не щадили...

Математика и физика для меня всегда были мукой (хотя в школе я умудрялась быть отличницей!) — ну нет у меня к точным наукам способностей!..

К счастью, в цирковом у нас по этим предметам был замечательный учитель по фамилии Форбрихер. Легенды о его характере передавались от одного выпуска к другому. И как только возникали опасные ситуации — кто-то у доски не мог ответить или над нами нависала угроза контрольной, — один из студентов (чаще всего это был Витя Цветков, сын директора Ленинградского цирка, парень весёлый и остроумный, к тому же обладавший уникальным свойством забалтывать педагогов — даже ничего не зная, он всегда умудрялся получать «отлично»: например, начиная на экзамене по истории театра увлечённо пересказывать преподавателю, чудесной Иле Яковлевне, подробное содержание только что увиденного фильма) задавал нашему педагогу по физике и математике вопрос о войне. И Форбрихер, как под гипнозом, начинал с упоением рассказывать, как он воевал. Его совершенно не настораживала наша такая подозрительно частая любознательность по этому вопросу. И о математике до конца урока он не вспоминал!..

Зато гуманитарные предметы были для меня в радость. На контрольных, зачётах, экзаменах по литературе, русскому, английскому — я заканчивала первой и успевала проверить работы у всего курса (точнее, у тех, кто в этом нуждался). Так что свои диктанты, сочинения и изложения все сдавали без грамматических и синтаксических ошибок (стилистические исправлять времени у меня уже не было!)...

А к языкам у меня всегда были способности — я воспринимала мелодику на слух. Жаль, что не довела до конца изучение языков — ни одним по-настоящему не владею. И, когда приезжаю за границу, день-два молчу как рыба. Потом какие-то знания всплывают, и «рыба» начинает говорить...

Наша «серая совковая» жизнь

В свободные дни, часы, минуты — мы не отдыхали, а бегали по театрам, выставкам, музеям, просиживали в читальных залах, не пропускали новые программы в цирке и кинопремьеры...

Помню, каким потрясением стал для меня фильм «Шербурские зонтики» с прекрасными Катрин Денёв и Нино Кастельнуово.

Мы сорвались с занятий и всем курсом поехали в кинотеатр «Мир», рядом с цирком на Цветном... Красивый и нежный фильм о несостоявшейся любви с щемящей музыкой Мишеля Леграна...

Когда, много лет спустя, мы с замечательным актёром Игорем Копченко дублировали «Шербурские зонтики», я вспоминала ТЕ свои ощущения...

Я уже рассказывала, что у нас была возможность по студенческим билетам ходить в любой театр на любой спектакль, но так как по предъявлению студенческого билета мы получали входной, то чаще всего мы стояли на галёрке...

Но какое это имело значение, если с галёрки мы смотрели, например, спектакль «Королевского Шекспировского театра» с Лоуренсом Оливье в главной роли?!. Мы впитывали в себя как губки всё, что успевали увидеть и услышать. Мы пропадали в музее имени Пушкина и в Третьяковке.

Мы ходили в забитый до отказа зал Политехнического музея, где читали свои стихи молодые Окуджава, Ахмадулина, Евтушенко, Вознесенский, Рождественский, Петя Вегин, Инна Кашежева, Римма Казакова... Можно было прийти ночью к памятнику Маяковскому, где эти поэты — а с ними и малоизвестные, и самодеятельные, — часто до утра читали свои стихи...

Лгут те, кто пишет или говорит о «серой, бедной жизни в советское время»! Жизнь кипела и бурлила! Слава нашего цирка, Большого и Малого театров, театра Вахтангова, МХАТа, БДТ — гремела по всему миру! А наши музыканты! А переполненные залы консерваторий и концертных залов... Так кому и зачем нужна сегодняшняя ложь?!

Неправда и то, что «было нечего носить»! Да, не было куч шмотья. Мало того, было неприлично «страдать вещизмом» — это считалось мещанством. Но если нужно было красиво одеться — был бы вкус! Прекрасные ткани страна производила — не только на экспорт. В ателье-люкс шили недорого и хорошо. Кроме того, можно было всегда купить понравившуюся готовую модель...

Когда я уже снялась в «Кавказской пленнице» и начала ездить с этой картиной и с «Вием» по всему миру, меня одевала прекрасный художник-модельер Лидия Алексеевна из ателье на улице Герцена. И она наряжала меня в такие красивые и необычные туалеты и из таких качественных тканей, что, увидев, как я одета — на сцене, на приёмах, на пресс-конференциях, — журналисты обязательно спрашивали, у кого я одеваюсь...

Да! Не было этих дурацких «бутиков», в которых висят маломерные тряпочки с запредельными, часто совершенно не соответствующими качеству ценами...

Зато помню, как я, пятнадцатилетняя, иду по Арбату в кулинарию ресторана «Прага», чтобы купить что-то из необыкновенно вкусных и совсем недорогих полуфабрикатов, а на мне — белое платье в мелкий нежный цветочек с плиссированной юбкой. И все на меня оглядываются. А это платье мы с мамой купили в «Детском мире»...

Ух, какой был потрясающий «Детский мир» до «перестройки»!.. Сколько товаров для детей — и наших, и импортных — на любой вкус и кошелёк! И одежда, и обувь, и игрушки... Настоящий праздник... Тогда был девиз «Всё лучшее — детям». Не всегда, как и все девизы, он выполнялся, но хоть посыл был...

А в «перестройку» все карусели, игрушки, волшебные открывающиеся часы, из которых выезжали герои сказок, — враз убрали и сделали на первом этаже... автомобильный салон. А потом и вовсе «Детский мир» закрыли «на реконструкцию». А когда открыли, выяснилось, что по ценам ни к одежде, ни к игрушкам — не подступиться...

В «перестройку» в одночасье всё с прилавков выбросили на свалку, закрылись заводы и фабрики. И те, которые шили недорогую одежду и обувь — для детей, стариков, для людей среднего достатка, — тоже закрыли... Магазины и рынки стали наполняться дешёвым ширпотребом, в основном китайским, и то кустарным...

Планка в искусстве и культуре опустилась «ниже плинтуса»... В кинотеатрах перестали показывать кино и стала продаваться мебель. Или автомобили...

По телевизору замелькали чудовищно пошлые клипы попсы и ток-шоу, в которых гостям задавали вопросы, всегда считавшиеся неприличными...

Но главное, телеэкран заполнился дешёвыми американскими поделками — их покупали «пакетами» наши телевизионные начальники, резко ставшие «боссами»...

Вот когда жизнь стала действительно убогой и серой! А народ пытались убедить, что «мы наконец-то прикоснулись к европейской культуре, вышли из «совка» и обрели свободу»... Свободу от чего?! От нравственности?! Так это называется не свобода, а вседозволенность и разврат!..

И своими руками была разрушена самая лучшая в мире страна!.. Сейчас многие осознали, что случилось, поняли, что их страшно обманули, поманив, как дикарей, стеклянными бусами...

Да поздно! Ломать — не строить: многого уже не вернуть... А телевидение всё продолжает бубнить — как ужасно жилось в «совке»: и есть было нечего, и носить нечего, и читать нечего, и смотреть нечего... Мрак, да и только...

Оказывается, «бикини появились только в 80-х», да и то «запрещали носить»... Смотрю на свои студенческие фотографии на пляже и думаю: «А в чем же это я, если не в бикини?!»...

А на днях в одном из ток-шоу ведущая, изображающая из себя простушку, кривляясь и коверкая слова (простушка же!), на голубом глазу рассказывала, как она мыла голову хозяйственным мылом: «Нечем же было! Шампуней никаких не было!»...

Ну тут уж только руками остаётся развести... Хотя кто знает, может, хозяйственным полезнее...

Специализация

Всё, пока хватит о дурачках, «простачках» или под них подделывающихся!.. Продолжу о жизни в благословенные времена учёбы в цирковом.

На первом курсе мы освоили азы во всех жанрах, прошли положенную программу по каждому предмету и сдали экзамены. Но «азы» — на самом деле достаточно серьёзная подготовка: при необходимости мы могли бы уже работать на арене или на эстраде.

По гимнастике, например, мы делали довольно сложные трюки — на трапеции, на кольцах, на брусьях, на канате, на шведской стенке. Ну, например, висели на носках или пятках на сильно раскачивающейся трапеции, делали всякие флажки, обрывы. Или быстро взбирались по верёвочной лестнице под самый купол. Крутились в зубнике...

По акробатике у нас были упражнения на гибкость, растяжку, трюки на подкидных досках, на батуте, прыжки на дорожке, парная акробатика и многое другое. Я научилась делать сальто даже с места — год назад я и мечтать об этом не могла!

По проволоке мы должны были ходить, бегать — вперёд или спиной, делать танцевальные шаги, пируэты — с балансом, с веером и без...

По жонглированию мы бросали булавы, мячики, кольца (3, 4, 5 и больше). Держали на лбу баланс, одновременно с этим жонглируя...

На втором курсе начиналась специализация — в выбранном жанре, чтобы подойти к подготовке номера.

Я более всего преуспевала в гимнастике и очень её любила. И всё шло к тому, что я буду работать в воздушном полёте, который собирался выпускать Юрий Гаврилович Мандыч... Я уже мечтала о том, как я буду летать, парить как птица...

Но случилось непредвиденное: утром до начала занятий, видимо, я не размялась как следует, потому что на пятом «выкруте» на кольцах у меня возникло ощущение, что меня кто-то довольно сильно стукнул кулаком по плечу. Спрыгнула — никого... Я опять подошла к кольцам, подняла руки — вернее, одну подняла, а вторая — упала плетью. Я надорвала мышечную ткань плеча...

Полгода я носила правую руку на перевязи. Меня лечила знаменитая врач Миронова (великая женщина!). В сустав плеча мне вводили очень болезненные уколы и новокаиновые блокады...

Я научилась всё делать левой рукой: записывать лекции, гримироваться, умываться, одеваться, рисовать, есть...

Я и сейчас многое делаю левой рукой, особенно если это связано с нагрузкой. Наверное, всё-таки я от рождения была левшой, но в пору моего детства левшам не потакали — всех заставляли писать и работать правой. Ну ладно — отбросим лирику. Ничего смертельного со мной не произошло, но о воздушном полёте пришлось забыть...

А ведь осуществление мечты было так близко. Я сникла: что делать дальше?..

И опять судьба смилостивилась надо мной — ко мне подошёл Зиновий Бонич Гуревич и предложил начать репетировать номер.

«Воздушный эквилибр на штейн-трапе с музыкальными инструментами»

Зиновий Бонич был в прошлом очень известным эквилибристом — верхним в групповом номере на переходных лестницах и шестах (или першах, как иногда называют этот снаряд в цирке).

Попробую объяснить, что такое этот род эквилибра. «Нижний», то есть самый сильный, поднимает и держит огромную лестницу, по которой на верхнюю площадку взлетает «средний». Ему на лонже, в свою очередь, тоже поднимают лестницу или шест, на которую взлетает — начиная с нижней лестницы — «верхний» и начинает на площадке верхней лестницы (шеста) выполнять трюки, от которых сердце в пятки уходит. Потом барабанная дробь — и инспектор манежа торжественным голосом объявляет: «Исполняется рекордный трюк...» — ну и так далее...

В общем, «верхним», выполняющим невероятные, рекордные трюки, и был Зиновий Бонич, а «средней», что удивительно, была его жена, совсем некрупная и даже изящная женщина. К тому же, держа этот непосильный, с точки зрения нормального человека, груз на голове, она пела что-то очень красивое сильным сопрано!..

Вот в таком номере выступал Гуревич, предложивший мне начать репетировать номер — в ту минуту, когда я уже собралась отчаяться. Удивительно, кстати, что, ни разу не сорвавшись с высоты во время выполнения трюков в своём опасном номере, Зиновий Бонич, выйдя на пенсию, свалился однажды с табуретки на кухне, пытаясь достать что-то с верхней полки, и сломал ногу и руку. Когда он мне это рассказывал, я изумлялась. А сейчас бы не удивилась — сама часто падала и падаю на ровном месте...

Когда уходишь из цирка, координация и внимание нарушаются — увы!..

Мы начали репетировать номер. И это тоже сложно описать, но попробую. В кинофильме «Мистер Икс», где играет замечательный эстонский певец Георг Отс, его герой летает под куполом, сидя на стуле, стоящем на трапеции, и при этом играет на скрипке! Так вот, по замыслу моего режиссёра-педагога, я должна была так же летать и играть на скрипке. Поэтому со мной сразу же дополнительно стал заниматься скрипач из оркестра Музыкального театра им. Станиславского и Немировича-Данченко — молодой, лысенький и в очках — по фамилии Руколь...

Прозанимавшись почти год, я сделала определённые успехи и что-то даже заиграла, но... на земле. Под куполом, балансируя на качающейся трапеции на стульчике, я очень быстро поняла, что моего скрипичного мастерства не хватит — скрипка визжала, хрипела, скрипела. Но петь отказывалась...

Пришлось заменить её на более покладистый музыкальный инструмент — концертино, который мне тоже пришлось осваивать. Концертино — это такая маленькая эстрадная гармоника, с которой обычно выходят куплетисты. Но я на концертино под куполом играла «Осеннюю песнь» Чайковского...

Я взбиралась на установленную на качающейся трапеции лесенку и, балансируя на ней, играла на флексатоне (такая металлическая пластина с молоточками, издающая звуки «музыкальной пилы») мелодию песни из фильма «На семи ветрах».

«Сердце, молчи — в снежной ночи — в поиск опасный уходит разведка...» — пел в картине красавец-актёр Вячеслав Тихонов...

А я и подумать не могла, что наши жизненные пути через какое-то время удивительным образом пересекутся...

Затем, раскачиваясь на трапеции поперечно, я делала па из испанского танца под музыку из балета Глазунова «Раймонда», при этом балансируя на одной ноге и не держась руками, так как в руках были кастаньеты, которыми я лихо щёлкала, отбивая ритм...

Балетную часть номера ставила Елена Стефановна Ванке, балерина Большого театра. В театре она часто выступала в разных балетах в партиях королев, цариц, принцесс, фей. Она такой и была — прекрасная и царственная, с прямой балетной спиной, длинной шеей, и — очень не люблю это выражение, но другое трудно подобрать, — с красивым и очень породистым лицом...

Она была прекрасна — тонкая, интеллигентная, с замечательным чувством юмора... Елена Стефановна не только поставила «танцы» на трапеции, но и мой выход на арену в начале номера и поклоны в конце...

А это, между прочим, очень важная часть выступления артиста. Серёжа Курепов, мой сокурсник, но взрослый молодой человек, так как он учился на отделении клоунады и эстрады, мне потом говорил: «Ты так выходила, что можно было бы потом не работать — хотелось ещё и ещё смотреть этот великолепный выход, так это было артистично и гармонично».

Конечно, это благодаря Елене Стефановне...

Я выходила на арену в балетной пачке. У меня их было две — голубая и розовая, сшитые и великолепно расшитые в мастерских Большого театра. Под музыку из балета «Щелкунчик», с гладко зачёсанными и собранными в пучок волосами, сияя счастливой улыбкой, я выбегала и делала, раскинув руки, «комплимент», затем несколько балетных шагов и па с пируэтами. Потом подходила к трапеции, бралась за троса, разбегалась, вспрыгивала на неё на ходу, поворачивалась боком, балансируя на одной ноге, и, отпустив руки, опять раскидывала их в стороны... Трапеция раскачивалась всё сильнее, взмывая под купол цирка... Я летела высоко, как птица... Ради этого стоило жить!..

Через несколько лет Юра Хилькевич увидит меня в этом номере на арене Одесского цирка и, потрясённый, пригласит в свой первый фильм «Формула радуги»... Но об этом я расскажу позже...

А пока вернусь к моменту, когда я ещё учусь на втором курсе и только начинаю репетировать свой номер...

Зиновий Бонич очень хотел, чтобы под куполом я пела — как его жена, как пела, идя по канату, одна из сестёр Кох (это знаменитые на весь мир три сестры-канатоходки). Но я даже и думать об этом не могла, памятуя своё «коронное» пение при поступлении в музыкальную школу...

Какое пение — не умереть бы от страха и волнения!.. Да! Напоминаю ещё и о моей панической боязни высоты!..

На втором курсе свой номер полностью я отрепетировала на высоте ОДИН МЕТР. На третьем — меня подняли на четыре метра от земли. Я сидела на трапеции, прицепленная на две лонжи: одна — местная, прикреплённая к трапеции, вторая — в руках моего педагога, — и дрожала как осиновый лист. Какое там встать?! Какое там раскачаться?! Какое там взять в руки музыкальный инструмент?!. Но меня никто не торопит...

Постепенно я привыкаю к этой высоте. Потом начинаю, как будто заново, репетировать свои трюки. И потихоньку — по метру, по полтора — меня поднимают на 10-метровую высоту. Я привыкаю и к ней...

А дальше — невероятное счастье от взятой высоты, от обретённого, желанного, долгожданного чувства полёта...

Но сразу оговорюсь: всё это — до первого перерыва, первого переезда, до смены цирка, купола, высоты, другой подвески аппаратуры. А там снова всё как будто бы заново. Всё сначала...

И так всю жизнь — утром репетиция до седьмого пота, вечером трепет и жуткое волнение... Вы думаете, что это с опытом проходит? Ничего подобного...

Да и сейчас, перед каждым выходом на сцену я всегда, как в первый раз, волнуюсь!..

Свой цирковой номер я репетировала два года...

Выпуск

В 1965 году мы сдали все экзамены, и у нас начались выпускные представления. Наверное, дней десять подряд мы выходили ежедневно, вернее, ежевечерне, на учебную арену в представлении, которое в программке и на афише называлось: «На манеже — юность».

В эпилоге Лена Камбурова пела «До свидания, до свидания, студенческий город Москва...», а мы, подпевая, выходили на поклон. (Лена училась параллельно на отделении клоунады и эстрады.)

Ковёрным клоуном в нашем представлении был Женя Майхровский. На церемонии вручения дипломов нас приветствовал Олег Попов...

Я получила диплом с отличием... Мама, папа, Ирина — сидели в рядах. Мама плакала...

До слёз щемило сердце от мысли, что переворачивается и эта счастливая страница нашей жизни. Предстоит расставание с сокурсниками, педагогами...

Впереди самостоятельная взрослая жизнь. И никто не мог знать, какой она будет...

В конце выпускных экзаменов я отметила своё восемнадцатилетие. На Суворовском бульваре у нас дома собрался почти весь курс — мы жили дружно, без интриг...

Слегка подвыпившие сокурсники признавались в любви моей маме — она всегда была очень молодой, красивой и, как тогда говорили, «пикантной»!..

Было весело и сумбурно. Только предчувствие расставания омрачало праздник... Надо сказать, курс у нас был не только разновозрастной (я была одной из самых юных в момент поступления, а самый взрослый был старше лет на десять), но и многонациональный: у нас учились и монголы, и азербайджанец, и эстонцы, и украинцы, и молдаванка, и армянин, и евреи, и белорусы, и немец, и татары — и т. д. Никогда в то время не возникало такой глупости, как «национальный вопрос», — в страшном сне не приснилось бы! Это была одна страна. В каждой республике были свои обычаи, свои традиции и культура...

И все ездили друг к другу в гости. И везде радушно и хлебосольно принимали друзей...

«Друзей моих прекрасные черты...»

Друзей на курсе у меня было много. С «самыми-самыми» я дружу и сейчас, хотя в силу разных обстоятельств (да и возраста!) видимся мы нечасто...

Аркаша Бурдецкий из Одессы сейчас живёт в Америке. Мы перезваниваемся. Изредка он прилетает в Москву — и тогда мы обязательно встречаемся...

А в цирковом училище мы были закадычными друзьями. Мы знали друг про друга всё, делились нашими радостями, горестями, рассказывали о своих влюблённостях, «плакались в жилетку», когда это было необходимо. Аркашуля (мы звали друг друга «Натуля» и «Аркашуля») часто был первым слушателем или читателем моих стихов... Мы забирались на верхний ряд зала, где был большой манеж, и открывали друг другу души...

Когда мы уже выпустились и ещё были живы Аркашины родители, я ездила к нему в гости в Одессу, в его гостеприимный дом, где его маленькая добрая мама закармливала меня своими вкусными кулинарными изысками... Я знала обеих его жён. Знакома и с его дочкой, красавицей Иринкой... А сейчас Иринка и сама уже мама...

Из Америки он прилетал на юбилеи — Славы Борисенко и мой... Аркашуля выпускался с двумя номерами — верхним в «Эквилибре на першах» под руководством Рубена Манукяна и верхним в «Парных акробатах» — со Славой Борисенко...

Слава тоже мой добрый друг. Хотя он живёт в Москве, мы и с ним видимся редко. Да и перезваниваемся не так часто. Славка чаще летает в Америку к Аркашке — они всегда были неразлейвода. Но иногда всё-таки мы пересекаемся в Москве. Ездим ко мне на дачу... Славка удивительно добрый и верный человек, очень мягкий, отзывчивый и исполнительный. Поэтому часто окружающие его нагружают просьбами и обязанностями, хотя у Славки уже и проблемы с сердцем были, ну, и вообще, почему вместо привычного «надо Славку попросить» не сделать самому...

Впрочем, лезу не в свои дела. Когда-то мне сказал один друг: «Если человек так поступает, значит, он сам так хочет...» Но... просто я помню, какие у Славы были светящиеся голубые глаза! Жаль, потом погасли...

Когда он выходил в манеж — невозможно было глаз оторвать: не красавец и ростом невысок, но море обаяния...

Наш Юрий Гаврилович всё время «намекал» мне, чтобы я «обратила внимание на Славку»... Ну, я «обращала», но влюблялась-то в других. Да и у Славки «личная жизнь» развивалась совершенно в другой от меня стороне. Ну и хорошо: зато мы с Аркашулей и Славиком на всю жизнь остались друзьями...

А вот с моей Лидкой, закадычной подружкой, мы, к сожалению, потеряли друг друга...

А ведь были как двойняшки. И внешне были похожи — нас всегда спрашивали, не сёстры ли мы. Да ещё одевались специально в почти одинаковую одежду. И косу носили, перекинув на правое плечо — по моде, пришедшей из кинофильма «Прощайте, голуби!» — как у героини Светланы Савёловой. И думали одинаково, и высказывались синхронно — так бывает у близких людей. Мы почти всё время проводили вместе — просто не могли друг без друга. А когда летом разъезжались по разным дачам — писали друг другу длинные, подробные и смешные письма...

Однажды Лидка написала мне, что всё, мол, у неё хорошо, но «очень хочется курить, а купить негде...». Тогда я, «как настоящий друг», пошла в сельмаг, купила сигареты «Луч» без фильтра за 7 копеек, две штуки вложила в конверт с письмом и отправила Лидке. Но прежде, чем попасть в Лидкины руки, оно попало в руки её мамы. И мама, прощупав его, нашла письмо подозрительно толстым...

Разразился жуткий скандал на две семьи. Каждая из наших мам считала, что её непорочную дочку «развращает испорченная подружка»... Скандал, конечно, потом утих, но родительская настороженность не убавилась, что, в свою очередь, ещё больше увеличило нашу с Лидкой бдительность и значительно уменьшило доверие к родителям...

А годы-то какие — самые опасные. Когда мы поступили в училище, мне было четырнадцать, Лидке — пятнадцать. Мы были одними из самых юных и действительно неиспорченных девчонок на курсе...

Большинство наших сокурсниц жили в общаге, которая находилась на Трифоновской улице. Я там никогда не была, но там же, кажется, было и общежитие студентов театральных вузов... Короче, дым стоял коромыслом — в буквальном смысле слова...

Тогда в моду входило курение — все героини западного кино красиво курили, все герои Хемингуэя, которым зачитывалась молодёжь страны, — не только курили, но и без конца пили...

Ну, в общем, комментарии излишни. Почти все сокурсницы покуривали. А надо мной и Лидкой — посмеивались: мол, маленькие наивные дурочки! Вот мы и решили «набраться опыта», чтобы казаться взрослее...

Однажды летом, когда обе наши семьи уже уехали на дачу, а мы ещё сдавали летнюю сессию, поэтому были в Москве, — мы купили в киоске пачку самых дешёвых сигарет и бутылку белого сухого вина «Людмила» в кулинарии ресторана «Прага» и решили «кутить». Но деньги на этом закончились, а закусывать было нечем. Тогда Лидка предложила ехать к ней: в их дворе на Селезнёвке росли шампиньоны. Мы их набрали и зажарили. Правда, они немножко подгорели, но тут уж ничего не поделаешь — больше есть было всё равно нечего...

В общем, «стол ломился от яств». Мы поставили нашу любимую пластинку — арии из итальянских опер в исполнении Марио Ланца — и, усевшись, «приготовились к разврату»...

Сухое вино показалось нам слишком кислым, и мы насыпали в него сахар...

В общем, когда одна сторона пластинки закончилась и её нужно было перевернуть, ни одна из нас не смогла подняться со стула... Головы были относительно нормальными, но ноги приросли к полу, а попки — к стульям...

Вот такой нам был преподан урок!.. «Картина маслом» — обездвиженные, мы с Лидкой хохочем, а на пластинке бедный Марио Ланца, заикаясь, всё повторяет и повторяет фразу из никак не заканчивающейся арии...

А вообще, мы очень любили фотографировать, а ещё больше — печатать фотографии. В ванной комнате на Суворовском бульваре мы ставили ванночки с проявителем, закрепителем и чистой водой. Ну и всю громоздкую аппаратуру для печатания, красный фонарь, чтобы не засветить фото...

Мы с Лидкой упоённо проявляли, закрепляли, печатали и при этом пели арии из наших любимых опер, которые знали наизусть: например, из «Травиаты» Верди. Партии Альфреда и Виолетты мы с ней пели по очереди: сегодня Лидка исполняет партию Альфреда, а я — Виолетты, а завтра — наоборот: я — Альфред, Лидка — Виолетта. И в полный голос...

Обе самозабвенно любили Робертино Лоретти (я уже рассказывала, что благодаря этой любви я учила итальянский язык под руководством Елизаветы Зиновьевны Пешковой).

Мы бесконечно слушали пластинки с его песнями, знали их наизусть... Его нежный полудетский голос с какими-то нездешними обертонами «зачаровывал, околдовывал»... И мы заочно были влюблены в прекрасную страну, где он живёт «на берегу изумрудного моря под голубым небом и ярким солнцем»! И так хотелось туда, в Италию!.. А ведь ещё это было время рассвета итальянского неореализма в кино!.. Сколько прекрасных фильмов мы посмотрели! Как восхищали нас своей игрой и красотой Марчелло Мастроянни, Софи Лорен, Антонелла Луальди, Джина Лоллобриджида, Альберто Сорди... Как потрясала Анна Маньяни... А потом вышел фильм «Рокко и его братья» с Анни Жирардо и Аленом Делоном...

А потом — «Шербургские зонтики»... И мы начали увлекаться французскими фильмами...

Конечно, мы были совершенно девчонками — наивными и романтичными, но далеко не глупыми, очень любознательными и жаждущими знаний — совсем не поверхностных. Слава богу, время предоставляло нам такие возможности — У ВРЕМЕНИ БЫЛ ХОРОШИЙ ВКУС.

Самой «страшной попсой» того времени (хотя самого понятия «попса» тогда ещё не существовало!) были милые и светлые песенки: «Ландыши» и «Чёрный кот», которые сегодняшняя (уже существующая!) «попса» с аппетитом перепевает, а в ту пору их ругали за «легковесность и примитивность»...

Мне очень жаль, что наши пути с Лидкой — моей дорогой подружкой Лидой Коновой — разошлись. Но случилось это не враз, они расходились постепенно. А началось это просто и банально...

На 4-м курсе ко мне прикрепили для репетиций музыкальных номеров концертмейстера Славу Гурьянова — длинноносого, наглговатого, ироничного, но в целом достаточно обаятельного молодого человека и хорошего пианиста. По замыслу Зиновия Бонича, отрепетировав со мной номер, Слава (хотя бы на первых порах) должен был ездить со мной по гастрольным городам и во время моего выступления сидеть в оркестре и вести партию фортепиано... Мы начали репетировать, и почти сразу он предпринял попытку за мной поухаживать. Но мне он ну никак не нравился, я вообще взрослых мужиков не рассматривала как потенциальных кавалеров... Он вроде бы не обиделся и тут же переключился на Лидку, которая его ухаживания благосклонно приняла, и их отношения стали стремительно развиваться. Я за них только порадовалась...

В первом же из гастрольных городов я поняла, что Гурьянов, грубо говоря, спит с цирковой наездницей — тощей, вульгарной, ярко накрашенной литовкой...

Мне даже и в голову не пришло, что я могу не поделиться своими соображениями с Лидкой: не было тем, которые бы мы с ней обходили; мало того, я сочла «своим долгом» её предостеречь...

Лидка, конечно, устроила Славе «допрос с пристрастием». А тот (непостижимо — прямо средневековое коварство!!!) заявил, что это наглая ложь. Мало того, оговорил меня, сказав, что как раз всё наоборот — это я начала на гастролях сразу к нему «клеиться», а он, верный Лидке, меня отверг. Тогда я обиделась и из мести ОКЛЕВЕТАЛА ЕГО! Никакой наездницы, никакой литовки в помине не было — мир, дружба, любовь!!! — но есть Варлей-завистница!..

И Лидка, моя любимая, закадычная подруга, с которой мы дышали одним воздухом, с которой знали друг про друга всё — от увлечённостей до мыслей! — СРАЗУ ПОВЕРИЛА СЛАВЕ И НЕ ПОВЕРИЛА МНЕ!.. Мне, которая никогда её не обманывала и не подводила... Что это?!. «Любовь зла?..» Или наша дружба для неё оказалась детской блажью?.. Я была ошарашена такой несправедливостью и «торжеством лжи». Я пыталась объясниться, но... ничего не получилось...

Наша дружба резко оборвалась... Сейчас-то я понимаю, что Лидке НЕОБХОДИМО БЫЛО самой поверить человеку, которого любила. И из нас двоих она выбрала его. Я стала «жертвенной коровой» (или ягнёнком, неважно!).

Они поженились. Лида родила дочку...

А потом он начал (вернее, продолжил!) изменять... Лида узнала и попыталась выяснить отношения. За это он так жестоко её избил, что у неё начались проблемы с головой, и она наполовину потеряла слух... Сотрясение мозга, инсульт...

Так до конца и не восстановилась речь. Когда мы с ней разговаривали по телефону, она говорила с затруднениями — спотыкалась, заикалась... Она рассказала мне, что в цирке она всё ещё работает. Славу не простила... Позже он с кем-то подрался и зарезал человека ножом... Его посадили надолго в тюрьму, где он и умер...

Вот такая история... Лидка была вполне весела. Сокурсники рассказывали, что видели её в «Союзгосцирке» и она замечательно выглядит... Мы с ней договаривались встретиться, но как-то сразу не получилось...

А потом, наверное, каждая по-своему усомнилась в необходимости такой встречи. И мы потеряли друг друга из виду совсем...

Система конвейера

Я, по-моему, уже рассказывала, что в «Союзгосцирке» тогда, когда я выпустилась из училища, работала «система конвейера», регулируя передвижения артистов и номеров из города в город, из программы в программу...

По разнарядке первым гастрольным городом у меня был Волгоград. Так как технически номер мой был сложным, а аппаратура с реквизитом весили 290 кг, мне нужен был постоянный ассистент, который помогал бы мне с правильной подвеской и растяжкой. Он помогал бы в репетициях, а во время моего выступления стоял бы на страховке и контролировал работу униформистов, которые вручную поднимали и спускали трапецию (вместе со мной) в начале и конце номера...

Бонич — так негласно именовали Зиновия Бонича и студенты, и преподаватели — решил, что самое правильное не брать «кота в мешке» со стороны, а соединить в одной программе два номера из нашего выпуска. Чтобы мы друг другу помогали и чтобы кто-то из моих сокурсников, отработав свой номер, ассистировал в моём, получая за это отдельные, хоть и небольшие, деньги...

Выбор пал на Бориса Руденко, а точнее, он сам вызвался: все годы учёбы он был безответно в меня влюблён и, видимо, в гастролях, когда я буду от него зависеть, надеялся «добить»...

Мы прилетели в Волгоград. Сначала всё шло нормально, но потом Борис не стал «терпеливо и трепетно» ждать, а начал предпринимать «атаки», а когда понял, что результат нулевой, поставил «вопрос ребром»: либо я выхожу за него замуж, либо он отказывается ассистировать. Ясное дело, я притязания на мою свободу отвергла...

И в результате меня оставили в Волгограде ещё на одну программу (это была программа Белорусского цирка, так на время я стала «белоруской»), а Борис со своим номером укатил в другой город...

Мне стал ассистировать кто-то из униформистов. И однажды, засмотревшись на меня под куполом, парень о чём-то задумался и забыл, что меня пора опускать вниз, а для этого надо отвязать канат и скомандовать, чтобы трапецию плавно опускали...

Когда он понял, что музыка уже заканчивается, а я всё ещё под куполом, он быстро отвязал верёвку и практически выпустил её из рук... Трапеция «со свистом» полетела вниз... Я удержалась, но сорвался привязанный к рамке металлический стул (на котором я сидела, играя на концертино). Он рухнул мне на лоб (ведь я работала с «гордо поднятой головкой», как учила меня незабвенная Елена Стефановна!)...

Зал ахнул в едином порыве!.. Я сделала вид, что ничего не случилось, и побежала к выходу. Инспектор манежа широким жестом отправил меня на повторный «комплимент»... Зал ахнул ещё раз: на глазах изумлённой публики (а в зале была большая французская делегация) на моём доселе гладком лобике вырастала огромная сине-красная шишка!..

За кулисами меня уже ждали цирковые друзья. Они наблюдали за происходящим из прохода и успели принести лёд, который раздобыли у мороженщицы, торгующей рядом с цирком... Я долго морозила свой лоб, но... Утром мне пришлось выстричь густую чёлку, которую ношу и по сей день...

С белорусским цирком я проехала несколько волжских городов: кроме Волгограда — Саратов и Ярославль...

А потом мне пришла разнарядка в Одессу... Я плакала, расставаясь с моими друзьями, с которыми проработала вместе почти 4 месяца — большой срок! — Яном Польди, Геной Горловым, братьями Денисовыми... Это были месяцы общения, дружбы, влюблённостей, общих праздников, общих радостей, общих проблем, которые легче было «разруливать» совместными усилиями...

Прощаясь с этим периодом моей жизни, я даже не подозревала, что Одесса станет городом, в котором моя судьба развернётся совсем в другую сторону...

Леонид Енгибаров
и Юра Юнгвальд-Хилькевич

В Одессе я попала в программу, где ковёрным клоуном был великий (только тогда об этом многие — и я в том числе! — не знали) Леонид Енгибаров.

«Ковёрным» клоун называется потому, что он выходит в манеж (на ковёр), когда униформисты выносят и устанавливают реквизит для следующего номера, то есть, по сути, — заполняет паузы...

Лёня не просто «заполнял» — каждый его выход ждали, и это были маленькие шедевры. Енгибаров не только был «грустным клоуном», или «клоуном с осенью в душе», как его называли. Он владел всеми жанрами циркового искусства — ходил по свободной проволоке, жонглировал, был прекрасным силовым акробатом, эквилибристом, мимом... Он мог подняться под купол после воздушного номера, не выходя при этом из образа странного влюблённого человека...

Его репризы были нежными и философскими. И ни одного пустого выхода, ни одной пошлой шутки... Зал смеялся и восхищался. Леонид Енгибаров был большим артистом!..

В цирке принято помогать друг другу — ассистировать, сидеть «на подсадке», ну и так далее. Мне посчастливилось: Лёня попросил меня участвовать в его «Сценке в парке».

Сюжет репризы немудрёный: молодой человек (его играл Лёня) приходит на свидание, волнуется, ждёт девушку (это я!), она задерживается, а в это время выходит наглый развязный продавец цветов. Лёня хочет купить у него букет, но тот заламывает такую сумму, что Лёнин герой вынужден в буквальном смысле «снять последние штаны»... Девушка приходит, но не видит своего молодого человека — он вскарабкался на пустой постамент и «притворился» памятником, опустив до пят рубашку (штанов-то нет!). Наглый цветочник выходит и начинает приставать к девушке, которая грустно сидит на скамейке, дарит ей цветы. И тогда «статуя» не выдерживает и бьёт своего обидчика. Тот сначала не понимает, откуда получает тумаки. В конце концов девушка догадывается что к чему, и, взявшись за руки, влюблённые уходят за кулисы. В руках у девушки — букет цветов...

Да! Неблагодарная задача — пересказ репризы. Поверьте на слово, она была и очень смешная, и очень трогательная, как, впрочем, и все репризы Енгибарова. Ведь самое важное — исполнение...

Но Леонид и при жизни был недооценён, и сейчас о нём знают очень мало, потому что рассказывать о нём — трудно. Это нужно видеть. А снято о нём и с ним — непростительно мало...

Недавно я была в жюри одного из кинофестивалей и увидела в конкурсе картину производства киностудии «Арменфильм». Это было ужасно, хотя авторы очень старались — ведь Лёня национальный герой...

Но, как выяснилось, только стараний и любви к Енгибарову — недостаточно... Так же как невозможно его сыграть (даже если бы нашли более подходящего артиста). Невозможно, потому что Лёня был уникален, как и его талант...

Конечно, я не могла понять масштаба личности Енгибарова. Маленькая ещё была, глупенькая... Я просто с радостью смотрела его репризы и выходила в одной из них...

Лёня тем не менее трогательно пытался меня завоевать: провожал из цирка до гостиницы после представления, дарил подснежники и фиалки, читал наизусть стихи Бодлера и Рембо, подсовывал под двери моего номера романтические записки...

Мне с ним было очень интересно, но... Мне было 18 лет, а ему — 30. Для меня это была непреодолимая возрастная пропасть. Я действительно считала его — ну... скажем так: немолодым...

В конце концов он обиделся и переключился на более податливую, чем я, канатоходку...

Лёня всегда очень хотел сниматься в кино. Даже не буду сейчас гадать почему (хотя у меня есть предположения), но кино не стало его второй профессией. Его «не увидели»... Не появился ЕГО режиссёр, который бы захотел и сумел показать на экране необычную мимику, выразительные глаза, раскрыть удивительное дарование... Леонид Енгибаров снялся в главной роли всего в одном фильме, он сыграл там практически самого себя...

Но и этот фильм, к сожалению, оказался неудачным. А остальные его появления на экране были в проходных, незначительных ролях, о которых, к сожалению, и сказать-то нечего — никак... неинтересно...

В картине Георгия Юнгвальда-Хилькевича «Формула радуги» Лёня снимался «в окружении». Не все знают, что это такое. А это означает, что вокруг главных героев на протяжении фильма живут и действуют некие персонажи, которые не несут смысловой нагрузки, иногда не произносят ни одного слова, просто создают атмосферу, фон...

Тем не менее Лёня с воодушевлением снимался «в окружении» у Хилькевича, очень с ним подружился и однажды пригласил его в цирк на вечернее представление.

Юра пришёл с Олегом Стриженовым и Валентином Куликом, которые тоже снимались — только в другой картине, на Одесской студии...

Я стояла, разминаясь перед своим выходом. И вдруг увидела рядом с собой «живого» Олега Стриженова, который вблизи оказался рыжим, конопатым и нетрезвым (о, герои Олега Стриженова из «Овода» и «Сорок первого», знали бы вы, какое я испытала обидное разочарование!). «Разочарование», привыкшее к обожанию зрительниц, победоносно улыбалось и попыталось ко мне «клеиться»...

К счастью, в это время объявили мой номер, и я побежала на выход... Юра позже мне рассказывал (и потом повторял во всех интервью): «На арену вышло неземное существо! Нежная кожа! Блестящие волосы!.. Глаза!.. Улыбка!.. Неземное существо оторвалось от земли и полетело!..» Не представляю, как он это всё увидел издалека...

Но на другое утро он пришёл в цирковую гостиницу, чтобы пригласить меня сняться «в окружении» в своём фильме «Формула радуги». Тут я должна сделать небольшое отступление...

Ко мне в Одессу «с ревизией» нагрянула мама. Ей нужно было увидеть, как живёт её «девочка», которая до первых цирковых гастролей никуда не уезжала одна!.. Не голодает ли. Да и вообще, какая атмосфера её окружает...

Я показала маме настоящий «мастер-класс»: я приносила с рынка свежие продукты и вкусно её кормила (и мама с изумлением узнала, что, оказывается, я умею готовить), я выгуливала её по городу, показывая местные достопримечательности, вовсю о ней заботилась...

А в тот день был выходной — ни репетиций, ни представления, — и я могла позволить себе поспать дольше обычного...

Но мама разбудила меня, сказав, что прибегала дежурная сообщить, что внизу меня ждёт «молодой человек»... Ещё не разлепив как следует глаза, в халате, с распущенными длинными волосами я спустилась вниз по лестнице. «Молодой человек» оказался Хилькевичем...

Эту встречу Юра потом тоже живописал (он ведь был замечательным художником!): «...нежное полусонное создание с переливающимися роскошными волосами...» (дались ему эти волосы!).

Он предложил мне роль медсестры. Я сразу согласилась — мне было интересно. Так мы с Лёней Енгибаровым оказались вместе ещё и на одной съёмочной площадке и начали работать в одном «амплуа».

Начались съёмки — хорошо, что не каждый день. Но всё равно приходилось пропускать репетиции или приезжать прямо к представлению, второпях разминаться и гримироваться. На работе под куполом это пока не отражалось, хотя я понимала, что долго так я не выдержу...

Я всегда могла сосредоточиться только на одном, самом важном в этом дне деле, и если, предположим, у меня вечером спектакль, то для всего остального я в этот день — до окончания спектакля — из жизни выпадаю. Только после него — жизнь продолжается...

Съёмки у Юры Хилькевича запомнились больше атмосферой: у него был удивительный талант создавать из творческого процесса праздник, он умел окружать себя единомышленниками, профессионалами и просто славными хорошими людьми, а это так важно в тяжёлом съёмочном процессе, хотя, к сожалению, не всегда отражается на результате...

«Формула радуги» была дебютной Юриной картиной, но атмосферу творческого праздника он создавал на всех своих фильмах, всегда!..

Когда через десяток лет я снималась в главной роли в другой его картине — «Весна 29-го» (мюзикле по ранним произведениям Погодина), на съёмочной площадке было так же интересно и радостно, все так же нежно любили друг друга, и мы все общались и проводили время вместе и на площадке, и после съёмок...

Конечно, это Юрина заслуга — его талант режиссёра и художника: заразительность, юмор, интеллигентность и доброжелательность, а также вера в своих «соратников» и создавали такую комфортную и вдохновенную «среду обитания», дарили такую увлечённость работой...

В фильме «Весна 29-го» было много песен и танцев, и мы неслись на студию разучивать танцевальные партитуры с великолепными балетмейстерами Натальей Рыженко и Виктором Смирновым. Репетировали и записывали в тонстудии песни и вокализы талантливого композитора Сергея Сапожникова. Я пела в картине народную песню «Ах, кукушечка...» в Сережиной обработке. Главную мужскую роль в фильме играл Валера Золотухин, а я играла главную женскую — его жену.

Сценарий по мотивам ранних произведений Погодина был написан Марком Захаровым...

«Новогодний праздник отца и маленькой дочери»

Роль в «Кавказской пленнице» почему-то называют моим дебютом в кино. На самом деле это не так.

Юра Хилькевич всегда рассказывал, что он «открыл меня» для кинематографа. И это не так.

Я уже рассказывала, что ещё на первом курсе начала сниматься в телефильмах, телеспектаклях, в художественно-документальных фильмах о цирке.

Но своим кинематографическим дебютом считаю короткометражный фильм выпускника ВГИКа Эльёра Ишмуххамедова «Праздник», снятый по рассказу Александра Грина «Новогодний праздник отца и маленькой дочери», в котором снялась между первым и вторым курсом и в котором сыграла главную роль. Сюжет рассказа прост: юная Тави (так зовут мою героиню) приезжает на каникулы к отцу. Отец едет на станцию её встречать. Но в дороге они разминулись...

Тави входит в дом, видит ужасное запустение и, желая сделать отцу приятный сюрприз, торопится до его приезда навести порядок. Думая, что это ненужный мусор, она сжигает рукопись — многолетний научный труд отца... Отец возвращается и в момент счастливой встречи с безмерно любимой дочкой понимает, что произошло...

Он ничего не говорит — только выключает свет, чтобы дочь не увидела его потрясения. А когда свет загорается, Тави замечает вдруг, что волосы у отца — седые...

Я очень благодарна Эльёру за то, что он открыл для меня прекрасный романтический мир Александра Грина. И по сей день Грин — один из самых любимых моих писателей...

Несколькими годами позже, уже снимаясь в «Вие», я рассказала Лёне Куравлёву — когда он поинтересовался тем, что я читаю и кто мой любимый писатель, — о своей любви к Грину.

А Лёня совершенно неожиданно ответил: «Я Грина ненавижу!..» Я не могла понять, как же так?! Лёня, такой интеллигентный и начитанный, — и вдруг... Почему?!.

Теперь понимаю: мечта о несбыточном, ожидание «алых парусов», а после — неминуемая утрата этой мечты и разочарование — вот от чего предостерегал меня Леонид Куравлёв...

Много лет спустя я написала стихотворение «Ассоль», которое начинается так:

> Проходит жизнь, как сон, как боль.
> Мечты сдаются и стареют...
> И постаревшая Ассоль
> Уходит, не дождавшись Грея...

Лёнечка! Я всё поняла. Но Грина всё равно люблю. Люблю его героев, нежных, сильных и верных. Тех, кто до конца верит в мечту...

Но я возвращаюсь к съёмкам в «Формуле радуги», которая не стала моим творческим достижением, но изменила судьбу. Как? Сейчас расскажу.

Несостоявшаяся роль

Чем больше я бегала в роли медсестры за главным героем фильма (его играл Николай Федорцов), тем больше Юра Хилькевич утверждался в шальной идее заменить исполнительницу главной роли Маре Хелласте (красивую, но холодную, эстонскую актрису) мной. А «шальной» я назвала его идею потому, что героине по сюжету 24 года (она аспирантка). Мне было 18 лет, а выглядела я на 14! И это было совершенно очевидно. Всем, кроме Хилькевича...

Но Юра так загорелся мыслью, что я должна стать героиней его фильма, что снял Маре с роли, а мне назначил кинопробы. Их нужно было утвердить сначала на Одесской киностудии, потом на киностудии им. Довженко, которой подчинялась Одесская киностудия, в Киеве, а потом уже в Москве, в Госкино. Но — ни до Москвы, ни до Киева, слава Богу, не дошло...

Чем старательнее меня «взрослили», тем до неприличия юнее становилась я: так выглядят в школьной самодеятельности дети, когда они пытаются играть стариков — что ни клей, как ни гримируй, во что ни одевай, а юность просвечивает сквозь наклейки, накладки, седины, парики, начёсы, поддёвки...

Вот так и со мной — не помогли ни накрашенные губы, ни ярко подведённые глаза, ни взбитые волосы, уложенные в пучок, ни «взрослая» одежда... Ребёнок! Да ещё с нежным голоском...

Я вижу отчаянье Хилькевича, добровольно ввязавшегося в эту авантюру, но ничем ему помочь при всём желании не могу. Затея с треском провалилась...

В результате эту роль сыграла хорошая украинская актриса Раиса Недашковская...

Роль Нины

Но — нет ничего случайного... За муками Хилькевича, съёмочной группы и моими из глубины павильона, где всё происходило, наблюдала Татьяна Михайловна Семёнова, ассистентка Гайдая, которая была командирована на поиск героини фильма «Кавказская пленница»... Ей сказали, что у Юнгвальда-Хилькевича снимается «хорошая цирковая девочка». Она приехала на киностудию, увидела происходящее...

Но... тем и отличается настоящий профессионал от непрофессионала, что кроме профессии обладает ещё и чутьём, интуицией...

Что уж там могла Татьяна Михайловна разглядеть в ряженом пугале, а вот увидела! Взяла мои координаты в актёрском отделе, и, когда я вернулась из Одессы в Москву, на столе лежала телеграмма с просьбой «приехать на «Мосфильм» на фото- и кинопробы на роль Нины в кинофильме режиссёра Леонида Гайдая «Кавказская пленница».

В этой истории есть разночтения. Например, Юра Хилькевич рассказывал во всех интервью, что чуть ли не «продал» меня Гайдаю за бутылку коньяка, пообещав ему показать «потрясающую девочку», когда тот пожаловался, что никак не может найти героиню. С каждым разом эта история в исполнении Хилькевича обрастала всё новыми подробностями и красками! Он в неё и сам, видимо, всё больше верил...

Не утверждаю, но, на мой взгляд, сюжет «рассказа» не выдерживает никакой критики — концы с концами не сходятся! Ну когда Юра, погружённый в съёмки своей дебютной картины — В ОДЕССЕ, — мог выпивать с Гайдаем, который «поделился с ним «за рюмкой чая», занимаясь подготовительным периодом — В МОСКВЕ?!.

Скорее всего, всё-таки Татьяна Михайловна Семёнова раскопала сведения и полетела в Одессу. Это больше похоже на правду: тогда ассистенты были мобильными, могли найти актёра «из-под земли». Они смотрели все фильмы и спектакли по всей стране и очень гордились находками.

В отличие от сегодняшних ассистентов и помощников, которые и в картотеку-то лишний раз не заглянут — так, пороются в Интернете, и будет. Поэтому они про актёров, кроме тех, кто уж совсем «на слуху», ничего не знают.

Теперь уже не докопаться до истины — нет Гайдая, нет Юры Хилькевича, нет и Татьяны Михайловны...

Но то, что, прочитав телеграмму, я позвонила в киногруппу и поехала на «Мосфильм», — факт!..

Не могу подробно описать это историческое знакомство. Во-первых, это было слишком давно, во-вторых, я не могла предположить, что оно станет историческим, иначе, наверное, я постаралась бы запомнить все детали... Помню, что долго иду по лабиринтам «Мосфильма», вернее, меня ведут и, наконец, приводят в комнату, которая показалась мне какой-то полутёмной и мрачной. Может быть, потому что за столом, стоящим наискосок, сидит человек, тоже довольно мрачный, в очках. Он смотрит на меня без радости и любопытства (так мне запомнилось), потом задаёт общие вопросы: кто я?.. сколько лет?.. что делаю в цирке? — на которые я так же «анкетно» отвечаю. Потом он предлагает мне сесть напротив и почитать вместе с ним текст будущей кинопробы.

Мне приносят экземпляр сценария, который с того дня останется у меня навсегда (только я ещё не знала об этом)... Мы читаем сценку, когда Шурик, догнавший Нину на ослике, объясняет ей, что это не он, а ослик её преследовал... Нина переспрашивает, смеётся, ну и т. д. Гайдай делает какие-то замечания, помогает найти нужные интонации. Всё. Репетиция закончена. Выбираем день, удобный для кинопробы, и меня ведут на пробу костюма, грима и на фотопробы...

У меня сохранилась фотография из тех фотопроб — странная и смешная: волосы подкручены, глаза гримёрша мне немножко подтянула (заплела маленькие косички на висках и туго стянула их на затылке), чтобы они казались более раскосыми — мне же нужно было выглядеть, как восточная красавица. Потом, конечно, мы ото всех подобных ухищрений отказались! Мне вернули мой естественный вид и так тоже сфотографировали...

И я уехала в Тулу, где была с цирком на гастролях. Через неделю я получила телеграмму с вызовом на кинопробу.

Кстати, кинопробы и потом съёмки — и «Кавказской пленницы», и «Вия» — проходили в том самом павильоне, где теперь проводится ежегодная церемония «Золотой орёл». Об этом я рассказала со сцены, когда вручала приз за лучшую мужскую роль Даниле Козловскому.

Кинопроба и начало съёмок

Теперь кинопробы называются «кастинг». Но я говорю «кинопробы». Мне это дорого. Хотя бы потому, что отношение к кино — и у создателей, и у зрителей — тогда было совсем другим...

На кинопробах реплики за Шурика опять подаёт — теперь уже из-за камеры — Леонид Иович Гайдай. Реальный мой партнёр — мосфильмовский ослик-старожил по кличке Соловей. Чтобы он стоял на месте, я подкармливаю его морковкой. Во время дубля вместе с морковкой он зажёвывает мне полруки. Я хохочу. То есть благодаря ослику я не испытываю «трепетного волнения», поэтому сценку играю легко и жизнерадостно...

Я вижу, что Гайдаю это нравится. «Снято!» — командует он. А потом осторожно спрашивает, не могла бы я сняться ещё и в купальнике, потому что героине фильма по сюжету предстоит появиться в таком виде. Не задумываясь, я соглашаюсь, что вызывает некоторое удивление и у съёмочной группы, и у Гайдая: мол, как-то легко девушка согласилась раздеться! Они не учли, что я работаю в цирке и купальник, по сути, — моя цирковая «униформа»...

Меня переодевают в купальник. Оператор снимает, как я хожу перед камерой «туда-сюда»... Всё. Кинопроба окончена...

Позже Гайдай мне рассказал, что эпизод с купальником прибавил очков в мою пользу, так как был воспринят как свобода, раскрепощённость перед камерой...

Уже потом, когда я начала сниматься в «Пленнице», мне показали огромные альбомы с фотопробами претенденток на роль Нины. Оказывается, их было больше 500!.. На снимках я увидела самых красивых молодых артисток: Валю Малявину, Наталью Фатееву, Наталию Кустинскую, сестёр Вертинских, Вику Фёдорову, Надежду Румянцеву, Наталью Селезнёву, Земфиру Цахилову, Викторию Лепко, Ларису Голубкину — не буду продолжать длинный список ещё многих красавиц советского экрана того времени...

На роль Нины пробовались и студентки творческих вузов, и гимнастки, и балерины, и просто девушки с улицы...

И сегодня многие актрисы бойко рассказывают, как «отказались от роли Нины в «Кавказской пленнице»...

Почему среди всего этого богатства и разнообразия красоты и талантов худсоветы объединения, киностудии, а потом и Госкино, но в первую очередь сам Гайдай, выбрали никому не известную юную цирковую артистку — не знаю! Правда не знаю!..

Я никогда не страдала «комплексом полноценности», никогда не считала себя красивой, всю жизнь вела борьбу с лишним весом (это сейчас сумасшедшие девушки «подкачивают» себе попы «как у Ким Кардашьян» или «как у Дженнифер Лопес», а у меня комплексы вызывал каждый лишний килограмм!)... Ну и — повторяюсь! — я была от природы неуверенной в себе и застенчивой...

Я могла горы свернуть, если чувствовала, что меня любят и в меня верят. А так — всю жизнь у меня «конфликт хорошего с лучшим»... Это называется заковыристым словом «перфекционизм». И, видимо, благодаря этому самому я всю жизнь и везде была отличницей — в школе, в музыкальной школе. У меня дипломы с отличием — и циркового училища, и театрального института, и Литературного... Я училась хорошо, потому что мне было СТЫДНО УЧИТЬСЯ ПЛОХО. Стыдно не знать того, что я должна знать...

Откуда это? Ведь никто никогда не вбивал мне в голову эти мысли и установки. Наоборот, утешали, если я рыдала, получив четвёрку или (не дай бог!) тройку. Что это? Гены? Гипертрофированное чувство ответственности (им, кстати, в полной мере обладал мой отец!)? Или просто желание побороть глубоко и прочно сидящие во мне комплексы?!.

Но я опять ушла от темы... В общем, будем считать, что просто моя кинопроба была самой удачной, а лицо на экране — «незамыленное». И ещё — героине фильма предстояло выполнять множество трюков, а тут, по случаю, подвернулась цирковая гимнастка!..

Как бы то ни было, через две недели в Тульский цирк была доставлена телеграмма на моё имя: «Вы утверждены роль Нины "Кавказской пленнице" тчк Просим прибыть на "Мосфильм" (число не помню) марта для подбора костюма и грима тчк Начало съёмок (число опять не помню!) апреля тчк Директор картины Фрейдин».

Получив телеграмму, я зарыдала — нет, не от радости! Я поняла, что «доигралась» и что теперь мне на неопределённое время придётся расстаться с цирком. А мне этого совершенно не хотелось — жизни вне цирка я не представляла!

Ну, и был ещё один немаловажный нюанс — в программе Тульского цирка работал Толя Егоров, эквилибрист высокого класса, в которого я была по уши (и даже не безответно!) влюблена...

Значит, и с этой только-только зарождающейся любовью придётся расстаться?! Невозможно!.. Я бросилась звонить своему Зиновию Боничу — путаясь в слезах и соплях, всхлипывала, что «не хочуууу...». На что он спокойно и резонно ответил, что отказываться от такого подарка судьбы нельзя, что, во-первых, это же не навсегда, а во-вторых, «...представляешь, какая это реклама — тебя будут объявлять: «Под куполом цирка — исполнительница главной роли в кинофильме «Кавказская пленница» Наталья Варлей!»...

Убедил. Скрепя сердце я начала паковать вещи. Из-под купола спускали подвески, троса, лестницы, трапецию. Всё это — а также костюмы, реквизит, музыкальные инструменты — укладывалось в ящики, и все 290 КИЛОГРАММОВ ОТПРАВИЛИ В КРЫМ, В ЯЛТИНСКИЙ ЦИРК, где, предполагалось, я буду репетировать В СВОБОДНОЕ ОТ СЪЁМОК ВРЕМЯ... Забегая вперёд, честно скажу, что я репетировала в Ялтинском цирке, наверное, раз пять, потому что свободного от съёмок, репетиций сцен и трюков и обучения вождению двух машин времени у меня как раз и не было...

Толя Егоров, моя любовь, пошёл меня провожать... Мы стояли на перроне тульского вокзала... Я ревела. А он мне сказал, желая утешить: «Ну, ты что?! Не на войну же я тебя провожаю!..» Я просто захлебнулась от невероятного горя —

не любит!.. И уже в поезде написала стихи: «Чёрный, жестокий, мокрый перрон, и я опять уезжаю...»

Должна признаться, что об этой «вечной любви» я забыла почти сразу после начала съёмок — мы написали друг другу по паре писем, и жизнь покатилась дальше...

С Толей мы встретились лет через пять. Вспыхнул и погас коротенький роман. А ещё лет через десять я узнала, что Толя умер от рака. Вот в это невозможно поверить...

«Кавказскую пленницу» мы начали снимать в апреле 1966 года. А на экраны фильм вышел через год — 1 апреля 1967-го. Премьера состоялась в кинотеатре «Художественный» (там же позже проходили премьеры многих моих фильмов — «Вий», «Чёрные сухари», «Золото», «Большой аттракцион», «Мой папа — идеалист» и других).

Съёмки начались с павильонных сцен в декорациях «дома Джабраила» и «замка товарища Саахова». И окно, из которого Нина выпрыгивала на волю, — тоже было в павильоне. Правда, летела на верёвке я уже в Крыму с большой высоты операторского крана...

В поисках образа мои длинные волосы сначала пытались сохранить, потом решили «немножко укоротить» — на 5 см, потом ещё на 5... потом ещё... пока не оставили короткое «каре», которое понравилось всем, кроме... меня...

После выхода фильма на экран девушки массово начали стричься «под Нину», а мне было жаль своих волос... Но меня никто не спрашивал...

В самый первый съёмочный день снимали сцену в «доме Джабраила». Я в этом объекте не была задействована, но Гайдай просил на площадке присутствовать — погружаться в атмосферу и стилистику фильма...

«Чей туфля?.. Моё... Спасибо...» — рождалось у меня на глазах. В сценарии этих реплик не было, как не было и многих других смешных фраз, ставших впоследствии «крылатыми», — это результат блестящих импровизаций великолепных комедийных артистов...

Очень смешной момент, когда никулинский Балбес лёжа чешет пятку нежиданно «растянувшейся» рукой, придумал Никулин. И он же придумал, как это сделать. Под одеялом, в ногах у Никулина, ложился помощник режиссёра. Никулин засовывал свою руку под одеяло, а помреж — своей рукой тянулся к никулинской пятке... Просто, как и всё гениальное!..

И таких находок в картине множество. Во многом благодаря им картина такая яркая и весёлая...

А сценарий, кстати, был совсем не смешной — так, пересказ сюжета, незамысловатая история, видимо, и рассчитанная на то, что краски привнесут актёры. И действительно, начиная с репетиций, творческая фантазия великих творила чудеса!..

В своей книжке эстрадный артист Цукерман, который называет себя «летописцем великой троицы» (не знаю, как сейчас, но одно время у него даже был «Музей трёх актёров»), пишет, что Гайдай якобы за каждую придуманную шутку давал артисту бутылку шампанского. Вот этого я не помню — даже если предположить, что от меня, младшей в группе, скрывали алкогольное премирование, всё равно это как-нибудь хоть раз за картину да просочилось бы...

Думаю, что Цукермана ввёл в заблуждение Моргунов — он был великий выдумщик и рассказывал иногда байки, не имеющие никакого отношения к действительности, причём делал это с абсолютно «честным» и серьёзным лицом...

Но недавно в документальном фильме о Моргунове я увидела и какую-то неизвестную актрису, и не более известную режиссёршу, которые «со знанием дела» пересказывали байки и про шампанское, и тому подобную неправду. И это на центральном телевидении!.. На что это рассчитано? На то, что фильм снимался в эпоху мезозоя и не осталось очевидцев?!.

И блистательная «троица», и Владимир Абрамович Этуш, и Саша Демьяненко, и Фрунзик Мкртчян — оказались не

только прекрасными артистами, но и добрыми, вниматель-
ными людьми: они репетировали со мной очень тактично,
так, чтобы я чувствовала себя в их ансамбле равноправным
партнёром. И в результате всё получалось. Я, конечно, волновалась, трепетала, но сумела переступить и через свою
неуверенность, и через своё неумение. Естественно, мне
было трудно избавиться от страха, что я, непонятно как «за-
тесавшаяся» в уже состоявшийся коллектив, всё испорчу...

И ещё — мне было невероятно сложно приспособиться
к новому ритму жизни, к способу существования, резко от-
личавшемуся от циркового.

Съёмки начинались в восемь утра, но на «грим-костюм»
меня привозили к семи, а то и раньше. Но это совершенно не
означало, что, когда я была готова, то сразу попадала в кадр.
В кино всё меняется на ходу, по обстоятельствам. И иногда
мои сцены начинали снимать уже после обеда, иногда к концу смены, а иногда и переносили на следующий день. Я не
роптала, но... во мне скапливалась и перегорала молодая
энергия, которую я до конца растрачивала на репетициях и
в работе под куполом — в цирке. А тут...

Причёсанная, загримированная и одетая в съёмочный
костюм, я должна была подолгу сидеть, ждать своего часа.
А так хотелось побегать, попрыгать, поделать шпагатики,
постоять на голове! Но... Нельзяаааааа!!!.. И часто к тому
моменту, когда я попадала в кадр, на меня нападала сонная
вялость: глаза потухали, эмоций — ноль...

Тогда Гайдай приказывал мне взбежать по лестнице на
четвёртый этаж, а потом бегом обратно — и сразу к камере.
Ну и всё — порядок: глаза опять блестят, запыхалась, взволнованная, энергичная... Гримёрша Рита припудрит чуть-чуть,
и — то, что надо!

Но отдушинами в фильме для меня, конечно, были трю-
ковые и музыкальные эпизоды.

Балетмейстер Авалиани (он, кстати, снялся в роли официанта, произносящего тост про «маленькую, но гордую

птичку», которая полетела «прямо на солнце!..») поставил в картине несколько колоритных танцев. Например, к песенке «Если б я был султан...». Ох, какое же удовольствие для меня было сниматься в этом эпизоде! Да это и на экране сразу видно — такая счастливая мордашка!

Когда первый отснятый в павильоне материал показали Ивану Александровичу Пырьеву, который был в это время художественным руководителем мосфильмовского объединения «Луч», где и снималась «Пленница», он сказал: «Из этой девочки может получиться новая Любовь Орлова!» Гайдай рассказал мне об этом уже в киноэкспедиции. Конечно, было приятно.

Но никто не стал лепить из меня новую звезду. Для того чтобы стать «новой Любовью Орловой», недостаточно внешних данных, способностей, трудолюбия, таланта и стечения обстоятельств! Для этого нужен Григорий Александров, который всё это соберёт, сбережёт, найдёт подходящий материал, достойное обрамление, сумеет ярко преподнести... и так далее.

Я снялась в 61-м фильме — у режиссёров разной степени профессионализма и таланта, — но самыми популярными и яркими так и остались роли в «Кавказской пленнице» и «Вие»... А ведь и в самых «проходных» и уже забытых картинах иногда я и сама вижу, какой был потенциал. Говорю это безо всякого кокетства и «ложной скромности» — уже можно, уже пришло время «собирать камни»...

В конце мая мы выехали в экспедицию в Крым, поселились мы в Алуште в гостинице «Черноморская», недалеко от моря, до которого мы добирались не так часто, потому что съёмки были каждый день (за исключением дождливых). В зависимости от этого и складывался мой режим. Просыпалась я рано, делала в своём крошечном номере зарядку, бежала (в буквальном смысле) на море, доплывала до буйка и обратно и неслась к гостинице, чтобы успеть выпить кофе до отъезда на съёмочную площадку.

Снимали мы весь световой день. Обед привозили на площадку, причём это был не сегодняшний «кинокорм» в пластмассовых коробочках, а вполне себе полноценный обед из трёх блюд, который привозили в больших — не знаю, как их правильно обозвать, — бидонах (термосах? чанах?). И посуда, и приборы тоже были не одноразовые. И ели мы за большим общим столом, который смастерили наши рабочие, и сидели на лавках, ими же сколоченных. Всей группой. Дружно.

Такая была славная пауза, после которой мы с новыми силами продолжали работу уже до того момента, когда солнце входило в «режим» (это такое состояние светового дня, когда ещё совсем светло, но можно снимать вечерние сцены, потому что лучи солнца уже не прямые). Вот тогда начинали собирать аппаратуру и готовиться к отъезду в гостиницу...

Хотя в картине есть и вечерние сцены — например, когда после песни «Где-то на белом свете» Шурик провожает Нину. И, уже влюблённые, они прощаются...

Но обычно мы приезжали в Алушту ещё засветло, и я бежала к морю, чтобы успеть искупаться до заката. Потом иногда присоединялась к группе, которая шла ужинать в ближайшую шашлычную (шашлык готовили везде очень вкусно!), но не всегда — старалась всё-таки на ночь не есть: следила за весом...

На этом рабочий день вовсе не заканчивался — мы собирались в гостинице (чаще всего в номере Гайдая) для репетиции сцен, которые предстояло снимать на следующий день. На репетициях кроме Леонида Иовича и актёров, занятых в этих сценах, обязательно присутствовал и оператор Константин Бровин, чтобы понять настроение того или иного эпизода и найти потом лучший ракурс.

Кстати, у Гайдая и Бровина вся картина была расписана по кадрам. И не просто — крупный план, средний, общий, а с мизансценами: в каком месте кадра находятся герои, в какую сторону смотрят...

То есть у них была, по существу, готовая сложившаяся картина, в которую нужно было ввести актёров, которые бы заиграли, а всё вместе это потом сложилось бы в искромётную комедию...

Но, конечно, когда мы репетировали и снимали, что из этого может получиться, никто не представлял...

В те дни, когда не снимались мои сцены, меня возили на площадку, где я должна была УЧИТЬСЯ ВОДИТЬ МАШИНЫ, так как в фильме их две: грузовик-полуторка, «загримированный» под «Скорую помощь», и красная легковая, ретро, немецкой марки «Адлер».

Хозяин «Адлера» и был инструктором, обучавшим меня вождению...

Однажды после съёмок я ехала за рулём по Симферопольскому шоссе из Ялты в Алушту и везла «троицу»... Поразительно — и то, что мне доверили их всех троих везти, и то, что они сами не побоялись сесть в машину с таким неопытным водителем! Дорога-то всё-таки горная и совсем не простая!..

Все автомобильные погони мы снимали на Старом Крымском шоссе. После введения в эксплуатацию Симферопольского движение по Крымскому шоссе фактически прекратилось. Поэтому даже и перекрывать движение особенно не приходилось...

Так вот. Снимался один из эпизодов погони. Путь Нине, несущейся на красном автомобиле, преграждает троица. Они умудрились обогнать её на рефрижераторе, в который сумели забраться, когда он проезжал мимо них...

Троица стоит, взявшись за руки... Трус (Вицин), попискивая от страха, оседает в лужицу — это тают «сосульки» на его шляпе... Машина с Ниной приближается... Нина, видя троицу, отчаянно жмёт на клаксон, потом ударяет по тормозам...

Я несусь! Жму! Ударяю! А машина не тормозит!.. На шоссе позади троицы лежит оператор с камерой — снимает!..

Я ору, что «машина не останавливается»... Троица, матерясь, бросается врассыпную...

А оператор лежит и не слышит — камера тогда работала громко, да и машинку «Адлер» бесшумной не назовёшь...

В полуметре от оператора машина всё-таки тормозит! Ура! «Хеппи-энд»!.. Но Гайдай сердится на меня, хотя я совсем не виновата — техника подвела.

Однако Леонид Иович решает, что больше ни одного трюка я не выполню!.. Трюков в картине было достаточно. Кроме вождения двух машин я ещё спускалась со скалы на верёвке, выпрыгивала из окна (летела на канате с высоченной операторской «стрелы»). Скакала за уплывающим по реке Шуриком: сначала на ослике, потом на лошади и только потом прыгала в речку — так было по сценарию, и мы это сняли. Но во время монтажа Гайдай безжалостно вырезал всю мою «верховую езду». Он вообще, к сожалению, много интересных эпизодов выбросил из картины, чтобы сохранить её ритм. В результате фильм получился совсем коротким по сегодняшним меркам — 1 час 20 минут, — но ведь смотрится на одном дыхании. Значит, Гайдай был прав, отправляя в монтажную корзину всё, с его точки зрения, лишнее. Конечно, прав. Но... всё равно жаль!..

А что касается трюков... Дело в том, что все они, кроме прыжка в горную речку и самого эпизода «спасения Шурика», уже были сняты.

Красная Поляна и речка Мзымта

Но именно этот прыжок Леонид Иович и решил снимать с помощью дублёрши. «Ну как же так?! Я же воздушная гимнастка! А тут всего-навсего какая-то несчастная речка... Можно я сама?..» — канючила я. Но Гайдай был непреклонен: «Если бы это был последний кадр в фильме! А нам ещё полкартины снимать!..»

Ассистентка, поехавшая за дублёршей, вместо девочки «нашла только мальчика», которого нарядили в мой костюм и поставили на исходную точку. Оператор Бровин, конечно, его забраковал, сказав, что «парень на Наташу никак не похож. Да ещё усики пробиваются!..» Группа дружно захохотала...

Я с надеждой дёрнулась в сторону Гайдая, но меня опередила девушка из группы любопытных, наблюдавших за съёмками. Она сообщила, что вот, мол, какая удача — «я как раз мастер спорта по прыжкам в воду и с радостью вам помогу!».

Одетая в мой многострадальный костюм, наскоро, «под Нину», подстриженная девочка готовится к прыжку. По команде «мотор» она неожиданно мешком падает в воду и топором идёт ко дну...

Выловленная из речки «мастер спорта по прыжкам», стуча зубами от страха и холода, созналась, что, вообще-то, она плавать не умеет, но «очень хотела сняться в кино»...

Световой день неумолимо двигался к «режиму», и времени на поиски дублёрши уже не оставалось. А на другой день мы возвращались в Алушту. Так что пришлось прыгать мне!..

Таким образом, все трюки в картине я выполнила сама!.. Ура!.. Хотя не могу сказать, что плавание в ледяной речке с не очень тёплым названием Мзымта доставило такое уж удовольствие!.. Река брала начало в ледниках Кавказских гор. Температура в ней была, наверное, градусов 5–6... Дублей много: прыжки, потом само «спасение», потом ещё нас поливали водой из Мзымты (когда мы с Шуриком сидим, стучим зубами от холода, надо сказать, стучали мы практически по-настоящему).

Поэтому, когда съёмка наконец завершилась, нам с Сашей поднесли по полстакана чистого спирта, позаимствованного у гримёров. Им тогда полагалось возить с собой для работы: отмачивать, например, всякие наклейки — усы, бороды, накладки и т. д. И спирт, и тройной одеколон в неограниченном количестве им выдавали на складе «Мосфильма». Закусить принесли одно огромное яблоко (ранет, кажется!) на двоих... Я попыталась отказаться от жутко пахнущего спирта, но мне сказали: «Надо! А то заболеешь!» — и я послушно выпила, сразу окосела и сказала, что хочу спать. Мне показали направление, куда я должна была пойти, чтобы найти домик, в котором остановилась. Я добралась до него, плюхнулась на кровать и быстренько «отрубилась»...

Проснулась от того, что меня кто-то осторожно потрясывает за плечо. Это был Юрий Владимирович Никулин, который жалостно так мне сообщил: «Девочка! (Никулин меня всегда называл «девочка».) Это моя постелька!»... (Ну, прямо-таки текст из сказки «Три медведя»: «Кто ложился на мою постель и примял её?!».) Вот стыдно-то было!..

Да! Я же не рассказала, что «объект река» снимался — единственный из всей картины — на Кавказе, в Красной Поляне, которая тогда и не предполагала, что через несколько десятков лет станет «олимпийским объектом» и фешенебельным курортом. Тогда это было милейшее, очаровательнейшее туристическое местечко — несколько скромных деревянных домиков для привала туристов у подножия Кавказских гор. Рядом, в живописной долине, эта самая речка Мзымта... Тихо. Красиво. И хоть и не очень далеко от Адлера, но в стороне от цивилизации...

Морское путешествие

Для того чтобы оказаться в Красной Поляне, та часть киногруппы, которая была задействована в съёмках эпизода, добиралась из Ялты до Сочи морем — на теплоходе «Адмирал Нахимов» (недавно затонувшем), который был переделан из немецкого трофейного крейсера «Адольф Гитлер»... «Нахимов» считался комфортабельным, «прекрасным во всех отношениях» лайнером: многопалубным, с удобными каютами, бассейном, магазинами, ресторанами... Мы отплыли в восторженном настроении. Погода была солнечной. На море — полный штиль...

За теплоходом плывут дельфины... Сказка!.. Наше путешествие должно было продлиться больше суток...

Мы гуляли по палубам, дышали морским воздухом, плавали в бассейне...

Капитан устроил ужин в честь съёмочной группы. Всё было очень красиво, элегантно, романтично...

Ночью я проснулась от того, что чуть не слетела с койки в своей каюте: теплоход резко затормозил. С палубы раздавались крики. Беготня, топот, суета... Внезапно стали бить «склянки»... Я испугалась: тонем, что ли? Быстро оделась и вышла из каюты...

На палубе было много взволнованных людей. И тут я услышала крики: «Человек за бортом!!!» Кричали пассажиры, кричал кто-то из команды по трансляции и в рупор... Штиля на море как не бывало...

За бортом вскипала чёрная вода с гребешками волн, и там, в этой жуткой воде, где-то боролся за жизнь невидимый «человек за бортом»... Прожектора теплохода скользили по волнам, пытаясь его найти... Сколько это длилось — точно не могу сказать, но не меньше трёх часов... И народ не расходился, всё высматривал человека, волновался за его судьбу, надеялся, что он не утонул...

На воду были спущены шлюпки, сброшены спасательные круги... Наконец его нашли и выловили... Живого!.. И даже как-то не сильно напуганного. Выяснилось, что на теплоходе находились молодожёны, отправившиеся в путешествие после свадьбы. На корабле они от радости «добавили»... Невеста крепко заснула, а жених пошёл, простите, поблевать, перегнулся через борт, корабль качнуло, он и полетел «в морскую пучину»...

Замёрзшего молодожёна унесли в медпункт... Но вообще парень оказался крепким — даже не простудился. А невеста ему под стать — даже не проснулась! И когда утром ей рассказали о случившемся — не сразу в это поверила!.. Вот с такого происшествия началась наша мини-экспедиция в Красную Поляну...

Ну а закончилась она тем, что группа вернулась в Алушту, а мы с Леонидом Иовичем улетели в Москву, где готовилась запись песни для картины.

Песня про медведей

Композитор Александр Зацепин и Гайдай вместе долго искали, какую же песню должна петь героиня фильма. Сначала Зацепин принёс мелодию, ставшую потом основной музыкальной темой в следующей комедии Гайдая «Бриллиантовая рука», а также «Песней про зайцев», которую там поёт Никулин. Обычно, когда песня ещё пишется, для неё придумывается набор слов, которые ложатся на написанную мелодию по размеру. Это называется почему-то «рыбой». Как ни странно, но я очень хорошо запомнила ту абракадабру, которую написал Леонид Дербенёв на зацепинскую музыку. Саша Зацепин, приехавший в Алушту, спел:

> Много в жизни дождей,
> А зонтов слишком мало.
> Я любовь для тебя
> Одного сберегу...
> Я в подарок тебе
> Принесу незабудку
> Голубую-голубую,
> Как твои глаза...

Если не вслушиваться в текст, то получилась красивая песенка, которую вся группа с удовольствием мурлыкала. Но потом Гайдай решил, что она «слишком уж лирическая» для озорной и энергичной героини.

И родилась «Песенка про медведей», которая поначалу тоже Гайдаю не понравилась — ни музыка, ни тем более слова. Саша Зацепин сейчас рассказывает витиеватую историю, как из-за несговорчивости Леонида Иовича чуть было не ушёл с картины, предложив Гайдаю, чтобы музыку к «Пленнице» писал Бабаджанян. Но я этой истории не знаю, поэтому расскажу о том, что мне доподлинно известно и о событиях, при которых присутствовала.

О том, что я могу спеть в картине сама, речи не было, но Гайдай взял меня с собой в Москву, чтобы я сидела на записи в тонстудии, слушала и проникалась настроением песни — ведь мне предстояло эту песню сыграть. Вот я и слушала...

На запись пригласили много известных в то время певиц. Среди них были и Нина Бродская, и Таня Анциферова, и Лариса Мондрус, и Лидия Клемент... Больше не помню. Они сменяли одна другую, а Гайдай слушал и с каждым дублем всё больше мрачнел — нет, пели они все замечательно и по-разному, но... как-то уж слишком профессионально и эстрадно у них это получалось...

И вдруг он командует мне: «Ну-ка, пойди, попробуй сама!..» У меня коленки подкосились, душа ушла в пятки, но я, как под гипнозом, пошла к микрофону и спела...

Выхожу — а Гайдай сияет. И говорит мне: «Всё! То, что надо! Решено! Будешь петь сама!..» Ну, ничего себе!.. Счастливая еду домой и сообщаю маме и бабушке, что буду в картине петь САМА!

Через день мы возвращаемся в Крым, где снимаем эпизод «Песенки про медведей». Авалиани показал мне, как танцуют твист, который я потом забацала на камушке. Всё получилось. Все довольны...

Когда привезли проявленный и напечатанный материал, где были сняты и «Песенка...», и сценка, когда мы с Никулиным «спасаемся» от медведя, и мой спуск со скалы на верёвке, — мы поняли, что уже что-то начинает складываться. Материал был очень ярким, в хорошем темпе и весело сыгранным, хорошо снятым и выразительным.

Немного отвлекусь. Уже много лет гиды возят в Крыму туристов «по местам съёмок «Кавказской пленницы». Несколько лет назад, когда снимали фильм к очередному юбилею картины, повезли туда и меня, на «те самые места». Естественно, с нами гид. Приезжаем в Лучистое (сейчас, правда, у этого места другое название — Демерджи).

И там я понимаю, что экскурсионное бюро просто облегчило себе жизнь: чтобы не скакать по горам вместе с туристами по разным местам, объединило все съёмочные точки на одном пятачке. И оказалось, что и «дерево, с которого падал Никулин», и «пещера, из которой выходил медведь», и «камень, на котором Нина танцевала твист», — неожиданно «сошлись» в одном месте. И аккуратненько обнесены какими-то верёвочками и увешаны «мемориальными» досками...

Пытаюсь объяснить, что, во-первых, все съёмочные точки были в разных местах, а во-вторых, камень, на котором я танцевала, не может быть высотой в два моих роста, потому что я на него запрыгивала...

Гид очень удивлялась и сказала, что она теперь будет единственным экскурсоводом, который знает, как всё было на самом деле...

Как поссорились Леонид Иович и Евгений Александрович

Съёмки уже близились к концу, и — то ли оттого, что все устали от напряжённой работы, то ли оттого, что мы всё время «варились в одном котле», то ли просто от жары — в съёмочной группе стали случаться неурядицы...

А скорее всего, началось это раньше, когда на глазах всей съёмочной группы поссорились Гайдай и Моргунов, да так, что комедийная троица прекратила своё существование — Никулин и Вицин в гайдаевских картинах позже продолжали сниматься, а Моргунов — больше никогда...

Случилось это так.

После очередного съёмочного дня автобус подвёз нас не к гостинице «Черноморская», а к городскому кинотеатру в Алуште. Привезли только что проявленный, первый отснятый материал — естественно, в дублях и с черновым звуком, который и собирались показать членам съёмочной группы. Всем интересно, все волнуются, особенно Гайдай...

И Леонид Иович объявляет, что это такой вот рабочий показ, поэтому в зале не должно быть никого, кроме группы...

И вдруг, прямо на его словах, в кинозал входит Евгений Александрович Моргунов, слегка навеселе, царственно шествует в первые ряды, а за ним следует крашеная блондинка бальзаковского возраста с гитарой в руках и явно нетрезвая. Все замерли...

Гайдай громко произносит, как бы ни к кому не обращаясь: «Я хочу всех ещё раз предупредить, что это первый просмотр чернового материала, поэтому в зале могут находиться только члены съёмочной группы...» Моргунов и ухом не ведёт. Гайдай повторяет свою просьбу-предупреждение уже резче... Ноль реакции...

В зале повисает напряжённая тишина. Потом ассистентка, Татьяна Михайловна, не выдерживает и просит «девушку» удалиться с закрытого просмотра. Та порывается встать, но Моргунов её удерживает и заявляет: «Это моя невеста!» (Хотя все в группе хорошо знают жену Евгения Александровича!) «Выйдите, пожалуйста!» — вновь просит ассистентка. «Сиди!» — грозно приказывает Моргунов. «Пока в зале посторонние, я не начну!» — зловеще тихо говорит Гайдай. В общем, «нашла коса на камень»...

И тут Моргунов не выдерживает. Он багровеет и орёт: «Ах ты, г...! Кем бы ты был без нас?!. Это мы тебя сделали!..» — «Вон!!!» — кричит разъярённый Гайдай...

Демонстративно хлопая крышками стульев, Моргунов вместе с «девушкой с гитарой» покидают зал. Все в шоке...

Начинается просмотр. Материал хороший. Красиво снятый. Но настроение у всех тяжёлое...

После этого инцидента Гайдай потребовал, чтобы Моргунова отправили в Москву и больше не вызывали, хотя тогда оставалось ещё много сцен с его участием. Некоторые разгневанный Леонид Иович сразу выкинул из сценария. А в тех, где без Бывалого по сюжету не обойтись, решил снимать дублёров и со спины.

Но... во-первых, как обойтись без крупных планов колоритного Бывалого, а во-вторых, где найти дублёров с ТАКИМИ СПИНАМИ?!.

Другое дело — эпизод погони: когда Шурик успевает на ходу запрыгнуть в красный автомобиль, в котором засыпающая после укола снотворным троица и связанная Нина, и остановить его на краю пропасти... Представьте, «пропастью» был обрыв на вершине Ай-Петри! Машина действительно стояла на краю! Под передние колёса подсунули какой-то сомнительный валун, а внизу — настоящий, полуторатысячеметровый обрыв... Вопрос: зачем, если в картине всё равно ощущение того, что это снято в павильоне?!.

Зачем нужно было так рисковать артистами даже ради эффектного кадра (а он и не получился из-за погоды — из-за облачности даже не видно, что съёмки на огромной высоте!)

Тысяча раз: зачем?!. Кино. Но то, что на моргуновском месте сидел худенький водитель «Адлера» Володя (в этом эпизоде в картине как раз его спина!), может быть, нас и спасло от бесславной гибели — с Моргуновым мы точно бы рухнули...

Евгений Александрович Моргунов

Конечно, позже в Москве Гайдаю всё-таки пришлось отснять Моргунова в финальной сцене «суд», но общались они «через переводчика»...

А помирились они только в Ленинграде в Доме кино на 25-летии фильма. Я сидела на банкете рядом с Леонидом

Иовичем, и он вдруг наклонился ко мне и попросил: «Наташа! Скажи тост в честь Евгения Александровича!» Я произнесла тост, а Моргунов, конечно же, понял, что я это сделала по просьбе Гайдая...

И они оба сразу оттаяли по отношению друг к другу. Жаль, что так поздно. Но оба были гордыми, упрямыми и ранимыми...

Да!!! И Моргунов — тоже! Несмотря на то что многие считали и считают его нахалом и хамом, это совсем не так. Хотя его шутки бывали иногда и грубыми, и небезобидными (особенно когда были неудачными), вообще он был человеком добрым и даже интеллигентным.

Евгений Александрович был очень музыкальным, играл на рояле, прекрасно пел — особенно песни на французском языке и романсы...

Но... он был хулиганом — такой infante terrible (кошмарное дитя!). Например, он мог пройти на какой-нибудь суперматч или кассовый спектакль мимо самого строгого контролёра, ошарашив его заявлением: «Я — Моргунов! А это со мной!» И провести за собой человек десять... Популярность его была огромной, поэтому он с рынка уходил с корзиной, полной самых свежих продуктов, которые ему дарили...

Однажды нас пригласили выступить в какой-то богатой кубанской станице. Перед отъездом в Москву Моргунов сказал местному начальству, что «директор «Мосфильма» очень просил его привезти два мешка сахара, мешок картошки, поросёнка, два ящика помидоров и два ящика винограда...».

На другой день нам в поезд погрузили всё это, только в пять раз больше — каждому из нас (а мы ездили вчетвером) и отдельно — «директору «Мосфильма»... Ужас!..

А в другой раз, когда мы уезжали на концерт, ехавшая со мной в купе нетрезвая артистка, «славившаяся» своим скандальным характером, так мне нагрубила, что я хотела сойти, пока поезд не тронулся, и вернуться домой. И сошла бы — от обиды меня «переклинило», но Евгений Александрович взял меня за руку и отвёл в своё купе, сказав: «Со мной поедешь!»

И пригласил всех артистов, которые ехали на этот концерт, и попросил официанта принести шампанского, и веселил нас остроумными анекдотами, а обидевшая меня артистка ходила мимо нашего купе с виноватым видом туда-сюда...

Тогда Моргунов сказал ей: «Дочка! А ну-ка зайди к нам!» Она вошла. «Ты зачем обидела мою внучку?» — спросил Моргунов, под «внучкой» подразумевая меня...

Все расхохотались. А артистка сказала: «Наташ! Прости!» И мы с ней обнялись и расцеловались... Ситуация моментально разрядилась...

А вот с Гайдаем помириться мудрости не хватило. Оба были ранимы и самолюбивы. Оба затаили обиду.

По прошествии времени я начала думать, что хотя, конечно, Моргунов себя повёл ужасно, но ведь и Леонид Иович не нашёл верный тон. Всё-таки Моргунов пришёл с какой-никакой, но дамой. Ему хотелось, наверное, показать себя героем, мужчиной, похвастаться своими актёрскими сценами в материале. И вдруг — вот так, при всех, их выгоняют...

Почему так случилось...

В один из последних дней в Алуште съёмочная группа отмечала в ресторане нашей гостиницы день рождения Саши Демьяненко. Уже всё съели и выпили, но никак не могли разойтись. Посиделки затянулись, и я поняла, что пора идти отдыхать — завтра рано утром выезд на съёмку. И я тихонечко, «по-английски», ушла, но на выходе меня догнал Леонид Иович, предложив проводить до номера («всё-таки поздно — мало ли что...»).

Мы поднялись на этаж, где наши номера — мой, крохотный одноместный, и гайдаевский «люкс» (тоже не шикарный), где они жили с женой Ниной Павловной Гребешковой, — находились рядом.

Я поблагодарила Гайдая за заботу, сказала «спокойной ночи» и вошла в номер. Неожиданно Гайдай шагнул за мной и попытался закрыть дверь изнутри. Я ужаснулась, но вежливо попросила не закрывать, «потому что душно»...

И мы сели — я на краешек стула, а Леонид Иович в кресло у окна — напротив. Ситуация была более чем неловкая... Я начала «заполнять паузу», что-то лепеча про день рождения Саши, про завтрашние съёмки...

И тут в коридоре раздался громкий звук торопливых шагов, и в дверях остановилась Нина Павловна... Я от смущения не нашла ничего умнее, чем заявить: «Мы говорим о работе!» Нина Павловна молча вышла...

Хлопнула дверь соседнего номера. Леонид Иович поднялся с кресла и пошёл к выходу, я двинулась, чтобы закрыть за ним дверь. Но Гайдай неожиданно сам закрыл её изнутри, повернулся и попытался меня поцеловать...

Ух!.. «Умри, но не давай поцелуя без любви!» — так говорила героиня одного из фильмов того времени... Я была девушка цирковая, сильная, с моментальной реакцией, поэтому в одну секунду я Гайдая не только оттолкнула, но и вытолкала из номера, закрыла дверь и заперла её на ключ (прямо-таки сцена с Сааховым из фильма!)... Нина Павловна хоть и маленькая женщина, но «Лёника» своего держала в ежовых рукавицах... Сейчас она, улыбаясь, рассказывает о том, как «Лёник» меня любил (конечно, как героиню фильма — у Гайдая действительно была теория, что режиссёр обязательно должен быть влюблён в своё творение, как Пигмалион в Галатею). Но это сейчас, с позиции времени, возраста, мудрости, прожитой жизни, которая расставила всё по местам, и понятно, что ревновать было не к кому и не к чему...

А тогда Нина Павловна была молодой, горячей и строгой и «блюла» не только «Лёника», но и меня, потому что относилась ко мне с любовью...

Наутро она была со мной натянуто-приветлива. А вот Гайдай со мной не поздоровался и вообще не смотрел в мою сторону. На съёмках вежливо объяснял задачу, глядя сквозь меня, давал команды «Мотор!.. Стоп...», а потом только смотрел в глазок камеры...

Я чувствовала себя ужасно — «без вины виноватой». Я ещё не знала, что мужчины, даже самые умные, трудно прощают обиды и унижения — даже тогда, когда ни обижать, ни унижать их никто не собирался. Но Гайдай, похоже, воспринял всё именно как обиду и унижение...

В общем, съёмки в Крыму закончились для меня невесело. Но есть у этой истории ещё более грустное продолжение...

В поезде в Москву мы ехали в одном купе — Леонид Иович с Ниной Павловной и я...

Не помню, был ли ещё кто-то четвёртый. Но это не имеет значения. Зато очень хорошо помню, как Гайдай жёстко сказал: «Знаешь, я решил, что в фильме тебя озвучит профессиональная актриса!» У меня оборвалось сердце: об этом не возникало и речи — голос у меня был негромкий и нежный, но... мой, и никаких дефектов речи... «Почему?!» — задала я в отчаянии риторический вопрос. Гайдай стал говорить что-то о том, что у меня нет опыта, поэтому мне будет трудно, а у него на озвучание мало времени. Ну, и так далее.

Говорил он это (или мне тогда так показалось) не просто жёстко, а жестоко и мстительно. Причём Нина Павловна перед этим вышла. Значит, подумала я, они между собой договорились. Как же так?! Я разрыдалась...

Я плакала крупными детскими горючими слезами — от обиды и несправедливости, которые почему-то так часто и незаслуженно настигали меня на протяжении всей моей жизни...

Гайдай немножко смягчился, увидев такое искреннее горе, и стал меня утешать, объясняя, что почти всех начинающих актрис озвучивают профессиональные. И никто, тем более зрители, об этом никогда не узнает. Что меня озвучит замечательная актриса Надя Румянцева, у которой огромный опыт работы на дубляже, к тому же она «в материале», так как пробовалась на роль Нины и очень хотела её сыграть...

Забегая вперёд, скажу, что да, огромное количество актёров и актрис действительно озвучены другими. Мне и самой часто приходилось (особенно в «перестроечное» время, когда в «коммерческих» фильмах главные роли играли «любимые девушки» спонсоров) озвучивать молодых актрис. И действительно, этого никто не афишировал и никто об этом не узнавал...

Но со мной этот номер не прошёл. В первую очередь в тему «озвучания» вцепились журналисты, считая своим долгом этой темы коснуться или подробно рассказать в любом материале обо мне — будь то просто интервью, или документальный фильм, коих снимается несметное множество, или «парадная» передача к моему юбилею. Почему? Не знаю. Может, от собственной лени — легче же преподнести «остренький» факт, чем сделать передачу или статью о творчестве — для этого ведь надо и фильмы, и спектакли посмотреть, и стихи почитать...

А так — переписал то, что сказали другие, и всё. А может, есть такая порода людей, которым доставляет удовольствие причинять боль (подозреваю, что сегодняшних молодых журналистов на это натаскивают)...

А боль была сильной. Я уговаривала Гайдая (уже понимая, что это бессмысленно), чтобы он разрешил мне самой себя озвучить. Он вроде бы согласился, и в одну из смен меня привезли на тонстудию «Мосфильма»...

Я уже рассказывала о свойствах своего характера — сворачивать горы, если в меня верят, и петь от волнения шёпотом, когда меня «проверяют». Недоверие, крик или враньё вводят меня в ступор... Уже всё понятно?!.

На студию меня привезли, ЧТОБЫ ДОКАЗАТЬ, ЧТО Я НЕ МОГУ!.. Отступление. Профессиональные актёры подтвердят, насколько это ювелирное дело — озвучание, дубляж. Только когда ты занимаешься этим постоянно, эта трудная и утомительная работа приносит радость, наслаждение. Это как полёт под куполом цирка: не пропускаешь репетиции и представления — не теряешь навыка и испытываешь счастливое чувство полёта. Сейчас я могу утверждать это с уверенностью, потому что за свою актёрскую жизнь сдублировала или озвучила около 2000 картин! О своей «дубляжной» работе я расскажу, если не забуду, позже. Но что я хотела сказать? То, что прежде, чем начать писать сцену, даже самый опытный актёр должен несколько раз прослушать, просмотреть этот кусок фильма, порепетировать, попробовать, записать, ещё раз прослушать, и только потом приступать непосредственно к записи. Тогда дальше работа пойдёт легче — ты уже «сросся» с изображением твоего героя на экране...

А сейчас возвращаюсь к той трагической для меня минуте, когда в тонстудии я стою у микрофона, все на меня смотрят и ОТ МЕНЯ ЖДУТ ПРОВАЛА. И я, конечно же, проваливаюсь. У меня пересыхает горло. Я лепечу. И у меня нет ещё внутри стержня, который позволил бы мне найти нужные слова и твёрдо сказать обидчикам: «Тихо! Не торопите меня! Сцена трудная, и я буду репетировать, пока не почувствую, что получилось! Пока не поверю в себя!..» Но меня торопят. Мне не дают обрести спокойствие и уверенность. И я вообще замолкаю и останавливаюсь. Меня душат слёзы. И Гайдай говорит: «Ну, вот видишь! У нас просто нет времени с тобой возиться! А Надя всё сделает быстро и профессионально. Да не реви! Зато ты сама поёшь!..»

Но и это сомнительное утешение разлетелось в пух и прах! Зацепин на перезапись песни привёл Аиду Ведищеву и убедил Гайдая, что «Наташа неплохо поёт, но... не очень. А вот Ведищева — очень!..» Да кто же спорит: конечно, Ведищева поёт лучше, чем Варлей...

Но ведь — это НЕ ВАРЛЕЙ, это профессиональная певица, поющая «поставленным» голосом студенческую песенку, а именно этого — эстрадного профессионализма — Гайдай и хотел избежать во время первых записей, именно потому и решил, что я должна в картине петь сама...

Меня и здесь предали... «Снежный ком» моей боли покатился и вырос...

Что из этого получилось, я увидела на премьере «Кавказской пленницы» в Доме кино. С первых кадров зал гомерически хохотал. А я горько плакала... Я смотрела на себя на экране, говорящую совсем не юным голосом и поющую чужим, взрослым, с «вибрато» в припевах, голосом, — и мне становилось плохо, потому что я физически ощущала, что нарушена гармония, три компонента не соединяются воедино. Я — не я!..

Глубоко убеждена в том, что актёры в фильмах должны говорить и петь своими голосами (если, конечно, позволяет дикция или если драматический актёр не играет оперного певца), иначе вообще не надо брать актёра (актрису) на эту роль.

Я начинаю задыхаться, когда слышу, как в разных картинах Высоцкий то говорит не своим голосом, то поёт хорошо поставленным тенором! Зачем?!.

Не буду приводить другие чудовищные и бессмысленные примеры. Я знаю только один случай, когда актриса отстояла свой голос. Это Настя Вертинская. В фильме «Влюблённые» её зачем-то озвучили другой актрисой. И она просто пошла к председателю Госкино. В результате картину переозвучили заново. Вот это характер! Вот это поступок!.. Но нужно было обладать тем опытом и международным авторитетом в кино, которым обладала Настя. За её плечами была такая кинобиография...

А что я?.. Несколько «детских» фильмов, озвучание тех лент да картин Эльёра Ишмухамедова и Юры Хилькевича, которые и сами ещё были «начинающими режиссёрами»...

Мне 16 лет

Семья

Мама, Ариадна Сергеевна

Папа, Владимир Викторович
(до войны)

Папа, Варлей
Владимир
Викторович
(после войны)

С мамой на 19-м километре под Владивостоком

С двоюродной сестрой Лариской

Мне восемь лет

Пушкинский праздник в школе №8 города Мурманска

Сестренка Ира

Ирина с мамой на моем юбилее

Ира в роли Верочки в фильме «Преждевременный человек» А. Роома

Занятия на первом курсе ГУЦЭИ, в центре — подруга Лидка. 1961 г.

Олег Попов поздравляет выпускников с получением дипломов артистов цирка (я — справа)

Под куполом цирка на трапеции

В цирке. Сижу в рядах

Мои друзья — Аркадий Бурдецкий и Вячеслав Борисенко
— на арене цирка

После выступления под куполом, 1967 г.

Снегурочка и Дед
Мороз. Елки, 1962 г.

Выпускной спектакль
«Снегурочка» Островского
с Е.Р. Симоновым

С Сергеем Кашициным

Подруга Тамара Абдюханова
(«Марусенька»)

Володя Тихонов

Володя и Нонна Викторовна в фильме «Русское поле»

Счастливая Ленка с внуками

Семья Зелинских

С друзьями Татьяной Рузавиной и Сергеем Таюшевым

На кинофестивале со Станиславом Говорухиным,
крестницей Ирочкой Федоровой и ее дочкой Наташей

С Юрием Черновым на севере

Во время съемок «Кавказской пленницы» в Крыму

С Владимиром Этушем и Фрунзиком Мкртчан

С Александром Демьяненко

В роли Нины

Рабочий момент

Кадр из комедии Георгия Юнгвальд-Хилькевича
«Формула радуги», 1966 г.

Георгий Хилькевич — гость передачи «Домашние хлопоты
с Натальей Варлей», 1997 г.

Я вышла, пошатываясь от боли, в фойе Дома кино после премьеры. Ко мне сразу побежали с поцелуями и с поздравлениями!.. Я говорила «спасибо», утерев слёзы...

А что ещё можно было сделать?.. И только второй оператор фильма подошёл ко мне в волнении и сказал: «Господи! Зачем они это сделали?!» Действительно, зачем?..

В картине осталось несколько сцен с моим голосом — например, когда Нина говорит: «Ошибки надо не признавать! Их надо смывать кровью!..» Или в сцене «похищения невесты» Шурик наклоняется над Ниной в спальном мешке, прежде чем застегнуть его, и Нина, закрыв глаза, говорит: «Прощайте-прощайте...»

Гайдай признал, что МОИ СОБСТВЕННЫЕ ИНТОНАЦИИ в этих сценах — неповторимы... (Кстати, эпизод со спальным мешком мы снимали в тот день, когда мне исполнилось 19 лет — 22 июня!)

Может быть, кто-то, читая эти горькие строки, скажет, что я оправдываю собственную несостоятельность...

Докажу, что это не так: 61 фильм, великое множество спектаклей в театре, 2000 озвученных мною работ в кино и на телевидении — разве это не доказательство?!. Нет?!. Тогда — главное!

Через несколько лет меня порекомендовали Гайдаю уже в другом качестве: нужно было дублировать американскую актрису, сыгравшую главную роль в его картине «На Дерибасовской хорошая погода, или на Брайтон-бич опять идут дожди»...

И мой голос больше всего подошёл на эту роль. Гайдай утвердил его. Во время озвучания Леонид Иович то и дело повторял: «Зачем же я снимал в этой роли Келли?! Надо было Наташку снимать! Хотя нет! Наташка старая!» Дима Харатьян парировал: «Леонид Иович! Побойтесь Бога! Посмотрите на Наташу!.. Она же моложе Келли!..» Гайдай с ним соглашался и опять «сокрушался»... В шутку, конечно...

А на банкете после премьеры фильма Гайдай усадил нас рядом с собой — Диму слева, меня — справа, сказав, что хочет сидеть «со своими любимыми актёрами»...

В какой-то момент Леонид Иович повернулся ко мне, наклонился и тихо произнёс: «Ты знаешь, я до сих пор не могу себе простить того, что озвучил тебя Надей!.. Я помню, как ты плакала... Надя — блестящая актриса, но она пробовала скопировать твои интонации, и всё равно слышно, что это — Надя, хоть и молодая, но всё-таки старше тебя на 10 лет. Это не имело смысла. Наташа! Ты прости меня!..»

Могу поклясться чем угодно, что передала слово в слово то, что сказал Леонид Иович... И я сказала ему, что с болью по этому поводу жила и, видимо, буду жить до конца дней, потому что уже ничего изменить нельзя, но его мне не за что прощать, потому что он режиссёр и хозяин фильма. И я его люблю и уважаю...

А потом Гайдай объявил, что следующий его фильм обязательно будет про любовь и в главных ролях он обязательно снимет «своих любимых» Харатьяна и Варлей...

И все зааплодировали, хотя, как всегда, было не очень понятно, говорит он серьёзно или шутит...

Но следующего фильма уже не было... Гайдай умер. Умер на руках у Нины Павловны... Она мне рассказывала, что читала ему (он лежал в больнице) что-то весёлое, они вместе смеялись. И вдруг он закашлялся и сразу обмяк. Оторвался тромб...

Известие о смерти Гайдая стало неожиданностью и огромным горем для его зрителей, поклонников его уникального таланта, но, конечно, в первую очередь для его близких и для его актёров — для тех, кто любил и продолжает любить его, для тех, кого любил он... Гайдай — великий режиссёр. И это сегодня понимает большинство — нет комедийного режиссёра, который мог бы занять его нишу в кино...

Попытки снять ремейки по его картинам — не больше чем глупая фальсификация: для этого надо родиться вторым

Гайдаем, а второго — у нас нет и никогда не будет, потому что талант — штучен...

Долго думала, нужно ли было касаться этой болезненной для меня истории, не оскорбит ли она память моего, по сути, кинематографического отца — ведь без «Кавказской пленницы» моя жизнь сложилась бы совсем по-другому...

Но тема эта всплывала и будет всплывать. И до сих пор мне не дают покоя вопросами: почему? Почему, например, я раньше не говорила, что большую часть роли озвучила Румянцева, а в картине песня звучит не в моём исполнении, хотя в концертах я её всегда пою? Да потому что на этом настаивал сам Гайдай: «Если будут спрашивать, говори — да, сама!» И я говорила, но от этого было только тяжелей — не должно быть неправды даже во спасение, даже «санкционированной»...

И потом — чем дольше жила картина, тем больше активизировалась уехавшая в Америку Ведищева. Она возмущалась тем, что её фамилии «нет в титрах», хотя до недавнего времени у нас в кино вообще не было такой практики. И тем, что я пела на юбилеях Зацепина и Дербенёва «Где-то на белом свете» и удостоилась наконец похвалы Саши Зацепина. А она считала, что её должны были вызвать из Америки...

И уж совсем бестактным было её выступление на одном из телевизионных ток-шоу. Когда Ведищеву спросили, почему она пела за Варлей в «Кавказской пленнице», дама вальяжно ответила что-то вроде «ну, у неё, кроме смазливой мордашки, ничего не было, она ничего не умела!».

А любимая мною Надежда Румянцева, которая, хотя Гайдай просил её этого не делать, во всех интервью стала после его смерти рассказывать, как она «сделала роль Нины» в картине...

Видимо, им — сознательно или подсознательно — не давала покоя зрительская любовь, которая после картины не проходила с годами... Нина Павловна Гребешкова, когда я однажды её спросила, почему они это делают, так и сказала: «Не обращай внимания! Ведь на экране — ты, и зрители тебя любят. Вот им и обидно...»

Всё равно не понимаю до конца, почему так случилось...

Я очень надеюсь, что на мои откровения Леонид Иович сегодня не обиделся бы. Правда не может оскорбить память. И верю, что не огорчила Нину Павловну. Она не просто мудрая женщина — она великая женщина, потому что сумела, будучи очень красивой и перспективной молодой актрисой, уйти в тень гениального режиссёра и построить свою жизнь во имя любви к нему, во имя того, чтобы он состоялся. Она смогла стать его самым верным и близким другом на сложном и тернистом пути, помогая в профессии, создавая домашний уют, воспитывая дочь, удерживая от искушений. Сколько же сил и терпения для этого нужно было прекрасной маленькой женщине, обладающей даром любви и достоинства!..

Мы с Ниной Павловной редко видимся, но часто созваниваемся по разным поводам...

Когда не стало моей мамы, я иногда обращаюсь к ней за советом и всегда получаю его сполна... Она удивительная — сильная и в то же время женственная. Она живёт очень скромно, так же, как жил и сам Гайдай, вернее, как жили они вместе...

Поразительно, но постоянно крутящиеся по телевидению гайдаевские фильмы не приносят ей доходов, потому что авторские права принадлежат «Мосфильму», покольку сняты они в «доперестроечное» время, поэтому ей, как правопреемнице творчества Гайдая, не полагаются авторские отчисления, и я считаю, это в высшей степени несправедливо. Но мало ли что я «считаю»...

Я очень люблю дочку Гайдаев Оксану, внучку Олю... Они все родные мне люди. И это уже навсегда.

Да! Только не надо думать, что ТОГДА я, обидевшись на Гайдая, «надула губы» и перестала с ним общаться. Я тяжело переживала свои «болячки», но с Ниной Павловной и Леонидом Иовичем мы общались ВСЕГДА: мы звонили друг другу, поздравляли друг друга с праздниками и днями рождения, я писала им с гастролей обстоятельные письма.

А по окончании съёмок мы встречали вместе Новый год — Гайдаи отмечали праздник в Доме кино на ул. Воровского (сейчас опять Поварская ул.) и пригласили меня. И, хотя для меня Новый год всегда был и остаётся праздником семейным, я с радостью приняла их приглашение. Да и родители мои сказали: «Ты что?! Опять будешь сидеть дома?! Ни в коем случае! Конечно, иди в Дом кино! Развлекись, повеселись!»

Подозреваю, они всё ждали для меня «удачной партии» (бабушкино выражение). Если бы я была взрослой и умной, то, возможно, и оправдала бы в новогоднюю ночь их ожидания, потому что Гайдаи определили мне в «кавалеры» за столом Вячеслава Васильевича Тихонова...

Встреча с Тихоновым

Тихонов пришёл в Дом кино на встречу Нового года один. С Нонной Мордюковой к тому времени он уже давно был разведён, а Тамару Ивановну, свою будущую жену, он ещё не встретил. Попросту говоря, он был холостяком. И самое интересное, что Нина Павловна и Леонид Иович, похоже, тоже втайне надеялись, что это будет «историческая» встреча...

Она и стала таковой, но совсем не в том смысле, который вкладывали взрослые и опытные люди...

Я не люблю слова «кумир» («не сотвори себе кумира» справедливо говорится в заповедях). Но не могу подыскать слово для определения ощущения той благоговейной нереальности, которую я испытала от встречи с Вячеславом Васильевичем!..

Я ОЧЕНЬ любила этого прекрасного артиста, я видела все фильмы с его участием. Под куполом цирка на флексатоне я играла мелодию из кинофильма «На семи ветрах», которую сама выбрала, впечатлённая удивительной игрой и достоинством Тихонова на экране... Красивый, благородный, интеллигентный...

Тот Новый год был «периодом Андрея Болконского» в его творчестве. И вот он сидит рядом со мной, «ухаживает», подкладывает салат, подливает шампанское, приглашает танцевать... Галантный, элегантный... Не сон ли это?!.

Ну и всё... Я не почувствовала себя «Наташей Ростовой на балу»... Я находилась в эйфории от восхищения, но... Я была настолько инфантильной, что мне даже и в голову не пришло, что я могла бы в Вячеслава Васильевича влюбиться не как в артиста...

Мне было 19. Ему — 38... Пожилой (по моим представлениям), уважаемый артист. И между нами — эпоха!..

Когда меня спрашивают про моих партнёров по «Кавказской пленнице» — были ли между нами романы, влюблялись ли мы, я искренне удивляюсь: да как же можно, когда между нами была такая возрастная дистанция: мне — 18, Саше Демьяненко — 30, Никулину, Этушу, Моргунову, Гайдаю — за сорок, Вицину — за пятьдесят!!!

Не знаю, как я для них — мне казалось, что они относятся ко мне больше как к ребёнку, — но они для меня все были однозначно очень пожилыми!..

Наверное, моё поколение девушек было так воспитано. А может, это я была такой инфантильной...

Я была влюбчивой. Но всегда — в сверстников или в тех, кто моложе... Я могла влюбиться так, что «искры из глаз», километры стихов, бессонные ночи, страдания, внутри бушуют страсти...

А потом «буря» стихала — причём иногда очень-очень быстро. «Розовые очки» падали и разбивались, и я смотрела на свою вчерашнюю «любовь», ничего не понимая — ни про него, ни тем более про себя...

У замечательной писательницы Виктории Токаревой есть фраза (простите, не гарантирую точность цитаты): «И этот сморчок чуть не сломал мне жизнь?!.»

Глядя на «вчерашнего принца», я изумлялась — ведь я же САМА его идеализировала, наделила несуществующими чертами, «слепила из того, что было», а вот теперь передо мной не то чтобы «сморчок», а просто... не тот!.. Вот оно, влияние Грина!.. Вот за что Лёня Куравлёв его не любил!..

Возвращение с земли в воздух...

Когда закончились съёмки «Пленницы», я вернулась к своей любимой работе, в свою родную атмосферу — в цирк. Но за это время я отвыкла от высоты, вышла из формы. И меня поставили на репетиционный период в Московский цирк на Цветном бульваре, цирк моего детства...

По утрам я репетировала свой номер, восстанавливала форму. А вечером выходила в качестве ассистентки в иллюзионном аттракционе Игоря Кио.

Вместе с другими ассистентками Игоря, одетая в нарядное цирковое платье, в блёстках, перьях и стразах, я бегала по цирковым лабиринтам, так как это было необходимо для выполнения того или иного иллюзионного трюка. Забиралась во всякие ящики и шкафы.

Однажды во время концерта в Кремлёвском дворце на сцене, которая почему-то шла немножко под уклон в сторону зрительного зала, мы, девушки-ассистентки, «заряженные» в шкаф на колёсиках, вдруг почувствовали, что он покатился и уже набирает скорость. Мы жутко испугались, потому что от нас уже ничего не зависело, и мы готовы были к тому, что этот «шкаф» опрокинется на краю сцены и упадёт в зрительный зал, а мы сломаем себе шеи в этой ловушке, в которой мы стоим, прижавшись друг к другу так, что едва дышим...

К счастью, у цирковых хорошая реакция. И униформисты, крепкие парни, выскочили на сцену и успели это безобразие притормозить...

Я знаю многие тайны исполнения иллюзионных трюков, но никогда их не раскрою (хотя, полагаю, на сегодня это уже «секрет Полишинеля»)...

Правда, и сам Игорь обучал меня и мою сокурсницу Валю Лысенко (зрители помнят её по роли Аринки в «Свадьбе в Малиновке») незамысловатым фокусам, когда на 2-м курсе на экзамене по мастерству актёра мы должны были в разделе «профнавыки» показать работу девушек-иллюзионисток...

Я и материальное

За свою работу в аттракционе у Кио я получала рубль! Не смейтесь! Это была огромная прибавка к простойной зарплате, которую мне платили во время репетиционного периода. За месяц набегало...

А вообще, деньги и я — понятия несовместные. У меня с ними сложные отношения. Мне их всегда хватало, когда я получала крохи, и никогда не хватало, если вдруг я что-то зарабатывала, — они у меня не задерживались, потому что я начинала их тратить на подарки и сюрпризы — всем!.. Я не умею копить, вкладывать...

И если мне приходится продавать то, что куплено задорого, я продаю это за «копейки»... Коммерсант из меня ещё тот!..

Наверное, поэтому всё материальное у меня появилось поздно: и отдельная квартира, и дача, и машина. Даже СЛИШКОМ поздно: отец так и не успел пожить на «нашей даче», мама очень любила «нашу дачу», но пожила на ней совсем недолго. И это грустно...

Почему у меня так — всё материальное приходит ко мне либо поздно, либо приходит и уходит?.. Значит, так надо. Значит, это не моё. Жизнь преподала мне несколько уроков на эту тему.

Урок первый. МОЖНО ПРОЖИТЬ И НА МАЛЕНЬКУЮ ЗАРПЛАТУ. Как говорил Остап Бендер: «Не делайте из денег культа!..»

Первая моя зарплата по окончании циркового училища была 69 рублей. За эти деньги я работала под куполом. На гастролях нам платили ещё 50 копеек — суточные. Но, представьте, на эту зарплату можно было спокойно и даже хорошо прожить.

Я вспоминаю, как вкусно мы питались на гастролях в Волгограде... Мы шли на рынок и покупали за 50 копеек свежие куриные потрошки, из которых получался изумительный супчик на три дня. Помидоры — огромные, сочные, без нитратов — астраханские или волгоградские, стоили 5 копеек килограмм. Картошка, огурцы, сахарные арбузы и дыни — 5 копеек килограмм. Петрушка, укроп, сельдерей, мята — 1 копейка пучок. Не помню, сколько стоила рыба, которой было там навалом — и свежей, и солёной, и копчёной, и вяленой, — помню, что копейки!..

Можно не продолжать?.. К тому же я обязательно привозила из гастрольных городов подарки для всей семьи...

Эта привычка осталась и по сей день — я тащу в Москву то, чем богат край, где я бываю на гастролях, — рыбу, икру, поделки, спиртное, кружева...

И практически всё раздаю — родным и близким, которые при этом считают, что я столько всего навезла, что раздаю излишки. А у меня для самой себя ничего не остаётся...

Мама очень любила привозные гостинцы. Сыновья считают это лишним. А я всё равно везу — так привыкла...

Урок второй. «НА ВСЕХ ДРУЗЕЙ НЕ УГОДИШЬ, СЕБЕ ЛИШЬ ТОЛЬКО НАВРЕДИШЬ...» (мораль из басни Сергея Михалкова).

Помню, как из первой зарубежной поездки — это была неделя советского кино в Уругвае — я умудрилась привезти подарочки и сувениры не только всем членам семьи, но и всему курсу (я ещё училась на третьем курсе Щукинского).

В Уругвае у нас не было даже суточных, потому что нас кормили обедами, завтраками и ужинами. А были «карманные», то есть совсем копейки...

Недавно в одном журнале я прочитала, как одна актриса вспоминает: «В поездках за границу нам меняли очень мало денег...» Неправда! Совсем ничего не меняли. Но я как-то не переживала — считала, что раз мне выпало счастье увидеть мир, то остальным я сделаю хоть и маленькие подарки, но «на память об этой стране, в которой они ещё не были».

Тоже ошибка. Во-первых, потому, что сувенир из страны, где не был, так себе подарок, во-вторых, потому, что никому и в голову не приходило, что это куплено на последние гроши, и кроме раздражения и даже иногда зависти это ничего не вызывало! Одна умная и опытная артистка сказала мне в одной из таких поездок: «Приедешь в Москву, пойди в магазин, купи бутылку дорогого спиртного, чего-нибудь экзотического на закуску, испеки пирог, собери друзей и покажи им фотографии! А на все суточные купи себе какую-нибудь красивую шмотку — ты же актриса!»

В общем-то, она права, но не в моём характере следовать её совету. Этому я так и не научилась...

Тогда из Уругвая я привезла массу впечатлений и... кому-то крошечный флакончик французских духов (у нас была посадка в Париже), кому-то национальный сувенир, купленный на местном рынке, а кому-то... кусочек душистого мыльца из отеля (ну, чтобы всем хватило!).

Из чемодана я вытряхнула всё. Мне ничего не осталось. И что же? Кто-то вежливо поблагодарил, а кто-то и обиделся за такой «пустячный» подарок...

Урок третий. ПОТЕРЯЛ — НЕ ОТЧАИВАЙСЯ, ВЕДЬ ПОТЕРЯ — МАТЕРИАЛЬНАЯ. ЖИЗНЬ НА ЭТОМ НЕ ЗАКАНЧИВАЕТСЯ...

Когда я получила первую зарплату на «Кавказской пленнице» — а она составляла целых 150 рублей в месяц, и после цирковых 69 я почувствовала себя просто богачкой, — я, конечно, поехала покупать всей семье подарки в конец Ленинского проспекта, в магазины «Лейпциг» и «Власта».

В этих магазинах продавались соответственно немецкие и польские товары: косметика, парфюмерия, галантерея...

Сначала в «Ванде» я купила несколько флакончиков модных тогда и, кстати, очень приятных польских духов с томным названием «Быть может...». Маме, Лидке, себе...

Потом в «Лейпциге» накупила разного душистого шампуня в латексных подушечках, «бадузана» (пены для ванн)...

А когда я перешла в отдел женской одежды, где уже выбрала кофточку для мамы и халатик для бабушки, я вдруг обнаружила, что сумка, висевшая у меня на плече, расстёгнута, а кошелька в ней нет. Вытащили. Украли...

Состояние своё очень хорошо помню... Я медленно, чтобы не упасть от головокружения, вышла на улицу, прошла на бульвар, который тогда разделял Ленинский проспект посередине...

В голове звенела пустота — даже мыслей никаких не было. Как будто я неживая. В таком состоянии я добрела до троллейбусной остановки и приехала домой...

Мама, увидев меня и узнав, что случилось, повела себя нетипично для неё — не заахала, не заохала, не закричала: «Вот видишь, я же говорила!», а спокойно сказала: «Не переживай! Это не самое страшное в жизни».

Я, конечно, погоревала, что не успела купить всем подарки, поскрипела зубами, подумав о ворах. А потом решила, что, конечно, противно, что со мной так поступили, но ведь, действительно, жизнь-то продолжается... Кофточку и халатик куплю с другой зарплаты!

А вот ещё один урок на ту же тему — он будет пожёстче и пострашнее...

Я человек не городской по своей природе и всегда мечтала о домике в Подмосковье или на море. Мы каждое лето снимали дачу и на море ездили. Но так хотелось свой!..

Когда я уже была в штате киностудии им. Горького, сотрудникам начали раздавать бесплатные участки где-то по Дмитровскому направлению. Но на мне, естественно, участки закончились. Вернее, остался, но один, а претенденток на него было две — я и Люба Полехина. И несмотря на то что, как потом выяснилось, участок Любе был не нужен, потому что она уезжала с мужем в Латинскую Америку, а я была на сносях вторым ребёнком, почему-то голосованием на студии решили, что Полехиной участок нужнее, и она его получила. А я продолжила мечтать...

В то время я ещё и «депутатствовала»! Два созыва от киностудии им. Горького меня избирали депутатом Бабушкинского районного совета, и я, как и всё, за что берусь, делала это с полной отдачей и ответственностью.

Беременная Сашей, я, уже с животом, лазила по каким-то невероятным горам строительного и прочего мусора, проверяя «готовность домов к зиме». Принимала избирателей в подвальчике в одном из отдалённых кварталов Свиблова. Потом с «депутатскими наказами» шла в Моссовет по «властным» кабинетам, добиваясь того, чтобы расселили дома, условия жизни в которых были чудовищными...

И добивалась: дома расселяли, людям давали благоустроенные квартиры, но... одним — в новостройке, а другим — во «вторичке», одним — с видом на лесопарк, а у других из окна была видна помойка...

Ну, и чем в результате закончилось моё рвение помочь?! А тем, что «группа товарищей» накатала на меня кляузу: мол, Варлей ЗА ВЗЯТКИ одним ДАЁТ хорошие квартиры, а другим (т. е. не давшим взятки!) — «по остаточному принципу»... «Справедливость» по отношению ко мне в очередной раз восторжествовала!.. Проплакавшись от обиды, я отслужила положенный срок, но в третий раз баллотироваться категорически отказалась!..

Но к чему я так долго рассказываю о своём депутатском периоде?.. А к тому, чтобы заметить, что, в отличие от сегодняшнего дня, депутатская деятельность тогда была исключительно общественной. Никаких денег за свои непростые труды мы не получали. Привилегий никаких не было, кроме бесплатного проездного в общественном транспорте и возможности снять дачу в Подмосковье в тех посёлках, где были старые, даже ветхие госдачи (чаще всего с «удобствами» в саду, иногда без водоснабжения) — не бесплатно, но с хорошей скидкой. Конечно, поскольку у меня было двое детей и пожилые родители, меня это очень устраивало.

Сначала я снимала дачу на Клязьме — по Ярославской дороге. Тогда это направление ещё не превратилось в «безумство человеческой мысли» по уничтожению природы из-за навязчивого желания «всё скупить, чтобы застроить, чтобы потом продать»...

Мы занимали полдачи, деля общую кухню с соседями... Воды сначала не было, но потом её сумел подвести к самому дому мастеровитый молодой актёр «Ленкома», который очень серьёзно за мной ухаживал. Участки на территории посёлка были большие, лесные, неблагоустроенные, что, скорее, являлось их достоинством — корабельные сосны, грибы и заросли малинника прямо на участке — здорово же!.. Мы с Васей прямо на участке разводили костерок и жарили шашлыки...

В том же посёлке снимали дачи певица Катя Семёнова и Коля Караченцов с Людой Поргиной — у всех дети были ещё маленькими (Саню своего я возила в прогулочной коляске — ему было года два). С тех пор мы и подружились...

«Клязьминский период» закончился, когда я опоздала вовремя оформить и оплатить дачу и её быстренько снял кто-то другой. Думаю, не случайно: надвигались иные времена, и, видимо, «умные люди» понимали, что вскоре это можно будет купить за бесценок и оформить в собственность.

Но я такой «умной» никогда не была, поэтому поехала смотреть дачу в посёлке Опалиха. Там, конечно, не было райских лесных участков, мало того, между большинством участков не было заборов, но лес был рядом, и я выбрала большой дом с тремя комнатами, туалетом и водопроводом внутри помещения и старым, заросшим деревьями и травой садом. Здесь мы прожили несколько счастливых и, как выяснилось, последних для нашей семьи лет, когда ещё все были живы...

К тому моменту, когда я перестала «депутатствовать», дачу оформляли на папу как ветерана войны...

Когда отца не стало, мы перебрались в домик поменьше, который оформляли уже на маму как вдову ветерана...

Но вернусь к теме, от которой, увлекшись, далеко ушла — к мечте о домике, потому что, как бы ни было хорошо на госдачах, собственный, конечно же, лучше...

В какой-то момент я неожиданно получила участок от Союза кинематографистов в дачном кооперативе «Кино-1», причём находился он в местах моего детства, неподалёку от деревни Аносино, рядом с деревней Жевнево, близ речки Истры...

Счастью не было предела! 15 соток в лесу, где в детстве собирали грибы!.. Мы с Васей и Саней брали рюкзаки и ехали на свой участок — просто посидеть, пособирать малину, разжечь костёр, помечтать о том времени, когда мы будем жить здесь всей семьёй...

Но... для того, чтобы здесь был дом, нужны были деньги, а где их взять — большой вопрос: в 90-е годы с работой было негусто...

Я бралась за все дубляжки и озвучки, соглашалась на концерты и даже (с благословения отца Алексея) согласилась сняться в рекламе...

И накопила 5000 рублей — за эти деньги можно было построить маленький скромный домик! Но я решила, что нужно ещё чуть-чуть подкопить — на всякие непредвиденные, но вполне ожидаемые расходы...

Деньги лежали на книжке в сберкассе, «надёжнее которой нет на свете»...

И грянул дефолт — так, кажется, называется кошмар, во время которого твои пять тысяч в один день превращаются в пять рублей, на которые можно купить разве что буханку хлеба...

Разговоры об этом самом «дефолте» ходили давно, но с экранов телевизора те же жирные морды «экономистов», которые периодически предлагали народу «затянуть поясочки», теперь врали, клянясь, что «никаких реформ не будет», что просто «кому-то выгодно сеять панику», и большинство поверило...

«Умные» меняли обесценивающиеся рубли на валюту (хотя это и было тогда запрещено законом), быстро скупали всё, что ещё можно купить...

За два дня до дефолта жирные морды «реформаторов» с экранов исчезли. А постные лица дикторов (в 90-е годы почему-то вместо принятых в этой профессии ранее красивых лиц появились, мягко говоря, уродливые, с чудовищной дикцией, картавые, шепелявые — что раньше было просто невозможно: дикторов готовили блестяще!) пространно известили, что реформа всё-таки будет, что какую-то малую часть вклада можно снять, остальная будет «заморожена» до лучших времён... Что металлические монеты частично будут в ходу...

Народ, который ничего и раньше не понимал, и на этот раз не понял. Да и не поверил, что его так надуют...

На всякий случай все бросились в магазины, чтобы успеть истратить наличные, которым предстояло одномоментно «сгореть»...

А в магазинах практически уже ничего не осталось. Скупали то, что ещё не куплено, но и за этим стояли очереди... Я помню, мы с мамой купили какие-то подушки, наборы столовых предметов, скатерть, постельное бельё...

В сберкассы стояли километровые очереди...

Два дня я ходила туда, как на работу, но очередь продвигалась на несколько человек за весь день. И сберкасса закрывалась...

Но, честно говоря, я до последнего не верила, что у меня могут разом отнять всё, что я заработала с таким трудом, скопила, экономя на всём, кроме питания детей...

До конца не верила!.. До тех пор пока в очереди, стоящей в сберкассу на Садовом кольце (по иронии судьбы, я сейчас живу в доме на противоположной стороне кольца!) не пронёсся зловещий шорох: «Закрывается!» Толпа задёргалась, загудела...

Но что толку!.. Двери безвозвратно закрылись...

Состояние своё помню: как тогда, когда украли мою первую киношную зарплату, я иду на ватных, подгибающихся ногах домой...

Внутри та же выжженная пустота... Голова кружится. Я даже думать боюсь, что делать дальше. В мозгах — вакуум...

Но на подходе к дому вдруг появилась первая отчётливая мысль: «Ну, значит, так надо!.. Значит, не судьба. Но жизнь-то не заканчивается!..»

И я пришла домой, к моим мальчикам, уже спокойная... Я их расцеловала. Я погладила кошку Мурку и собаку Тома. И подумала: Господи! Да я же счастливая!.. Я жива-здорова! Слава Богу, живы родители! У меня есть маленькая, но отдельная квартира. У меня потрясающие сыновья, которых я люблю так, что сердце разрывается от этой любви!.. По квартире скачут любимые кошка и собака. Есть работа — может быть, не та, о которой мечталось, но не «челночу» же, в конце концов!.. Я учусь в Литинституте, и стихи по ночам пишутся!..

А домик?.. А деньги?.. Ну, значит, не время. Заработаю ещё — если Богу угодно...

Мамина спокойная реакция, много лет назад смягчившая горечь потери, мостиком перекинулась в настоящее...

Я полноценно осознала, что то, что сегодня со мной случилось, на самом деле — счастье, потому что ещё раз заставило меня расставить приоритеты...

И сегодня я думаю так же: ТОГДА все самые главные компоненты счастья были в моей жизни!.. Да, этот отрезок времени — один из самых счастливых!..

О любви

Спустившийся с небес и посетивший нас
Ребёнок хрупкий и многоимённый
Зовётся боль, любовь...

Итак. О любви. Влюблялась я с раннего детства — об этом я уже упоминала. Влюблялась редко, но метко... Эмоции вытесняли из моей головы все разумные мысли. «Мысль» оставалась практически одна: «Он!»... По сути, я жила всё время в ожидании или в предчувствии любви. Пока её не дожидалась. Неважно, сколько продолжалась моя влюблённость — год или два дня, — я успевала нафантазировать себе такую историю, какой у нас по определению не могло быть! Я наделяла своего «героя» теми качествами, которых у него и в помине не было... Естественно, что «при ближайшем рассмотрении» портрет «героя» рассыпался в пыль и прах...

До 18 лет серьёзно я влюбилась дважды. Почти полтора года длилась моя влюблённость в Славку Шуйдина — со всеми соответствующими «настоящей любви» атрибутами: страданиями, переживаниями («любит — не любит»), ревностью — хотя поводов для этого не было никаких. Но я думаю, что подсознательно понимала, что, если Славка узнает о моих «чувствах» и «ответит взаимностью», — волшебство тут же испарится...

Так оно и случилось в результате: когда в цирковом училище Славик обратил на меня внимание, меня это не взволновало совсем...

Коротеньких «вспышек», от которых рождались стихи, было много. Но — нет смысла о них вспоминать: я даже и не всегда помню, кому посвящались вполне глубокие, «с болью», стихи...

Была сильная «вспышка» — я влюбилась в талантливого эквилибриста Толю Егорова, увидев его на манеже. Это было очень красиво и гармонично: силовые трюки, которые он исполнял легко и артистично, его обаяние, улыбка, глаза...

В очередной раз я влюбилась в талант. Эта влюблённость была взаимной — и, конечно же, платонической. Толя был не намного старше, но казался мне взрослым и умным. С ним было интересно. Но... начались съёмки «Кавказской пленницы», и «любовь растаяла, как дым...». Иронизирую, ставлю в кавычки, потому что на самом деле настоящей любви-то ещё и не было...

И вдруг...

«Иваново детство» и Коля

Не помню, как в нашем доме появился Аркадий Белогородский — по-моему, он занимался математикой с моей сестрёнкой Ирой, но могу и ошибаться. Помню, что съёмки в «Пленнице» уже закончились и я была на репетиционном в Московском цирке. И помню, что Аркадий попытался за мной приударить. Безрезультатно.

Тогда он решил подтянуть «тяжёлую артиллерию», видимо, для придания большего веса собственной фигуре, и привёл к нам друга, Колю Бурляева. Ясно, что Аркадий хотел похвастаться тем, какие у него знаменитые друзья. Но результат получился совсем не тот, которого он ожидал, — я в Колю влюбилась. Вернее, сначала он мне просто очень понравился, хотя совсем не был красавцем: худенький, юный, нервный, говорил, сильно заикаясь.

Коля учился на последнем курсе Щукинского училища, но был уже известным артистом: снялся у Кончаловского в фильме «Мальчик и голубь», у Тарковского в «Ивановом детстве», у Файта — в картине «Мальчик и девочка».

Коля увлечённо рассказывал о только что завершённых съёмках «Андрея Рублёва» Тарковского, где он сыграл в новелле «Колокол», о работе с Никитой Михалковым над спектаклем «12 разгневанных мужчин» на учебной сцене Щукинского...

Он был ярким, остроумным, влюблённым в профессию... Я посокрушалась, что ничего, кроме «Мальчика и девочки», с его участием не видела. Тогда Николай сказал, что обязательно пригласит меня на дипломный спектакль, и посоветовал посмотреть «Иваново детство» — благо он идёт в двух шагах от моего дома — в Кинотеатре повторного фильма... Правда, на каком-то раннем сеансе — то ли в 10, то ли в 12...

И на другое утро я пошла в кинотеатр...

Это было эмоциональное потрясение! Гениальный фильм!.. Гениальный мальчик...

Когда в финальных кадрах на фотографии погибшего мальчишки я увидела Колины глаза, я почувствовала, что не просто влюбилась — меня прежней больше нет!.. Этот недетский взгляд ребёнка сразил меня наповал. И образ рано повзрослевшего на войне мальчика, и образ реального взрослого Коли-юноши — слились во мне воедино...

Я поняла, что не просто «влюбилась» — люблю...

В какой-то телевизионной передаче о Коле наш с ним брак назвали «студенческим». Это совсем не так. Да, конечно, это был союз двух очень юных людей — когда мы поженились, мне только исполнилось 20, а Коле — 21 год. Но никак нельзя наши отношения назвать «пробными». Это была моя ПЕРВАЯ ЛЮБОВЬ — не влюблённость. Коля был моим первым мужчиной...

И я уверена, что и для Коли это было настоящее и сильное чувство. Любовь.

Мы не могли друг без друга. Я ещё работала в цирке. Коля «сюрпризом» приезжал ко мне на гастроли в Горький...

Я помню, как безутешно плакала каждый раз, провожая его в Москву, хотя знала, что через несколько дней мы опять увидимся...

В Москве мы тоже были почти неразлучны. Когда у меня возникали многочисленные мероприятия в связи с премьерой «Пленницы», а потом и «Вия», я стремилась побыстрее оттуда сбежать, потому что мои мысли были с Колей, и я рвалась на свидание с ним...

Меня очень тепло приняла его семья — и родители, Пётр Диомидович и Татьяна Александровна, и сестра Люся, и братья — Борис и Гена...

Чего не скажешь о моих! Мама с бабушкой никак не могли понять, что я нашла «в этом мальчишке», когда вокруг меня вились молодые дипломаты, студенты МГИМО и Института иностранных языков, музыканты, режиссёры, певцы, космонавты... Перспективные... Влюблённые. С подарками...

Но никогда в моей жизни не было места рациональным взаимоотношениям. Сейчас можно и поспорить с самой собой — хорошо это или плохо. Но... со мной могло быть только так, а не иначе! Коля — и всё тут...

На июнь была назначена наша свадьба. Коля вводил меня в круг своих друзей и знакомых...

Странно, но только сейчас я подумала: а ведь это был «его круг», а из своего я как-то незаметно и вполне добровольно выскользнула, что было в корне неправильно...

Как и обещал, Коля пригласил меня на свой дипломный спектакль «12 разгневанных мужчин», который произвёл на меня большое впечатление. Но мой поход в Щукинское оставил и горький осадок. Когда меня усаживали в зале, из него, демонстративно стуча каблучками, вышла — почти выбежала — Наташа Богунова, когда-то сыгравшая с Колей в картине «Мальчик и девочка»... Я её сразу узнала. Она была необыкновенно хороша! А сердце ёкнуло от ревности — было!!! Не знаю, так ли это на самом деле, но интуиция меня редко обманывала в жизни. Хотя — конечно, я очень ревнива, даже

148

можно так сказать: глупая собственница. Что поделать, не обладала женской мудростью (да и сейчас, по правде говоря, не блещу!). Да и Коля, хоть сам был увлекающейся натурой, тоже был изрядно ревнив. И тоже интуитивен.

Может быть, именно поэтому он и хотел замкнуть меня в собственном кругу. Может быть, именно поэтому он так не хотел, чтобы я уходила из цирка и поступала в Щукинское (хотя невольно сам меня к этому подтолкнул).

При всей моей любви к цирку в какой-то момент я вдруг почувствовала, что мне этого мало: жизни, спрессованной вокруг семи минут — хоть и счастья, хоть и полёта... Я ещё не знала, как раздвинуть круг...

Потом приняла решение, что пойду учиться заочно в ГИТИС — на театроведческий или искусствоведческий факультет. Или на отделение режиссёров цирка, которое только-только открылось. Что с этим образованием делать дальше, я не задумывалась...

Знакомство с Колей, с его друзьями, фильмы Тарковского, спектакли Щукинского училища — неожиданно зародили во мне совершенно другие желания и планы: я вдруг поняла, что ОЧЕНЬ ХОЧУ ИГРАТЬ НА СЦЕНЕ! Не в кино, а именно в театре...

Снимаясь в «Вие», я поняла, что для того, чтобы быть соавтором своих ролей, иметь право отстаивать своё видение роли в репетициях, на съёмках, в спорах с партнёрами и режиссёрами, поверить в себя, в конце концов, надо УЧИТЬСЯ ПРОФЕССИИ. И я решила поступать в Щукинское.

Коля такого поворота не ожидал. Он меня отговаривал. Он втолковывал мне, что то, что я делаю в цирке, его потрясло, что мой номер уникален, а вот что будет со мной в качестве артистки театра — ещё неизвестно. Он убеждал меня из цирка не уходить...

Возможно, он предчувствовал, что это станет началом нашего расставания...

В общем-то, так оно и получилось...

Поступление в Щукинское

На первый тур Коля привёл меня за руку. Я тряслась как осиновый лист... Коля оставил меня на крыльце Щукинского — я не хотела, чтобы он присутствовал во время прослушивания (у меня такая природа волнения, что, когда я знаю, что в зале кто-то из близких, меня просто перемыкает — так было, так осталось и по сей день).

Я пошла знакомиться с абитуриентами, которые «скучковались» вокруг красивого, крупного и очень обаятельного блондина. Это был Юра Богатырёв. Он обладал невероятной притягательностью, хотя сам ничего не делал для привлечения внимания: ничего не играл, громко не говорил — что-то тихо и спокойно с полуулыбкой рассказывал. И все его слушали. Этот необъяснимый магнетизм — тоже один из компонентов таланта...

Вот убейте, не помню, как проходил первый тур. Нас вызывали — то ли пятёрками, то ли десятками. Запускали в зал... Дальше — от дикого волнения — провал в памяти. Помню только, как я была одета, и знаю, какой был репертуар...

На мне было платьице такое же, как в финале «Кавказской пленницы», только леопардовой расцветки (оба платья, кстати, сшила мне тётя Юля Левшицкая, мама моей сокурсницы по цирковому училищу Ларисы Левшицкой). Чисто вымытые волосы до плеч. Никакой косметики. Хорошенькая, складненькая девушка со спортивной фигуркой. Правда, трясущаяся от страха.

На Нину из «Пленницы» я в реальной жизни никогда не была похожа — в кино я смотрюсь высокой. А мой рост — 160 см. И все принимали за Варлей — Ларису Халафову, высокую, большую, яркую красавицу из Баку.

Я читала монолог Эвридики из пьесы Жана Ануйя, стихи Маяковского «Послушайте! Ведь если звёзды зажигают...» и басню Феликса Кривина...

Я видела перед собой, как в тумане, кафедру, за которой много педагогов-актёров во главе с Борисом Евгеньевичем Захавой, ректором Щукинского. А по бокам ещё толпились любопытные студенты-старшекурсники. Как я читала — не помню: тут уж полный туман...

В общем, на второй тур я прошла. И пришла на него уже одна. И благополучно прошла на третий.

А перед третьим туром на речке, в моём любимом Аносине, меня ужалила в переносицу какая-то зловредная мошка, и я пришла в училище всё в том же «счастливом» платьице, но с лицом киргизской девушки: переносицу разнесло вширь, а глаза припухли и сузились. И так-то комплексы, а тут ещё это. И не идти нельзя...

И «до кучи» — я попала в группу, которую прослушивала Людмила Владимировна Ставская, и сразу почувствовала, что раздражаю её своей Эвридикой «в киргизском исполнении»...

Тут нужно пояснить, что Людмила Владимировна была педагогом, считающим, что самое главное в актёре — открытый темперамент. Рядом со Ставской на прослушивании сидела старшекурсница Нина Русланова, её любимая ученица, обладающая всеми качествами, которые соответствовали вкусам и требованиям Людмилы Владимировны!.. И обе смотрели на меня глазами, ничего хорошего не предвещающими, — как на зверька неопределённой, но жалкой породы...

Я начала читать, под их взглядами всё больше и больше затихая...

«А погромче мы можем?!» — хорошо поставленным голосом вскричала Ставская. Я совсем «сдохла» и шёпотом сказала: «Могу...»

(Это опять напоминает моё поступление в музыкальную школу в далёком детстве... Правда, там мне пытались помочь, а здесь — наоборот.)

«Тогда крикни: «Мама»!» — потребовала Ставская. «Мама», — пискнула я.

«Громче!..» — «Мама...» — я, еле слышно, теряя остатки воли...

«Вот что, Нина! — произнесла Людмила Владимировна, обращаясь к Руслановой. — Объясни девушке, что такое темперамент. А вам, девушка (это уже ко мне), предлагаю поменять репертуар с лирического на комедийный! Нина вам посоветует, что подготовить...»

Дальше было что-то ужасное — то, чему я так и не научилась противостоять: Нина насильственно сопровождала меня от Щукинского училища до дома на Суворовском бульваре, совершенно хамским тоном «наставляя» меня. Она вбивала в мою бедную голову, в выражениях не всегда цензурных, что напрасно я «возомнила себя звездулькой», хотя на самом деле я... (опустим кто, ладно?!)

Честное слово, никогда себя «звездой» не считала, а уж тогда...

Забегая вперёд, скажу, что долго ещё панически боялась и Ставскую, и Русланову. Но с Людмилой Владимировной мы нашли общий язык и даже полюбили друг друга к концу третьего курса, а с Ниной Руслановой подружились значительно позже, когда я уже окончила училище и работала в театре — нас сплотило общее горе: гибель нашего друга, Стасика Жданько...

А тогда я пришла домой, раздавленная и убитая... Я даже хотела не ходить на следующий тур — какой там «комедийный репертуар»... Но потом... цирковой принцип — доводить всё до конца — помог справиться с собой...

Я подготовила монолог Липочки из комедии Островского «Свои люди — сочтёмся». И всё прошло просто замечательно. Великая Цецилия Львовна Мансурова, первая вахтанговская Турандот, хохотала, слушая меня, а Борис Евгеньевич Захава, ректор Щукинского, сказал, что я могу считать, что принята (если, конечно, я не завалю коллоквиум и сдам общеобразовательные экзамены!), но взял с меня слово, что в кино во время учёбы сниматься я не буду. На этих условиях меня берут...

Была такая странность — не разрешать студентам сниматься. С одной стороны — правильно: постигать профессию и отвлекаться на работу в кино — несовместимые вещи. Но с другой стороны...

Сейчас, с позиции времени, я понимаю, сколько же прекрасных ролей прошло мимо меня, сыграно другими актрисами! От скольких я отказалась, памятуя о данном обещании... Я не жалела об этом. Я училась. Я жаждала стать профессионалкой...

Но... некоторые из этих ролей стоили годов учения. Работа с некоторыми снимавшимися в этих фильмах великими актёрами принесла бы мне многое — и как актрисе, и как человеку...

Однако что толку сожалеть, вспоминать! Прошло. Сделано. Восемнадцать, девятнадцать, двадцать лет — не возвратить. Потом я уже играла героинь постарше...

Но тогда, когда я давала своё «честное слово», я об этом не думала. Я была счастлива! Меня приняли!!! Собеседования и экзаменов по общеобразовательным предметам я не боялась. Я знала и литературу, и историю, работы по русскому языку писала без ошибок. А живопись, театр и музыку я не просто любила — я ими жила...

Самый же главный вопрос коллоквиума: «Почему вы решили идти в театр, а не в кино?» — для меня был риторическим...

Лёня Филатов
и Володя Качан. Свадьба

И вот я выхожу из ГЗ (гимнастического зала), где в Щуке проходил последний тур, абсолютно счастливая... Просто в эйфории...

Ко мне подходит старшекурсник Володя Качан и просит зайти с ним в одну из аудиторий. Я захожу. И Володя поёт мне свою песню на стихи своего сокурсника и самого близкого друга — Лёни Филатова:

Если ты мне враг,
Кто тогда мне друг?..
Вертится земля,
Как гончарный круг...

И эта песня — и музыка, и слова — потрясает меня, всё во мне переворачивает...

Перепутал год,
Перепутал век —
И тебе не тот
Выпал человек...

Он не виноват,
Я не виноват...
Для тебя — Монмартр,
Для меня — Арбат...

Эти слова неожиданно заронили зерно сомнения: а не тороплюсь ли я выйти замуж за Колю? Да, вот так подействовала на меня эта песня — магически, как заклинание, потому что я ощутила за этими словами невероятно сильное чувство неординарного, очень талантливого человека; не только поэта, хотя стихи проникали в душу, а именно ЧЕЛОВЕКА...

И когда Лёня прибежал и начал бешено звонить в дверь нашей квартиры на Суворовском бульваре, испуганная мама открыла, а Лёня потребовал: «Наташу!», и я вышла, а он, прикуривая одну сигарету от другой, по-сумасшедшему, эмоционально, страстно начал убеждать меня, что я не должна выходить замуж за Колю, — я ведь не оборвала его, не пресекла!.. Я стояла и слушала, и смотрела на него вытаращенными глазами, а сердце бешено колотилось... Такого эмоционального напора, такой эмоциональной, отчаянной атаки я не испытывала ни до, ни после — никогда в жизни...

Так в мою жизнь ворвался Лёня Филатов со своей безумной любовью. Так покачнулись наши отношения с Колей. Но пока устояли...

Свадьба состоялась. Мы отмечали её в Колиной квартире, вернее, в самой большой (наверное, метров 40) комнате из трёх, принадлежавших семье Бурляевых в доме № 6 на улице Горького. В этой квартире было ещё двое соседей.

Нам с Колей отвели шестиметровую комнатку, в которой помещались кровать, тумбочка и стул... Но — что ещё молодожёнам нужно?!.

Народу на свадьбе собралось много. Были Настя Вертинская с Никитой Михалковым, Колины сокурсники и друзья, Савва Ямщиков, знаменитый реставратор с женой, Максим Шостакович с женой Леной, Андрей Тарковский... Были и Юрий Владимирович Никулин, и Этуши, и Гайдай с Ниной Павловной... Ну, естественно, наши родственники... Всё. Больше ничего не помню — какие-то отрывки и обрывки... Такой сумасшедший «венецианский карнавал»... Ни ЗАГСа не помню, ни машин, ни как расписывались... Помню, что на мне было маленькое белое платьице, сшитое той же тётей Юлей Левшицкой, всё того же из «Кавказской пленницы» фасона... Была и дурацкая фата, которую Коля назвал «фатёнка», и крики «горько»... Ещё помню, как Боря Бурляев, брат Коли, уже опьянев, раз пять принимался «с выражением» читать есенинское:

> Поцелуй названья не имеет!..
> Поцелуй не надпись на гробах...

(и это было прелюдией к очередному «горько»)...

А Никулин прочитал посвящение «молодым» собственного сочинения, что-то типа:

> Выпить сегодня никто не ленится —
> Замуж выходит «кавказская пленница»!
> Вицин, Гайдаи, семейство Балбеса —
> Шлют вам подарки для полного веса...

Ну, и т. д.

После свадьбы мы с Колей уехали в Новый Свет с большой компанией его друзей: Марианна Вертинская с мужем-архитектором Ильёй Былинкиным, Максим Шостакович с Леной, Савва Ямщиков с женой, рижской манекенщицей... Кто-то ещё был, не вспомню — может, Ваня Дыховичный, может, Боря Хмельницкий...

Новый Свет тогда был вполне «диким» местом. Условия жизни — спартанские. Но что нам, молодым, надо было?! Мы радовались жизни, пили крымское вино и новосветское шампанское, жарили шашлыки. А главное — загорали и купались в море!..

Помню, как мы с Машкой Вертинской (так «в миру» все звали Марианну!) жарили на плитке помидоры с чесноком и солью на сливочном масле — на всех! Невероятно вкусным казалось это незамысловатое блюдо...

В общем, жили мы там «растительной» южной жизнью...

А потом мы вернулись в Москву. Начинался учебный год — у меня. И состоялось открытие сезона в «Ленкоме», в труппу которого был принят по окончании Щукинского училища Коля...

И началась наша совсем новая, отдельная и почти не пересекающаяся жизнь...

Меня сжигали искры, фейерверки, снопы, фонтаны — из влюблённых глаз Лени Филатова, Володи Тихонова и других моих соучеников...

А Коля начал репетировать спектакль «Суджанские мадонны», где его партнёршей была Ирина Печерникова, «дама прелестная во всех отношениях» (говорю это без иронии; кавычки — поскольку цитата), очень сексуальная и зазывная в своей «беззащитной» красоте.

Конечно, я ревновала. Безумно... Я пришла на премьеру «Суджанских мадонн» к Коле в театр. Посмотрела спектакль. Потом Коля повёл меня на банкет...

И на сцене, и на банкете — я почувствовала, что и там — «искры, фейерверки, фонтаны и снопы»... Хотя Ира была замужем за поляком из группы «Бизоны», и Коля потом убеждал меня, что ревность моя беспочвенна, а Иру он уважает, ценит, она его друг и т. д. Но... не может любящая женщина, тем более актриса, тем более поэт — не чувствовать, если в воздухе пахнет «грозовым озоном»...

Как-то незаметно в нашу с Колей жизнь вошли ссоры. Мы стали друг на друга обижаться. Не доверять. Ревновать... Женской мудростью — повторяюсь — Бог меня не наделил... Хитростью, игрой во взаимоотношениях — тоже...

Когда мы с ним ссорились, я шла домой, на Суворовский бульвар, где меня ждали с распростёртыми объятиями мама с бабушкой, которые втайне надеялись, что мы с Колей наконец расстанемся. А я плакала в подушку от тоски. Даже короткое расставание было для меня тяжёлым испытанием, мукой. Больше трёх дней я не выдерживала: собирала «котомку» и возвращалась назад...

И вот однажды я вернулась, предполагая, что и Коля извёлся от одиночества, пока меня не было. Вхожу и вижу, что за НАШИМ столом мирно так, по-семейному, сидят Николай и Ирина и едят СВАРЕННЫЙ МНОЙ супчик... Ничего страшного, правда? Ведь не на измене же поймала!.. Но это для мудрой, взрослой и, возможно, не очень любящей женщины. А для юной максималистки — это крах всего!.. Мир обрушился. И за супчик как-то обидно. Я развернулась и ушла...

Коля не догнал, не вернул, не позвонил: видимо, он не считал нужным «оправдываться»... А я расценила это по-своему...

Наш мир, обрушившись, дальше уже только продолжал рушиться, хотя это было очень болезненно, думаю, для нас обоих...

Коля получил квартиру на Коломенской, которую начал строить для нас — чтобы наконец мы там смогли жить вдвоём...

Но вдвоём — уже не получилось...

Коля часто уезжал на съёмки: он в это время снимался у Виталия Мельникова в картине «Мама вышла замуж»... Недавно этот фильм повторяли по телевидению. А я смотрела и думала: вот таким был Николай, когда мы расставались! И ещё мне пришла в голову мысль: ведь у актёра всегда роль накладывает отпечаток на его характер и поступки. Наверное, играя максималиста Борьку, Коля так же категоричен и эгоистичен был и в наших взаимоотношениях...

Повторюсь: не только не снимаю с себя вины, наоборот, всё так же считаю, что выстраивает атмосферу в семье — женщина...

Дома на Суворовском тоже всё было неспокойно. Мама извелась от моих метаний и переживаний. Ей определённо хотелось, чтобы всё скорее закончилось. Я уходила от разговоров на эту тему. Мама обижалась, мы ссорились...

Чтобы уйти от этих ссор, я попросила Колю дать мне ключи от нашей квартиры в Коломенском, чтобы я там пожила, пока он на съёмках. Он дал. Но я даже съездить туда не успела.

Через несколько часов после Колиного отлёта позвонил Пётр Диомидович и попросил меня приехать к ним на улицу Горького. А там он объявил мне, что откуда-то приезжают какие-то их дальние родственники и нужно их поселить в квартире на Коломенской. А посему я должна отдать ключи...

Я всё, конечно, сразу поняла. Ключи положила на стол. И сказала Петру Диомидовичу, что напрасно он думает, что я претендую на Колины квадратные метры. Он смягчился, и я услышала: «А-ааа... Ну если так, то, конечно, поживи пока. Забери ключи!..»

Но я, конечно, не забрала и ушла, как оплёванная... Ужасно обидно было, что меня заподозрили в корысти...

Сегодня я могу понять опасения Колиного отца и даже оправдать их. Но это сегодня, когда вижу, что многое строится на корысти и выгоде...

А тогда я была дочерью своего бессребреника отца (хотя почему «была» — и по сей день ею остаюсь!) и не понимала «за что?!». Эта история как-то ещё больше нас с Колей отдалила. Предположить, что он не знал о нашем разговоре с Петром Диомидовичем, трудно. И эта незаслуженная подозрительность и несправедливость очень меня оскорбила.

Я страдала. И в то же время позволила себе принимать Лёнины ухаживания. А Лёня просто тряс меня, как грушу, своей любовью, страстью, и с такой силой, что я начинала уже поддаваться — ведь я поэт...

Лёня говорил мне, сравнивая свои чувства с Колиными: «Понимаешь, Натка, один человек может прыгнуть в высоту на полтора метра, а другой — на 20 сантиметров... Победит ведь первый!» И это было наглядно и убедительно. Он цитировал стихи своего друга, поэта Пети Вегина:

Как любят поэты —
Не любят поэтов...
И в лунных постелях,
Подобные флейтам,
Поэты лежат...
Прибеги, принесись,
Любимая, мой
Сумасшедший флейтист!..

И пусть обожжёт
Твой оранжевый рот —
Мой флейтовый,
Мой фиолетовый рот...

Не слабо, да?! На фоне, как казалось, затухающего чувства — такой накал страстей! Мне нужно было, чтобы меня ЛЮБИЛИ. Меня ОДНУ! А в силу Колиной любви я верила всё меньше. Да и он в мою — тоже...

Момент, когда я чуть не изменила Коле, был обстоятельствами подготовлен. Коля отдалялся — Лёня приближался...

Я и сегодня не могу объяснить, что это было: гипноз, любовь, мечта о любви? Лёня своим чувством обжигал в буквальном смысле. Однажды я заснула между репетициями в кресле в фойе Щукинского. Проснулась от ожога — это Лёня меня поцеловал: просто в щёку, но — ожог...

Было ли чувство самого Лёни любовью или это был такой сумасшедший поэтический полёт, фантазия, смешанная с реальностью?..

Лёня вообще так жил: с полной отдачей во всём, к чему прикасался. Поэтому жизнь его была короткой. Но он столько успел сделать!..

В любом случае стихи того периода, посвящённые мне (или его чувству!), искренни, пронзительны и наполнены болью. А я — тоже писала в стихах ему письма-ответы...

Сейчас с полной ответственностью за истинность слов я могу сказать, что измены в буквальном, физиологическом смысле не было. Но я была к ней готова. Поэтому Коле я сказала, что я ему изменила. И он ответил, что мне этого не сможет простить.

Коля! Того, за что ты меня «не простил», — не было!.. Но в Писании говорится о том, что прелюбодеяние в мыслях уже есть прелюбодеяние. И я, ещё некрещёная, это уже понимала...

Написала всё это и опять думаю: а надо ли было? Не «сор ли из избы»? Не на потребу ли «жёлтой прессе»... Но так было — в нашей полудетской (во всяком случае, с моей стороны) любви. И вина ли, судьба ли, воспитание ли, профессия ли — что нас всё-таки развело? Ведь расставание было болью. А светлые воспоминания — ещё большей болью, потому что понимание, что это невозвратимо, рвало сердце на части...

Например, воспоминание о том, как в моём крохотном номере в цирковой гостинице в Горьком мы лежим на узкой кровати, прижавшись друг к другу, и Коля читает мне вслух «Мастера и Маргариту», только что напечатанную в журнале

«Москва». И нам не тесно, уютно и так хорошо! И представить, что это не навсегда, — просто невозможно...

На встречу Нового года на дачи Большого театра в Серебряном Бору нас пригласили Колины друзья — Катя Максимова и Володя Васильев, бывшие уже тогда великими танцовщиками.

Дачами Большого театра именовался Дом творчества для артистов оперы и балета Большого театра — как и все Дома творчества того времени, очень скромный деревянный двухэтажный дом с маленькими номерами, столовой и кинозалом в полуподвале. Но очень уютный. Встреча Нового года вне дома для меня понятие неприемлемое, но тогда всё было славно — новогодний ужин в нарядно украшенной столовой, шампанское, звон бокалов, музыка, танцы...

А часа в два мы все отправились на прогулку с санками, снежками, горками. Веселились, как дети...

Около четырёх все устали и угомонились. Мы с Колей ночевали в номере у Кати с Володей.

Рано утром, когда на улице было ещё темно, я проснулась от странного шороха. Я посмотрела на часы — 6.30.

Оглядев маленький тесный номер, я увидела, что Катя и Володя, одетые во что-то тренировочное, в вязаных гетрах на ногах, держась за спинки кроватей, — занимаются балетным станком!!!

Вот это был урок для меня! Вот это дисциплина! Они не дали себе послабления даже после бессонной новогодней ночи!..

Ещё одно воспоминание, не очень радостное. Хотя в тот день Коля пригласил меня на закрытый просмотр на «Мосфильме» картины Тарковского «Андрей Рублёв», которую мне очень хотелось наконец увидеть...

После просмотра сияющий Николай стал спрашивать меня: ну как? А я со свойственной мне «большевистской прямотой» сказала, что новелла «Колокол» и сам Коля мне очень понравились, но фильм мне было смотреть тяжело, потому что он сделан слишком натуралистично и, видимо, жестоким и недобрым человеком, хотя и безумно талантливым. Я действительно закрывала глаза и отворачивалась, когда в горле монаха, которого играл Никулин, булькала кипящая смола, а её всё вливали и вливали ему в горло. Или когда на экране по-настоящему горела корова... И таких эпизодов в картине много. Вероятно, в реальности было и пострашнее, но когда полфильма не можешь смотреть на экран и тебя буквально начинает тошнить — разве это достоинство искусства?!

Ну вот, примерно так я сказала и попала на несколько дней в Колины враги. Он сердился на меня, видимо, потому, что я оказалась такая глупая и примитивная. Но я говорила то, что думала и чувствовала, и не могла даже представить, что это может так оскорбить и задеть самолюбие. Была бы помудрее, не стала бы портить Коле праздник. Но хитрить я не умела...

Мы ещё сходились и расходились. Ссорились и мирились. Но... мы уже шли по разным дорогам и в разные стороны. В чём-то Коля и по сей день близкий мне человек. Какие-то его мысли и поступки я не в силах понять и принять. Только какое это теперь имеет значение!..

Я очень люблю вторую Колину жену, Наташу Бондарчук. Когда мы с ней встречаемся на наших кинематографических путях — удивительно, но мы с ней часто оказываемся не только в одном вагоне, но и в одном купе, — мы можем проговорить с ней всю ночь, а всё равно времени не хватит... Она умница! Вот она — настоящая, мудрая, сильная женщина, обладающая режиссёрским мужским складом ума и глубокими знаниями. Наташа родила Коле двух прекрасных, талантливых детей — сына Ивана, очень одарённого композитора, и дочь Машеньку, которая стала актрисой: «Иван да Марья»... Почему они разошлись, прожив достаточно долго, — не берусь судить, но думаю, что «корабль не выдержал» двух талантливых личностей...

Впрочем, это совсем не моё дело, не имею права даже рассуждать на эту тему.

Мы познакомились с Наташей, когда нас вместе отправили на кинофестиваль советских фильмов в Латинскую Америку — в Боливию, Колумбию и Венесуэлу.

Гена Цареградский из «Совэкспортфильма» (была такая организация в советском кино), руководитель нашей поездки, потом нам, смеясь, рассказывал, что не сразу сообразил, что его делегация, которой предстояло путешествовать по дальним странам больше трёх недель, состоит из двух жён — бывшей и настоящей — одного человека. А сообразив — ужаснулся: не начнут ли они друг другу «глазыньки выцарапывать»...

Но, конечно, ничего такого не могло быть. Мы с Наташей сразу нашли общий язык и подружились. Мало того, нас и в отелях селили вместе (в кино всегда на актёрах экономят!). А когда в одной из венесуэльских газет перепутали подписи под нашими фото и под моей фотографией написали «Наталья Бондарчук», а под Наташиной, соответственно, «Наталья Варлей», — мы аккуратно вырезали статью со снимками, вложили в конверт и отправили Коле...

Когда Николай создавал своё детище — «Золотой Витязь», фестиваль православного кино, — время этому не способствовало: в 90-е годы понятие «патриотизм» было почти запрещённым и фигурировало чаще всего в компании с выражением «красно-коричневые»...

Любить Родину, страну, да ещё под православными знамёнами, когда под флагами «демократии» поносилось всё русское, было почти преступлением. Когда те, кто никогда не собирался уезжать в Америку или Европу, позиционировались «хозяевами жизни» как неудачники. Когда умами стал править доллар. Когда выше куполов церкви на проспекте Мира взлетела реклама «Макдоналдса», а над площадью Пушкина, прямо напротив памятника Александру Сергеевичу, над самым высоким зданием воспарил и надолго остался девиз общества одноклеточных потребителей: «Пепси» — бери от жизни всё!»...

Вот в такое время Коля начал собирать под свои знамёна единомышленников. Он выстоял. Фестиваль расцвёл, окреп, стал международным. Коля отстоял православное и патриотическое содержание этого форума. Его идею — нести веру, добро и гуманизм. За это честь ему и хвала! И так получилось, что мы на какое-то время оказались, что называется, «в одной лодке».

А потом и на одном корабле: фестиваль «Золотой Витязь» отправился в круиз по волжским городам, и дирекция кинофестиваля пригласила меня стать его участником. Я с радостью приняла приглашение и взяла с собой младшего сына Сашу. Это было замечательное путешествие. Корабль причаливал у пристаней прекрасных старинных городов... Мышкин... Углич... Ярославль... Артисты сходили на берег и давали киноконцерты в залах или просто на площадях, где сооружалась временная эстрада. Мы встречались со зрителями, общались с главами городов и руководителями предприятий. Но, главное, мы посещали музеи и храмы, многие из которых только-только начинали восстанавливаться и реставрироваться, а многие ещё и не начинали...

Мы побывали в Толгском женском монастыре под Ярославлем: сама обитель только начала возрождаться, но в ней уже благоухал прекрасный сад, где монахини с любовью выращивали плодовые деревья и кусты, а на клумбах росли необыкновенные цветы...

Но самое главное, в монастырском храме, где было ещё совсем мало икон на полуразрушенных стенах, в центре, перед алтарём, лежала чудотворная икона Толгской Божьей Матери, к которой можно было приложиться...

Отец Иннокентий, который в ту пору духовно окормлял фестиваль, отслужил службу во имя чудотворной иконы...

Отец Иннокентий (Вениаминов)

Я не могу не остановить своё повествование. Я обязательно должна рассказать об отце Иннокентии, которого я уже упоминала в предисловии...

Одно из главных обретений этой поездки — то, что мы с Сашей встретили отца Иннокентия. Счастье, что он был в нашей жизни. И остался в ней, конечно же, до самой его кончины. И после неё...

Мы познакомились с отцом Иннокентием (Вениаминовым) на причале у «Речного вокзала» перед самым отплытием теплохода. Не помню, кто нас ему представил — Люся Бурляева, Колина сестра, или его племянница Таня, — это не так важно... Важно то, что он как-то сразу взял нас «под своё крыло»...

После молебна в храме Толгской Божьей Матери, когда все разошлись по территории монастырского сада, я задержалась в церкви, чтобы написать и подать записки «о здравии» и «о упокоении»...

Отец Иннокентий молился у одной из икон. Саня стоял у иконы Толгской Божьей Матери. И вдруг он в волнении подошёл ко мне: «Мама! А может икона мироточить?!» Я очень удивилась — ведь мы несколько минут назад все к этой иконе прикладывались и ничего подобного не увидели...

И мы с Сашей подошли к отцу Иннокентию, чтобы поделиться с ним, а потом все вместе — к иконе... Она действительно мироточила: по лику Богоматери текли капли слёз...

И тогда батюшка обнял Сашу и со слезами ему сказал: «Деточка! Произошло чудо! Это значит, что у тебя открыты духовные очи!.. Ты чист сердцем, и икона тебе открылась». И уже обращаясь ко мне: «Наташенька! У вас необыкновенный мальчик. Берегите Сашеньку!..»

Судьба самого отца Иннокентия удивительна. Долгое время он служил на флоте. Был морским офицером. Как и все в то время, был крещён, но не воцерковлён, то есть церковь в его жизни не играла особой роли...

Но после смерти жены он пришёл к Богу. Мало того, он постригся в монахи, чтобы уйти от мира. Дети его поступка не поняли и не приняли. И до самых последних своих дней он мучился от того, что самые близкие, самые родные — далеки от него душевно и духовно...

Но никогда он не пожалел о своём решении. Он служил Богу и людям (это звучит высокопарно, наверное, но это так, это о нём!). И совершенно неожиданно вдруг открылось, что отец Иннокентий — правнук святителя Иннокентия, митрополита Московского и Коломенского, апостола Аляскинского и всея Сибири. Батюшка подарил мне икону своего великого предка.

Сам отец Иннокентий — из Петербурга (если не ошибаюсь, он был благочинным у митрополита Ладожского и Санкт-Петербургского Иоанна), но часто приезжал в Москву и останавливался в Старо-Ваганьковском переулке, напротив храма свт. Николая Чудотворца... Я обязательно навещала его. А когда в моей жизни был очень сложный, прямо-таки экстремальный период (может быть, соберусь с духом и расскажу об этом чуть позже, хотя предпочла бы не вспоминать!), а отца Сергия, моего духовника, не было в Москве, я бежала к отцу Иннокентию, он меня исповедовал и причащал.

Иногда мы шли к батюшке с Сашей — Саня тоже очень любил отца Иннокентия и с радостью ходил к нему. Потому что тот нас спасал и согревал своим духовным светом. Несмотря на то что батюшка тяжело болел и с трудом передвигался — у него сильно распухали ноги, и он носил в любое время года огромные валенки, — он был инициатором Крестного хода с иконой Казанской Божьей Матери вокруг Москвы и сам шёл впереди — во времена противостояния сторонников власти Ельцина и оппозиции...

Вот такой он был подвижник, так болел за происходящее в стране, так истово верил и истово молился...

Написала и понимаю, что и сотой доли не смогла передать из того, что чувствую, что хотела бы сказать. Но тогда мне пришлось бы раскрыть тайны своих исповедей, чтобы можно было увидеть, из каких душевных мук он меня вытаскивал — только молитвой, только сочувствием и сопереживанием, только своей любовью...

Отца Иннокентия давно нет с нами, но каждый день я поминаю его в своих молитвах и каждый раз прошу его помолиться за меня и моих детей — и знаю, что он услышит и поможет...

Курс Юрия Васильевича Катина-Ярцева

Как-то слово за слово, тема за темой — и я опять далеко ушла от рассказа — на сей раз о том, что поступила в Щукинское училище. Возвращаюсь...

Мне посчастливилось не только поступить, но и попасть на курс Юрия Васильевича Катина-Ярцева. Это был его первый опыт в качестве художественного руководителя курса, и он очень волновался. Ещё и потому, что из-за гастролей театра на Малой Бронной, в труппе которого он служил, Юрий Васильевич смог присутствовать только на самом последнем туре, когда, по сути, все абитуриенты уже были отобраны. Всего несколько человек отпало, да три-четыре на коллоквиуме. Всё равно курс получился очень большой — человек тридцать. А так как Юрий Васильевич был очень добрым и сердобольным, в течение четырёх лет отчислено было всего трое, а добрал он ещё человек восемь, причём взял несколько отчисленных (по разным причинам) с предыдущих курсов, да ещё к нам переводились: кто из Ленинграда, кто из Тбилиси...

В общем, к концу четвёртого курса выпускников стало уже тридцать семь.

Конечно, далеко не все смогли найти себе место в театральной или кинематографической жизни (к слову, в кино сниматься студентов не отпускали, хотя в дипломе училища о высшем образовании специальность наша именовалась — «актёр драмы и КИНО»).

Но курс был очень сильный. Со мной учились — уже упомянутый Юра Богатырёв, Наташа Гундарева, Наташа Заякина, Лена Сатель, Толя Екадомов, Костя Райкин, Саша Котов, Володя Тихонов, Тамара Абдюханова, Валя Лысенко, Лариса Халафова, Люда Шайковская, Серёжа Кашицын, Сергей Милованов, Борис Сморчков, Лена Наумкина, Таня Сидоренко и многие другие, яркие и талантливые ребята. Даже из перечисленных имён читатели НЕТЕАТРАЛЫ отметят всего несколько — тех, кто стал известным благодаря кино. А способных было много. Жаль, что их имена растворились в неизвестности. Многие ушли из профессии...

А многие ушли и из жизни. Жизнь, как оказалось, очень быстротечна. Уже давно нет с нами и Юрия Васильевича...

Но сейчас я вернусь опять к тому времени, когда все живы, молоды и полны надежд. Молод и наш Юрий Васильевич — ему 39 лет. И он неожиданно стал «отцом» тридцати взрослых детей. Да, именно так!.. Когда меня спрашивают, почему я не преподаю в театральном, я отвечаю, что, во-первых, попытка была (об этом, если успею, расскажу). А во-вторых, на глазах у меня был пример Юрия Васильевича, на которого мы обрушились со всей силой молодых эгоизмов — не только как студенты, мечтающие стать хорошими актёрами, но и действительно как дети — со всеми своими проблемами, радостями и страданиями...

А он, как настоящий отец, во всё вникал, во всём и всем помогал. Он вкладывал в нас не только своё профессиональное умение, не только тонкую интуицию, но и все свои силы — душевные, физические, всю свою любовь. Он знал всё о каждом своём студенте, видел и чувствовал его потенциал, понимал, как раскрепостить неуверенных в себе, зажатых до «деревянности» будущих актёров.

Он верил в нас. А тот, кто поверил в Юрия Васильевича, — состоялся.

Сейчас даже стыдно вспоминать, насколько мы, взрослые дураки, были эгоистичны.

К концу второго курса наш любимый учитель женился на прекрасной женщине — Елене Акимовне, а потом у них родился первенец, Мишка, и Юрий Васильевич, как нам казалось, закоренелый холостяк, стал и семейным человеком, и молодым отцом. Это был поздний брак. Первый ребёнок. Юрий Васильевич светился от счастья...

А мы, великовозрастные балбесы, просто полопались от ревности. Мы почувствовали себя «брошенными», «преданными», а чтобы как-то прикрыть наши эмоции — ревновать-то глупо! — стали друг другу жаловаться, что «он нами почти не занимается», ну и так далее...

Только к концу третьего курса, когда мы уже начали репетировать дипломные спектакли и сдавать государственные экзамены по всем предметам, мы немножко успокоились, адаптировались к обстоятельствам. Ну, и поняли, что, несмотря на все трудности, наш Юрий Васильевич неотрывно думал о каждом из нас, планировал его будущее, прикидывал, в каком качестве, в каких ролях нам выгоднее выпускаться и показываться в театры... Его любовь к нам перестала быть любовью «сумасшедшего родителя», а стала строже, осмысленнее. Она, наоборот, окрепла и стала плодотворнее.

Для меня годы учёбы в Щукинском — и прекрасные, и очень сложные. Мне нужно было постичь профессию. Мне нужно было не утонуть в омуте бесконечных личных проблем...

С первого курса мы практически дневали и ночевали в училище. Мастерство актёра у нас преподавали многие вахтанговцы. Например, Вера Константиновна Львова и её муж — Леонид Моисеевич Шихматов. Совершенно уникальная пара, во многих своих проявлениях — комедийная, поэтому на зачётах в разделах наблюдений студенты обязательно их показывали. Что замечательно, если это было талантливо, то они не обижались и смеялись вместе со всеми, а если бездарно — ну тогда держись!!! Вера Константиновна умела кричать так, что было страшно, не лопнут ли у неё связки, не разорвётся ли сердце. Но нет — прокричится и с нуля начинает объяснять нам, как надо... Она была такой «энерджайзер» — студенты, пыхтя, поднимаются в ГЗ (гимнастический зал), где иногда шли занятия — четвёртый этаж всё-таки. Вдруг откуда ни возьмись — Вера Константиновна: на каблучках пролетает мимо нас, обессилевших, наверх, а мы, задыхаясь, за ней. Не дай бог не успеть войти в зал до звонка — придётся спасать барабанные перепонки!..

А Леонид Моисеевич, по контрасту, был флегматичным и вальяжным...

Однажды они принимали зачёт по мастерству в ГЗ. Стол и стулья, на которых они сидели, стояли на возвышении. И вдруг, засмотревшись, Шихматов вместе со стулом рухнул с кафедры навзничь на пол. Причём тихо и бессловесно — ни крика, ни шума. И так же тихо лежит. Мы все обмерли. А Вера Константиновна просто зашлась от хохота: «Ой! Лёня!!! Упал!..» И с пола, так же, не меняя позы и не делая попыток встать, Шихматов внятно произнёс: «Вера! Ты дура!» — «Лёня! Ты что?! При студентах!» — запричитала Львова. «А они тоже знают, что ты дура», — медленно и чётко, хорошо поставленным голосом ответил ей лежащий на спине супруг...

На первом и втором курсе педагоги по мастерству терзали нас бесконечными этюдами — по всем разделам: на молчание, на оценку факта, на память физических действий и ещё много чего. Темы этюдов в конце концов исчерпывались, иссякали. Старшекурсникам тоже уже было нечего нам подкидывать. В результате наступал момент, когда на вопрос: «У кого есть этюд?» — в аудитории зависала тишина. Все старались не встречаться глазами с педагогами...

И вот — как раз такая ситуация. Шихматов обводит взглядом притихших студентов и говорит: «Ну что же это такое?! Неужели не можете придумать этюд?! Ну-ка смотрите, как это делается!» Он берёт лежащую перед ним книгу, закрыв глаза, открывает её и тычет пальцем в текст. Открывает глаза, что-то молча читает и радостно говорит: «Всё! Придумал этюд. Так. Идите сюда Капустин, Райкин и Варлей!» Мы выходим на середину аудитории. «Этюд такой: Капустин любит Варлей, Варлей любит Капустина. Капустин уходит в армию. В это время Райкин...» Повисает длинная пауза. А потом Леонид Моисеевич неожиданно говорит: «Нет, садитесь на место. Я глупый этюд придумал...»

И таких историй можно рассказать множество — они стали фольклором «Щуки»...

В конце второго курса мы стали играть отрывки — не самостоятельные работы, которые у нас были и на первом, а поставленные режиссёрами-педагогами...

Ну, тут уж кому как повезёт! Например, нам с Сашей Котовым достался отрывок из «Обрыва» Гончарова. Я — Марфинька, Саня — Сашенька. Ну, казалось бы, здорово: классика, Гончаров...

Не тут-то было. Режиссёром отрывка была вахтанговская актриса Алексеева — как говорили, любимая ученица то ли Вахтангова, то ли самого Станиславского — не помню точно. Бывшая красавица, а к моменту репетиций — довольно злобная старушка. Ей всё в нас не нравилось: и Санина ирония, и то, что я часто улыбаюсь, — это её вообще бесило.

Она сердито выговаривала мне, что улыбка на сцене «нужна только балеринам», а «настоящая актриса не улыбается»... Что самое печальное, этот «вредный совет» я усвоила, устыдившись своей открытой «цирковой улыбки», и впоследствии множество ролей сыграла с «постной физиономией» и множество грустных песен спела с «траурным лицом». Пока до меня не дошло, что, когда грустное играешь с улыбкой, а печальную песню поёшь, улыбаясь, это гораздо сильнее воздействует. И это правильно, потому что ты стараешься не играть боль, а побороть её. Но это — моё запоздалое открытие, а тогда даже в дискуссию вступить с Алексеевой было нельзя.

Дальше — больше. Она провозгласила, что нашла «гениальное решение» отрывка: мы должны будем «играть в полной темноте и шёпотом» (ПРАВДА, НЕ ВРУ!), но при этом в зале все будут нас слушать, замерев от волнения...

Мы содрогнулись. И начали воплощать. Но нужно было знать Саню Котова. Сколько тихих саркастических замечаний он прошипел «между строк»! В результате, к счастью, Алексеева от репетиций отрывка и от нас отказалась... УРА, УРА, УРА!!! (А может, мы, глупые, чего-то не поняли и не оценили?!)

На том же втором курсе, глядя на профессиональную игру Наташи Гундаревой — даже в этюдах, — я решила, что занимаюсь не своим делом, что я так никогда не смогу и что нужно возвращаться в цирк, по которому я невыносимо скучала...

Цирк мне снился, причём так реалистично, в деталях, что это было не похоже на сон: вот я сижу в гримёрной перед выходом, «рисую лицо»... Иду по лестницам и коридорам, стою за кулисами — последняя разминка, я волнуюсь. Слышу, как инспектор манежа объявляет мой выход... Музыка... Распахнулся занавес... Я выбегаю... Поднимаюсь на трапеции под купол... Отрабатываю весь свой номер... Трапеция опускается... Поклон... Аплодисменты... я убегаю в свою гримёрку, но уже по дороге понимаю, что это был сон, что я в цирке больше не работаю, и я плачу, плачу, плачу... И в слезах просыпаюсь...

И в то же время в училище я сильно начинаю сомневаться в своих способностях. Я же вижу, как играет Наташа Гундарева. Я на всю жизнь запомнила её этюд «на оценку факта» без слов: Наташа подробно и драматично разыграла историю с получением телеграммы, в которой сообщение о смерти любимой бабушки...

До сих пор вижу Наташины глаза, когда она разворачивает «телеграмму», читает, сначала не очень понимая, что там написано, потом осознаёт. Из неё словно уходит воздух... Она оседает на пол рядом с диваном... Лицо будто каменное. И вдруг по неподвижному лицу из глаз начинают струиться по щекам крупные слёзы...

Мы все потрясены. Когда во время обсуждения этюдов дошла очередь до Наташиного и Юрий Васильевич спросил её, о чём она в этот момент думала, Наташа начала рассказывать, что, когда до её разума стало доходить, ЧТО в телеграмме, она неожиданно вспомнила детство, ещё не старую добрую свою бабушку, как она поила её вкусным киселём. И вот она понимает, что её больше нет, что она никогда её не увидит...

Она так рассказывала, что некоторые из нас плакали (и я в том числе), ясно представляя себе эту ситуацию...

Наташа уже тогда была настоящая, готовая артистка. Правда, она, Юра Богатырёв, Лена Сатель и ещё кто-то из сокурсников несколько лет занимались в актёрской студии при Дворце культуры ЗИЛа, которой руководил Сергей Штейн, очень сильный режиссёр и педагог. И ребята уже владели профессией. Но это неважно — если бы не было таланта, направлять было бы нечего...

Странное дело — наш курс состоял из очень способных и талантливых студентов, но он не был дружным. Мы не стали одной семьёй. Пожалуй, только на первом курсе, в эйфории от того, что мы поступили, мы учимся, мы щукинцы, — мы дурачились все вместе в аудиториях, ожидая начала занятий...

Юрочка Богатырёв
и Костя Райкин

Юра Богатырёв — душа курса, наш «белорозовый», «зефир», «пельмень» — сидел за пианино (инструменты стояли практически во всех аудиториях), играл и пел своим чудесным ироническим баритоном: «Конфетки-бараночки» или «А на кладбище всё спокойненько», а мы все орали дурными голосами, подпевая слова песен, скакали по столам и по полу (Костя Райкин — в образе мартышки) и по-настоящему веселились. Даже и в голову не могло прийти, что слова песни: «а на кладбище...», да ещё вместе с танцем — кощунственны. И тем более никто не мог предугадать, что спустя двадцать лет эти слова будут неуместно звучать в голове на Юрочкиных похоронах, на кладбище...

Тогда мы просто безоглядно и бездумно веселились...

А Костя вообще любил подурачиться. У него была такая экстремальная, всех шокирующая шутка: если кто-то в буфете ронял, например, бутерброд или коржик, Костя броском пантеры кидался, хватал упавшее на пол, отправлял в рот и моментально съедал, к изумлению окружающих (как это... сын великого Райкина?!)... А потом начинался гомерический хохот — Костя хулиганил смешно и талантливо...

Конечно, Косте было нелегко — фамилия обязывала. Но Костя — невероятный труженик. Он работал над собой, репетировал дома перед зеркалом, «семейный совет Райкиных» смотрел, слушал и обсуждал все его работы — от этюдов до ролей в дипломных спектаклях. Ну и, слава Богу, он много читал и старался «образовываться». Писал стихи. Скажете, в такой интеллигентной семье не могло быть по-другому?! Могло, могло!!! И примеров тому — великое множество...

Костя и Юра дружили, как могут дружить полярно разные люди. Хотя была объединяющая их черта характера — некоторая застенчивость и неуверенность в своих силах, черта абсолютно неоправданная объективно, но, возможно, благодаря этому они были очень требовательны к себе...

Костю на курсе звали Котя (так звали его в семье) или Кинстя (по-моему, так звала его колоритная нянька-татарка).

А Юру, те, кто его любил, звали Юрочка. Я Юрочку любила. Люблю и сейчас, когда уже много лет его нет с нами...

На всех лекциях и занятиях Юрочка держал на коленях блокнот или альбом и делал наброски. У него всё время шла такая параллельная жизнь — артиста и художника. И даже не знаю, кого в нём больше...

Юрочка очень ценил сдержанную внутреннюю красоту, духовность. Он любил польский кинематограф 60-х — 70-х. Его любимой певицей была Лена Камбурова. Он боготворил Эфроса, обожал его музу — Ольгу Яковлеву. По большому счёту — Юра абсолютно эфросовский актёр, но так сложилось, что после Щукинского училища Юра и Костя попали в «Современник». И если Костя ещё как-то нашёл себя в этом театре, то Юрочка там был совсем не на месте. Выручало кино...

Перед глазами стоит картинка, и я улыбаюсь, вспоминая это. Мы готовились к экзамену: я, сокурсница Томочка и Юрочка. Готовились у меня дома на Суворовском бульваре. Лето. Жара. У Юрочки к тому же болит зуб (или голова, не помню!). Мы с Томочкой сидим, читаем. Открыта дверь балкона, и Юрочка, которому совершенно не хочется заниматься, то и дело выходит на балкон. На балконе в ящиках цветёт душистый табак, который по-сумасшедшему пахнет. Жарко, но воздух чистый и прозрачный — Новый Арбат (простите, проспект Калинина!) ещё не соорудили, исторические здания Старого Арбата, собачью площадку — ещё не снесли. Суворовский бульвар упирается в тогда ещё существовавшую Арбатскую площадь, и до Арбатской площади бульвар густо засажен сиренью, которая пышно цветёт. Запахи долетают до нашего шестого этажа. Машин почти нет. Тихо. Так тихо, что слышно, как бьют куранты...

Юрочка выходит на балкон, раскидывает руки и говорит: «Боже! Как красиво!..» Он такой счастливый, улыбающийся, гармоничный, что даже мысль затащить его назад — готовиться к нудному экзамену — кажется кощунственной! Наконец он сам возвращается в комнату и жалуется на боль (всё-таки зубную!): «Ох, как же болит зуб!» И две маленькие первокурсницы по-матерински пожалели его. Я предложила ему немножко отдохнуть. Юрочка предложение принимает с восторгом. Я расстилаю ему на диване чистое бельё. И пока мы с Томочкой — тихо, как мышки, — сидим и готовимся, Юрочка часика два сладко спит. К его пробуждению мы тоже подготовились. Вот Юрочка потягивается, просыпаясь, а мы с Томочкой с возгласами «ура!» забрасываем его конфетами и черешней. Юрочка смеётся, довольный, и всё повторяет: «Ну, девчонки! Ну, что вы!»...

Садимся серьёзно заниматься. Но — раздаётся звонок в дверь. На пороге — Лёня Куравлёв с бутылкой шампанского в руке. Он застенчиво говорит, что шёл мимо, увидел, что балконная дверь открыта — значит, дома кто-то есть, купил шампанского и решил зайти. Теперь мы все кричим «ура», отодвигаем учебники, накрываем на стол. К шампанскому у нас есть конфеты, черешня и... вобла! Но это неважно — нам радостно и весело! На проигрыватель ставится пластинка, и мы все от души танцуем!..

В одиннадцать часов мы пошли провожать Лёню до метро «Маяковская». Мы идём ПРЯМО ПО САДОВОМУ КОЛЬЦУ. Москва уже спит перед рабочим днём. Поэтому машин практически нет...

Юра Богатырёв — уникальный артист. Артист, который мог всё — спеть, как оперный певец, станцевать, как артист балета, сыграть «супермена» в боевике или Клеона в «Тартюфе» (эта роль была из гениально сыгранных им в последние годы во МХАТе).

В картине «Мой папа — идеалист» мы снимались вместе. Юра очень точно и тонко сыграл сына героя, сыгранного

Стржельчиком, — молодого врача-скептика, практика, не понимающего и не принимающего романтичной сентиментальности отца. Но к концу фильма обстоятельства его преображают. На эту роль сначала был утверждён хороший артист, красавец Саша Мартынов, но что-то в нём режиссёра Владимира Бортко не устроило, и он пригласил Юру Богатырёва. Здесь попадание было в десятку!..

Мы с Юрочкой дружили. Он жил после окончания Щукинского в театральном общежитии рядом с Кремлём — в этом доме раньше жила Инесса Арманд! До Суворовского бульвара, где я жила, идти было минут десять медленным шагом. И Юрочка приходил часто — и просто так, и когда на душе было тяжело. Он мог разбудить меня телефонным звонком и спросить: «Натульчик! Ты дома? Можно я зайду с бутылкой водки? Мне плохо...» И, хотя на часах было «три пополуночи», я говорила: «Конечно, Юрочка, заходи!» И он приходил. Иногда плакал и делился своими горестями. Я слушала, выпивала с ним тоже пару рюмок, хотя утром мне нужно было отправлять маленького сына Васю в школу, а самой бежать на репетицию в театр...

Потом я переехала на Смоленскую набережную. Родился Саня. А Юрочка получил квартиру на Гиляровского. И это наконец-то собственное жильё стало его бедой: пользуясь его добротой и мягким характером, в доме всё время паслись странные люди, часто спаивающие его. Хотя пить ему было нельзя — сердце, сосуды, давление...

Он звонил мне и говорил: «Натульчик! Мне так плохо!» Я звала его приехать. Но он отвечал, что «как-нибудь попозже, когда ребёнок немножко подрастёт» (хотя Сане было уже почти три года!). Он был деликатен: он понимал, что мне непросто, и не хотел меня обременять своим визитом и своими проблемами...

Юрина смерть стала для всех шоком. Хотя в последние годы мы все понимали, что к этому идёт...

2 марта 1988 года нашему Юрочке исполнилось бы 42 года. Но он не дожил до этого дня ровно месяц. Он умер 2 февраля. И многие из нас, его сокурсников, расстались с иллюзорной надеждой на то, что «самое главное — впереди!..». Завтра... «Нет! — жестоко сказала нам жизнь. — Уже давно идёт счёт тому, что сделано!..»

А наш Юрочка успел много, намного больше нас. Он, несомненно, был самым талантливым на курсе — это не запоздалая щедрость вслед умершему. Он действительно был талантлив всесторонне: актёр, художник, музыкант, певец. Но самое главное, он был талантливым ЧЕЛОВЕКОМ: нежный, добрый, красивый и беззащитный. Юра был необыкновенно чутким — к боли, к красоте. Он умел сочувствовать...

Юрочка ушёл из жизни первым с нашего большого курса. Он лежал в гробу, по-детски надув свои пухлые губы, как будто обижаясь на то, что он уходит, а мы остаёмся...

И хотелось сказать ему, чтобы он услышал: «Юрочка! Не надо на нас обижаться! Мы — взрослые дураки. Мы погрязли в своих заботах и суетных проблемах...

На самом деле все мы страдаем от одиночества и непонимания, так же, как страдал и ты. Мы мучаемся от отсутствия настоящего творчества, мёрзнем от нехватки понимания и тепла...

У нас такая профессия — ждать милости и понимания от режиссёров, партнёров, администраторов, а потом — от зрителей...

И у нас, актёров, такая природа — нам хочется, чтобы нас любили...

Да, Юрочка, нельзя «терпеть друг друга» — нужно СЛЫШАТЬ ДРУГ ДРУГА!..

Юрочка! Вот мы, твои сокурсники, стоим растерянные и потерянные на кладбище, прощаясь с тобой. И такие же потерянные мы в этой жизни: она оказалась такой сложной!..

Через месяц мы соберёмся, чтобы отметить твой день рождения. Не обижайся на нас, Юрочка! Прости...»

Никита Сергеевич Михалков, любимый режиссёр Юрочки, сказал на панихиде: «Умер великий русский актёр...» Это так.

Сомнения

Возвращаюсь в те времена, когда все ещё были живы. А мы пытались постичь профессию актёра в Щукинском училище, или, как его зовут студенты и выпускники — Щуке.

На первом курсе мы собирались все вместе на дни рождения, шумно отмечали праздники. Но традицией на всё время учёбы общие «посиделки» не стали. Как ни парадоксально, ко второму году обучения курс разбился на группы — «талантливых» и не очень (глупость, конечно, — как можно это определить на начальном этапе: даже опытные педагоги ошибаются!), «лириков» и скептиков...

Единственной традицией осталась подготовка к экзаменам — так было удобней готовиться и сдавать: темы распределялись, и тот, кто подготовился, рассказывал всему курсу, ну, и шпаргалку заготавливал — одну на всех. Собирались мы обычно у Кости Райкина — жилплощадь позволяла; или у Володи Тихонова — у него мама, Нонна Викторовна, чаще всего была в отъезде. Постепенно всё скатилось к тому, что наиболее усердные готовились практически по всем темам, а остальные «квасили» «портвешок», а потом засыпали до тех «лучших времён», когда «зубрилы» разбудят их и начнут объяснять разобранную тему.

Как вы понимаете, я относилась к категории «наиболее усердных». Видимо, все считали, что — ну, нравится мне учиться!!! Вообще-то, доля истины в этом была — хотя «зубрить» мне, конечно, не сильно хотелось...

А довольно большая часть сокурсников считала, что почти все предметы по общему образованию — ни к чему.

Мастерство актёра — это да! А остальное — пустая трата времени. Я даже не спорю — логика в этом есть. Но кто знает, как сложится жизнь и что в ней пригодится. Я вот, например, была убеждена, что математика мне никогда не пригодится, а потом страдала, что после 6-го класса я старшему уже не могла помочь в приготовлении заданий. Правда, с младшим я напряглась и умудрилась доползти до 8-го класса — обучалась вместе с ним. Другой вопрос, что ни мне, ни сыновьям — знания по математике никогда (по крайней мере, до сих пор) не пригодились. Правда, «ещё не вечер»...

Вспомнила сейчас забавную историю с Ларисой Халафовой, нашей красавицей из Баку, — я о ней уже немножко рассказывала. Она, конечно, себя не утруждала подготовкой к экзаменам и верила в «авось», который её всегда вывезет. И вот перед экзаменом по литературе, в тот момент, когда я уже собиралась войти в аудиторию, ко мне подлетает запыхавшаяся, испуганная Лариса, хватает меня за руку и трагическим басом просит: «Наташа! Умоляю! Быстренько расскажи мне краткое содержание «Войны и мира»!!!»

Тогда нас всех эта история очень развеселила. А ведь сейчас «адаптация» великих, но объёмных произведений шагнула и в наше образование из далёких америк. И в пособиях по подготовке к экзаменам по литературе есть (о, времена!) «краткое содержание «Войны и мира», которое бы так пригодилось тогда моей экзотической сокурснице...

Но вернусь к своим комплексам по поводу актёрских способностей, которые подкреплялись тоской по цирку. По большому счёту, с цирком я не расставалась — мои самые близкие друзья так и остались в цирке, и я продолжала с ними общение. Я ходила не только на все премьеры новых программ, но и просто так. Когда становилось грустно — бежала на представление и подзаряжалась сильной и чистой энергией. Мало того, я и своих друзей-щукинцев приобщила к цирку и заразила их любовью к этому яркому и доброму искусству.

Представления тогда шли почти всегда с аншлагами, свободных мест в зрительном зале не было, но сидеть на ступеньках было даже приятно: это означало — свои!.. И со мной на ступеньках сидели — то Таня Сидоренко, то Костя Райкин и Юра Богатырёв, то Борис Галкин или Володя Качан, то Томочка Абдюханова. Я рассказывала им о выступающих на манеже, объясняла, какие трюки особенно опасны, где артист может «завалить», и мы вместе — своим сопереживанием — вкладывая все силы и энергию, сжав кулачки, «помогали»...

Костя и Юра, влюбившись в цирк, начали ходить туда и без меня и дружить с моими цирковыми друзьями: Славой Бекбуди, Юрой Дуровым, семьёй Волжанских — Володей, Женей, Мариной...

Летом мы с моей подружкой, Тамарой Абдюхановой, полетели в Сочи. Поселились в гостинице цирка. Каждый день ходили на представления, а я ещё бегала на репетиции. В общем, я чувствовала себя там очень гармонично...

А вот вернувшись в Москву на занятия, я опять стала испытывать неуверенность. И тогда я подошла к Юрию Васильевичу и всё ему рассказала. Он к этому отнёсся очень серьёзно. Усадил меня в одной из свободных аудиторий, и мы долго разговаривали. И он сказал мне: «Девочка! У тебя нет никаких оснований не верить в себя. Есть ребята, которые пришли в училище более подготовленными, есть обладающие уверенностью в себе. Ты же сама знаешь, что и в цирковое училище поступают с разной степенью физической подготовки, с разными способностями. Но от упорного труда и веры в свои возможности многое может измениться. Да, у тебя совсем иной, чем, предположим, у Наташи Гундаревой, характер, совсем другая индивидуальность. Она — социальная героиня, характерная актриса, а ты — лирическая героиня. Но послушай меня: ты просто обязана избавиться от излишней самокритичности и самоанализа — тебе это мешает. Пусть педагоги анализируют и критикуют то, что ты делаешь. Скоро мы подойдём к репетициям дипломных спектаклей, и у меня есть прекрасные роли для тебя — увидишь! Всё, выбрось из головы мысли об уходе из училища. Работай!»...

Вот такой был у нас разговор. Я помню слова Юрия Васильевича почти дословно. И они стали моей силой и стержнем. Больше я к этой теме не возвращалась. Я продолжала бегать в цирк и дружить с цирковыми артистами. Но я поверила в себя и уже, не отвлекаясь на сомнения, работала в полную силу. Всё встало на свои места...

Юрий Васильевич внимательно следил за нашими творческими судьбами и после окончания училища. Мне было невероятно радостно, когда после премьеры телеспектакля «Машенька» Юрий Васильевич прислал мне открыточку, в которой благодарил за то, что я «тонко, искренне и глубоко сыграла труднейшую роль» и «не подвела его». Я храню это дорогое для меня послание. Действительно, Машенька — одна из самых удачных моих актёрских работ. Я сыграла пятнадцатилетнюю девочку, её первую несчастливую любовь — в прекрасной телевизионной постановке Виктора Карловича Монюкова. Этот спектакль прошёл с большим успехом, был снят на плёнку. А потом... Михаил Жаров снял для телевидения свою версию, где он играл дедушку, а Машеньку — его внучка. И хотя этот спектакль был явно неудачным, но он был тоже снят на плёнку. И его сохранили. А наш — СТЁРЛИ... Грустно об этом вспоминать.

Так, ещё об одном человеке расскажу, опять уйду немножко в сторону. Но не могу не вспомнить о нём. Без этого я, пожалуй, не перейду к следующей теме.

«Здравствуй, Дедушка Мороз!»

Когда я рассказывала об учёбе в цирковом училище, говорила и о нашем педагоге по мастерству актёра — Марке Борисовиче Корабельнике, который увидел во мне способности к актёрской профессии, и благодаря ему я начала сниматься в своих первых телевизионных работах.

С его же лёгкой руки все зимние каникулы на втором курсе я проработала Снегурочкой на московских городских ёлках. Ёлок было много, по 3–4, а то и 5 в день, и я заработала, по моему пониманию, довольно приличную «карманную» сумму. Ездить приходилось в самые разные концы Москвы, но мне это было не в тягость, а даже нравилось.

В Москонцерте мне выдали костюм Снегурочки — белую «шубку», шапочку и льняного цвета парик с двумя длинными косами. Очень неплохая получилась «внучка Дедушки Мороза».

А вот с Дедом Морозом повезло не очень — он оказался... сильно пьющим: прямо как в банальных анекдотах типа «заболел ваш дедушка...». Пока мы репетировали — а репетировали мы и в Москонцерте, и дома у артиста, — всё было ничего: простенький текст выучился быстро, относились мы друг к другу тепло.

Но начались ёлки — начались проблемы: то «дедушка» не в силах был выйти на призыв Снегурочки: «Ребята! А давайте вместе позовём Дедушку Мороза!..» И все вместе: «Дедушка Мороз!»... А дедушка не выходит. И мне приходилось одной проводить представление.

Я выкручивалась, что-нибудь придумывая на ходу — вроде того, что на Северном полюсе, откуда он якобы движется, «началась снежная буря». И подарки я раздавала тоже одна. Но все оставались довольны — и дети, и родители. А иногда «дедушка» вообще не приезжал...

Да, я же не рассказала, что мой «Дедушка Мороз» был профессиональным артистом, и не просто артистом — актёром Вахтанговского театра Александром Лазаревым.

Нет, он никакого отношения к знаменитым Лазаревым — ни к Александру, ни к Евгению — не имел. Этот Лазарев был высокий, худой, как часто бывают худыми сильно пьющие люди, неопределённого возраста — что тоже является признаком пагубного пристрастия, но интеллигентный, рассудительный. Дома его всегда терпеливо ждала любящая жена, которая, видимо, «блюла» его, как могла.

В театре, по-моему, он уже был больше артистом «миманса», «на выходах» (он позже приглашал меня на спектакль, где выходил в крошечной роли, которой очень гордился). При этом он не был, как это часто бывает в таких случаях, обижен на всех и вся, на несправедливость судьбы. Он понимал, что во всём виноват сам. А свой театр он не просто очень любил и ценил — он его боготворил. Ну, вот так сложилось!..

Вне дома, вне театра, когда рядом не было жены, он, что называется, «отрывался»... Удивительно, но я, пятнадцатилетняя девчонка, на него не сердилась — я понимала всю трагичность ситуации и жалела его, понимала, что он болен и что вряд ли сумеет вылечиться. Хотя мне со своими «сольными» ёлками приходилось непросто.

Иногда выдавались, правда, «счастливые дни», когда артист был относительно трезв, и мы проводили представление на самом высоком уровне, прямо-таки вдохновенно. И в такие дни «дядя Саша» (так он просил меня называть его) «разбирал» нашу игру, делал замечания, давал оценки...

И вот однажды, когда «дедушка» — Лазарев — был трезв, мы с ним разговорились, и я поняла, что он не только тепло относится ко мне в благодарность за «понимание», но и внимательно наблюдает за мной всё это время. Он сказал буквально следующее: что считает, что я очень способная и органичная и что, при всей моей горячей любви к цирку, я должна, с его точки зрения, стать драматической актрисой. «Помяни моё слово, ты ещё будешь играть на сцене театра Вахтангова!» — вот дословно сказанное им. Я, конечно, отнекивалась, утверждала, что из цирка никогда и никуда не уйду. А потом благополучно забыла об этом разговоре. И вспомнила только тогда, когда вышла на знаменитую вахтанговскую сцену в главной роли в спектакле «Золушка».

«Золушка» и «Снегурочка»

Со второго курса, а то и с первого, студентов-щукинцев начинают занимать в спектаклях театра Вахтангова — в маленьких ролях, в массовке, — чтобы они могли пропитаться духом сцены, чтобы почувствовали себя частью коллектива, семьи, чтобы учились «слышать» зал, чтобы начинали чувствовать себя артистами.

Вот и нас стали занимать в спектаклях: ребят наших в массовках военных и революционных постановок, а девчонок — в балетных сценах спектакля «Мещанин во дворянстве» по пьесе Мольера, где главную роль играл Владимир Абрамович Этуш, и в ролях рабынь в «Принцессе Турандот», самом знаменитом вахтанговском спектакле. Причём это были не просто вводы — с нами репетировали, на нас шили костюмы и ставили танцы — всё по-настоящему. И мы трепетно относились к своим выходам. Приходили в театр задолго до начала спектакля. Гримировались. Погружались в атмосферу радостного сотворчества...

Но в начале третьего курса меня пригласили в театр сыграть Золушку в спектакле «Золушка» по пьесе Шварца в постановке режиссёра Светланы Джимбиновой. Заболела Катя Райкина, много лет замечательно игравшая роль Золушки. И нужно было найти ей замену. Выбор пал на меня. Это был неожиданный подарок судьбы, и это было первое настоящее испытание моей актёрской состоятельности.

Не знаю, только догадываюсь, как к этому решению отнеслись актрисы театра — ведь среди них было много молодых, которые смогли бы Золушку и хорошо сыграть, и были в материале. Но тогда мне это и в голову не приходило! Пригласили — какое счастье! Я не почувствовала нервного напряжения, репетируя роль, играя её. Ко мне относились по-доброму и с творческим вниманием. Все без исключения.

А в спектакле были заняты многие вахтанговцы — и знаменитый Осенев, и Лариса Пашкова, и Виктор Зозулин, и Володя Коваль (муж Кати Райкиной), который играл Принца. Не было в театре Вахтангова зловещего «закулисья», с которым я потом соприкоснулась в других театрах. А может быть, я его не увидела и не почувствовала, потому что все вокруг были доброжелательны и стремились мне помочь.

Сыграв Золушку, я поняла, что такое огромная сцена и большой зрительный зал — где и в последних рядах, и на галёрке должны услышать мой не самый сильный голос. Но — за плечами было уже два с лишним года занятий по сценической речи и по вокалу, поэтому особых проблем не возникло. И пела, и танцевала, и окунулась в прекрасный мир сказки Шварца — нежный, светлый и лиричный. И почувствовала, что такое реакция зрителей и вкус аплодисментов...

Мой выход на большую сцену, конечно, очень много дал мне в профессиональном отношении. А позже я поняла, что выбор на меня пал не случайно — роль Золушки, как ни странно, стала проверкой моих возможностей перед началом работы над спектаклем по пьесе Островского «Снегурочка» (где я получила заглавную роль), который должен был ставить главный режиссёр театра им. Вахтангова — Евгений Рубенович Симонов.

Когда я увидела распределение ролей, я поняла, что имел в виду Юрий Васильевич в нашем «серьёзном разговоре». И это был ещё один щедрый подарок моей актёрской судьбы. И не только актёрской...

Читаю сейчас замечательную книгу Коли Караченцова «Я не ушёл», где в одной из глав он взахлёб рассказывает об отдыхе в Щелыкове. О том «зачарованном лесе», который вводил в действие своей пьесы Островский, когда писал «Снегурочку». О тех полянах и опушках, где могли жить и бродить герои этой удивительной сказки, где растаяла моя героиня — нежная, холодная Снегурочка, узнав, что такое любовь... И думаю: конечно, жаль, что я никогда не была в Щелыкове — наверное, я бы ещё больше прониклась атмосферой волшебства этого произведения.

Но, когда мы начали репетировать, я вспоминала «волшебный лес» моего детства — в Аносине: огромные сосны и ели, непроходимые чащи, земляничные и грибные поляны, тропинки, проложенные поверх раскинувшихся корней вековых деревьев, разноголосый птичий хор, запах сырой земли и грибов, поросшие мхом пни...

Где всё это сейчас?! Застроено безвкусными коттеджами. Где ты, мой волшебный лес?!.

Сегодня, когда мной сыграно столько ролей — и классических, и современных, — можно с полной уверенностью сказать, что в списке самых дорогих, самых желанных и близких — Снегурочка стоит в самом начале этого списка.

С трудом припоминается сам процесс репетиций спектакля — даже не понимаю почему: ведь с нами работал Евгений Рубенович Симонов, очень интересный режиссёр и глубоко чувствующий, интеллигентный и разносторонне образованный человек. К тому же очень музыкальный и с прекрасным чувством юмора.

Это, наверное, прозвучит странно, но я больше помню ощущение как будто РЕАЛЬНОЙ жизни РЕАЛЬНОЙ Снегурочки. Трудно это объяснить, но в воспоминаниях — и запах леса и дыма от костра, и перерождение детской, придуманной любви холодной, отстранённой Снегурочки к пастушку Лелю в настоящее сильное, страстное чувство к Мизгирю, которое сжигает, которое убивает...

И — счастье взаимной, хоть и короткой любви: «Люблю и таю. Таю... Прощайте все... Прощай, любимый... Последний взгляд Снегурочки — тебе...»

У нас был прекрасный актёрский состав спектакля. Купаву играла Таня Сидоренко — замечательная, мощная актриса. После училища Таня много лет работает в театре на Таганке, снималась в кино, но, к сожалению, нигде понастоящему не раскрылся талант, дарованный Тане — от Бога. Как она играла в отрывках, спектаклях училища — с ума можно было сойти! Я помню: мы стоим рядом с Лёней Филатовым в ГЗ и смотрим, как Татьяна играет самостоятельный отрывок — причём это было произведение самого Лёни, который часто выдавал написанное за «малоизвестное произведение... ну, предположим, Теннеси Уильямса». Оба

187

ревём. Лёнька наклоняется ко мне и с гордостью говорит: «Это наша Татьяна!..»

Царя Берендея играл Борис Сморчков. Зрители полюбили его по «культовому» фильму «Москва слезам не верит». К сожалению, он снимался мало и ушёл из жизни рано — на мой взгляд, его сломала неудачная женитьба на одной из наших сокурсниц, он начал выпивать. Борька был смешной — наивный и хитрый одновременно, из очень простой семьи. Самозабвенно любил мать. Он пришёл в Щукинское уже взрослым, отслужившим в армии, и — к слову и невпопад — любил повторять: «А вот у нас в музвзводе...»

Роль Весны, матери Снегурочки, играла главная на курсе красавица Лида Бутова — действительно невероятно красивая, высокая, статная. Но никак в дальнейшем не сложилась её актёрская карьера: где-то снялась, что-то сыграла; потом работала на телевидении, вышла замуж, родила. А дальше — «следы затерялись».

Пастушка Леля сыграл наш староста, самый старший на курсе, по-моему, и сегодня такой же моложавый — правда, уже не такой румяный — Толя Екадомов. Толя долгое время работал в министерстве культуры Московской области. Выступает с чтецкими поэтическими программами — причём благотворительными, — и в этом он настоящий подвижник! Толя — наш «архивариус и летописец» — помнит все даты, по сей день живёт жизнью училища, пытается нас собрать, но, к сожалению, всё чаще звонит, чтобы сообщить ещё об одной смерти ещё одного из сокурсников — ряды наши редеют. Как это горько осознавать!..

Бобыля и Бобылиху, трогательных и добрых, встретивших в лесу Снегурочку в тот момент, когда она решилась выйти к людям, — сыграли Серёжа Кашицын и Тамара Абдюханова.

Серёжа — совершенно замечательный актёр, умный, трепетный, нервный, с индивидуальностью которого можно было бы переиграть многих героев Достоевского. К сожалению, не так уж часто в театрах и кино берутся у нас ставить Достоевского...

Серёжа проработал всю жизнь в самарском театре. Хороший артист. Но его мало знает публика в Москве и других регионах. Разве что уж самая театральная. А жаль...

Тамара Абдюханова, сыгравшая Бобылиху...

Нет, это имя требует отдельной главы в моих воспоминаниях.

Моя Марусенька

В самом начале учёбы, на первом курсе, считалось, что я дружу с Таней Сидоренко. Мы действительно почти всё время были рядом: сидели на лекциях, бегали в перерывах между занятиями в кафе. Таня очень любила взять у меня что-нибудь «поносить» или «надеть на свидание»: например, какие-нибудь ажурные чулки или кожаные перчатки — а потом приносила один чулок (или перчатку) и покаянно говорила, что второй потеряла...

Танюшка была такая «немножко светская дама», хотя понятно, что ей нравилось в это играть. Мы приходили в парикмахерскую «Чародейка» на проспекте Калинина в кафетерий, и она, как само собой разумеющееся, кого-нибудь из студентов (чаще всего, меня) просила: «Лапуль! Купи мне кофе и яйцо под майонезом! Что-то есть хочется!..» Свои деньги она не тратила.

Не сразу, но я поняла, что моё общество для Татьяны важно как «статусное»... И постепенно мы стали отдаляться друг от друга. Остались приятельницами, но дружбой назвать наши отношения уже было нельзя.

А вот то, что доброе понимание, возникшее между мной и Томочкой Абдюхановой, перерастёт в настоящую дружбу, которая пройдёт с нами через всю нашу жизнь, — представить было трудно. Но тем не менее это так...

Томочку на первом курсе как-то негласно «выбрали» комедийным персонажем, объектом для шуток и передразниваний. Она действительно была очень смешная — непосредственная и восторженная. Например, сидя за столом в нашей столовой, Томочка могла воскликнуть голосом Наташи Ростовой в сцене на балконе: «Мне сейчас так хорошо, потому что я пью чай с коржиком!» Все дружно хохотали, а я, с цирковых времён вечно придерживающаяся ограничений в еде, «чтобы сохранить форму», восклицала: «Ууу! Чревоугодница!..» Томочка на нас не обижалась и смеялась вместе со всеми.

Но в какой-то момент я почувствовала, что ей далеко не всегда приятны эти насмешки и «подкалывания», что на самом деле Тамара — девочка тонкая и интеллигентная, и у меня, сначала подсознательно, а потом и сознательно, появилось желание как-то её защитить, поддержать, оградить от обид.

Несмотря на то что Томочка «почти на месяц» меня старше, я отнеслась к ней, как к младшей сестрёнке. Оставаясь на самом деле таким же глупым ребёнком, так и не адаптировавшимся ещё к жизни вне родительского дома, я взялась мою подружку опекать. Мы стали тесно общаться. Вместе смотрели и обсуждали фильмы, спектакли... Я читала ей вслух рассказы моего любимого Грина... Мы стали бывать в гостях друг у друга.

Томочкина семья жила в районе метро «Молодёжная» на Истринской улице — вчетвером. Папа Ахат — интеллигентный, «слегка пьющий», был энциклопедически эрудирован. Мамочка Валя — нежная, добрая, терпеливая, женственная, прекрасно готовила и шила — была очень гостеприимной и светлой. Старший брат Томочки, Владик, — студент: высокий красавец, разносторонне образованный, художественно одарённый и тоже очень добрый и светлый.

В общем, Томочке посчастливилось родиться и вырасти в обстановке любви и уважения не только друг к другу, но и к окружающим, в семье, где ценили искусство и где каждый член семьи был по-своему талантлив...

Однажды мы поздно ночью закончили репетицию — такое в училище часто бывало из-за того, что весь день ГЗ был занят...

И вот мы выходим из училища часа в два ночи. Естественно, никакие виды транспорта уже не ходят. Томочка порывается вернуться, чтобы переночевать в ГЗ на физкультурных матах. Я представляю себе эту страшную картину и начинаю уговаривать её пойти ко мне — Суворовский бульвар, где я живу, в пяти минутах ходьбы.

Мы приходим домой, все мои спят. Естественно, просыпаются, на лицах недоумение и недовольство: мало того что ночью припёрлась, всех разбудила, да ещё и не одна пришла, да ещё и пытается найти место, куда уложить незнакомую девицу. Бабушка Тата, которая никогда не интеллигентничала в таких случаях, говорит прямым текстом и каким-то особенно противным, высокомерным тоном: «Это что же, теперь ты всегда будешь приводить на ночёвку кого попало?!»

Меня от стыда перед Тамарой перемыкает. Я понимаю, что говорить тут нечего — бесполезно. Но надо было как-то проявить возмущение, переполняющее меня, и солидарность с Томочкой. Я не нахожу ничего лучшего, как поднять над головой большой белый фаянсовый бабушкин горшок (хорошо ещё, что он был пустой!), стоящий посреди комнаты, и грохнуть его вдребезги об пол. После этого постыдного «демарша» я взяла за руку Тамару и повела её опять в ночную тьму...

Конечно, мои родные поставили Томочку в очень неловкое положение, а меня, как мне тогда казалось, вообще опозорили, но, по большому счёту, я сама поступила не лучшим образом: не предупредив, привести в дом ночью чужого человека, всех разбудить и ещё «качать права». А ведь мы жили в коммунальной квартире, и в двух наших, не столь уж больших, комнатах спальных мест не хватало: обязательно кто-нибудь спал на раскладушке — мама, бабушка, сестрёнка или я (отцу, когда он приезжал, всегда раскладывалось «ложе» на полу). Значит, по логике, кто-то должен был уступить Томочке своё нагретое место...

Свою неправоту я осознала потом и попросила у всех прощения, а в тот момент всё внутри кипело от негодования. Мы стояли с Томочкой на Суворовском бульваре и думали, что делать дальше. Возвращаться в Щукинское было бессмысленно — там уже заперли все двери до утра. И тогда Томочка предложила поехать к ней. То есть на противоположный конец Москвы. Мы потащились по Новому Арбату (который тогда назывался проспектом Калинина), через мост, по Кутузовскому проспекту в сторону Истринской улицы. Шли практически по проезжей части в надежде поймать такси...

Но Москва спала. Таксисты, вероятно, тоже. И мы дошли ПЕШКОМ до дома, где жила Томочка со своей семьёй. Несмотря на то что было уже, наверное, часа 4 утра, Томочкина мама нам обрадовалась (во всяком случае, внешне выглядело так!), покормила нас, постелила мне чистое бельё, и мы заснули «без задних ног» — ведь проделали такой путь! А когда встали, опять понеслись на занятия в институт...

Летом, как я уже начинала рассказывать, мы с Томочкой полетели в Сочи. Это были необыкновенные «римские каникулы»...

Поселились в гостинице цирка (в программе работали мои друзья — Аркаша и Слава, и они помогли «зарезервировать» к нашему приезду номер). Я с головой погрузилась в цирковую атмосферу. Томочка пыталась тоже, но, конечно же, жила по-своему: если я после обеда неслась на море, чтобы «согнать лишнее», Томочка ложилась днём спать, потому что «это полезно».

Если мы утром торопились на экскурсию на озеро Рица и внизу уже стоял на всех парах автобус, я по-солдатски вскакивала и через десять минут была готова, Томочка красила глаза и при этом канючила, что «она не может без завтрака, ей будет плохо в автобусе», и я, приговаривая: «Ууу! Чревоугодница!» — неслась на кухню, чтобы приготовить ей сырники на завтрак...

Вообще, она поесть о-о-о-очень любила и делала это «с чувством, с толком, с расстановкой» — такой священный ритуал. Но во время её трапезы я всегда была начеку — чуть зазеваешься, и сок помидора, который она режет, прямой наводкой через стол струёй летит мне в глаз. Вообще, если не держать руку на пульсе, с ней постоянно что-нибудь происходило.

Однажды, когда мы пошли купаться поздно вечером, Томочка чуть не утонула. Сейчас, в Томочкином пересказе этой истории, — «на море был настоящий шторм!». Нет, конечно, не было никакого шторма — было лёгкое волнение: в шторм ночью мы вряд ли массово полезли бы в воду. Но и этого «лёгкого волнения» Томочке было вполне достаточно, чтобы начать захлёбываться довольно быстро, потому что на дальние заплывы она и днём, и в штиль не решалась. А тут среди «пловцов» был Славочка Борисенко, в которого моя подружка влюбилась, как только увидела «сияние синих глаз» во время его выступления в цирке. Поэтому Томочка безропотно поплыла с нами в сторону буйков и — так же безропотно (потому что постеснялась при Славочке закричать о помощи!) — начала тонуть.

Я вижу, что моя девочка, которая только что бултыхалась рядом, отстала и начала тихо и молча захлёбываться. Ну, я, конечно, подняла тревогу, и Славик отбуксировал её к берегу, таким образом ещё больше закрепив горячую Томочкину любовь (но он-то об этом не уверена даже, что догадывался!). Но главной героиней, которая «спасла жизнь», в Томочкиных глазах стала я. Не буду возражать, потому что, если бы не моё неусыпное внимание к «некоординированному ребёнку», — всё действительно могло бы закончиться плачевно...

Томочкой Тамару стали сразу звать на курсе. «Девочкой Томочкой» называл её Аркаша Бурдецкий, которому, кстати,

Томочка очень нравилась. Он мне даже признался однажды, что «влюбился». Эх, почему не Слава?! Вот несовпадение! «Мы выбираем — нас выбирают... Как это часто не совпадает...» — пела героиня Светланы Крючковой в «Большой перемене». Ну, а я Тамарочку стала называть после сочинского отдыха Марусей. Почему? Потому что, когда мы собирались компанией, Томочка всегда самозабвенно распевала печальную песню:

> Маруся в институте
> Ски-ли-фо-сов-ско-го...

Когда я пишу ей сообщения на мобильный, я никогда не называю её Тамарой или Томочкой — только Марусенька...

Как-то шли мы с Марусенькой по Арбату — тогда был только один Арбат, тот самый, окуджавовский: «Ты течёшь, как река... Странное название...», — пытаясь высмотреть что-нибудь полезное для раздела «Наблюдения». Таких разделов в зачётах по мастерству было несколько — «наблюдения за животными» (здесь не было равных Косте Райкину!), «наблюдения за людьми» и т. д. Нам нужно было как раз «наблюдать» за людьми.

И вдруг недалеко от знаменитого «Зоомагазина» (тогда он был по-настоящему «Зоомагазином», а не сегодняшним закутком, от которого больший кусок отхватил ненасытный банк — тогда там были отдельные залы по разделам «Рыбы», «Птицы», «Млекопитающие», «Корма»), мы видим впереди нас идущих двух старушек. Им, наверное, лет по девяносто. Они каким-то чудом оказались в двадцатом веке. На них чистенькая, но совершенно «доисторическая» одежда по моде — не знаю, какого года (отец мой в таких случаях говорил «девятьсот мохнатого»), на голове одной — парусиновая панамка, на другой — кокетливая соломенная шляпка со скоплением тряпичных цветочков и ярких глиняных минифруктов на полях. Они между собой щебечут дребезжащими старушечьими голосками. Но главное — ощущение того, что им совершенно замечательно вместе, просто полная гармония, просто счастье какое-то...

Мы, корыстные студентки, подтянулись к ним поближе, чтобы услышать, о чём же они так самозабвенно «щебечут»...

Старушки остановились у витрины, где в аквариуме плавали комнатные рыбки. «Смотри! Архивариус!» — восторженно сказала одна. «Давай купим!» — откликнулась другая. «А сколько стоит? Ой, нет, дорого...» — это опять вступила первая. «Ты только посмотри, какая традесканция!» — воскликнула вторая старушка. «Красивая!.. Ой, тоже дорогая...» — эхом отозвалась её подружка...

Они ещё немножко полюбовались на «архивариуса» и «традесканцию» в аквариуме и неспешно ушли, нисколько не расстроенные тем, что «дорого»... Они соблюли свой ритуал, и завтра, наверное, опять пойдут гулять тем же маршрутом. И так до конца дней. Им хорошо, потому что они ВДВОЁМ, и им не одиноко.

Конечно, мы с Марусенькой понеслись в училище и тут же показали своё «наблюдение», и Юрий Васильевич очень нас похвалил и внёс это наблюдение в экзамен по мастерству. Это, конечно, прекрасно, но главное — не в этом.

В тот момент, когда мы наблюдали за старушками, я вдруг поделилась с Тамарой своим открытием. Я сказала: «Марусенька! А ведь это — мы. Через много-много лет мы будем так же идти по Арбату, так же остановимся у «Зоомагазина» и будем любоваться рыбками...»

Я оказалась провидицей. Не в буквальном смысле — по Арбату, — но мы с Марусенькой идём по жизни и уже большую часть жизни прошли. И нам хорошо вместе. Мы близкие и родные люди. И мы часто вспоминаем этих медленно идущих по Арбату старушек...

Нет, мы не всю жизнь прошли рука об руку, были периоды, когда мы подолгу не виделись, потому что в биографии каждой из нас бывали такие события, когда было «ни до кого», никого не хотелось видеть — дай Бог самой разобраться в происходящем...

О себе я постепенно расскажу. Но сейчас речь о Тамаре. Прежде чем окрепнуть духовно, она прошла через страшные испытания...

Марусенька моя внутри себя чувствовала абсолютно лирической героиней — недаром я упомянула Наташу Ростову в её «экзерсисе» про «чай с коржиком». Но внешне в ней столько было комедийного, «чаплиновского», что это, против её желания, толкало её в объятия характерных и острохарактерных ролей...

Ну не нашлось для неё Феллини, который сумел совместить в Джульетте Мазине — и гротеск, и лиричность, и трагедийность, и комедийность!..

Да мало ли кого для кого не нашлось! Сложилось так, как сложилось.

Марусеньку взяли в театр, который был в ту пору очень сильным творческим коллективом — московский Театр юного зрителя. В театре этом играли когда-то и Инна Чурикова, и Ролан Быков, и блистательная Лилия Князева, и Игорь Старыгин, и Оля Остроумова, и Володя Качан — не перечислить замечательных актёров, чьё присутствие в труппе в любом театре почли бы за честь. Спектакль ТЮЗа «Мой брат играет на кларнете» — гремел на всю Москву. В этом театре впервые был поставлен мюзикл Максима Дунаевского «Три мушкетёра», где Володя Качан был блестящим д'Артаньяном, — а прогремевший значительно позже фильм Хилькевича был просто перенесением на экран спектакля, правда, с другими исполнителями (мне лично больше по душе спектакль, но фильм принёс его создателям всенародную славу!).

К чему это я? Да к тому, что у многих название и назначение театра вызывает сразу ассоциации — детский театр: курочки, зайчики, грибочки... старушки-«травести» с забинтованной грудью, по сорок лет играющие мальчиков и девочек...

Хотя не без этого. Конечно, и «мышек», и «птичек», и «грибочков» в Марусином репертуаре не могло не быть. Но она сыграла там — и замечательно — Лауру в «Стеклянном зверинце». У неё были и другие удачные работы на сцене театра, которым руководил тогда Павел Хомский. Театр юного зрителя выезжал за границу — и Маруся ездила...

В этом же театре Марусенька нашла свою любовь. Мальчик Тёма был немножко моложе её, но так как Томочка и сейчас-то — ребёнок, то тогда разницы было вообще незаметно. И мама мальчика Томочку приняла в семью. И потом, когда умер Тёмин отец, Тамарочка поддерживала свекровь...

А потом всё стало рушиться. Заболел раком лёгких и умер папа Тамары. Видимо, заразившись во время ухода за мужем, заболела и вскоре ушла за ним мамочка Валя. Владик, любящий сын, начал пить от потрясения и погиб, упав на рельсы в метро. Томочка, беременная от мальчика Тёмы, потеряла их ребёнка. А сам Тёма, отслужив в армии, вернулся и сообщил, что женится... не на Тамаре...

И всё это происходит практически в один год — и смерти, и предательство любимого. И ничем в этой ситуации не поможешь. Никакие слова не подобрать, чтобы можно было поддержать и утешить. А как?! Года два, наверное, когда мы с Марусенькой встречались, она, как заезженная пластинка, твердила одно и то же, мучая окружающих, терзая себя: пересказывала все эти жуткие обстоятельства.

Я очень боялась, что всё совсем плохо кончится. В театре у неё тоже начались проблемы: пришло новое руководство, которому Тамара увиделась «не их человеком». Да и они были для неё совсем далёкими по духу.

А через некоторое время Марусенька приняла решение, которое по плечу только очень сильному человеку — и я поняла, что ошибалась, считая подругу слабой. Томочка ушла из театра, начала воцерковляться, стала работать, сначала помогая немощным старушкам, потом с детьми в воскресной школе...

Когда она смогла наконец общаться, встречаться с близкими ей людьми, это была уже совсем другая Тамара. Она помогла прийти к настоящей вере моей мамочке, которая до смерти отца относилась к этому скептически. Но после того, как Томочка пожила с ней на даче, на столе у мамы появились иконки, она стала мягче и терпимее, до последних своих дней ждала приезда Томочки к ней в гости и очень огорчалась, если та по каким-то причинам не приезжала. Мама говорила, что Томочка своими посещениями и задушевными разговорами с ней делает жизнь светлее и яснее. За это я моей подруге очень благодарна.

Мы в курсе всех событий, которые происходят в нашей жизни. И когда я улетаю куда-нибудь, или если отправляется на гастроли Саня, мой младший сын, или улетает внук Женя, или происходят какие-то события у старшего, Василия, — я звоню Марусеньке, и мы с ней молимся. По отдельности, но — вместе.

Материнская молитва, несомненно, самая сильная, но если за ребят молится ещё и отец Сергий, и глубоко верующая Томочка — так, конечно, надёжнее!..

Володя Тихонов

Я возвращаюсь к «Снегурочке». Пожалуй, из всех главных исполнителей в этом спектакле я не назвала одного из самых главных — Володю Тихонова в роли Мизгиря. Того, кто, увидев Снегурочку, так по-сумасшедшему влюбляется в неё, что бросает свою возлюбленную Купаву, преследует Снегурочку, добиваясь её любви, а когда она тает от горячего чувства, он не в силах без неё жить, бросается с обрыва и гибнет.

Вот такая роль досталась Володе Тихонову — моему сокурснику и сыну «того самого Тихонова».

Эту главу мне будет писать непросто. Хочется быть объективной. Но, конечно, сделать это трудно, когда ты внутри обстоятельств, в которых и любовь, и обида, и вина, и страдания, и боль утраты. Умолчать об этом тоже невозможно: нашему сыну Василию уже сорок шесть лет. А Володе, когда он ушёл из жизни, было всего сорок. И трагичность его судьбы неразрывно переплетена с моей судьбой...

Он увидел меня на премьере «Кавказской пленницы» в Доме кино, куда пришёл с отцом, Вячеславом Васильевичем. И, как потом Володя мне рассказывал, сразу влюбился: трудно сказать — в меня, или в героиню фильма, или в то, что он себе сочинил, но это было очень сильное чувство юноши, которому только исполнилось семнадцать...

А познакомились мы с ним уже в Щукинском училище, где оказались на одном курсе. Я была в это время ещё замужем за Колей Бурляевым...

Сейчас, когда я пытаюсь анализировать, что происходило со мной ТОГДА, я понимаю, что, вероятно, главной ошибкой (а может, просто свойством натуры!) было то, что я ждала и жаждала такой любви, которая бы ВСЕГДА ярко горела, грела, жгла. А в жизни так не бывает. Но я к этому была не готова. Я верила в то, что БЫВАЕТ! Привычка — в глазах, в словах, в поступках — вот то, чего я всегда боялась, от чего бежала, от чего спасалась. И потому не могла не потерпеть крах. Терпения и смирения — вот чего мне всегда не хватало!..

Потускневшие за два года наши взаимоотношения с Колей резко контрастировали с совершенно безумной любовью Лёни Филатова. А нежность, исчезнувшая из Колиного взгляда, — с постоянно ищущими меня глазами Вовы Тихонова.

Вообще, когда мы все только знакомились, я приняла за сына Тихонова другого своего сокурсника, Юру Крюкова, который стал потом самым близким другом Володи — Юра был как-то побойчее. Сам же Володя был молчалив, застенчив, даже закомплексован. То, что он был не уверен в своих способностях, объяснимо: при таких знаменитых родителях приходится убеждать окружающих, что на тебе не «отдыхает природа» — это проблема всех «актёрских» детей. (Почему-то подобных вопросов не возникает, если это династия врачей!) Удивительным было другое: невероятно красивый, замечательно сложённый, обладающий редчайшим качеством — чувством юмора, причём юмора тонкого и точного, бархатным тембром голоса, — ничего этого Володя не видел и не чувствовал: ему в себе всё не нравилось. Кто его убедил в этом? Почему? Здесь явно не хватало поддержки близких и их веры в него.

Как это важно — когда в тебя верят родители, педагоги! Тогда и дети начинают утверждаться в своих способностях и возможностях. Я хорошо запомнила, как моя соседка по Суворовскому бульвару, незабвенная Любовь Моисеевна Миттельман, сказала однажды: «Наташа! А вы знаете, почему среди еврейских детей так много талантливых? Да потому что еврейская мама, когда её ребёнок пиликает на скрипочке или, например, намалюет картинку, скажет: «Йосик! Ты у меня самый лучший, самый талантливый!», а русская мама будет своё дитя ругать и говорить: «Кто так играет?! Что ты намалевал?! Какой же ты у меня криворукий!» И хотя Любовь Моисеевна обрисовала картину двумя красками, но... мудрая она была женщина.

Нонна Викторовна Мордюкова, мама Володи, всегда (и даже потом, когда его не стало) говорила: «Лучше бы он пошёл на завод, чем в актёры!» Она совершенно не верила в талант сына. И была не права! Он был талантлив, красив (что в актёрской профессии очень дорого ценится!), обладал ни на кого не похожей индивидуальностью. Вот только, к несчастью, не встретился ему режиссёр, который помог бы ему раскрыться.

И не нашёлся человек, обладающий такой силой, которая смогла бы оторвать его от друзей, постепенно утягивающих его в болото наркомании. А друзья эти, на его беду, вошли в Володину жизнь, как только папа и мама забрали его из Павловского Посада, где он жил у бабушки Валентины и дедушки Василия, родителей Вячеслава Васильевича. Может быть, оттуда у Володи проросло ощущение себя «провинциальным парнем в Москве», хотя Вячеслав Васильевич всегда выглядел на экране так, как будто он был «голубых кровей».

Да и сами бабушка с дедушкой были посадской интеллигенцией — строгих нравов, но доброжелательные и гостеприимные. Когда мы с Володей гостили у них, бабушка называла меня «наша цыганочка» — видимо, за тёмные волосы и глаза. Она относилась ко мне с любовью и добротой...

Вячеслав Васильевич и Нонна Викторовна привезли 13-летнего Вовку в Москву в свою новую квартиру в Неопалимовском переулке. А примерно через год — разошлись. Нонна Викторовна осталась жить в этой квартире с Володей. А вскоре у неё появился новый, молодой муж — Борис Андроникашвили. Не знаю, был брак официальным или гражданским, но Володя об отчиме вспоминал тепло. Хотя, конечно, он очень переживал расставание родителей. По сути, в детском возрасте у него полностью поменялось всё в жизни — и место жительства, и уклад, и среда обитания, и друзья, и школа. В школах детей известных людей никогда особо не жаловали — непонятно почему: может, считали «блатными», завидовали. Володя рассказывал, что его дразнили «актёркин сын». И, несмотря на высокий рост и внушительное телосложение, — чувствовали его мягкость и беззащитность и частенько поколачивали.

Так и случилось, что его поддержкой и опорой стали Петя Башкатов и Толя Дорога (вообще-то его фамилия была Дорожко, а Дорога — «кликуха»). Один — сын дворничихи, второй — сын состоятельных родителей. Но оба были предоставлены сами себе так же, как и Володя...

И они нашли друг друга. Я понимаю, почему Володю так потянуло к ним: ему показалось, что это «его уровень» — не надо тянуться вверх и изображать, что ты умнее, чем есть. Лучше планка пониже. Ему казалось, что эти «простые парни» ему ближе и они понимают друг друга...

Сейчас, когда всех троих уже нет в живых, то, справедливости ради, надо сказать, что их мальчишеская дружба и в самом деле была и крепкой, и верной. Ради друг друга они готовы были пойти на многое. Но... в этом возрасте всё любопытно, и всего хочется попробовать, и это не кажется опасным, и не думаешь о последствиях...

Ох, как важно, чтобы парни были заняты настоящим делом, увлечены им! Как важно, чтобы они читали хорошие книги, смотрели хорошие спектакли! Но важнее всего — чтобы у них перед глазами были примеры настоящей человеческой жизни...

В общем, тяну, потому что тяжело писать об этом...

Сначала они, как и большинство предоставленных самим себе мальчишек, попробовали алкоголь. Потом потихоньку в их жизнь стали проникать наркотики. Что-то там курили. Потом в ход пошли «тяжёлые наркотики»...

Обо всём этом я узнала уже тогда, когда была беременна Васенькой — ну, неизвестно ещё тогда было в нашей целомудренной стране о такой надвигающейся беде, которая потом начнёт «выкашивать» молодёжь!!! Это сейчас каждый школьник расскажет тебе, что такое «косяк», и Интернет заполнит пробелы в твоей неосведомлённости в этом вопросе, а тогда...

Тогда, когда мы встретились на курсе, — всё ЭТО уже присутствовало в жизни Володи, но он был такой красивый, сильный и цветущий, что и в голову не могло прийти, что что-то с ним не так. Он был похож на большого, молодого породистого пса — сенбернара, пожалуй. Да простится мне это сравнение, но... именно так... Большая пушистая красивая голова... Сильное мускулистое тело. И при этом какой-то совершенно чистый детский запах. Когда мы стали ближе, мы всё время друг к другу принюхивались: он так просто «продырявливал» мне макушку, вдыхая запах моих волос...

Вовка понравился мне сразу, как только я его увидела, но даже мысли такой не возникало, что он может стать моим мужем...

А он был влюблён тихо, трепетно и, как ему казалось, совершенно безнадёжно... Нонна Викторовна потом мне рассказывала, что он приходил домой, жаловался мамке на безответную любовь к «Натасичке» Варлей и плакал. А она утешала его и говорила: «Не плачь, Вовка! Завоюем! Будет наша!»

Володя каждый день — то в мою сумку, то в карман пальто — подкладывал мне записки примерно такого содержания: «Наташенька!!!!!!!!!!!!!!!» или «Масик! Люблю. Люблю! Люблю!!!» и т. п. Петя и Дорога изо всех сил помогали своему другу.

Когда, поссорившись с Колей, я уходила «к маме» на Суворовский бульвар, Володька каким-то образом узнавал об этом и сидел у чердачной двери этажом выше, чтобы просто увидеть, как я пройду. А может, он сидел там, на всякий случай, каждый день. Иногда сидел один. Иногда с ним «дежурил» кто-то из его друзей.

Во время телефонных разговоров я вдруг слышала, как в трубке что-то подозрительно щёлкало, и раздавался громкий протяжный вздох — это подруга Толи Дороги, работавшая телефонисткой, присоединяла к разговору Володин телефонный аппарат, и в трубке появлялся третий собеседник, страдальчески вздыхающий...

Иногда мы собирались курсом у Володи на Неопалимовском: болтали, выпивали, пели под гитару, танцевали. Володе присылали из Америки диски-гиганты «Битлз» (один он потом мне подарил). Под мелодии «Битлз» мы танцевали. Володя непременно приглашал меня, осторожно и бережно обнимал, а так как ростом он был выше меня на целую голову, а то и полторы, то он утыкался носом в мою макушку — и вдыхал... вдыхал... вдыхал...

Поскольку мы все были бедными студентами, то пили мы в основном всяческую «бормотуху» типа дешёвого портвейна. И часто наши посиделки у Володи заканчивались торжественным входом Нонны Викторовны, которая своим «фирменным» голосом объявляла: «Ребятки! Расходитесь! Вовке плохо...» И мы расходились. А если кому-то хотелось «на дорожку» зайти в туалет, то, открыв дверь, он заставал грустную картину — в туалете, обняв унитаз, крепко спал наш Вова. Пить он не умел...

Володю на курсе любили. Так, как он, никто не умел шутить: абсолютно серьёзно, не улыбаясь, ни при каких обстоятельствах не раскалываясь, с ничего не выражающими глазами — он выстраивал такие смешные словесные пирамиды, что все умирали от хохота...

И ещё в Володе подкупала его доброта. Он очень трогательно, по-детски, любил животных и жалел их. Это нас роднило. В нашем доме всегда были кошки, собаки. И Володя всегда подбирал щенков, котят, птичек...

Нонна Викторовна мне рассказывала, как Вовка, уже взрослый, купил и принёс домой цыплёнка и всё не выпускал его из рук — играл с ним, любовался, да так рядом с ним и заснул. И раздавил во сне. Как же он плакал!

Когда мы уже жили вместе в их квартире на Краснохолмской набережной, однажды утром я проснулась, спустила с кровати ноги и наступила на что-то мокрое, холодное и скользкое — как будто на раздавленную лягушку. Я взвизгнула, так как жутко боюсь пресмыкающихся и хладнокровных. Потом осмелела и посмотрела вниз. Из тёмного бесформенного комка на меня смотрели... мои глаза. И я поняла, что это моя фотография на паспорте, который и превратился в это «холодное и скользкое», потому что его сжевал очередной щенок, которого Вовка принёс домой...

Ох, как же веселились в паспортном столе милиции, когда я принесла в руках то, что осталось от паспорта. Зато новый паспорт мне выдали на следующий день!..

Наши отношения с Володей зарождались и развивались странно — какими-то зигзагами и спиралями. Когда я уже официально развелась с Колей, и, казалось бы, ничего не мешало нам быть вместе — всё время нас разводили и растаскивали в разные стороны: то в мою жизнь опять врывался Лёня, то мне «сносила крышу» очередная романтическая история. То я влюблялась «по-настоящему», то возникали романы у Володи. Когда он начал сниматься в картине «Молодые», его закрутило сильное чувство к Вике Фёдоровой. Это я могу понять: Вика была очень красивой и с характером Настасьи Филипповны, где уж тут устоять нежному юноше! Были у него и сложные любовные отношения с двумя нашими сокурсницами (в разное время, конечно!).

Но что бы ни происходило, наша любовь никуда не исчезала. Когда на 3-м курсе мы начали репетировать «Снегурочку», Володя писал бабушке с дедушкой в Павловский Посад, что получил очень интересную роль Мизгиря. «Купец, русский купец, с широкой душой», — писал он и рассказывал, что «Снегурочку будет играть Наташа Варлей, но репетировать с ней трудно, потому что наши отношения сейчас не ахти... И очень трудно преодолеть стеснение — ведь там по пьесе страшная любовь»...

Но «страшная любовь» на сцене соединилась с любовью в реальности. И закончилась свадьбой и рождением сына Васеньки...

К сожалению, только у Грина всё заканчивается замечательной фразой «они жили долго и умерли в один день», а в сказках свадьба — это «пир на весь мир»...

На нашей свадьбе весь мир для меня обрушился. Я узнала о наркотиках, о которых начала было догадываться ещё тогда, когда улетала на съёмки в Германию, а Володя оставался на Суворовском бульваре. Вернулась, а соседка пыталась мне намёками и полунамёками сообщить, что что-то не так и не то происходит в доме в моё отсутствие. Я и сама по «остаткам пиршеств» заподозрила, что это не простые гулянки с друзьями. Попыталась поговорить с Володей. Он не стал ничего отрицать — сказал, что да, были наркотики, но он к этому отношения не имеет. Мол, это его друзья — Петя и Дорога. Да, ужасно, но бросить их как друг он не может! Убедил вроде, но стало очень неспокойно на душе...

А на свадьбе, которую мы праздновали на Краснохолмской набережной, в квартире Нонны Викторовны и Володи, мне открыли глаза мои цирковые друзья...

День начинался радостно и светло. Мы вернулись из ЗАГСа и сели за стол. Народу было не так много, но самые дорогие и близкие: Нонна Викторовна, её друг Анатолий, оперный певец из Большого театра, мои родители. Приехал Вячеслав Васильевич, прилетела со съёмок из Одессы моя сестра Ира. Свидетелями на свадьбе были — моя Марусенька, Дорога (куда же без него!). Ну, конечно, был Петя. Приехали мои цирковые друзья — Володя и Женя Волжанские...

Белое платье, белая меховая накидка, наброшенная на плечи, торжественный Вова в строгом тёмном костюме (что, правда, не помешало ему в ЗАГСе, когда я ставила свою подпись в книге регистрации, ущипнуть меня исподтишка за попу — есть даже фотография с моим некстати перекосившимся личиком)... Шампанское... Цветы... Поздравления... Подарки... «Горько!»...

А потом, уже дома, Володя Волжанский вывел меня на балкон и с цирковой прямотой сказал: «Наташа! А ты знаешь, что твой муж — наркоман?!» Я похолодела: «Володя! Нет! Ты ошибаешься...» На что Волжанский жёстко возразил, что Вова Тихонов предложил ему на выбор: покурить или кольнуться, а когда он отказался, то сказал: «Ну и ладно. А мы «оттянемся». (Не уверена, что именно этот термин, но что-то в таком роде.)

Я медленно «умирала» до утра, пока все не разошлись. А к утру разразился скандал. Я рыдала. Нонна Викторовна кричала: «Идиот! Только она тебя может спасти!» Володя злился и от всех обвинений отказывался...

Я уехала на Суворовский бульвар. К тому времени мои родители купили на Дмитровском шоссе квартиру и переехали туда с бабушкой и Ирой, а я осталась в наших двух комнатах

206

и с двумя соседками — Лидией Дмитриевной и Любовью Моисеевной.

Сутки я не выходила из комнаты и рыдала. Естественно, маме с папой, бабушке и Ире было ничего не известно. И они так ничего и не знали вплоть до самого нашего развода с Володей, — но это произошло почти через три года, а до тех пор я эту страшную боль носила в себе.

Через день Вовка приехал. Стоял на коленях, плакал, говорил, что без меня умрёт, просил прощения, обещал, что это никогда не повторится! Конечно, простила. Конечно, сладко помирились — ведь мы любили друг друга...

Если бы знать тогда, что это болезнь, которая сама по себе не проходит, и бессмысленны обещания — её нужно лечить, и чем раньше, тем больше надежды на успех. Но, конечно, человек ОБЯЗАТЕЛЬНО САМ ДОЛЖЕН ХОТЕТЬ ВЫЙТИ ИЗ ЭТОЙ СИТУАЦИИ. Иначе всё бесполезно.

Я этого не знала! Позже, много лет спустя, когда Володи уже не было в живых, я ещё раз вплотную столкнулась с этой страшной бедой. И сейчас расскажу об этом. А к нашей истории с Володей ещё вернусь, потому что она длинная и непростая...

Наташа Кустинская и Митенька

С Наташей Кустинской мы встретились на съёмках картины «Мой папа — идеалист». Конечно, я знала её по кино — кто же не видел знаменитой комедии «Три плюс два», где Наташа сверкнула яркой красотой и женственностью!

Но я помнила и её более раннюю работу — фильм, который назывался то ли «Бурям назло», то ли «Сильнее урагана» — что-то в этом роде. Это не столь важно. Я хорошо помню Наташу, которая сыграла роль пианистки. По ходу действия её героиня играла на рояле — то ли часть из концерта Рахманинова, то ли «Революционный этюд» Шопена, и была в этой сцене прекрасна и вдохновенна... Я даже помню, что смотрела этот фильм в своём любимом Кинотеатре повторного фильма...

В картине «Мой папа — идеалист», дебютной работе Владимира Владимировича Бортко, который потом снял знаменитые свои фильмы: «Блондинка за углом», «Собачье сердце», «Бандитский Петербург», «Идиот» и многие другие, — я сыграла главную героиню, балерину Алёну. И специально для «правды жизни», чтобы быть на балерину похожей, похудела на 14 килограммов — пока Бортко не потребовал, чтобы я остановилась, а то я бы продолжала «работу над образом». Главного героя, «папу-идеалиста», играл блистательный актёр и замечательный человек Владислав Игнатьевич Стржельчик. Его сына, медика и скептика, прекрасно сыграл мой друг и сокурсник Юрочка Богатырёв.

У Наташи Кустинской в картине была небольшая, но яркая роль — опереточной примы Сильвы (вернее, её героиня исполняет в оперетте «Сильва» главную партию), которая ей очень подходила — красочный костюм, эффектный головной убор, каскадный танец...

В Ленинград мы обычно ехали вместе — в «Красной стреле» в СВ. Наташа была уже не так юна и прелестна, как когда-то, но всё равно, как сейчас сказали бы, очень сексуальна. В рыжей лисьей шубе в пол, в длинном блондинистом парике, с ярким макияжем, с бутылкой шампанского в одной руке, с огромным букетом цветов — в другой, она подходила к вагону в сопровождении мужа-космонавта Бориса Егорова, который привозил её на вокзал в роскошной иномарке. Все взгляды были прикованы к ним.

Несмотря на внешнюю «помпу», Наташа поражала детской трогательной непосредственностью в общении, подкупающей откровенностью и искренностью. Так ведёт себя всеми любимый ребёнок — у него нет тайн от окружающих, потому что он всем доверяет и не ждёт от людей зла или подвоха...

Мы с Наташей подружились. И, когда съёмки закончились, продолжали общаться, ходили друг к другу в гости. Юрочка Богатырёв тоже бывал в её «космонавтской», как он выразился, квартире на Спиридоновке и был потрясён домашним бассейном — тогда это была редкость и экзотика. Наташа любила и умела принимать гостей. Хорошо готовила, хотя у неё была помощница по хозяйству, старенькая няня Маруся.

Но Наташа сама занималась уборкой своей огромной квартиры — вставала рано, приводила себя в порядок, красилась, надевала паричок, надевала узенькие брючки, яркую блузочку и туфли на высоком каблуке — только в таком виде кормила мужа-космонавта завтраком, провожала его на работу и принималась за уборку. (Я при этих «ритуалах» не могла присутствовать, естественно, но Наташа рассказывала, что всё происходило именно так.) А потом она отправлялась на Палашевский рынок, которого сейчас уже нет, а тогда был неподалёку, — чтобы закупить свежие продукты для вечернего приёма гостей. И так практически каждый день...

После окончания съёмок мы стали видеться реже — жизнь закрутила-завертела. Но часто перезванивались. Иногда я просила её помочь мне собрать гардероб для поездок на кинофестивали за границей... Что-то покупала у неё или спекулянток, которые приносили ей модные тряпочки, иногда Наташа просто давала мне в поездку что-нибудь из своих туалетов...

Позже, снявшись в советско-чехословацком фильме «Да здравствует цирк!» (потом он стал называться «Соло для слона с оркестром»), где цирковые костюмы для меня шила замечательная художница Марина Зайцева, а «цивильные» костюмы — её бывший муж, ещё более замечательный художник-модельер Слава Зайцев, я стала одеваться в только что открывшемся Доме моды Вячеслава Зайцева. Это было не только красиво и модно, но и недорого: Слава вначале сделал одним из главных принципов работы своего детища —

шить из красивых и качественных, но недорогих тканей (отечественные этим критериям соответствовали)...

Прошло довольно много времени. Мы перезванивались. Я была в курсе многих событий в её жизни. Я знала, что Наташа рассталась с Егоровым. Что он ушёл от неё к другой женщине, у которой есть взрослый сын. Что теперь с новой семьёй он живёт в отдельном доме в только что отстроенном коттеджном посёлке для космонавтов в Останкине. Что Наташин сын Митя, которого Егоров усыновил ещё в младенчестве, не захотел оставаться с Наташей и переехал вместе с Егоровым, его новой женой и её сыном в Останкино.

Егоров действительно воспитывал Митю с раннего детства, учил его кататься на горных лыжах, на мотоцикле, водить машину, любил его, баловал, дарил дорогие подарки...

Но то, что Митя бросил любящую его мать, — было для меня совсем непонятно. Ведь так случилось, что Наташа осталась совсем одна. К тому же умерла старенькая любимая няня Маруся, которая вырастила не только Митю, но и саму Наташу...

Наташе пришлось переехать из «космонавтских» хором на Спиридоновке в крохотную квартирку на Вспольном. А так как она не умела жить одна и без любви, она вскоре вышла замуж за профессора МГИМО — Гену, — предварительно уведя его из семьи. Он был законным мужем Риты Гладунко (замечательной, к сожалению, сегодня несправедливо забытой актрисы, сыгравшей в картине «Часы остановились в полночь», которую сегодня тоже мало кто вспомнит)...

Митя до всех этих событий успел жениться, у него родился ребёнок, который вскоре умер, и они с женой развелись.

Новая жена Егорова не слишком доброжелательно отнеслась к тому, что Митя стал жить вместе с ними. А в 93-м году произошла трагедия — во время октябрьских событий у здания телевидения в Останкине в перестрелке шальной пулей был убит сын жены Егорова: он пошел «просто посмотреть», что происходит. После этого жена Егорова категорически отказалась от того, чтобы сын Кустинской оставался с ними. А вскоре умер от сердечного приступа и сам Борис Егоров...

И Мите пришлось уйти на Вспольный к Наташе и её мужу Геннадию, бывшему профессору МГИМО, в ту пору уже уволенному оттуда, — к сожалению, за пьянство. И они втроём — да ещё гигантский дог, которого трудно прокормить и негде выгуливать в центре Москвы, — оказались в крохотной двухкомнатной квартирке.

Вот такая примерно картина. Вот в такой ситуации оказалась Наташа, привыкшая жить совсем по-другому, бывшая красавица, бывший избалованный любовью мужчин и зрителей, а теперь уже стареющий «ребёнок»...

Прошло ещё какое-то время. Звонок от Наташи. Она плачет в трубку и просит о помощи. Говорит, что у неё нет денег даже на хлеб. И говорит, что с Митей беда — он начал наркоманить...

Шёл 97-й год. Жилось трудно, но я не бедствовала, потому что много работала — на дублировании фильмов, в концертах. Я писала стихи, записывала песни, вела на РТР (так тогда назывался российский канал телевидения) программу «Домашние хлопоты с Натальей Варлей»... Денег получала немного, но на то, чтобы помочь в беде, конечно же, достаточно...

После Наташиного звонка я моментально собрала в доме что можно было из еды, взяла деньги и побежала на встречу с ней...

Наташа стояла там, где мы с ней договорились встретиться: на углу улицы Качалова и Вспольного переулка. Она была в нелепой мохнатой шубе, с опухшим лицом и заплаканными глазами. У меня сжалось сердце — такой я её никогда не видела. Мы поцеловались. От неё пахло спиртным. Я отдала ей деньги и сумку с едой. «Не бросай меня!» — неожиданно горько прошептала она. «Что ты, Наташа, не брошу, чем смогу — помогу. А за Митю надо молиться...» — «Он некрещёный...» — «Так надо покрестить...» — «Он не хочет...»

На том и разошлись. А через несколько дней — звонок: «Наташа! Можешь прийти? Митя соглашается креститься, если его крёстной будешь ты!» — «Конечно, буду. Приду».

И я иду на Вспольный. И вижу страшную, запущенную квартиру в элитном доме — с драными, когда-то роскошными, белыми кожаными диванами... Огромного, неухоженного и, похоже, некормленого мраморного дога. И Митю — в котором ничего не осталось от здорового, крепкого, спортивного и красивого мальчика, сыгравшего «короля класса» в «Чучеле» Ролана Быкова. Вместо благополучного и уверенного в себе парня, которым я его помнила, — передо мной сидел худенький, почти прозрачный — в чём только душа теплится! — страдалец с большими растерянными глазами...

С нежностью и болью я беседую с ним, и он почти сразу соглашается креститься. Я договариваюсь в храме Большого Вознесения — той церкви, где венчался Пушкин, — о крестинах на ближайшую субботу...

Суббота... Я смотрю, как Митя подходит к купели и дрожит от холода и худобы — хотя в крестильной совсем не холодно. Но он стоит просто синий... Батюшка говорит Мите, что завтра утром, в воскресенье, он ждёт его на исповедь и причастие. Это обязательно. Митя обещает.

На другое утро я стою у храма и жду его. Батюшка ждёт в храме. Но Мити нет. Он не пришёл. Я звоню ему домой. К телефону подходит Наташа и говорит, что Митя заболел — у него высокая температура. Я прошу батюшку исповедать и причастить его дома, и мы идём на Вспольный...

Дальше начинается сплошной кошмар. После исповеди батюшка выходит мрачнее тучи. Мы идём с ним по улице. Он долго молчит. А потом говорит мне: «Наташа! Вы бессильны. И я бессилен. Он не начинающий наркоман, как вам сказала его мама, — он уже давно героинщик...» Мне делается плохо. И, как в те далёкие времена, когда я узнала о Володиной беде, я задаю тот же вопрос: «А вы не ошибаетесь?» И получаю неожиданный ответ: «Нет. Я знаю, что это такое. У меня брат погиб от этого...»

И начинаются мучительные поиски выхода из безвыходной ситуации. Я не сумела ничем помочь когда-то Володе, но, может, мне удастся помочь своему крестнику?! Я ищу, где лечат этот страшный недуг. Узнаю, что есть что-то вроде православной коммуны, где врачуют молитвой и трудом, но это отпадает — во-первых, Митя слаб физически, во-вторых, не воцерковлён ещё, а без веры и собственного решения — этот путь невозможен.

А Митя вроде бы и не понимает, как глубоко увяз. Ещё хуже, что не хочет понимать этого сама Наташа. Она без конца твердит, что Митя здоров, что ему надо только «чуть-чуть подлечиться».

Я выхожу на какую-то американскую компанию «Детокс», которая болтается у нас в стране. В 90-е годы этих компаний-аферистов у нас ошивалось огромное количество во всех сферах (лекари, экстрасенсы, лжепроповедники). Они выжимали из попавших в беду, но верящих в чудо одураченных людей последние деньги... Компания «Детокс», естественно, обещает чудо, но за какую-то запредельную сумму.

Совершенно обезумевшая от горя и неадекватная Наташа требует, чтобы я, «как крёстная Мити», эти деньги нашла. И я ищу. Я хожу по всяким кабинетам. Я добираюсь до Госдумы. Очень надеюсь на Говорухина. Но он, как, впрочем, и все остальные, смотрит на меня с сочувствием и сожалением и разводит руками. Они ребята трезвые, всё правильно понимают. А я колочусь в поиске...

Наконец я нахожу хорошую наркологическую клинику, где обещают попытаться что-то сделать, и договариваюсь, чтобы Митю туда положили.

Осенним солнечным утром я везу Митю и Наташу в эту клинику. Наташа, от которой — увы! — несёт перегаром, ругает меня на чём свет стоит. Она говорит, что напрасно я ЭТО ЗАТЕЯЛА, что Митя здоров, что он обязательно продолжит работать, вернётся к жене, у них родится другой ребёнок, и они все вместе уедут в Америку. Там он будет на месте, потому что Митя профессиональный и очень талантливый дипломат...

Я молча слушаю этот бред и понимаю, что, не случись с Митей этой беды, всё вполне могло бы именно так и произойти в его жизни, что Наташа сейчас перечисляет то, что с ним не состоялось. При этом смотрит с ненавистью и злостью на меня, как будто это я виновата во всех бедах, как будто я ввергла Митю в его несчастья...

А Митя сидит на заднем сиденье такси, молча и безучастно, сжавшись в комок. И жалко его до слёз...

Когда на другой день, нажарив котлет, сварив бульон и морс, я поехала через всю Москву, чтобы навестить Митю в клинике, выяснилось, что его там уже нет, что он переведён в Боткинскую («В какое отделение — не можем сказать!..»). Я рванула в Боткинскую больницу, на противоположный конец Москвы, там с трудом выяснила, что Митя в инфекционном отделении. А в инфекционном мне сказали, что пустить туда меня не могут. Я разыскала врача, стала расспрашивать его, в чём дело, что с Митей. Но тот молчал как партизан, а потом ответил, что пустить меня к Мите не может, а врачебную тайну открыть имеет право только близким родственникам. «Я — крёстная!» — закричала я уже в отчаянии. И меня пустили. И всё рассказали...

Митя лежал в огромной палате один. В палате было очень холодно, и на нём был свитер, который я подарила ему на день рождения. Он очень обрадовался моему приходу. Начал есть котлеты, пить бульон из термоса...

И в этот момент в палату вошла медсестра: «Дмитрий! К вам пришёл молодой человек. Он стоит под окном». Митя изменился в лице и быстрым взглядом посмотрел на меня. Я подошла к окну. И всё поняла. Это был «гонец», которому Митя сообщил о своём местонахождении. Митя ждал «дозу». И я поняла, что все мои метания в желании помочь — нелепы. Ему уже ничем не поможешь...

Митина судьба закончилась трагически. Во-первых, в Боткинской в инфекционном отделении он оказался, потому что у него обнаружился СПИД. Во-вторых, он и не думал завязывать с наркотиками...

Он вышел из больницы. И вскоре умер. Наташа рассказывала всем, что его убили. Это, конечно, не так. Если и «убили», то только наркотики. Он просто вернулся в старую компанию. Изменить что-то в таких обстоятельствах можно только в том случае, если человек хочет этого сам. В Митиной жизни можно было бы что-то ещё исправить, если бы он сам этого хотел, если бы избавился от своего окружения, сменил место жительства, если бы и сама Наташа, в конце концов, покончила со своим образом жизни...

А она пила. И многие думали, что это связано со смертью Мити, любимого сына. Но это, к сожалению, началось намного раньше. А потому — причина и следствие меняются местами...

Может быть, с Митей и не случилось бы беды, если бы в доме была другая атмосфера. И становится понятно, почему Митя захотел тогда жить не с матерью, а с отцом, хоть и не родным...

Я была на Митиных похоронах. Видела Олега, его родного отца, от которого Наташа с грудным ребёнком ушла к Егорову. Олег оказался милым, славным, интеллигентным человеком, очень бережно относящимся к Наташе, очень горько переживающим Митин уход... Наташа и сама мне когда-то говорила, что самая большая её вина в жизни — то, что она бросила хорошего, доброго, любящего человека — Олега. Иногда она считала, что Господь её наказывает за это. Как знать...

Я помогала Наташе деньгами — и на похороны, и на поминки, и на памятник. Помогала и самой Наташе: она постоянно звонила и говорила всегда одну и ту же фразу: у неё нет денег даже на хлеб. Я относила ей деньги и продукты, понимая, как ей сейчас тяжело, тем более что вскоре после похорон Мити умер и её муж Гена. Обычно мы встречались с ней у храма Большого Вознесения. Я видела, что она опускается, но чем тут я могла помочь?! Наташа считала, что достойна хороших ролей, выступлений в концертах, выговаривала мне за то, что я «не продаю» её режиссёрам. Объяснять, что это не в моих силах, было бессмысленно...

А потом она стала присылать, чтобы взять у меня деньги и продукты, каких-то совершенно «деклассированных» субъектов. Вместо неё к храму Большого Вознесения стали приходить жуткие, вонючие мужики. И тогда я позвонила ей и сказала, что мне деньги достаются слишком тяжело, чтобы я на них кормила и, видимо, ещё и поила её случайную компанию. Что у меня есть дети и внук, старенькие и слабые родители, которые нуждаются в моей помощи, да и моё собственное здоровье меня всё чаще и чаще подводит...

В ответ на это она в ярости запустила по автоответчику несколько чудовищных монологов. Первым их прослушал мой сын Саша и, когда я пришла домой, посоветовал мне, не слушая, всё стереть. Но я взяла себя в руки и прослушала всю эту мерзость от начала до конца. Не буду пересказывать то, что Наташа наговорила, — зачем повторять мысли и слова, порождённые пьяной злобой. Меня потрясло другое: оказывается, пока я бегала, с искренним желанием помочь Мите, по кабинетам власти и клиникам, Наташа тихо меня ненавидела. За то, что я РАБОТАЮ, за то, что я в хорошей форме, за то, что сшитые для телевизионной программы костюмы Том Клайм (модный в ту пору дизайнер одежды, Анатолий Климин) после съёмок мне подарил, и ещё за многое, оказывается, она меня НЕНАВИДЕЛА.

Я не стала ей отвечать. Я стёрла запись автоответчика. Но боль от несправедливости ещё очень долго меня жгла — я вообще очень тяжело переживаю подобное, и жизнь не воспитала во мне иммунитет против обид. Тогда я подумала, да и сейчас думаю так же, — что всё было бессмысленно, кроме одного — Митя умер крещёным, и за его бедную, заблудшую душу можно всегда молиться... Что я и делаю по сей день.

А Наташа опускалась всё больше. Периодически она наговаривала на автоответчик — то очередные гадости, то просьбы о прощении, потом начались пьяные бредни — о своём новом замужестве. И то, что она при этом рассказывала, было уже похоже на белую горячку.

Она стала появляться в различных телевизионных ток-шоу — и это было совсем ужасно. У редакторов сегодняшнего телевидения беда со вкусом и полное отсутствие такта — ну, не трогали бы несчастного человека, не играли бы на её беде! Так нет! Они выпускали в эфир Наташу, до безобразия располневшую и одутловатую, в парике набекрень, с жирно накрашенными губами. И она повествовала о своих романах, о том, кто и как её любил. Это были и правдивые истории, и небылицы, в которые она сама верила. И всё это перемежалось фотографиями юной красавицы Наташи Кустинской, фрагментами из её фильмов и эпизодами из её прежней жизни...

В одном из последних интервью для телевидения она лежала на кровати. А в руке была иконка, которую ей было уже трудно держать. Наташа просила прощения у всех, кого обидела...

Я заплакала. Мне бесконечно жаль этой загубленной жизни. Перед глазами стоит прекрасная девушка, вдохновенно играющая на рояле, — кадр из фильма «Сильнее урагана»...

Наташенька! Митя! Вы пришли в этот мир чистыми, светлыми и добрыми. Подарили людям много добра и любви. А потом — не сумели справиться с обстоятельствами и пагубными страстями. Господь всемилостив. Он простит все ваши грехи. Простите и вы меня за то, что не смогла вам помочь! Я всегда молюсь о упокоении ваших душ!..

Володя. Нонна Викторовна. Вячеслав Васильевич

Так и Володя не сумел справиться со своими страстями. Он очень долго верил, что его порок — вовсе не порок. Потом, когда он понял, что это не так, считал, что для его молодого организма это не во вред — справится!..

Действительно, внешне всё так и было — молодой, сильный: по нему невозможно было распознать, что в его жизнь прокралась непоправимая беда...

Он начал сниматься в кино: «Журавушка», «О любви», «Молодые», «Русское поле»...

Картина «Русское поле» стала для него звёздной. В этом фильме с матерью, Нонной Викторовной, они сыграли мать и сына. Герой Володи гибнет по сюжету на Даманском — была такая страшная страница в нашей истории: мальчики-новобранцы, охранявшие этот пограничный остров, гибли от рук озверевших китайских хунвейбинов, которые, с цитатниками Мао Цзедуна в руках, лезли через нашу границу и убивали наших солдатиков, которым был дан приказ: «Не стрелять!» Сейчас, когда с Китаем опять мир-дружба, — об этом постарались «забыть».

Так вот, в фильме герой Володи гибнет на Даманском, а героиня Мордюковой рыдает над гробом сына...

Всю оставшуюся после смерти Володи свою жизнь Нонна Викторовна не могла простить ни себе, ни режиссёру, ни кинематографу этого «пророческого» кадра. Но разве в кадре дело, когда Володя сам, медленно, но верно шёл навстречу своей гибели?!

Денег на «погибель» требовалось всё больше, и он продавал вазы из богемского стекла, которые мать привезла из Чехословакии и очень дорожила ими. Он гулял на эти деньги с друзьями, а матери говорил, что «хотел сделать Масику (то есть мне!) подарочек!». И у Нонны Викторовны копился нега-

218

тив по отношению к «Масику», который не может обойтись без «подарочков» (ох, бедный Вовка, наверное, думала она)...

«Русское поле» снимали под Нижним Новгородом, на Волге, в сказочно красивых местах. Киногруппа жила по избам в деревне. Володька писал мне оттуда письма: «Масик! Приезжай ко мне!» Но когда я приехала, как-то не слишком обрадовался. Я подумала сначала, что у него появился «сердечный интерес». С ним в картине снимались красивые молодые популярные актрисы, да и деревенские девчонки сходили с ума по красавцу «сыну Тихонова и Мордюковой»...

Фильм обещал быть ярким и обречённым на зрительский успех. В нём снималось много прекрасных артистов: Инна Макарова, Леонид Марков, молодые актрисы: Людмила Гладунко, Нина Маслова...

И хотя и Нонна, и Володя вроде бы обрадовались моему приезду, но я почувствовала, что каким-то образом нарушила их привычный уклад. Володя явно нервничал.

А потом выяснилось, что должны были в это же время приехать Дорога и Петя Башкатов — и Володя их ждал. Я тогда не очень понимала опасности. Думала — ну, просто приедут навестить, привезут выпивку, — хотя и эта перспектива не сильно вдохновляла и успокаивала... Я уехала расстроенная.

А после свадьбы, как я уже рассказывала, сначала всё вроде бы наладилось. Но потом, возвращаясь со съёмок, я стала находить дома на Суворовском не только пустые бутылки, но и странные упаковки от лекарственных препаратов...

А я уже ждала ребёнка. У меня был очень сильный токсикоз. Разбирать завалы грязи мне становилось всё труднее. Но до поры я верила тому, что говорил мне Володя: это не он, это его друзья — вероятно, потому, что ХОТЕЛОСЬ ВЕРИТЬ. Но иногда я не выдерживала и пыталась выяснить: зачем ему ТАКИЕ ДРУЗЬЯ? Володя злился и возмущённо требовал: «Не смей обсирать моих друзей!»

А потом не выдержала одна из соседок и сообщила мне, что в моё отсутствие в квартире появляется девица.

Опять состоялся тяжёлый разговор. Но теперь, когда я была беременной и замужней, Володя был уверен, что я никуда не денусь. И вёл себя уже по-другому. Его как подменили. Страх потерять меня и мою любовь к нему — прошёл...

Меня тошнило. Я дурнела и полнела. А на его шее повисла молодая несовершеннолетняя тварь. Вот так мы опять разъехались.

Володю забрали в армию. По большому счёту, службой в армии это было назвать трудно — это была команда при Театре Советской Армии в Москве, в которую брали «служить» актёрских детей. Они обслуживали спектакли театра: выносили и устанавливали декорации, выходили в массовках на сцену, немножко изучали военное дело и довольно легко их выпускали из казармы на улицу, а на выходные (да и не только на выходные!) домой.

Вову отпускали по его просьбе «к беременной жене». Я его ждала. Но он шёл совсем в другую сторону...

Телефон стоял в коридоре. Я спала «вполуха», стараясь не пропустить звонок. А звонка не было — только звенящая ночная тишина...

Я пробовала дозвониться в «команду», а там мне отвечали, что «рядовой Тихонов в увольнительной, находится дома!»...

Беременность протекала очень тяжело, но я долго ничего не говорила своим и не уезжала с Суворовского к родителям на Дмитровское шоссе. Я всё-таки ждала и надеялась. Сидела дома. Читала. Писала стихи. Вязала. Плакала по ночам...

А Володя писал бабушке с дедушкой об армейской жизни и о том, что «дома Натали с огромным животом на восьмом месяце, ждёт меня и вяжет». И что «настроение у неё бодрое, боевое, но рожать очень боится, а врачи обещают мальчика, и мы с мамой и Натальей тоже ждём и надеемся на пацана»...

Не боялась я рожать — боялась одиночества и предательства!..

Часто заходил наш сокурсник Саня Котов. Он ни о чём не спрашивал — всё и так понимал. Просто сидел напротив. Я вязала. И мы тихонько беседовали о том о сём. И становилось тепло на душе. Я думала: как же так — Саша, такой саркастичный и колючий (мы с ним даже подрались один раз во время учёбы в Щуке), а какая тонкая и добрая душа! Он меня очень поддерживал.

Тамарочка (Марусенька) заходила, и я ей показывала, как у меня живот уже ходуном ходит: это мой будущий сын буянил. Томочка трогала, пугалась, смеялась и радовалась вместе со мной...

Да! Я же не сказала, что до 7 месяцев работала в театре, репетировала главные роли в трёх спектаклях, и никто даже не подозревал, что я жду ребёночка. Но когда я оформила декретный отпуск, пузо моё, уже не сдерживаясь, выкатилось — такое большое, что однажды, когда я шла по улице Алексея Толстого (нынче Малая Спиридоновка) в женскую консультацию, с противоположной стороны улицы меня громко окликнул Моргунов: «Варлей! Что это с тобой?!» Народ остановился посмотреть — где Варлей? Что с ней?..

А я заплакала — это сейчас пошла мода демонстрировать публике свои беременные животы, сниматься для журнальных обложек, выкладывать фото в Интернете, а тогда это было личным, интимным. И ещё тогда я поняла, что пора перебираться к родителям на Дмитровское шоссе. А то так и рожу где-нибудь по дороге...

И я переехала. Мы ходили гулять на Опытные поля Тимирязевской сельскохозяйственной академии. Это сейчас там всё застроено домами, а от полей остался один пшик, а тогда — была благодать!.. Мы гуляли с мамой или папой, а по полю носилась наша догиня Нера (мы её звали, правда, Нюра — это имя ей больше походило).

Нюрку подарил мне Слава Бекбуди, мой цирковой друг, жонглёр на лошади. Вернее сказать, не подарил, а отдал то, что оказалось не нужным в аттракционе его двоюродного брата, Юры Дурова, который, продолжая традиции династии Дуровых, работал с животными.

Нера-Нюра оказалась не способной к роли «собаки-математика», которую ей отводили в номере. Есть такой трюк в цирке — дрессировщик спрашивает, предположим: «Нера, сколько будет дважды два?» А собака должна пролаять в ответ четыре раза. Её, конечно, к этому готовят, дрессируют. Но у Нюрки — не пошло. Вообще никак. А кормить и содержать такую «лошадь» просто так — нет смысла. И, вероятно, собачка ещё переболела в детстве чумкой — доги, при всей своей громоздкости, псы нежные — и у неё были совсем слабые задние ноги...

Значит, собаку надо отдать! А кто же её такую возьмёт?! Ну, конечно, Наташа Варлей — «она добрая и животных любит»...

Вот так догиня Нера оказалась сначала на Суворовском бульваре, где ей вообще негде было повернуться. Зато когда потом моя семья забрала её с собой на Дмитровское шоссе — там было настоящее раздолье для прогулок.

Вообще, любимым занятием Нюры было сидеть в кресле, положив нога на ногу, и смотреть в окно (правда! не выдумываю!). Однажды это увидела наша родственница, тётя Ляля, изумилась и сказала: «Надо же! Вот скотина!» На слово «скотина» Нюра тут же среагировала — взлетела и одним прыжком оказалась вровень с головой тёти Ляли, грозно клацнув своими гигантскими зубищами. Слава богу, у нашей Ляли (в семье её все звали так!) реакция, как выяснилось, была не хуже: она успела отскочить за дверь. И больше никогда не произносила обидных для Нюрки слов, уверовав в то, что собаки все слова понимают (а они и вправду всё понимают!)...

Так вот, мы гуляли себе по Опытным полям в сопровождении Нюры, а животик мой рос — «и растёт ребёнок там не по дням, а по часам...». Врачи предполагали, что я рожу 10 февраля — так и в карте было написано. Но бабушка моя, Татьяна Евгеньевна, с абсолютной уверенностью сказала: «Нет! Наташа родит в мои именины!» Так оно и вышло.

Бабушка оказалась провидицей. Вообще, интуиция невероятно развита у нас в семье почти у всех по женской линии — у бабушки, у её сестры тёти Иры, у её племянницы Иры, у дочери — моей мамы, да и я на отсутствие интуиции и предвидения не жалуюсь. Хотя это не только достоинство, но и беда: видеть, кто перед тобой на самом деле, знать, что человек врёт, предвидеть, что будет!..

25-го, в Татьянин день, в четыре часа дня у меня начались схватки. Перепуганные и взволнованные папа и мама вызвали такси и повезли меня в роддом на Миусской площади. Из «смотровой» я вышла с улыбкой от уха до уха: «Мама! Папа! Мне сказали, что я рожаю!» — радостно объявила я. Папа побледнел. Мама заплакала. А я ушла рожать...

Схватки были долгими и мучительными. Ни о каких обезболивающих, ни о каких стимуляциях в те времена и речи не было. Лежат себе в предродовой палате брошенные медперсоналом роженицы, орут — кто кого перекричит, вцепившись в железные прутья спинок кроватей: «Ох, мужики проклятые! Знала бы — не давала бы!..» (Так, заодно, познакомилась я со своеобразным фольклором родильных домов.) Изредка заходят врач или медсестра — обойдут всех, скажут что-нибудь типа «дыши глубже» и опять уйдут. И кажется, что эта мука никогда не кончится...

Но в час ночи я наконец разродилась...

Глядя на сдувающийся, как воздушный шар, мой огромный живот, от того, что боль отпустила, я начала уплывать в сон... «Мамаша, мамаша, не спите! Посмотрите-ка, кто у вас родился?!» — слышу голос акушерки... или врача. Передо мной трясли каким-то красно-сине-жёлтым младенцем с длинными чёрными волосами, который громко орал басом...

«Девочка...» — блаженно улыбнулась я, хотя не поняла, как у этого существа можно определить пол...

«Ну, какая же это девочка?! Это мальчик!»

«Мальчик!..» — обрадовалась я, опять блаженно улыбнулась и снова начала засыпать...

УЗИ тогда ещё не делали (а может, его и вообще не было). Мало того, в консультации, куда я ходила каждые десять дней, врач почему-то умудрилась прослушать два сердца — правда, только однажды. Поэтому до конца беременности было непонятно, один ребёнок или двойня — уж больно живот огромный! Ну, а мальчик или девочка — такой вопрос даже и не ставился. Насчёт отрицательного резуса, при котором есть опасность многих непредвиденных неприятностей, тоже никто не «запаривался», и меня ни о чём таком не предупреждали. Может, это даже и хорошо — рожать я отправилась бесстрашно.

Для меня было ясно только, что если девочка — то назову Катя, если мальчик — будет Вася...

Кстати, Васей посоветовала назвать мальчика Нонна Викторовна — она предложила: «Назови Василием — Вячеславу ВАСИЛЬЕВИЧУ будет приятно». А что, замечательное имя, подумала я тогда. Мне и сейчас очень нравится это прекрасное русское имя. А вот сам Василий всю жизнь говорит, что «имя ужасное» — не знаю почему. Может, это какие-нибудь школьные дразнилки?..

На второй день Васеньку принесли на кормление, и тут уж я влюбилась в него самозабвенно — раз и навсегда! Я писала своим: «Васька — такой страшненький! Но — такой красавец! Я люблю его — до безумия!..»

Только мать может влюбиться в такую «красоту»: мордочка сине-бордовая, на верхней губе — мозоль от излишнего рвения во время кормления, нос — картошкой, из-под чепчика выбиваются длинные чёрные волосы...

Володя примчался к роддому на следующий день. Мне в палату принесли букет помятых цветов и огромный кулёк, свёрнутый из газеты, в котором были фрукты, похоже, купленные на Центральном рынке — он был тогда на Цветном бульваре, ближе всего к Театру Советской Армии — груши, сливы, виноград. И ещё в пакет был вложен конверт с письмом, в котором крупными кривыми буквами (видимо,

Кино

В год выпуска
из Щукинского
училища

С профессором Пушкаревым на комсомольском съезде

В роли Панночки в фильме «Вий», 1967 г.

В роли Муси Волковой в фильме «Золото», 1969 г.

С Александром Плотниковым в фильме «Золото»

С Сергеем Филипповым в фильме «12 стульев» в роли Лизы, 1971 г.

В фильме «Бег», 1970 г.

В роли Галины Листопад
в фильме «Семь невест
ефрейтора Збруева»
с Семеном Морозовым, 1970 г.

В роли Тани в фильме «Черные
сухари» с Рюдигером Йозвигом,
1971 г.

В роли Оли
Потаповой в
фильме «Три дня
в Москве»
с Семеном
Морозовым, 1974 г.

В роли Даши в фильме
«Большой аттракцион», 1974 г.

В роли мамы Дюка в фильме
«Талисман», 1983 г.

В роли Родики в фильме «Дмитрий Кантемир»
с Георгием Лапето, 1973 г.

На съемках фильма «Море улыбнулось» с Михаилом Кокшеновым
и Генрихом Сечкиным в Крыму

В фильме «Сегодня или никогда» с Виктором Евграфовым, 1978 г.

В фильме «Так и будет» с Кириллом Лавровым, 1979 г.

В роли Ольги Воронцовой в фильме «Так и будет», 1979 г.

В роли Зины в фильме Бориса Фрумина «Ошибки юности» со Станиславом Жданько, 1978 г.

В роли Нази в фильме «Ливень», 1979 г.

На съемках фильма «Огненные дороги», 1984 г.

В фильме «Не хочу быть взрослым» в роли мамы Кати, 1982 г.

С Евгением Стебловым и Кириллом Головко в фильме «Не хочу быть взрослым», 1982 г.

В фильме «Волкодав из рода Серых Псов» в роли Матери Кендарат, 2006

Кинофестивали

Мой первый кинофестиваль, Уругвай, 1969 г.
С Анастасией Вертинской (*третья слева*)

ОАЭ, 1987 г.

Камерун

Ангола

С Сашей в Харбине

Кипр, церковь Святого Лазаря
в Ларнаке

С Георгием Жженовым
в Лаосе, 1985 г.

Шри-Ланка

С Виталием Соломиным в Танзании

Африканский танец

Перу

У домика Ким Чен Ира

Калькутта

На международном кинофестивале в Ташкенте

новоиспечённый отец волновался и торопился!) было написано: «Дорогая моя, любимая Снегурочка! Масик мой родной! Спасибо тебе за сына! Прости меня за всё!!! Я — гондон, а ты цветочек!!! Люблю! Люблю!!! Люблю!!!!!!!»

Через неделю мы с Василием приехали из роддома на Дмитровское. У дверей нас встретила взволнованная догиня Нюра, подозрительно заинтересовавшаяся «кулёчком» с младенцем. «Кулёчек» внесли в комнату и положили на двухспальную кровать, чтобы распеленать. Нюра ворвалась в комнату и бросилась к младенцу. И я — ослабевшая во время беременности и после родов маленькая женщина — схватила гигантского пса, подняла его и выбросила из комнаты. Сработал материнский инстинкт — я, не задумываясь, защитила своего ребёнка. Но я не знала, что материнский инстинкт сработал и у собаки — она восприняла появление младенца как собственного и, когда он заплакал, скорее всего, тоже бросилась его защищать...

Нюра затаила обиду и ревность...

Спустя полгода, когда я держала на руках Васеньку, Нюрка подошла и легла у моих ног. Маленький мой потрогал её голову ручкой. Собака нервно дёрнулась и клацнула зубами — а это на её языке не обещало ничего хорошего. Васенька испугался и заплакал. Нюре было приказано выйти, и она, виноватая, ушла. У меня сохранился такой снимок — Васенька у меня на коленях, по личику катится слеза. А я его утешаю...

Когда через 12 лет у меня родился Саня и я внесла его в комнату в квартире на Смоленской набережной, наша кошка Мурка, так же, как когда-то собака Нюра, начала истерически рваться туда, где заплакал младенец. Мама закричала: «Нет! Нельзя! Она увидит жилку, которая бьётся на шее у ребёнка, и может её перегрызть!» (почему-то так считается). Но я молча отодвинула маму, открыла дверь и сказала Мурке: «Заходи!»

Кошка влетела в комнату, прыгнула на стул рядом с детской кроваткой, улеглась и начала громко мурлыкать. Так она, в этой позе счастливого сфинкса, и жила рядом с Сашей до тех пор, пока тот не начал ходить. Нянька! Нет, мамка — Саню она восприняла как собственного, только что рождённого ребёнка...

Ну, а над Василием мама тряслась, как над хрустальной вазой. В доме все ходили в марлевых повязках, и вообще всё было стерильно, всё мылось, по-моему, даже с хлоркой. Когда через неделю пришла к нам посмотреть на Васеньку Нонна Викторовна, ей мама тоже вручила марлевую повязку, и Нонна Викторовна, кажется, обиделась. Посидели. Попили-поели. И когда Мордюкова собралась уходить, мама ей сказала: «Нонна Викторовна! Вы приходите к нам почаще!» — «Меня уговаривать не надо! Я буду приходить пелёнки стирать!» — ответила она...

Но больше не пришла. Никогда. Почему? Я поняла это только много лет спустя...

Вячеслав Васильевич привёз в подарок детскую кроватку. И в этой кроватке спал не только Василий, но и Саня, а потом и внук Женя! Дедушка Вячеслав пробыл у нас тоже недолго — он торопился домой, купать Анечку. «Тётя» Анечка старше Васи всего на год...

Удивительно, как у мужчин, уже немолодых, вдруг начинает проявляться отцовское чувство, которого в молодости не было.

Я помню, как Нонна Викторовна мне рассказывала с обидой, которая не стёрлась со временем: «Лежу я. И вдруг ребёночек в животе зашевелился. А Слава рядом лежит. И я ему — так радостно: «Слава, Слава! Потрогай, как он шевелится!» А он мне: «Отодвинься! Мне неприятно!» — и я ему этого до сих пор не могу простить...»

Если бы кто-то объяснял молодым женщинам, что у новоявленных папашек так бывает. Ну, не родились ещё отцовские чувства! И неизвестно, насколько затянется инфантилизм...

Когда, уже много лет спустя после нашего расставания, Володя позвонил мне ночью и радостно прокричал в трубку:

«Масик! Любимая! Я прилетел из Ташкента! Дыню и арбуз привёз!» — я спросонья ничего не могла понять: «Володя! Ты, наверное, адресом ошибся?! У тебя давно другая семья, сын недавно родился».

«Да нет, Масенька! Я ТЕБЕ звоню и к тебе сейчас приеду. А насчёт сына — ты знаешь, Масик, у меня совершенно нет отцовских чувств!..»

Вот тут я проснулась окончательно и сказала ему с горечью: «Да, Володенька! То, что у тебя нет отцовских чувств, — я и сама знаю...»

Когда родился Васенька, недели через три Володя привёл в квартиру на Дмитровском практически всю «команду» Театра Советской Армии. Топая сапогами, в квартиру вошли человек двадцать молодых солдат в шинелях. Скинули обмундирование в коридоре прямо на пол — гора получилась. Прошли в комнату, где Володя с гордостью продемонстрировал сына, а потом так же строем ушли...

На этом «отцовские чувства» и закончились. А может, и не закончились бы, если бы глупая, злая, завистливая и ревнивая баба не начала убеждать Нонну и Володю, что «ребёнок не от него». Я этого не знала. А если бы и узнала, гордость не позволила бы их в чём-то переубеждать, что-то доказывать — зачем, когда и экспертиз никаких не надо: Васенька был абсолютный Вовка, настолько похож — те же загнутые вверх уголки губ, те же глаза с длинными ресницами, та же мимика, то же выражение лица, те же жесты...

Удивительная всё-таки вещь — генетика! Я смотрела на сына влюблёнными глазами и думала, как жаль, что этой похожести радуюсь я одна! Как хотелось бы, чтобы с тобой рядом стоял родной отец ребёнка и тоже радовался! Но — не случилось...

А может, и надо было побороть своё самолюбие и развенчать клевету. Самолюбие — ведь это та же гордыня...

Что уж сейчас об этом говорить! Василий уже давно сам отец взрослого сына.

А вот подлая тема «не Володин ребёнок» — до сих пор нет-нет, да замаячит: то в одной, то в другой «жёлтой» газетёнке или передаче. Зачем?! Володи давно нет в живых. Нет Нонны Викторовны. Нет Вячеслава Васильевича. Кому врать-то?! Людям? Себе?! Всё же и так понятно. Что делить-то?!

И было невдомёк мне, глупой, что, «оказывается», после ухода Мордюковой и Тихонова «осталось наследство», на которое Вася, как «не сын», не имеет права претендовать, так как «единственный наследник — Вовочка, настоящий Володин сын»! Вот как!!! Могла ли такая бредятина прийти мне в голову?! Какое наследство?!

Эх, Вовка! Мог ли ты предположить, что когда-нибудь такое случится?!.

В последние свои годы, когда уже ушли из жизни и Петя Башкатов (он умер первым), и Толик Дорога, Володя почувствовал, что беда подбирается и к его порогу — вернее, беда-то давно подобралась, но слишком поздно он понял, насколько это серьёзно и страшно. Он пытался лечиться. Ложился в разные клиники. С матерью они то съезжались, то разъезжались. Нонна Викторовна любила его до безумия, но и боялась — в периоды обострений и «ломок» Володя мог бегать за ней с ножом, требуя денег...

Я жила уже на Смоленской набережной. Уже родился Саня. Вася был юношей — оканчивал школу. Поразительно, но он, практически не видя отца (так, несколько приездов по настроению да случайные «пересечения» где-нибудь на съёмках — моих и параллельно Володиных — в разных городах, в гостиницах), был не только похож на Володю, но и стал разговаривать блоками Володиных фраз, его голосом, с его интонациями, с его выражением. Вот как это?!.

Нонна Викторовна мне потом рассказывала, что Вовка часто говорил ей: «Мам! Хочешь послушать мой голос?» — и набирал наш номер телефона. Подходил Василий. Вовка молча слушал, улыбаясь, а потом протягивал ей трубку...

Однажды он наткнулся на меня. Мы поговорили очень по-доброму. Неожиданно он спросил как-то по-детски: «Масик! А младший твой совсем на меня не похож?» — «Нет, Вовочка, не похож» — засмеялась я...

Весть о смерти Володи мне принесла Наташа Кустинская. Она позвонила и сказала, что Володю нашли мёртвым в его однокомнатной квартире в Строгино. Володя там жил один. Дверь в квартиру была не заперта.

Я тут же позвонила Нонне Викторовне. Она зарыдала в трубку: «Наташенька! Ты же понимаешь, что он был болен! Никого не хочу видеть на похоронах, кроме тебя и Васеньки! Я знаю, как ты билась, чтобы из лап болезни вырвать, а остальным было всё равно — лишь бы рядом был. А умирал Вовка один, и жена его бросила. И никого из сокурсников не хочу видеть...»

«Хорошо», — сказала я и спросила, как насчёт отпевания. «Не знаю, — засомневалась Нонна Викторовна, — вроде у Вовки над кроватью крест всегда висел...»

Я обещала организовать отпевание. Тогда это было непросто. Шёл 90-й год. Церкви ещё только начали потихоньку открываться и восстанавливаться. Службы шли в немногих.

Я позвонила нашему духовнику, отцу Алексею. Он приехал к нам на Смоленскую. Отслужил «заупокойную» панихиду. И сказал, что договорился об отпевании в храме недалеко от кладбища. Но предупредил, что ни в коем случае нельзя опаздывать, потому что через час после отпевания в том же храме будет венчание молодых, и батюшка должен переодеться в другие одежды и приготовиться к другому обряду. Важно, чтобы эти два ритуала не наложились один на другой... Я пообещала, но... человек предполагает, а Бог располагает.

Всё пошло не так, как надо, — да и можно ли было в такой день рассчитывать на пунктуальность...

В день похорон мы с Васей подъехали к моргу. Собрались все родственники, близкие, знакомые и незнакомые. Наташа, вторая жена, с сыном Вовочкой и матерью. Вячеслав Васильевич стоял рядом с дочкой Анечкой...

Все в сборе — нет только Нонны Викторовны. Она приехала почти на два часа позже — вообще никакая. И не вышла, а почти выпала из автобуса. Я стояла близко и её подхватила. Она увидела восемнадцатилетнего Васю, схватила его за руки и заплакала: «Васечка! Ручки Вовочкины...»

Конечно, в храм на отпевание мы все приехали на полтора часа позже назначенного времени. В результате по церкви уже ходили те, кто приехал на венчание, в том числе и оператор с камерой, которая торчала из спортивной сумки...

Плохо помню, как всё происходило. Слёзы застилали глаза. Нонна Викторовна почти висела на мне, так она ослабла от горя, и я всё боялась, что она упадёт...

На кладбище, когда все начали прощаться с Володей, видимо, стала отходить заморозка, и его лицо стало медленно отворачиваться в сторону от стоящих рядом с гробом...

«Вовочка! От кого же ты отворачиваешься?!» — громко заголосила тёща. «Уберите её!» — закричала Нонна Викторовна...

Володю похоронили под большими деревьями на Кунцевском кладбище. «Вот здесь и меня похоронят, сынок. Подожди...» — вдруг произнесла Нонна Викторовна...

Все медленно пошли к автобусу...

«А вас я не хочу видеть!» — сказала Мордюкова поднимающимся по ступенькам в автобус Наталье с Вовочкой и тёщей. Те вышли. Все стали говорить Нонне, что это неправильно, не по-христиански. Но она как отрезала: «Нет!» — и всё...

На 9-й день мы встретились у Володиной могилы, а потом поехали, как и в день похорон, в его квартиру, чтобы помянуть его.

А на сороковой день у Володиной могилы Нонна Викторовна вдруг стала ссориться с сестрой. «Нонна Викторовна! Нельзя в таком месте ссориться», — попробовала смягчить ситуацию я. Но вдруг она посмотрела на меня неожиданно зло и сказала: «А тебя-то кто спрашивает?!» Меня потряс этот тон. Но я смолчала — только слёзы покатились.

Поминать Володю мы поехали уже не в его квартиру, в Строгино, — она отошла в пользу государства, — а в Ноннину, в Крылатском. И там я почувствовала, что злость по отношению ко мне — не случайное настроение: что-то произошло, что-то резко изменилось...

Когда через несколько дней я позвонила ей, чтобы спросить, как она и что случилось на сороковины, — я вдруг услышала, что, оказывается, я «специально» стояла на похоронах рядом с ней, потому что «заказала телевидение» и хотела рядом с ней «сниматься»! И что этого она мне никогда не простит! Я опешила от такого абсурда. Потом попробовала объяснить, что это полная чушь, что мне совершенно незачем было «звать телевидение», чтобы сниматься во время похорон, да и зачем мне, известной артистке, «светиться» рядом с ней для телевидения в такой день — это же вообще грех!..

Но она не стала меня дослушивать и бросила трубку...

Я написала ей письмо. И получила ответ, после которого сутки рыдала: вот там она прямым текстом обвинила меня в том, что «Вася не Володин сын», а... Кости Райкина... Большей ахинеи нельзя и придумать!.. Откуда «растут ноги» у этого слуха, я начала понимать намного позже...

Проплакав сутки, я поехала на исповедь к отцу Алексею и всё ему рассказала. Он ахнул: «Надо же, какое искушение! А «телевидение» — это же оператор, который приехал снимать венчание!»

И батюшка велел мне ничего не выяснять, ничего никому не доказывать — только молиться. «Если Богу будет угодно, чтобы вы помирились, — она сама придёт. А нет — значит, придётся смириться...»

И я отпустила ситуацию. И молилась. Хотя в то, что «сама придёт», не очень-то верила...

Спустя несколько лет мы выступали в каком-то концерте. Меня посадили в одну в гримёрку, а Иру Алфёрову вместе с Нонной Викторовной — в соседнюю. Минут через пятнадцать Ира постучалась ко мне и спросила: «Наташа! А можно я к вам? А то я Мордюкову боюсь!» — «Конечно, Ирочка!» — ответила я.

А ещё минут через десять раздался стук в дверь, и вошла Нонна Викторовна: «Девчонки! Можно я к вам? А то меня почему-то одну посадили в гримёрку. Мне скучно».

«Конечно, заходите, Нонна Викторовна!» И мы стали гримироваться втроём.

После концерта был небольшой банкет. Нонна Викторовна оказалась напротив меня за столом. И вдруг, неожиданно для всех, она встала и сказала: «У меня есть тост! Я хочу выпить за Наташку! Если бы вы знали, какая она мать!»

Воцарилась тишина. А потом Марк Рудинштейн, который тогда возглавлял фестиваль «Кинотавр», сказал: «Ну, если так говорит свекровь, давайте за Наташу выпьем! Значит, она действительно прекрасная мать!» И все чокнулись и выпили.

А я сказала про себя: «Господи! Ты услышал меня! Спасибо за всё!..»

Спустя какое-то время мы опять встретились. Это был концерт, посвященный Дню Победы, для ветеранов кино — в Доме творчества в Матвеевском. Нонна Викторовна чувствовала себя не очень хорошо — подводили ноги: она даже выходила на сцену в сланцах, хоть и золотых. В Матвеевское они приехали с сестрой Наташей, которая теперь жила у Нонны Викторовны, чтобы помогать ей. (Наташа была рядом и ухаживала за ней до самого последнего дня.)

Мы очень обрадовались встрече и бросились друг к другу. Я рассказала, что через несколько дней улетаю на операцию в Германию. А операция предстояла тяжёлая — после моего давнишнего падения в театре начались проблемы с ногой. Наташа и Нонна Викторовна пожелали мне выздоровления, пожелали, чтобы всё прошло успешно, и сказали, что обязательно будут за меня молиться. Мы обнялись, расцеловались, пожелали друг другу здоровья и всех благ. И так тепло стало на душе.

Слава Богу, на этом закрылась горькая страница непонимания и отдаления. Отец Алексей всё правильно предвидел. Конечно, очень жаль, что мы так долго и так больно для меня не общались. Я полагаю, что и Нонне Викторовне было бы легче переносить своё горе, если бы рядом были Володины дети — её внуки. Хотя — как знать: Мордюкова человек непредсказуемый и сложный. И потом, я так понимаю, ощущение того, что она старшая в своей семье, было с ней всю её жизнь: сёстры, братья, племянники — вот неизменный круг её ответственности и любви. И это заслуживает отдельного уважения и отдельного поклона ей до земли. Даже не могу сказать, что для неё было первично — профессия или родственники, но думаю, что в первую очередь она была всё-таки Актриса. Именно так — с большой буквы. Потом сын Володька. Потом семья.

А невестки, внуки — это такое непонятное и ненадёжное приложение. Вот так я понимаю. И принимаю. Если бы это было по-другому — наверное, искусство недосчиталось бы одной из величайших актрис мира. Ведь Нонна Мордюкова в списке самых великих актрис столетия. А в галактике есть звезда, названная её именем...

Я чувствовала себя счастливой, потому что у меня появилась ещё одна родная душа, которая нуждается в сердечном тепле и любви. Когда я бывала на гастролях, то покупала подарки не только маме, но и Нонне Викторовне — например, тёплые верблюжьи халаты и уютные домашние сапожки-тапочки...

Конечно, я, зная переменчивый характер свекрови, старалась не обременять её частыми посещениями и звонками. Но моя мамочка, ставшая в конце жизни очень общительной (теперь-то ясно понимаю отчего — от страха одиночества, такого мучительного в старости), постоянно звонила Нонне Викторовне, и сестра Наташа охотно подзывала её к телефону. Уж о чём там — «своём девичьем» — они беседовали, теперь одному Богу известно. Но, когда вспоминаю об этом, я и сейчас улыбаюсь: как хорошо, что они общались!

И хорошо, что на празднование восьмидесятилетия Мордюковой в Доме кино мы вышли на сцену её поздравить — я и мой внук, её правнук, Васин сын — девятилетний Женька. Я понимала, что в зале будет много «любопытных» — в том числе и представителей разношёрстной прессы. Я не знала, как поведёт себя Нонна Викторовна — а наш выход пришёлся на то время, когда она уже больше двух часов просидела на своём «юбилейном троне» на сцене и страшно устала, и это было видно. Но я пошла, поздравила, спела песню, а потом вызвала Женьку, и он вышел: в голубом костюмчике, перешедшем ему «в наследство» от Сани, с цветами в руках и тоже ужасно волнуясь.

Женька потом, со свойственным ему юмором, рассказывал, что, когда он протягивал букет, он почувствовал, что за что-то зацепился и страшно испугался, что сейчас на глазах изумлённой публики упадёт на прабабушку. Я это увидела и бросилась к ним, и мы все вместе обнялись. А когда я наклонилась к Нонне её поцеловать, она сказала мне: «Наташка! Я тебя всегда любила!»

Через несколько дней мы беседовали по телефону, и Нонна Викторовна мне призналась, что к моменту нашего с Женькой выхода на сцену у неё было полное ощущение, что она сидит на сцене уже два дня...

Удивительное переплетение обстоятельств: и мама, и Нонна Викторовна родились в ноябре. Мама — 6 ноября в 1924 году, а Нонна Викторовна на два года позже — 25 ноября. А ушли из жизни в июле: Нонна Викторовна — 6 июля 2008-го, а мама — три года спустя, в 2011-м, 1 июля...

Мама очень переживала смерть Мордюковой. Она, кстати, очень любила Володю, даже, может, ещё больше после того, как родился Васенька, так похожий на него...

Хоронили Нонну Викторовну на Кунцевском кладбище, как она и хотела и завещала — рядом с сыном. На похоронах было много народу — и кинематографисты, и просто те, кто её любил. А любили её многие. Журналисты-телевизионщики вели себя, как всегда, бессовестно. Когда в храме после отпевания близкие стали с Нонной Викторовной прощаться, я наклонилась, чтобы её поцеловать, и наткнулась на камеру, которая прямо-таки влезла в гроб...

На поминках были в основном родные, близкие и друзья. Но и их было тоже много. Конечно, пришла и вторая жена Володи, Наталья, с сыном Вовочкой, студентом ГИТИСа. А совсем незадолго до этого я работала с его сокурсницей, и та рассказывала, что над Вовочкой в институте подсмеиваются, потому что он часто ведёт себя неадекватно. Я смотрела на парня, явно закомплексованного, на Наташу, которая сидела с каменным лицом, и вдруг мне стало их так жалко. И, поддавшись порыву, я предложила выпить за Наталью и Вовочку и сказала, что нет уже с нами ни Володи, ни Нонны Викторовны и что, помня о них, нужно прекратить вражду и ненависть, что у меня и у Натальи — сыновья, которых надо обязательно познакомить, потому что они братья...

И все, сидящие за столом, зааплодировали. А Наташа размашисто перекрестилась, сказала: «Слава Богу!» — как будто всё происходящее до этого зависело от меня. Мы с ней чокнулись и поцеловались, а Вовочка сердито увернулся...

С печалью, но и со светлым чувством я пришла домой, а вечером рассказала Васе о примирении и что, наверное, ему вскоре предстоит общение с братом. Честно говоря, Вася отнёсся к моей радости по этому поводу скептически. И оказался мудрее меня. И прав.

Через день Наташа и Вовочка должны были прийти на мой спектакль. Но вместо этого раздался звонок. И незнакомый женский голос злобно прошипел в трубку: «Зачем же вы врёте, что Вася — Володин сын? Все знают, что он сын

Бурляева!» И раздались гудки отбоя. Приехали!!! Теперь уже «сын Бурляева»!

Дальше потянулась череда мерзостей, наветов, наговоров — в «жёлтой прессе», по телевидению, — «сподобились» не только НТВ, но и Россия-1, и 1-й канал. Центральным лицом всех этих пасквилей была Наталья, которая трагическим голосом вещала, как попугай, одно и то же: «Вовочка — единственный сын и ЕДИНСТВЕННЫЙ НАСЛЕДНИК!» Вот в чём была «собака зарыта»! А так как эти анонсированные «дуэли» происходили без меня (не хватало только мне прийти на эту «коммунальную кухню»!), то моё изображение маячило врезкой на уголке телеэкрана...

Конечно, меня бил колотун. Мне звонили со всех концов страны, да что там страны — земли! Многие убеждали меня подать в суд за клевету. Но я, слава Богу, не поддалась — поняла, что только этого и ждут шавки из «жёлтой прессы» — превратить ситуацию в сериал выяснения отношений. Позвонил из Америки Аркашуля, совершенно возмущенный (и там эта пакость прошла по телевидению!), и предложил «эту мерзкую бабу побить»...

Дети мои оказались мудрее. Понимаю, что им это всё тоже было далеко не в радость, но мне они сказали, чтобы я прекратила обращать внимание на этот бред. «Раз уж ты пошла в актрисы, должна была бы уже привыкнуть и к зависти, и к ревности, и к злости!» — сказали мне сыновья и внук.

Сходила в храм. Исповедалась, причастилась. Посоветовалась с батюшкой. И постепенно успокоилась. Приняла тот факт, что у меня есть не только друзья, которые за меня в огонь и в воду, но и враги. Такова жизнь.

За здравие Натальи и сына её, Владимира, всегда подаю записки в церкви. Каждый день читаю молитву «Ненавидящих и обидящих нас прости...». И хватит об этом.

Гораздо важнее сказать о том, что я счастлива, что мы успели с Нонной Викторовной хоть и поздно, но заново почувствовать себя родными людьми, что успели сказать друг другу слова любви. И эта любовь согревает меня сегодня.

Я счастлива, что есть у меня родные люди — сёстры и братья Мордюковы, её племянники — Олечка, Илья, Иришка, Алёша... Мы редко видимся. Встречаемся у могилы Нонны Викторовны и Володи на кладбище — в дни их рождения и смерти. Поминаем их. Перезваниваемся. Поздравляем друг друга с праздниками. Мало, конечно, но в наше суетное время по-другому, к сожалению, не получается. Но главное — я знаю, что они есть, родные мне люди. Большая семья, старшей в которой была Нонна Викторовна...

Вячеслав Васильевич, конечно, очень переживал Володин уход из жизни. Однажды, когда мы ехали вместе с какого-то фестиваля и оказались в одном купе, мы проговорили об этом почти всю ночь. Я рассказала ему, что разговаривала с судмедэкспертом спустя месяц после смерти Володи, что экспертиза показала, что ни алкоголя, ни наркотиков в крови на момент смерти не оказалось. Что, скорее всего, он умер от сердечной недостаточности, но, конечно же, это было уже следствием изношенности организма...

Слава Богу, у Вячеслава Васильевича была настоящая отрада — дочь Анечка, которую он невероятно любил, гордился ею. Потом родились внуки-близнецы. Это же счастье!..

В последние годы Вячеслав Васильевич очень мало снимался. Прибаливал. И предпочитал тихую семейную жизнь на даче на Николиной горе...

Вячеслава Васильевича Тихонова отпевали в храме Христа Спасителя. Хоронили на Новодевичьем кладбище. Я была и на отпевании, и на похоронах. Просто физически чувствовала боль, которую испытывают Тамара Ивановна, жена Вячеслава Васильевича, дочь Анечка, внуки — Слава и Гоша...

Анечка, которую я видела девятнадцатилетней, стала прекрасной молодой женщиной. С Тамарой Ивановной я познакомилась поближе. Мы стали видеться, общаться...

Недавно ушла из жизни и Тамара Ивановна...

Анечка с мужем и детьми иногда приезжают ко мне на дачу. Я изредка езжу к ним.

На фестивале «Семнадцать мгновений», посвящённом памяти Вячеслава Васильевича Тихонова, который проводился в Павловском Посаде, на его родине, я выступала по приглашению Анечки и её мужа Коли Вороновского, организовавших этот фестиваль. И я спела «Сердце, молчи» — песню, которую так задушевно пел Вячеслав Васильевич в кинофильме «На семи ветрах», мелодию которой я играла на флексатоне под куполом цирка.

В этом году — 90-летие со дня рождения Вячеслава Васильевича. Вечер его памяти прошёл в Кремле. И я в нём принимала участие.

Мы с Анечкой и её семьёй редко видимся — чаще перезваниваемся. Поздравляем друг друга с праздниками, разными событиями. Такая жизнь сегодня, к сожалению. Но я очень их люблю. И надеюсь, что наши дети тоже будут поддерживать добрые родственные отношения...

Я счастлива, что мой Василий — внук, а Евгений — правнук двух великих актёров: Нонны Викторовны Мордюковой и Вячеслава Васильевича Тихонова.

А что напишет «жёлтая пресса» или проквакают клеветники — это, как говорится, «их проблемы».

Поступление
в Литературный институт

Моего младшего сына Сашу тоже не миновала чаша сия. Кого только не «назначали» ему в отцы! В Интернете до сих пор «висит» его фотография рядом с фото покойного узбекского актёра Ульмаса Алиходжаева, с которым мы вместе снимались в сериале «Огненные дороги» — он сыграл узбекского поэта-революционера Хамзу, а я — его соратницу —

русскую актрису Марию Кузнецову. Две фотографии рядом и в одном ракурсе должны означать: дескать, посмотрите — «одно лицо». Хотя — ничего общего!..

Ульмас Алиходжаев был замечательным актёром и прекрасным, сердечным человеком. Я очень переживала, узнав о его смерти, — к сожалению, узнала значительно позже того, как это случилось. Мы же теперь с Узбекистаном — разные страны, и информация доходит с большим запозданием. И очень горько, что у меня не было возможности проводить Ульмаса в последний путь и выразить соболезнования его близким...

Но, конечно же, к рождению Саши мой добрый друг и партнёр не имеет никакого отношения...

Для всех любопытных и сплетников: не трудитесь измышлять то, чего нет! Запомните — мои дети родились от большой любви! И рождение младшего сына Сани — великое чудо, которое не могло бы случиться, если бы Господь не подарил мне — настоящее сильное чувство!!! Да, я не боюсь громких слов...

Я ведь рассказывала в самом начале, что мечтала с раннего детства о своей большой и дружной семье, в которой много детей, как минимум трое!

Что у меня было к 37 годам? Самое главное достижение — сын Василий! Около 50 ролей, в основном главных, в кино. Около 30 ролей мирового репертуара в театре. Сотни сдублированных кинофильмов. Сотни написанных стихов...

И мечта о семье. И понимание, что она становится всё более и более иллюзорной. И мечта о всепоглощающей любви. И о ребёнке — ну хотя бы ещё одном. И мечта о квартире — собственной, без соседок. И о домике в деревне. И о — хотя бы маленькой — «машиночке»!.. И, конечно, я мечтала сыграть роли, желанные с юности, — Эвридику из пьесы Ануйя «Орфей и Эвридика», или Наташу из «Униженных и оскорблённых» Достоевского, или... да мало ли несостоявшихся любимых ролей...

Но время шло. И постепенно таяли, как несбыточные, все эти мечты. Отпадали по одной...

А кино медленно загибалось. Играть стало практически нечего. В середине 80-х в нашем кинематографе наступил настоящий кризис...

И тогда я приняла решение поступить на факультет поэзии в Литературный институт им. Горького. Стихи я писала с раннего детства. Так почему же не попробовать...

Меня подтолкнула к этой мысли моя киевская подруга — Светлана Короткова. Сама в прошлом актриса, она училась на факультете критики у Евгения Сидорова. И я загорелась идеей поступления.

Света была одной из самых близких и любимых подруг. Мы знали друг про друга всё. И не только друг про друга, но и про наших детей, родителей, мужей. Мы могли без конца разговаривать — обо всех горестях и радостях, влюблённостях и разочарованиях, обо всех на свете проблемах — на одном языке...

Когда она приезжала из Киева — неизменно с тортиком «Киевский», с «горилкой» и салом, — я пекла свой фирменный капустный пирог (в одном из очерков обо мне Света писала, что в моём доме «всегда пахнет пирогами»), готовила ещё что-нибудь вкусненькое, и мы могли проговорить всю ночь до утра...

Почему я пишу о нашей дружбе со Светой — «была»? Да потому что её, дружбы, уже нет — исчезла, как будто и не было, в одночасье...

После того как случился уже этот безумный «Майдан», я с группой от Союза кинематографистов съездила в Донецк, Луганск, Краснодон и Енакиево — с концертами, посвящёнными Дню Победы. А почему нет?! Годом раньше со спектаклем, поставленным украинским режиссёром в украинской же антрепризе, я проехала по тому же маршруту! Что же изменилось — те же города, те же люди, те же зрители! Только теперь, не согласившись отказаться от русского языка и от родства с Россией, они оказались «вне закона», как и те, кто приехал для них выступить?! Чушь!!!

Вернувшись в Москву, я позвонила Светлане, чтобы поздравить её с днём рождения. Она обрадовалась. И мы радовались друг другу до тех пор, пока я не спросила: «Светуня! А ты когда в Москву приедешь?» (А надо сказать, что Света приезжала каждый год — на все фестивали, на все праздники кинематографистов — и по работе, и просто так, потому что очень любила Москву, в которой у неё было много друзей, и одно время даже мечтала в неё переехать.)

И вдруг между нами будто выросла стена — холодным тоном Светлана отчеканила: «В Москву я больше никогда не приеду! Если ты поедешь в Европу — повидаемся...» Я изумлённо ответила, что в Европу в ближайшее время не собираюсь. И по тому, как она со мной говорила, я поняла, что это наш последний разговор — по крайней мере, пауза затянется на долгое время...

С тех пор прошло уже четыре года. Связь со Светой оборвалась. И безумие ненависти украинцев по отношению к русским — только крепнет. И я это вижу даже в тех, с кем были добрые, почти родственные отношения. Как это могло случиться — неужели мы так ошибались друг в друге?!. Как же легко, оказывается, можно сойти с ума...

Так вот, именно Света Короткова и натолкнула меня на мысль поступить в Литературный институт им. Горького. Я отнесла в приёмную комиссию подборку своих стихов, а когда получила письмо из деканата, что прошла творческий конкурс и допускаюсь к экзаменам, начала готовиться. Ведь то, что у меня лежал диплом с отличием об окончании циркового училища, девятнадцать лет назад полученный, и второй диплом с отличием — театрального института, полученный тринадцать лет назад, — не имело никакого значения: если прошло больше десяти лет, предметы уже не перезачитываются.

Сочинение по литературе, диктант (или изложение — не помню точно), письменная работа по английскому языку (опять английский, как и в цирковом училище! — в театральном институте учат французскому: считается, что это язык театра) — всё это я сдала легко и незаметно быстро.

Но к устному экзамену по литературе я решила подготовиться основательнее, потому что многое, прочитанное в детстве, уже забылось...

И, когда я вдруг осознала, что экзамен-то завтра, а я ничего не успела перечитать, я, как и все студенты, которые готовятся в цейтноте, в последнюю ночь положила перед собой гору книг, которые надо было хотя бы пролистать...

Задача была поставлена, но выполнить её мне не удалось: сверху лежали гоголевские «Мёртвые души». Я раскрыла книгу с желанием «пролистать», но так и не оторвалась от неё до самого утра...

Да!.. То, что перечитываешь уже совсем взрослым, понимаешь и оцениваешь совсем по-другому. Я наслаждалась творением Гоголя, восхищалась его языком и просто забыла, что рядом кипа книг, а я к ним даже не прикоснулась.

Когда была дочитана последняя страница «Мёртвых душ», я спохватилась, взглянула на часы и поняла, что мне остаётся только умыться, выпить кофе и бежать на экзамен. Хорошо хоть бежать недалеко — я жила тогда ещё на Суворовском бульваре, а Литинститут находится на Тверском...

Спускаюсь по лестнице на негнущихся от волнения ногах и плачу. Из квартиры на втором этаже выходит Галина Кожухова. Была такая прекрасная журналистка, в то время работала в газете «Правда». Она жила со мной в одном подъезде, с мужем, замечательным актёром Алексеем Петренко, и своим сыном от первого брака, Мишей Кожуховым, который впоследствии стал известным тележурналистом, а одно время даже был пресс-секретарём у только что ставшего президентом Владимира Владимировича Путина.

Так вот. Галя смотрит на меня, плачущую, и задаёт резонный вопрос: «Наташа! Что с вами?»

«Я иду на экзамен в Литинститут!» — реву я.

«Зачем?!» — удивляется Галина.

«Решила поступать!» — по щекам моим катятся крупные слёзы.

«А почему плачете?» — недоумевает Галя.

«Я не успела подготовиться...» — всхлипываю я.

Галина хохочет и говорит: «Наташа! Идите! Вам уже за то, что пришли, поставят пятёрку! Спорим на бутылку водки!»

«Спорим...» — недоверчиво завершаю наш разговор я. Вытираю слёзы. И спешу на экзамен...

Бутылку водки Галине Кожуховой я проиграла. А случилось это так...

Я вошла в аудиторию, где шёл экзамен по литературе, одной из самых первых. Быстро пробежала глазами по приёмной комиссии. И решила, что пойду сдавать (если получится, конечно!) к молодому человеку, который сидит ближе к окну...

Подошла к столу. Вытащила билет, на котором было написано... «Мёртвые души»...

«Так не бывает!» — скажете вы. Бывает! Так было. И тому есть свидетели.

Я храбро заявила, что могу отвечать без подготовки. Села напротив «молодого человека» (как впоследствии выяснилось, аспиранта) и начала вдохновенно делиться эмоциями от прочтения «Мёртвых душ», естественно, опуская то, что перечитаны они этой ночью...

Я рассуждаю пять минут, десять, пятнадцать... «Молодой человек» молча внимательно слушает и не задаёт ни одного вопроса. Наконец я выдохлась и замолчала. И смотрю на «молодого человека».

«Всё?» — спрашивает он.

«Всё!» — отвечаю я. И жду, что он начнёт «пытать» меня по второму вопросу, на который я уже не смогу отвечать, заливаясь соловьём...

«Спасибо. Отлично! Идите...»

И я пошла домой, а по дороге зашла в магазин, чтобы купить проигранную на спор с Галиной Кожуховой бутылку водки...

Так в третий раз в жизни я стала студенткой!

Вся моя семья была в ужасе от этого — зачем?! Пиши себе стихи, к чему лишние мучения в таком возрасте!

Поддержал меня только сын Вася. «Учиться никогда не поздно!» — сказал он, когда я спросила его, не совершаю ли я глупость...

И мы с ним улетели в Узбекистан на съёмки «Огненных дорог».

Ташкент. «Огненные дороги»

Съёмки в этом фильме начались ещё зимой. Ранней весной — отсняли несколько сцен в павильоне и в Старом городе в Ташкенте. А летом съёмочная группа выехала на натуру под Ходжикент. Там удивительно красивая, первозданная природа — горы, долины, чистые горные реки. И ощущаешь соприкосновение с вечностью. И восторг от величия и спокойствия...

Однажды я отправилась на машине к местному травнику — серьёзно заболел в Москве один из моих друзей, и мне посоветовали привезти травы из Ходжикента. Знаменитый травник жил где-то очень высоко в горах, и нужно было добираться туда по совсем узкой дороге, приспособленной, видимо, только для того, чтобы проехать верхом на осле. Но мы ехали на машине, которая ползла просто одними колёсами по тропинке, а другими по горе. Почти на боку! Справа от нас был крутой обрыв, метров так под триста, где-то совсем далеко внизу сверкала узкая и извилистая, как змея, речка. А слева — уходящая в небо скала. Было жутко страшно. Всю дорогу я молилась. Страшно было за себя — со мной в машине, кроме шофёра и администратора съёмочной группы, сидел мой одиннадцатилетний сын Вася! Но мы, слава Богу, доехали! И травы взяли, которые действительно потом очень помогли моему другу. И переночевали в домике, пропахшем горными травами. А утром отправились обратно. И опять я молилась. Но в то же время не могла не любоваться невероятной красотой. Было такое странное ощущение, что мы вернулись в какую-то эру, когда жизнь на земле только зарождалась. Наверное, потому, что понимаешь, но не можешь до конца осознать, что эти горы стоят ТЫСЯЧЕЛЕТИЯ!.. И их красота, величие и гармония — потрясают...

Мне выпало счастье провести в этих краях больше двух месяцев.

Одно только было невыносимо тяжело — изматывающая жара: градусов сорок в тени. А одеты мы все были в те же костюмы, в которых снимались зимой. Да ещё приходилось и на лошади скакать, и играть сцены из произведений Хамзы — моя героиня ведь была русской актрисой в его труппе. А в конце фильма, когда казнят Хамзу, мою Марию тоже везут на казнь, связанную, на телеге, и она яростно читает, выкрикивает революционные стихи поэта...

И всё это на сорокаградусной, а на солнце и того больше, жаре...

А на голове у меня — узбекские косички, которые заплетали из моих тогда длинных волос, а сверху ещё тюбетейка. И пот — ручьями по лицу...

Ещё были сцены, когда все мы танцуем узбекские танцы. И много чего ещё — картина-то двенадцатисерийная!..

Съёмки были очень тяжёлыми. Много массовых сцен. Но вспоминаю работу над «Огненными дорогами» как время, наполненное счастьем и радостью.

Удивительный человек режиссёр фильма Шухрат Салихович Аббасов был очень строгим в процессе создания картины, но атмосфера на площадке была прекрасной, работали все слаженно и самоотверженно, несмотря на не слишком комфортные бытовые условия, несмотря на жару и организационные сложности...

Съёмки начинались с раннего утра и заканчивались с наступлением темноты. Работа шла почти без выходных.

В редкие свободные дни мы обычно выбирались на пикники. Готовился настоящий узбекский плов — его обязательно готовили мужчины: на Востоке и на Кавказе считается, что женщина не должна участвовать в таком важном процессе, как приготовление мяса и плова... Согласна! Но меня, как «почётную гостью», всё-таки подпускали посмотреть, и я теоретически научилась. Могу и на практике приготовить плов, но... почему-то не всегда вкусно получается.

Шухрат Аббасов — не только прекрасный режиссёр, но и глубоко образованный человек, настоящий восточный мудрец и философ. По ходу нашего общения он давал мне советы — ненавязчиво и тактично, и некоторым из них я следую до сих пор. Встреча с ним, совместная работа и общение за пределами съёмочной площадки — настоящий подарок судьбы...

Обидно, что мне не удалось слетать на юбилей Аббасова в Ташкент. Вообще невероятно больно, что мы теперь разделены границами. Сколько тепла, доброты и уроков гостеприимства я почерпнула во время пребывания в Узбекистане! Сколько друзей осталось у меня по ту сторону границы!..

Многое с тех пор изменилось. В Ташкенте, говорят, нет уже тех удивительных кварталов Старого города, проходя по улицам которого можно было почувствовать себя героем восточных сказок. Али-Баба или Ходжа Насреддин — как будто сопровождают тебя на базарах Ташкента, Самарканда или Бухары. А какие красивые эти города!..

Раньше я часто бывала в Узбекистане. Летела в Ташкент полуночным аэробусом, который устремлялся, пугающе грохоча, в ночное небо, а через пять часов приземлялся в рассветном городе, раскалённом еще до восхода солнца...

Из нескончаемо длинной зимы —
В знойное лето...
Город — громадная пиала
В добрых ладонях...

В небо уходит горячей волной
Воздух Востока...
С чаем к губам поднесу пиалу —
Силы вернулись...

Жар от неё поднимается вверх
К зыбкому небу...

Неоднократно я бывала на Ташкентском кинофестивале. Атмосфера там царила необыкновенная.

Я снялась в нескольких картинах на «Узбекфильме» и благодарна судьбе не только за дорогие для меня роли, но и за то, что работала с людьми творческими, мудрыми и доброжелательными, которые и вне съёмочного процесса уделяли мне много времени, принимая в своих гостеприимных домах. Это были разные семьи. И разный уровень жизни — комфортабельные квартиры в новых домах (ведь Ташкент после страшного землетрясения отстраивала вся страна: есть кварталы Ленинградские и Московские, Кишинёвские и т. д.) и глиняные, каменные дворики, где окна домов не выходят наружу, а смотрят внутрь двора.

Как-то во время кинофестиваля меня и Тамару Акулову (впоследствии она стала его женой) пригласил в гости мой первый кинорежиссёр, Эльёр Ишмухамедов. И я расписала красками дверь комнаты его тогда ещё маленького сына...

Удивительно, когда вся семья готовится к приходу гостей: дети, взрослые — каждый занят своим делом, накрывая на стол. Во дворе в большом казане готовится плов. Запах его — упоителен... А при входе в дом, на коврике, стоит обувь, в которой в дом не принято входить, и её трогательно много: семьи в Узбекистане большие, многодетные...

Я восхищалась их семейным укладом, их отношением к старикам. Меня возили в другие города, знакомя со своими обычаями, культурой, искусством...

И ещё я благодарю судьбу за то, что встретила в этих благословенных краях свою любовь.

Моя любовь и Юра Любашевский

Нет, он не узбек. Русский парень, который прожил большую часть своей жизни в Ташкенте. Я не называю его имени потому, что мы давно расстались и я не знаю, как сложилась его судьба, и не будут ли для него и его близких мои откровения неприятным сюрпризом. Скажу только, что он не актёр.

Я не буду вспоминать те наши мгновения, из которых и складывается настоящее счастье, потому что мы с самого начала были обречены на расставание. Почему — не знаю до сих пор. Но я почувствовала это сразу. И боль расставания маячила даже в самые счастливые минуты.

Я помню, как мы вышли из театра, где смотрели балетный спектакль, шли по вечернему Ташкенту, крепко держась за руки. И вдруг я вздрогнула. «Ты что, малыш?» — спросил он. И я сказала, что через несколько дней улетаю, и это — всё... Он помолчал, а потом признался, что и он в этот момент почувствовал то же самое — боль в солнечном сплетении...

Это «солнечное сплетение» стало символом нашей любви и нашей разлуки...

> Земля далеко подо мной,
> А где-то за чёрной стеной
> Ночного бездонного неба
> Остался единственный мой...
> За что разлучают меня
> С тобой — как с водой растение?!.
> Солнечное сплетение...
> Солнца и душ сплетение.

Нет, мы ещё виделись, мы не попрощались навсегда. Мы писали друг другу потрясающие письма. Жаль, что, когда мы расстались, в порыве горечи я все письма уничтожила. Но два письма всё-таки остались, и я их храню. И ещё — в то время я писала много стихов...

> Чужая воля — долгий путь...
> А прилетишь — забудь, забудь
> Густой туман непониманья
> И непогоды... Далеки!
> Непостижимо далеки!..
> Но линия моей руки
> И линия твоей руки —
> Сойдутся на кресте свиданья,
> Чтоб вырваться из горьких пут...
> И разлетается, как пух,
> Холодный панцирь отчужденья...
> Какое счастье — как близки!
> До бесконечности близки.
> Сомкнулись нежно две руки —
> Без всяких слов —
> Лишь две руки
> На высшей точке
> Единенья...

Он прилетал несколько раз ко мне в Москву. Один раз — на Новый год, с подарками. А я повела себя по-идиотски. Я тогда была на пике альтруизма, поэтому пригласила в дом на встречу Нового года своего не очень даже близкого друга, скорее, знакомого, Юру Любашевского, который позвонил мне 31-го и грустно сказал, что ему негде встречать. И я — такая вот добрая — пригласила его, не соображая, что ко мне за тридевять земель летел любимый, чтобы встретить праздник со мной и Васей. При чём тут, даже очень одинокий, Любашевский?! И действительно, праздник не заладился.

Мы сидели за новогодним столом — я, сын Вася и... Любашевский. А мой любимый лежал в скорбной позе в другой комнате с кошкой Муркой на груди. И я бегала к нему, тащила к столу и искренне не понимала, почему он «портит праздник себе и всем остальным» — ведь я-то знала, что я его люблю, а его настроение — беспричинно. Вот такая глупость...

Я сама испортила праздник своему любимому, который надеялся, что мы встретим его втроём (да, ещё кошка Мурка — четвёртая!). Говорят ведь: как встретишь Новый год, так и весь год пройдёт! Вот и «встретили»...

Ну, хорошо, не верю в приметы. А праздник-то поломала! А может, и жизнь, которая могла бы сложиться по-другому — ведь жизнь состоит из многих составляющих. И в ней важно не только пытаться помочь чужим людям, но и уметь присмотреться к ближним, чтобы ненароком не обидеть их своими поступками, чтобы не убить любовь и доверие.

Нет, мы не расстались и после этого. Всё вроде бы вернулось на круги своя. И письма из Москвы в Ташкент, и из Ташкента в Москву — летели, полные возвышенной любви. И он прилетал ещё — и по работе, и просто так, ко мне. Мы готовили плов. Мы встречались с моими друзьями. Мы заслушивались песнями Розенбаума, которого я очень любила: мои друзья-каскадёры под руководством Олега Корытина из Питера познакомили меня с его творчеством и сами прекрасно пели...

А потом...

В феврале я поняла, что беременна. И это было и чудо, и счастье. Вопроса о том, оставлять беременность или нет, для меня не существовало: конечно, да! Ребёнок был желанный, долгожданный и от любимого человека. Как сложатся наши отношения, я, естественно, задумывалась, но к рождению ребёнка это не имело отношения — я знала, что он появится на свет независимо ни от чего! Также не имела для меня никакого значения бурная негативная реакция всей моей семьи. «За» был только Вася, мой верный сын и друг (хотя могу предположить, какая буря ревности в нём бушевала!). А мой отец — сохранял нейтралитет и невозмутимость...

Гораздо больше меня волновало то, что у меня был отрицательный резус, ещё некоторые проблемы со здоровьем, да и возраст. Это на Западе тётки только к сорока собираются рожать первенцев — сначала карьера. А у нас ещё до тридцати начинают женщин обидно называть «старородящая». Но я верила, что Бог поможет.

Период этот был для меня непростым. Во-первых, мы наконец разъехалась с нашей соседкой, Лидией Дмитриевной. Мы с ней разменивали квартиру на Суворовском ужасно долго. Требования у соседки были жёсткие: «Хорошенькая квартирка в районе Ленинского или Вернадского, поближе к Галочке, с балкончиком или «лоджей» (это её словечко!). Вот мы и искали, чтобы всё это сошлось. Искали, искали... и не находили. Соседка ездила, как на экскурсии, на выбор квартиры. И всё ей не нравилось. Подозреваю, что ей не очень-то и хотелось уезжать, потому что большую часть жизни прожила в этой комнате. Да и жили мы дружно. С переездом, видимо, подгоняла дочка «Галочка», которая планировала, что квартира в дальнейшем перейдёт внуку Лидии Дмитриевны, Саше.

Мне, честно говоря, тоже было жаль расставаться с Суворовским бульваром, с которым столько было связано. Да и вообще, я «пускаю корни» там, где живу, и «пересадить» меня трудно.

А время шло...

Моргунов, когда я рассказала ему о своей проблеме, предложил помощь. У него во всех инстанциях и областях жизни были связи и знакомства. Он договорился, что меня примет крупный чиновник, отвечающий в Москве за жильё (кстати, чиновник этот не только до сих пор функционирует в той же сфере, но и вскарабкался ещё выше по карьерной лестнице, несмотря на свой «неандертальский» возраст).

Я поехала в его контору, где меня приняли с распростёртыми объятиями. А потом этот старый сластолюбец прямым текстом сказал, что квартира мне будет, если я стану его любовницей. Ну и пообещал ещё «подарочки» из поездок за границу, где он «часто бывает».

По физиономии от меня он не получил. Но и квартиру я не получила. И, естественно, эпопея с разменом продолжилась...

Наконец Лидия Дмитриевна нашла то, что устраивало и её, и её семью. А мне «в комплекте» досталась квартира на Смоленской набережной рядом с метромостом, в старом «сталинском» доме, на шестом этаже, с высокими потолками и окнами во двор. Но совершенно «убитая».

Я переехала и занялась организацией ремонта. Бригада работала, а я во время ремонта присутствовала в квартире. А так как меня мучил токсикоз, то на запахи лаков, красок и прочей химии — у меня на всю жизнь выработалась устойчивая аллергия. И по сей день эти запахи, так же как и запах табачного дыма, вызывают у меня рвотный рефлекс...

Ремонт затягивался. Я сидела и готовилась среди разрухи к летней сессии — я ведь была студенткой Литинститута! Моя семья уехала на дачу в Аносино. В институте о моём «интересном положении» не знал никто, кроме моей сокурсницы Раисы Абубакировой.

Рая Абубакирова

Рая приехала в Москву из Омска, где она работала маляром. Была она сиротой — родители умерли. Внешне — маленькая, угловатая, некрасивая, закомплексованная, зажатая. Но при этом талантливая невероятно — самородок. Её рассказы, повести, пьесы отмечались и награждались разными призами на Всесоюзных фестивалях и конкурсах. От Союза писателей СССР ей вручали грамоты за лучшие рассказы и пьесы.

Рая очень хотела, чтобы я читала в концертах или на радио её произведения: это уже когда она вернулась — литера-

252

турной звездой — в свой Омск после окончания института. Да так и не успела мне эти рассказы прислать. Неожиданно заболела: диагноз — рак молочной железы в какой-то уже неизлечимой стадии. Лечиться она отказалась. Она приехала в Москву прощаться со всеми, кто был ей дорог. Была в деканате в институте. Обошла московских сокурсников. Приезжала ко мне...

Общаться с ней и раньше было непросто. А тут — она держала жёсткую дистанцию: мол, я уже по одну сторону жизни, а вы все — по другую. В этом состоянии горечи и даже какой-то детской обиды на весь окружающий мир она и пробыла в Москве. И ведь ничего не скажешь, не посочувствуешь, не приласкаешь — всего этого она не любила и не принимала. Так и уехала в свой Омск, где вскоре умерла...

Но я забежала вперёд. Возвращаюсь к тем временам, когда мы ещё первокурсницы, а я к тому же первокурсница беременная.

Мы с Раисой подружились — как-то сразу потянулись друг к другу. Вели долгие «философские» беседы, и выяснилось, что у нас много точек соприкосновения, и взгляды на многие вещи, факты и события у нас часто совпадали. Это удивительно: со стороны могло показаться, что между нами не может быть ничего общего. А в реальности — мы хорошо понимали друг друга. Оказалось, что мы «одной группы крови»...

И я с ней поделилась тем, что жду ребёнка. Она сразу принялась меня трогательно опекать. А так как она бывала у меня на Смоленской набережной довольно часто, глядя на ремонтную разруху, она предложила свою «безвозмездную помощь» — положить плитку в ванной комнате. Я засомневалась — маляр всё-таки, не плиточник.

Но так получилось, что как раз плиточники, которые пришли ко мне работать, исчезли на какое-то время. А произошло вот что: позвонил актёр (а впоследствии главный режиссёр Театра Луны) Сергей Прόханов, который тоже делал ремонт у себя в квартире.

Сергея зрители помнят по фильму Владимира Граммати-
кова «Усатый нянь». Кроме того, он снимался вместе с моей
сестрой Ирой на Одесской студии в картине «Юлька». Ну
и наконец, он щукинец — учился на курс младше, и они,
как это принято в училище, обслуживали наши спектакли.

В общем, «почти родственник». Поэтому, когда он позвонил мне и со свойственным ему напором сказал: «Натуль!
У тебя там должны работать плиточники. Можно я у тебя
их позаимствую на несколько часов?» Я удивилась, конечно,
но согласилась — напор меня всегда выбивает из седла...

«Несколько часов» обернулись несколькими днями —
плиточники не ехали, Проханов не звонил.

Тогда я решилась и приняла Раисино предложение.
Вкривь и вкось, но она положила плитку в ванной.

Потом, когда Раи не стало, заходя в ванную комнату, глядя на эти коряво положенные плитки, я её обязательно вспоминала. Вспоминаю часто и сейчас. И боль не проходит...

Лаос и Георгий Степанович Жжёнов

В конце мая мне позвонили из «Совэкспортфильма»
с предложением полететь на фестиваль советских фильмов
в Лаос. Конечно, я с радостью согласилась. Но врач в женской консультации просто взвыла. Она мне сказала буквально такие слова: «Наташа! Вы что же, хотите оставить
ребёночка под пальмой?!»

Но я всё равно полетела — я полагалась на свою интуицию, а она мне подсказывала, что всё будет хорошо.

И действительно, как только я сошла с трапа самолёта,
приземлившегося в Лаосе, я вдруг почувствовала, что токсикоз прошёл. И всю поездку чувствовала себя прекрасно.
Даже искупалась однажды в реке Меконг, как и лаотянки,
войдя в воду не раздеваясь — в сарафанчике. Срок беременности был ещё маленький, животик не был виден, но

маленькие лаосские девушки, дети природы, подошли, погладили меня по животу и ласково спросили: «Бебе?» — «Йес, бебе!» — ответила я, а на душе стало тепло, я почувствовала защищённость — от их доброжелательности...

Наша киноделегация состояла всего из двух человек, я и Георгий Степанович Жжёнов. С Георгием Степановичем незадолго до этого мы были в составе делегации в Сирии, на фестивале, и прониклись друг к другу большой симпатией. Когда мы оказались рядом с ним в самолёте в лаосской поездке, я почувствовала, что он решительно собирается за мной поухаживать. Я тут же всё поставила на место, сообщив, что собираюсь стать матерью. Он немножко пригорюнился, но ненадолго. Всю поездку у нас были замечательные дружеские отношения, он меня очень нежно опекал, помогал, заботился обо мне. Читал стихи своей дочери, которой трогательно гордился.

Георгий Степанович был потрясающим — во всех отношениях: прекрасный актёр, очень интересный человек, с невероятным обаянием и, как сейчас любят говорить, «харизмой». В нём сочетались и мужественность, и доброта. Ну и выглядел он, конечно, для своих 70 лет — фантастически. Причём никак не молодился — просто был молодой.

Как-то я сидела на бортике бассейна в нашем отеле. И в это время из своего номера вышел Жжёнов в плавках. Разбежался, прыгнул в воду и поплыл. Я смотрела как зачарованная — фигура юноши: мускулистая, подтянутая. Вечером на банкете я не удержалась и спросила его: «Георгий Степанович! Я понимаю, вы прекрасный актёр. Когда глаза блестят — сразу лет двадцать долой. Но молодая фигура — это-то как!?» И он мне ответил: «Наташенька! Наверное, Бог вернул мне те пятнадцать лет, которые люди отняли!»

Он сидел в тюрьме, обвинённый в надуманном преступлении, жил на поселении — об этом он рассказал в своей книге «Саночки», которую мне позже подарил.

Наша поездка в Лаос была во всех отношениях замечательной. Фильмы шли с большим успехом. Принимали нас прекрасно — на всех уровнях. Мы встречались с самыми разными слоями населения. Принимали участие в национальных праздниках. Путешествовали по старинным городам. Бывали в музеях, буддистских храмах и монастырях. Мы плавали на пароходе по реке Меконг, ели удивительные блюда из свежевыловленной рыбы, фрукты, только что сорванные с дерева...

Но главное, что меня в этой сказочной стране зачаровало, это люди — маленькие, добрые, трудолюбивые и гостеприимные, живущие в неспешном ритме. И в этом — особая мудрость. И они, как дети, открыты и доверчивы. Удивительно!

В одном из старинных городов рядом с монастырём мы наблюдали играющих в футбол мальчишек — обыкновенных жизнерадостных мальчишек, но только одетых в оранжевые тоги. Это были юные буддистские монахи. В их глазах не было религиозной отрешённости. Наверное, когда они молятся или совершают обряды, это есть. Но в тот момент мы видели любопытные и любознательные глаза. Они азартно играли. Они с удовольствием фотографировались с нами. Здорово!

Нам показывали много достопримечательностей. Однажды нас повели к знаменитой статуе Золотого Будды на горе. Чтобы подняться туда, нужно было преодолеть какое-то космическое количество ступенек.

А в тропическую жару да на солнцепёке — это не так просто! Мы с Георгием Степановичем, «хитрые» актёры, то и дело останавливали друг друга. Когда сил уже не было, я говорила: «Георгий Степанович! Постойте! Позвольте, я сниму вас на фоне этого пейзажа!» А потом он, чувствуя, что выдыхается, просил меня остановиться, чтобы запечатлеть «необыкновенную панораму»... Так и добрели до Золотого Будды...

Так как в Лаосе основная религия — буддизм, то статуй Будды всех размеров и из разных материалов — великое множество. Однажды наши сопровождающие подвели меня к статуе и сказали, что, если куда-то там опустить денежку, а потом задать Будде вопрос, то выпадет записка с ответом. Ну, конечно же, я попробовала спросить, благополучно ли закончится моя беременность. И Будда мне «письменно» ответил, что «будет очень трудно и мне придётся пройти через серьёзные испытания, но всё закончится благополучно...». Так оно и получилось...

Как только самолёт приземлился в Москве, я вдруг увидела, что у меня руки и ноги отекли настолько, что я, прежде чем ехать домой, помчалась сразу в консультацию, где мне сняли отёки каким-то очень сильным препаратом.

На другой день я поехала в институт с подарками из Лаоса. Самое большое впечатление на моих сокурсников произвёл напиток «Лао» — на самом деле лаосская рисовая водка...

Сдав сессию, я ненадолго поехала на дачу, но мне было уже тяжело добираться туда. К тому же на даче не было московских «удобств». Да и мама продолжала на меня дуться. И я вернулась в раскалённую Москву в свою квартиру на Смоленской набережной, где уже, к счастью, был закончен ремонт.

Таракан Серёжа

К концу лета я начала готовиться к осенней сессии, которая начиналась в сентябре. Я сидела за столом — писала и печатала подборки стихов, занималась контрольными работами практически по всем предметам. Моя киевская подруга Света предлагала прислать свои работы, но мне хотелось учиться всё-таки не формально, а по-настоящему, поэтому я пыхтела и писала сама.

Чувствовала себя я уже соответственно сроку беременности — шёл седьмой месяц. Ребёнок вовсю шевелился, дрыгал ножками, переворачивался, в общем, давал о себе знать. Живот рос. Спать было трудно. Но, главное, появилось состояние, похожее на депрессию. С одной стороны, давило чувство одиночества, с другой стороны — противоположное состояние: нежелание общаться с друзьями и знакомыми.

Мои все были на даче — и мама, и Вася, и отец, и племянник. В доме стояла тишина.

И тут неожиданно появился ОН — большой чёрный таракан. Вообще я терпеть не могу всей этой живности — тараканов, клопов, мух, комаров. Жутко, брезгливо их боюсь...

Но этот был каким-то особенным существом: большой, просто огромный, и какой-то, не по-нашему, не нахальный. Потом, вспоминая про этого таракана, я подумала, а может, я случайно в чемодане привезла его из того же Лаоса? Он вёл себя спокойно и вежливо — выползал из кухни, проползал весь, очень длинный, коридор и вползал в комнату, где я сидела за столом и работала. Увидев меня, он останавливался, и я понимала, что он смотрит именно на меня, шевеля усищами. Самое удивительное, что я его совсем не боялась, и он не вызывал у меня омерзения. Наоборот, когда он приползал, становилось спокойно и не так одиноко. Но долго выдерживать его «взгляд» я всё-таки не могла. Немножко поговорив с ним, я вытаскивала из вазы полевой цветок, и, как пастух хворостиной, гнала его назад на кухню. Он послушно полз. А на другой день опять появлялся. И я радовалась его визитам. Я назвала его почему-то Серёжей.

Вот так в обществе Серёжи я и прожила до 12 сентября. (Жизнь моего маленького друга закончилась трагически — вернувшись с дачи, кошка Мурка его съела: я не успела остановить домашнего хищника!)

В ночь с одиннадцатого на двенадцатое сентября я сидела за пишущей машинкой и перепечатывала набело контрольную по истории КПСС, которую злобная «училка» не приняла у меня, сославшись на то, что «слишком уж много опечаток»!.. Как ни уговаривали её девушки из деканата, чтобы она проявила гуманность к беременной женщине, — бесполезно. И вот я сидела ночью и печатала.

Уже потом выяснилось, что на сносях нельзя ни печатать на машинке, ни строчить на швейной машинке — какая-то особая вибрация, которая может способствовать «выдавливанию плода». Но кто же нас, будущих мам, об этом предупреждает заранее?!.

Двенадцатого утром я проснулась и почувствовала дискомфорт. Болел, тянул живот. Я позвонила врачу из 27-го роддома, у которой наблюдалась всю беременность, и рассказала ей о своём состоянии. Она мне сказала, что, если не пройдёт, завтра нужно ехать и ложиться на сохранение. Я спросила у неё, а не могут ли это быть схватки? «Ты ведь уже рожала. Сама-то как думаешь?» — ответила она. Я ей сказала, что никак не думаю, потому что не помню, как это было двенадцать лет назад. «Думаю, вряд ли схватки — срок ещё маленький, всего семь с половиной месяцев. Но если что — не вызывай «Скорую», а то увезут в другой роддом, а вызови такси и поезжай к нам», — проинструктировала она меня на прощание. И велела лежать, никуда не ходить и прислушиваться к себе.

Я поняла, что с таким трудом заново перепечатанную контрольную в институт я уже не смогу отнести. И по совету врача легла.

А потом вспомнила, что вечером с дачи приедет Васенька, а в доме нет хлеба. И я пошла в булочную. И получилось как в анекдоте: «Ни фига себе за хлебушком сходил!..» Купила хлеба, а потом подумала, что Вася очень любит пироги с капустой, и надо пойти и эту самую капусту купить. В овощном магазине была большая очередь. Я встала. Но минут через пять поняла, что погорячилась, вышла из очереди и поползла домой.

Дома я набрала номер вызова такси, назвала адрес и фамилию. На другом конце провода ответили, что нужно ждать «в течение часа». «Девушка, миленькая, это Наталья Варлей с вами говорит (я редко пользуюсь своей фамилией, но тут уж пришлось — от безысходности!), пожалуйста, поскорее — человек рожает!» Девушка поинтересовалась: «А кто у вас рожает?» — «Я!!!»

«Ой, сейчас пришлю машинку!» — заволновалась диспетчер.

Роддом № 27

В это время в квартиру вошёл Вася. Он помог мне собрать нужные вещи и усадил в такси. Хотел ехать провожать меня, но я представила себе, как он выбирается почти ночью из забытого богом района, где находится роддом № 27, и уговорила его остаться дома.

В приёмном отделении меня долго и недобро допрашивала с пристрастием полусонная и, на мой взгляд, не вполне трезвая санитарка. Она никак не могла взять в толк, почему меня привезли к ним в роддом, если не по «Скорой». А больше ни одной живой души, которой я могла бы объяснить «почему», — не было. Ни криков рожениц, ни плача младенцев не было слышно в этом, как будто вымершем, заведении.

Наконец где-то открылась и тут же закрылась дверь. И стало понятно, что за этой дверью идёт веселье, гуляет компания. Как потом выяснилось, праздновали день рождения кого-то из медицинского персонала: а что ж не попраздновать — рожениц нет. Поздний вечер, пятница — уже почти суббота...

И вдруг, некстати, я припёрлась.

Со стороны двери, за которой шла гульба, подошел молодой и, похоже, тоже не сильно трезвый врач. Он, слава Богу, меня внимательно выслушал, даже всё вроде бы понял. Сказал, что врач, у которой я наблюдалась всё это время, сегодня выходная, будет только послезавтра. Бегло осмотрел меня, отправил в предродовую палату, сказав при этом, что у меня в запасе ещё много времени, и отправился обратно в свою весёлую компанию. И до утра ко мне никто не подходил...

Когда я закричала, что у меня отошли воды и я рожаю, мне издалека ответили: «Рано!» Когда я поняла, что ещё немного, и будет поздно, я поднялась и сама пошла в родильный зал. За мной бежала акушерка и приговаривала: «Куда ты?! Куда ты?!!»...

Она и приняла у меня роды. Но ребёнок не закричал. И тут поднялась паника. Забегали. Закричали: «Ах, отрицательный резус! Ах, маленький срок!.. Скорее ищите Алексея Владимировича, если он не ушёл!..»

Алексей Владимирович Грачёв

Мой и Сашин спаситель, наш ангел-хранитель, посланный нам Богом в лице Алексея Владимировича, — слава Богу, не ушёл! И мой Саня, да и я — сразу попали в его добрые золотые руки, под его надёжное крыло.

Алексей Владимирович Грачёв, врач-микропедиатр, призванием и профессией которого было спасать жизнь детей до двадцати дней от роду в самых сложных ситуациях, на счастье для меня и моего новорождённого сына, трое суток не уходил из роддома, находясь рядом с «трудным» ребёнком, а проще говоря, спасая хрупкую жизнь очередному младенцу. Поэтому «бравые ребята» — врачи, которые чуть не упустили моего ребёнка, — нашли Алексея Владимировича и вызвали в родильный зал...

Я после родов «уплыла в сон», лёжа в коридоре на каталке. Почувствовав, что меня будят, я проснулась и увидела прямо перед собой необыкновенные глаза — не просто изумительно красивые, серо-зелёные в пушистых ресницах, а глаза, потрясшие меня добротой, сопереживанием, глаза, которые смотрели прямо в душу — с такой сердечностью, с таким теплом, что я замерла от неожиданности.

«Я — Алексей Владимирович Грачёв, я буду вести твоего сына», — сказал мне обладатель этих необыкновенных глаз. И добавил: «Ребёнок очень трудный. Пока никаких прогнозов. Но я постараюсь сделать всё возможное. А ты — держись...»

И меня отвезли на каталке, чтобы переложить на кровать, — в огромную палату, в которой я оказалась тринадцатой. Но я не суеверная. Да и число тринадцать, после рождения моего младшего сына, стало одним из самых любимых: Саня появился на свет в 10 утра тринадцатого сентября (кстати, в день рождения моей сестры Ирины; и Александр Розенбаум тоже родился 13 сентября!).

На другой день рано утром в палату ввезли тележку с орущими младенцами. Когда всех грудничков раздали на кормление счастливым мамочкам, я поняла, что моего не привезли. И вот тут меня охватил животный страх за моего мальчика. Изо всех сил я пыталась сдержать слёзы, но они покатились ручьями, капая на пол, и я никак не могла остановиться. Младенцев увезли, а я всё сидела и безутешно рыдала. Чтобы как-то успокоиться и не нервировать молодых мамочек, я вышла из палаты. Увидев ведро с водой и швабру с тряпкой, приготовленные для мытья полов, подхватила их и принялась мыть палаты и коридор. А слёзы всё льются...

И вдруг мне навстречу идёт Алексей Владимирович. Он изумлённо смотрит на меня, моющую полы, потом видит мои слёзы. Забирает из моих рук швабру, ставит её рядом с ведром, берёт меня за руку и говорит: «Пойдём со мной!» Он подводит меня к двери, на которой написано «Палата интенсивной терапии», и говорит: «Вообще-то туда нельзя! Но — заходи!»

В палате в кювезе лежит мой малыш, весь в проводочках и трубочках. Спит. И... улыбается во сне!

«Вот видишь, он улыбается, а ты плачешь. Он сильный. Он нам помогает, а ты ему — мешаешь. Поняла?» — говорит мне Алексей Владимирович.

«Поняла!» — шепчу я. «Ты должна молиться за него. Крестить как можно раньше. И назвать его по святцам. Знаешь имена святых, чьи даты мы отмечаем в эти дни?» — «Нет», — говорю я.

«Завтра я принесу тебе святцы», — обещает мой дорогой доктор и отводит меня в мою палату.

На другой день я изучаю святцы, которые он принёс. 13 сентября — Геннадий и Киприан. 12-го — Александр Невский. Я спрашиваю, можно ли назвать мальчика Александром, ведь роды начались двенадцатого. «Конечно! — отвечает мне доктор. — Но 12-го он будет отмечать свой День Ангела».

Так я решила назвать своего малыша Александром.

Марина Викторовна

Через пять дней Алексей Владимирович говорит мне, что сегодня моего Александра, состояние которого уже не внушает опасений, перевезут в тринадцатую больницу, где он должен будет пробыть, чтобы окрепнуть, около месяца. А мне нужно полежать ещё дня два.

И я смотрю, как свёрток с моим Саней выносят из отделения и кладут в санитарную машину. Сердце моё сжимается от боли и волнения за моего мальчика, которого я успела уже безумно полюбить.

Алексей Владимирович видит, что со мной, подходит и говорит: «Не волнуйся! Я передаю его в руки моего любимого врача, Марины Викторовны! Так что не сомневайся — всё будет хорошо...»

Через два дня я возвращаюсь домой. Но каждый день в течение месяца я встаю в шесть утра и везу только что сцеженное молоко в тринадцатую больницу. Денег нет, но я всё равно еду на такси, чтобы молоко не пролить в давке метро, чтобы оно, не дай бог, не скисло в духоте.

В больнице мы, «мамочки», гладим пелёнки и моем палаты. За это нас пускают к нашим детям. Я сама кормлю Саню, пеленаю, купаю, прижимаю к себе. И это уже немыслимое счастье!..

А потом мы сидим в большой комнате и сцеживаем молоко, чтобы оставить нашим деткам на последующие кормления. От пережитых волнений у большинства мам молока мало. У меня тоже. Но Марина Викторовна говорит мне, чтобы я не волновалась, — детишек докармливают смесями, но им очень важно получать именно материнское молочко, хотя бы понемногу.

И я тружусь — ем то, что полезно для лактации: например, гречневую кашу с молоком, пью чай с молоком. Ну и стараюсь как можно меньше переживать и волноваться. Хотя, конечно, я безумно уставала, потому что спала совсем мало — ведь нужно было заботиться и о Васе, несмотря на всю его разумность и самостоятельность. Покупать продукты, готовить еду.

В институте я тоже не брала академический отпуск. Поэтому, по мере возможности, читала, писала, готовилась — ведь у меня остались «хвосты», поскольку осеннюю сессию я пропустила.

Было трудно, но самое страшное осталось позади. Спустя полтора месяца после появления на свет мой Саня наконец приехал домой, на Смоленскую набережную.

Дома нас ждали Вася и мама с папой. Василий, отогнув уголок одеяла, в которое Саня был завёрнут, заглянул внутрь и сказал: «Что это?!» На него внимательно смотрели две круглые пуговички — глаза брата. Пиноккио, да и только!..

Вася, которому тогда было всего 12 лет, оказался любящим, внимательным братом и надёжным помощником. Когда я уезжала на работу или в институт, я спокойно оставляла детей вдвоём: Вася мог покормить, перепеленать, искупать. Он легко со всем этим справлялся — брал маленького под мышку и нёс в конец коридора, в ванную...

Один раз, правда, вернувшись, я неожиданно увидела странную картину: расстроенный, сердитый Вася сообщил, что они «поссорились, потому что Саша отказался есть». Я ахнула и вошла в комнату, где в кроватке лежал, отвернувшись от «всего мира», заплаканный и обиженный младенец.

А рядом с кроваткой на столе лежала бутылочка со смесью, которую «ОН ОТКАЗАЛСЯ есть»...

Что касается бабушки с дедушкой — те сразу влюбились в этого младенца с характером: как только я внесла его в дом. И тема «рожать — не рожать», которая муссировалась до появления Сани на свет, была навсегда забыта. Оба внука были для них светом в окошке до самых последних дней...

Я почти ничего не рассказала о Марине Викторовне — враче от Бога, необыкновенно красивой и обаятельной женщине, изящной, умной, доброй, с тонким юмором — вот просто идеал женственности и профессионализма! В самые трудные моменты она появлялась — приезжала и помогала. Но даже тогда, когда самые большие трудности были позади, я могла ей позвонить в любое время суток. Она всегда находила нужные слова и давала советы — так жизнерадостно, с таким оптимизмом, как будто поздравляла с праздником! И все проблемы казались пустяками...

Саня не обладал хорошим аппетитом, а когда менялась погода — вообще отказывался есть (у нас в семье все метеозависимые!). Я в панике звонила Марине Викторовне. «Такой ребёнок! — говорила она. — Пой, пляши, рассказывай сказки, но корми...»

И я придумывала всякие занимательные и увлекательные истории — про самолёты и машины, про гномов и троллей, а Саня слушал и ел. Правда, это было уже позже, когда он немножко подрос. Жалею, что эти сказки и истории не записывала — они могли бы стать сюжетами для мультипликационных сериалов или детскими книжками. Я рассказывала их, укладывая его спать. Он лежал рядом, а я, сама стараясь не заснуть, говорила, говорила...

Потом раздавалось сопение. Я переносила спящего Саню в кроватку (ту самую, которую когда-то Вячеслав Васильевич подарил для новорождённого Васи!) и с облегчением шла на свою кровать, чтобы тут же провалиться в сон. Не тут-то было. Раздавался «тараканий бег». Саня укладывался рядом и объявлял: «А теперь слушай продолжение!..» И так до бесконечности...

Опять я то убегаю вперёд, то возвращаюсь назад — трудно совладать с мыслями и ассоциациями, которые нарушают хронологию событий. Но, видимо, и мне, и читателям придётся с этим смириться, потому что такие «прыжки во времени» возникли с самых первых страниц. Не буду себя сдерживать, чтобы повествование не стало вымученным и урезанным...

Я как-то лихо проскочила почти к 90-м годам, миновав 70-е и 80-е. А теперь к ним возвращаюсь, потому что именно в том отрезке времени сконцентрировано огромное количество событий, которые трудно обойти. Конечно, обо всём рассказать невозможно, иначе это будет «сага о Форсайтах». Есть и то, что я умышленно опущу, не объясняя причин. Хотя, с другой стороны, вполне допускаю, что где-то «сболтну лишнее» или коснусь тем, которые на самом деле интересны только мне. Я не всегда понимаю, как отделить одно от другого.

Выпуск из Щукинского училища

Итак, возвращаюсь в 71-й год — год окончания Щукинского училища.

Кроме спектакля «Снегурочка» моими дипломными работами были «Бабьи сплетни» Гольдони в постановке Юрия Васильевича Катина-Ярцева, где я играла главную героиню, Кеккину, в паре с Сашей Котовым, и «Беда от нежного сердца» — водевиль Соллогуба, поставленный Александром

Анатольевичем Ширвиндтом, где мне досталась роль Настеньки.

Оба спектакля были яркими, красочными, музыкальными, с танцами, а в «Беде» мы ещё и пели. И костюмы нам сшили тоже эффектные, выразительные.

Особенным успехом пользовался спектакль Ширвиндта. Он вообще человек очень остроумный, а в постановке «Беды» превзошёл сам себя. Александр Анатольевич был тогда не намного старше нас, студентов.

Его пародоксальная фантазия из нравоучительного водевиля Соллогуба родила блестящий современный спектакль со смешными музыкальными номерами, каскадными танцами, шутками...

Состав водевиля был очень сильный — мам играли Наташа Гундарева и Наташа Заякина. Катю из Тамбова — Таня Сидоренко. Молодого героя — Юра Капустин.

Александр Анатольевич Ширвиндт, конечно же, перевернул все общепринятые трактовки образов. «Катя из Тамбова» перестала быть наивной юной девушкой, и Таня Сидоренко пела:

> Мне всего семнадцать лет.
> И спроси любого —
> В Петербурге лучше нет
> Кати из Тамбова... —

с таким цинизмом в глазах, голосом такой опытной соблазнительницы, что зал начинал хохотать.

А моя «бедная Настенька» была превращена Ширвиндтом из беззащитной «голубой героини», «бедной родственницы», забитой претензиями злых тётушек, в ворчливую зануду и ханжу, которая, когда её звала тётушка, выходила на сцену в платье до пола и сердитым басом на одной ноте заводила свой монолог: «Настенька-Настенька... Всем нужна Настенька!..»

Зрители смеялись. А когда Настенька поворачивалась боком и выяснялось, что платье на ней не макси, а мини —

длинный только фартук, тут уж зал взрывался аплодисментами. И весь водевиль сопровождался хохотом и аплодисментами. Роли у всех были каскадные — мы танцевали, пели. Я делала «колесо» и даже садилась на шпагат в конце нашей лирической (правда, в спектакле совсем не лирической, а скорее, эксцентрической!) сцены с Юрой Капустиным...

После получения дипломов обычно студенты ездят по театрам и показываются. Но многие из нас получили приглашения в московские (и не только московские) театры раньше — на дипломные спектакли приходили члены худсоветов и главные режиссёры театров. Если предложения казались неинтересными, то ребята продолжали показываться — уже в стенах того или иного театра, куда приезжали и играли отрывки из разных спектаклей.

Мне этим заниматься было некогда, потому что я снималась параллельно с «дипломами» в фильме «Чёрные сухари» — совместной картине киностудий «ДЕФА» (ГДР) и нашего «Ленфильма».

Почти каждый день после спектакля я садилась в поезд, ехала в Ленинград, утром снималась, а потом летела на спектакль в Москву...

Ох, опять отвлекусь — не могу не рассказать попутно смешную историю. Однажды постановщик «Чёрных сухарей» Герберт Морицевич Раппопорт увлёкся съёмочным процессом. «Ещё дублик! Ещё!..» — кричал он, хотя я понимала, что уже опаздываю на самолёт. А вечером — спектакль... Наконец меня отпускают. Я приезжаю в аэропорт Пулково, но посадка уже закончена. Я стою и слёзно уговариваю дежурную на посадке пропустить меня, но она категорически отказывается. А надо сказать, в Пулкове тогда не было никаких там «зон предпосадочного контроля», никаких металлоискателей. Регистрируешь билет, кладёшь на транспортёр багаж и сразу проходишь к полю на посадку... Когда я поняла, что договориться с недоброй тётенькой не получается, я отошла назад, разбежалась, «протаранила» дежурную, вырвалась на поле и побежала. Тётка за мной. Я добегаю до самолёта, взлетаю по трапу, она нагоняет меня и стаскивает вниз. Я опять бегу — прямо как заяц в мультфильме, — она опять стаскивает. А рядом с самолётом за ситуацией с любопытством наблюдают два пилота. Я бросаюсь на шею одному из них, рыдаю, что «у меня спектакль, и если я не полечу, зрители будут сидеть в зале, а актрисы на сцене нет...». Ну и так далее. Лётчик смеётся, отрывает меня от своей шеи и говорит: «Понял, не реви! На твоё место уже посадили пассажира. В туалете полетишь?» Естественно, я заорала: «Конечно!!!» И меня провели в туалет, взяв с меня слово не выходить до конца полёта из туалета, заперевшись изнутри. Я все «инструкции» выполнила. А самолёт был ТУ-104 — в нём два огромных туалета со столиками для курения внутри (тогда ещё на борту можно было курить).

Самолёт набрал высоту. Хотя и лететь-то всего ничего — минут пятьдесят, и второй сортир — напротив, почему-то ко мне весь рейс яростно ломились пассажиры. Но я мужественно просидела на закрытом унитазе и даже писала стихи — да, посетило вдохновение («*когда б вы знали, из какого сора...*») — до самой посадки. Когда самолёт приземлился, я переждала время, за которое, по моим подсчётам, уже все должны были выйти, распахнула двери своего экзотического заточения и... о, ужас!!! На меня изумлённо взирали пассажиры: они всё ещё стояли в проходе и ждали трап...

Так вот, возвращаюсь к предыдущей теме. Ездить и показываться в театры (из-за моего напряжённого графика) было совершенно некогда. Поэтому из всех предложений я выбрала два — театр им. Вахтангова и театр им. Станиславского.

Вахтанговский — родной театр, на сцене которого я уже играла, знала всех в труппе, весь обслуживающий персонал. И в то же время я знала весь репертуар театра и понимала, что роли Золушки и Нана уже сыграны, а больше в театре Вахтангова мне ничего не светит. Я слишком маленькая, чтобы стать героиней на огромной вахтанговской сцене...

Драматический театр им. Станиславского

А в театр им. Станиславского меня пригласили на амплуа именно молодой героини. Мне предложили сразу несколько больших и интересных ролей. И я выбрала Драматический театр им. К.С. Станиславского. Тот самый театр, куда я часто ходила, будучи студенткой циркового училища. Театр, где я увидела потрясшую меня «Антигону» с Лизой Никищихиной в главной роли и Евгением Леоновым в роли Креонта. Театр, в котором шёл спектакль «Маленький принц», где Принца трогательно и пронзительно играла Ольга Бган, та самая, которая когда-то снялась в знаменитом фильме «Человек родился». Позже я увидела в той же роли Таню Ухарову, и она тоже очень хороша была.

Сегодня этот театр называется «Электротеатр «Станиславский», и, честно говоря, у меня нет ни малейшего желания даже полюбопытствовать, что же там играют.

А в 1971 году это был театр с именем и историей. В разные годы его возглавляли: Михаил Михайлович Яншин, ученик Станиславского, Борис Александрович Львов-Анохин, который и поставил «Антигону». В разные годы на сцене театра блистали: Евгений Леонов, Евгений Урбанский, Георгий Бурков, Дзидра Риттенбергс...

Меня в труппу пригласил Иван Тимофеевич Бобылёв, который был в то время главным режиссёром театра. Почему-то ни в каких «википедиях» даже не упоминается имя этого режиссёра, как будто его и не было в истории театра Станиславского. А он не только был, но и поставил несколько замечательных спектаклей, в том числе и «Женитьбу Белугина», где великолепно играл Василий Бочкарёв.

До этого Иван Тимофеевич был главным режиссёром Пермского драматического театра, который славился на всю страну и был известен в мире именно тогда, когда Бобылёв его возглавлял. А в Москву он был приглашён и назначен главным в театре им. Станиславского по инициативе группы артистов этого театра, после того как они же «ушли» Львова-Анохина. Эта же «группа товарищей» потом «съела» и Бобылёва. Он вернулся в свой театр в Пермь, где его ждали и любили. Но вернулся уже сломленным — и вскоре умер. Он был очень хорошим режиссёром и прекрасным, душевным человеком...

Я шла на сбор труппы в театр им. Станиславского, не представляя, что меня ждёт. Наш прекрасный мечтатель Юрий Васильевич готовил нас к жизни в «храме искусства». Вот я и шла, волнуясь, на первую встречу в «храм», как на праздник. Я помню даже, что на мне было надето: белый костюм в очень мелкую клеточку с юбкой-миди. И помню, как после того, как нас представили труппе — сокурсников по Щукинскому: Юру Крюкова, Аню Варпаховскую и меня, и Ларису Бережную, выпускницу ГИТИСа, — ко мне подошла любимая мной актриса Ольга Бган и, глядя недобро, спросила: «А почему вы решили пойти именно в этот театр?» И всё у меня внутри оборвалось. Радость улетучилась, а на смену ей пришло тревожное предчувствие — как жизнь показала, не напрасно...

Через несколько дней в театре было вывешено распределение ролей в спектакле «Альберт Эйнштейн», к репетициям которого приступал Иван Тимофеевич Бобылёв. В этом спектакле я получила главную женскою роль. Героиню звали Фей.

Также были вывешены приказы о «вводах артистки Варлей Н.В.» на роль Эльзы-нахалки в спектакле «Чёрт» Мольнара и Луизы в «Коварстве и любви» Шиллера. Начались репетиции, но вскоре стало понятно, что я беременна. Токсикоз при моём отрицательном резусе был ужасным, и я пошла «сдаваться» Бобылёву.

Когда я вошла в его кабинет, он почему-то думал, что я пришла подавать заявки ещё и на другие роли. Но когда я сообщила, что жду ребёнка, Иван Тимофеевич изменился в лице и долго молчал. Потом он справился с эмоциями, вышел из-за стола, подошёл ко мне, поцеловал руку и сказал: «Наташенька! Это прекрасно! Поверьте, для женщины — это самое главное в жизни! Репетируйте, пока можете, — я никому ничего в театре говорить не стану. Если почувствуете себя на репетиции плохо, подойдите, скажите мне, и я выпущу на сцену второй состав!»...

Вот такой он был добрый человек, и не удивительно, что «хищники» театра его быстро съели...

А мне эту ситуацию впоследствии поставил в вину директор театра Жарковский. В «Семнадцати мгновениях весны» он сыграл Кальтенбруннера — таким он и в жизни был: что такое гуманность, ему было неведомо. Он однажды упрекнул меня всерьёз, что, скрыв беременность, я «обманула театр». Так как Бобылёва к тому времени в театре уже не было, я сказала Жарковскому, что главный режиссёр был в курсе, а посвящать в это всю труппу было ни к чему, тем более что в спектаклях был второй состав.

А в другой раз, когда я уже несколько сезонов работала в театре и была ведущей актрисой, Жарковский «росчерком пера» поставил спектакль «Прощание в июне» на тот день, когда я должна была бы находиться на фестивале советских фильмов в Малайзии. Приглашены туда были мы с Олегом Видовым. Разрешение на мой отъезд театр подтвердил. Бумага лежала в Госкино. Мне сделали все прививки — и от малярии, и от жёлтой лихорадки, и от оспы — тогда с этим было строго. Назначена дата вылета, взяты билеты — и вдруг Жарковский НЕ ОТПУСКАЕТ, потому что спектакль «Прощание в июне» мы обязаны играть для какого-то партийного актива. Я пытаюсь объяснить Жарковскому, что Фестиваль советского кино за рубежом — не менее серьёзное политическое мероприятие, чем «партактив». Но директор меня не слушает и говорит, что «ОНИ хотят именно этот спектакль». Я убеждаю его, что у меня же есть дублёрша, а он гнёт своё: «А ОНИ хотят, чтобы играла именно Варлей!»

И, представьте себе, я играла. Подчинилась «театральной дисциплине». Видов полетел один. В Малайзию я так и не попала...

При том, что я играла почти все главные роли в репертуаре, театр держал меня «в ежовых рукавицах». И даже когда мне «повысили зарплату» — с 75 рублей до 85, — была волна недовольства: зачем так быстро? «Незачем баловать молодую актрису»!

Возвращаясь к нашему разговору с Бобылёвым. Он выполнил своё обещание, и в театре о моём «интересном положении» никто не знал. Токсикоз прекратился, а животика не было видно — я поправлялась, но как-то... равномерно. И только тогда, когда пришла пора оформлять декретный отпуск, пузико наконец проявилось и стало расти «не по дням, а по часам».

Ровно через месяц после рождения Васеньки я пришла в театр и вошла в кабинет Бобылёва, чтобы сказать, что готова приступить к работе. Но Иван Тимофеевич печально ответил мне: «Уже при другом главном, Наташенька! Я в этом театре больше не работаю».

Нового главного режиссёра назначили в театр ещё через несколько месяцев. Однако я приступила к работе намного раньше.

Первым делом меня стали вводить на роль Эльзы-нахалки. В ней я и вышла на сцену после декретного отпуска.

«Психологическая пауза»

Спектакль «Чёрт» по пьесе Мольнара поставил в театре Станиславского Лесь Танюк, режиссёр, приехавший с Западной Украины. Он считался подающим надежды авангардным молодым режиссёром.

Позже он поставил у нас мюзикл «Мсье де Пурсоньяк» по пьесе Мольера, в котором я сыграла главную женскую роль — Жюли.

Работать с Танюком было интересно, хотя иногда казалось, что он как-то уж совсем плевал на систему Станиславского, ничего не предлагая взамен. И тогда не на что было опереться, работая над ролью.

Лесь Танюк значился в театре «очередным» режиссёром, но думаю, что после ухода Бобылёва законно рассчитывал на должность главного. Не получилось. Наверное, правильно. Хотя он был человеком несомненно одарённым, но эксперименты, к которым он тяготел, были для театра не ко времени.

Танюк вводил меня на роль Эльзы-нахалки — девушки, влюблённой в главного героя (его играл ведущий артист театра Владимир Анисько). Но любовь, как и полагается в такой пьесе, не взаимна — герой любит взрослую, замужнюю женщину (её замечательно играла Рита Рыжкова — актриса очень сильная, но, к сожалению, недооценённая и рано ушедшая из жизни). Моя героиня Эльза страдает, но считает, что в силах победить ситуацию в этом треугольнике. Однако, поняв, что ТАМ — настоящее чувство, уступает...

Роль не очень большая по объёму, но в ней было несколько интересных, эмоциональных монологов.

День моего дебюта. Волнуюсь невероятно — просто колотит. Текст вроде помню, мизансцены помню. Но — страшно!!!

К тому же в зале сидят папа с мамой и волнуются не меньше меня. И я это, представьте, чувствую. К тому же, я об этом уже рассказывала, когда я знаю, что в зале мои родные или друзья, — у меня начинается паника...

Мой выход. Я вылетаю на сцену. Говорю несколько реплик. И вдруг впадаю в ступор...

Наверное, каждому артисту хоть раз в жизни довелось испытать это жуткое состояние — когда ты стоишь на сцене и не можешь сказать ни слова, и зацепиться не за что: ты не просто не помнишь текст, а ты не понимаешь вообще, что ты играешь и где ты находишься. Белый лист. И счастье, если ты из этого ужаса вырываешься и возвращаешься в сценическую реальность: иногда это как пришло, так и уходит, — и вспоминается текст, и ты уже всё понимаешь, и роль покатилась дальше. Но — бывают моменты, что ты не справляешься, остановка тебя пугает так, что провал тебя прямо-таки тянет в омут...

Вот в этом случае появляется надежда на партнёрскую поддержку. Суфлёров в сегодняшнем театре нет, но должны же быть люди, которые за тебя болеют и придут на помощь: или подскажут текст, или сыграют за тебя, но вытянут в ту сцену, в ту реальность, из которой ты выпал...

Я рассказывала, как, поднимаясь под купол цирка, я справлялась и с волнением, и со страхом высоты, когда видела в цирковых проходах своих друзей, которые меня поддерживали, за меня переживая и держа «кулачки»...

К чему я так долго? Да к тому, что, когда я в отчаянье посмотрела сначала в левую, а потом в правую кулису, где столпились артисты театра — посмотреть на «дебютантку», я не почувствовала поддержки, я не услышала подсказки, мало того, я увидела несколько пар глаз, торжествующих, потому что «кинозвёздочка» проваливается...

Тогда я собрала в кулак все свои силы и всю свою злость и повернулась спиной к зрительному залу, а к партнёру лицом. И вот так, «к избушке передом, а к лесу задом», я тихо, но, собрав всю энергию, сказала громким шёпотом: «Боря! Я забыла текст!», продолжая его взглядом гипнотизировать.

И, тоже довольно-таки злорадные, глазки партнёра погасли, и он послушно подсказал первые слова моего монолога: «Послушайте! Сядьте!» (Господи, да что же там можно было забыть?!)

Тогда я торжественно развернулась «к залу передом» и громко произнесла: «Послушайте! Сядьте!!!» А дальше всё покатилось...

Длился кошмар, самое большее, минуты полторы. И только два человека в зале поняли, что что-то не так, — мои родители. И мама сказала: «Володя! Кажется, она забыла текст!» А папа возразил: «Нет! Это психологическая пауза!..»

Из этого тоже можно сделать вывод, кто из моих родителей интуитивней...

Для меня это было боевое крещение. И несмотря на то что потом меня поздравляли и целовали, я для себя сделала вывод: театр — не цирк, и здесь тебе никто не поможет. Карабкаться придётся самой...

«Коварство и любовь»... и собачка Тяпа

Почти одновременно с первым вводом меня стали вводить и на роль Луизы в «Коварстве и любви» Шиллера. Луизу в спектакле играли Ольга Бган и Лиза Никищихина. Но Оля собиралась уходить из театра, а Лиза — собралась рожать.

К слову сказать, то, что я родила, как только пришла в театр, и очень быстро вернулась к работе, произвело на актрис театра большое впечатление. Они, словно спохватившись, одна за другой начали уходить в декретный отпуск. Практически в один сезон родили: Лиза Никищихина, Тамара Витченко, Наташа Орлова, Мила Полякова. Им всем было за тридцать, и они как будто очнулись. Так что, можно считать, я положила почин для «беби-бума» в театре Станиславского...

Фердинанда в «Коварстве и любви» бессменно играл Владимир Коренев, который был невероятно популярен после кинокартины «Человек-амфибия». Несмотря на то что прошло много лет со времени выхода этого фильма, девочки-поклонницы всегда ждали его у служебного входа — и в Москве, и в городах, где театр гастролировал. Можно только преклоняться перед философским терпением Володиной жены, актрисы театра Али Константиновой, которая из этих сумасшедших влюблённостей даже умудрялась извлекать выгоду: например, Володины поклонницы безвозмездно и с удовольствием нянчили их дочку — Ирочку!

(Я попыталась спроецировать ситуацию на свою жизнь и поняла, что я так не смогла бы — ни спокойно смотреть на навязчивых поклонниц мужа, ни доверить своего ребёнка случайному человеку!)

Володя Коренев со стороны мог показаться этаким недалёким красавчиком, который, снявшись в знаменитом фильме, «качается на волнах успеха». Но при ближайшем рассмотрении он оказался очень интересным, глубоким, эрудированным человеком. Когда нам доводилось выступать на встречах со зрителями, я всегда восхищалась, как замечательно он говорит, как держит зал, как хорошо знает русскую поэзию, как читает стихи, как он остроумен и блестящ...

По большому счёту, на сцене в театре он выглядел намного слабее. Возможно, это только моё мнение — но в своей книге я имею право его высказать: Володя прекрасен в кино как романтический герой, но по своей природе он артист характерный, а в этом качестве его до обидного мало использовали — и в театре, и в кинематографе. Кроме того, я думаю, ему не встретился ЕГО режиссёр, который сумел бы подчеркнуть его достоинства и спрятать недостатки...

Но СВОЙ РЕЖИССЁР — несбыточная мечта всех актёров. Мало кому удаётся эту мечту осуществить, поэтому большинство актёров так и уходят из профессии (или из жизни) нереализованными...

Мы играли «Коварство и любовь» много, особенно на гастролях. Нас с Володей приглашали даже сыграть несколько спектаклей в магнитогорском театре — в их постановке «Коварства и любви», с магнитогорскими актёрами: только Луиза и Фердинанд игрались московскими гастролёрами — Варлей и Кореневым. Ну что ж, могу сказать, что это был очень интересный и полезный для меня опыт...

Ещё очень запомнился мне уникальный спектакль «Коварства», которым закрывались летние гастроли театра Станиславского в городе Херсоне.

Лето. Август. Изнуряющая жара. Никаких кондиционеров в зале, да и вообще, кажется, у нас их ещё нет нигде. Спектакль костюмный: мужчины — в бархате, женщины — «замурованы» в корсеты. Грим течёт ручьями. Голова со сложной причёской — мокрая, как будто её окунули в воду...

И вот в таком виде и в таких обстоятельствах мы «рвём страсти в клочья». Последний спектакль. Силы на исходе. И немудрено, что вдруг всё покатилось «не в ту степь»...

Сцена Фердинанда и Миледи (её играет Майя Менглет, «Софи Лорен театра Станиславского», когда-то блеснувшая в картине Станислава Ростоцкого «Дело было в Пенькове»). Коренев, уже выбиваясь из сил, произносит монолог с удвоенным пафосом, но неожиданно «захлёбывается собственными эмоциями» и начинает кашлять, как старый дед на печке, и никак не может остановиться. Майя, по природе своей очень смешливая, долго сдерживается, прикрываясь платочком и показными «страданиями».

Но все усилия насмарку, когда со двора на сцену врывается с радостным лаем собачка Тяпа, которая начинает носиться по сцене. Зрительный зал, тоже изнывающий от жары, оживляется. Фердинанд и Миледи «незаметно» пытаются Тяпу прогнать со сцены, но та, думая, что с ней играют, носится ещё веселее. Наконец кашляющий Фердинанд удаляется за кулисы, но на его место выбегает рабочий сцены, который пытается юркую собачонку поймать. «Миледи» истерически хохочет, утираясь платочком. Зал радуется! Наконец рабочий с собачкой убегают. А Миледи по сюжету кричит гофмаршалу (артисту Белановскому), который в это время появляется по сюжету: «Подайте лошадей! Где мои лошади?!», на что тот отвечает неожиданным вопросом: «Какие лошади, МЕНГЛЕДИ?»

«Менгледи — Миледи» — Менглет со стоном уползает за кулисы, где все от смеха «в лёжку» от оговорок и накладок. И этот «снежный ком» всё растёт.

Но спектакль продолжается!!! И вот уже финальная картина: Луиза, отравленная возлюбленным по наговору злодеев и интриганов, наконец раскрывает Фердинанду глаза на правду, и тот, потрясённый, держит её в объятиях и, понимая, что она сейчас умрёт, умоляет: «Помедли! Помедли...» Оба стоят на коленях. И Луиза (я то есть) говорит свои последние трогательные слова «слабеющим голосом»: «Я так люблю тебя, ПЕРДИНАНД...» И умирает. Оставив бедного «Пердинанда» справляться с душащим его смехом...

Чувствую, что Володя Коренев, пытаясь преодолеть «раскол», весь вибрирует, и я понимаю, чего ему стоит не расхохотаться. «Её душа уже там!..» — говорит Коренев и «бережно» кладёт меня, почему-то лицом в пол...

Театр старый. Пол на сцене содрогается от шагов Президента (его играет старожил театра, артист Салант). Моя бедная щека бьётся о немытые доски. Я думаю: «Ох, скорей бы занавес!»

Последние слова Президента. Спектакль наконец завершается. Занавес!!!

Но вдруг, когда он опускается, выясняется, что моя верхняя половина оказалась на сцене, а нижняя осталась в зрительном зале: занавес «перебил» меня пополам. Фердинанд берёт меня под мышки и волоком втаскивает внутрь. Зрители в полном восторге!!! Нежданно-негаданно вместо высокой трагедии мы сыграли для них весёленькую комедию. Все наши слёзы и «страсти в клочья» перечеркнула собачка Тяпа...

Саша Вампилов.
«Прощание в июне»... И в августе

В апреле 1972 года в театре вывесили распределение ролей в спектакле «Прощание в июне» по пьесе Александра Вампилова. Постановку должен был осуществить Александр Георгиевич Товстоногов, сын Георгия Товстоногова, главного режиссёра ленинградского БДТ, театра, который стал одним из лучших в мире с приходом туда Георгия Александровича.

Имя его сына, Александра Георгиевича, тоже успело уже прогреметь в Москве после выхода поставленного им мюзикла «Три мушкетёра» в ТЮЗе.

А вот имя Александра Вампилова, молодого иркутского драматурга, выпускника Литературного института (точнее, Высших литературных курсов при Литинституте) — было ещё не известно почти никому. На читку пьесы Александр Валентинович специально прилетел в Москву и читал её сам.

Не могу сказать, что все пришли в восторг после прочтения пьесы — некоторым она даже показалась поверхностной и надуманной. Но — начались репетиции, и стало понятно, что драматургия Вампилова — айсберг. И чем дальше мы продвигались в репетициях, тем глубже и сложнее раскрывалось для нас то, что заложено было автором.

Не люблю сравнений и параллелей, но лёгкость пера и глубина мысли у Саши Вампилова была сродни пушкинской или есенинской...

Назвала его «Саша» не из фамильярности, а потому что мы все так его звали — он сам просил. Да и был он человеком молодым — тридцать четыре года. Внешне похожим на красивого японца, но при этом — кудрявый. Спокойный, интеллигентный. На читке он вёл себя очень скромно, даже застенчиво — может, потому что читал пьесу в столичном театре.

На роль студента Колесова был назначен Эммануил Виторган. Я получила главную женскую роль Тани.

Не могу сказать, что репетировалось легко — со времени рождения Васеньки прошло всего три месяца, и я ещё не успела вернуться в привычную для себя форму. Во время беременности я поправилась на 23 кг. Правда, за три месяца сбросила шестнадцать. Но всё равно при моём маленьком росте «лишнее» мешало мне самой. Хотя, думаю, для окружающих визуально я выглядела абсолютно нормально, но я, переживая отсутствие идеальной цирковой фигуры, испытывала дополнительную неуверенность. Тем более понимая, что «скрытых претенденток» на роль Тани предостаточно, и стоит мне споткнуться, моё место тут же займут.

Я уже рассказывала о том, что почувствовала, как моему приходу в театр, мягко говоря, не очень рады, когда меня представляли на сборе труппы. В общем-то, дело не во мне — просто в театр Станиславского около пятнадцати лет «не пускали» ни одну молодую актрису, ссылаясь на то, что в труппе «полный комплект» — есть кому играть молодых героинь. Хотя «молодые героини» театра переступили уже тридцатилетний рубеж, но... «Это же театр, а не кино!» — говорили противники, а точнее, противницы пополнения труппы молодёжью. К тому же и мне было не восемнадцать, а двадцать три, поэтому «тоже не такая уж и молоденькая!». Да ещё известная актриса.

Так что правильность назначения на роль Тани подвергалась с самого начала сомнению: «Что, в театре больше некому сыграть?!» — звучали голоса недовольных.

Как, впрочем, подвергались сомнениям назначения «артистки Варлей» и на другие роли — в спектаклях, как предшествующих «Прощанию в июне», так и последующих. Потом недовольство тем, что у меня «опять главная роль», стало сопровождаться слухами о «романах» хитрой артистки с постановщиками спектаклей. Просто — вот столько, сколько спектаклей у меня в театре было, столько и романов. А поскольку за месяц, как однажды точно подметил Пётр Штейн, очередной режиссёр очередного спектакля, я успевала сыграть «весь мировой репертуар — от Шекспира до Бокарева», — то и разговоры были соответствующие.

Единственный раз, когда в театр на постановку «Теней» Салтыкова-Щедрина пришла великая Мария Осиповна Кнебель, ученица Станиславского, и на худсовете со всей определённостью сказала, что «в роли Софьи не видит никого, кроме Натальи Варлей», — злопыхателям нечем было крыть. И ведь даже ничего не придумаешь — Марии Осиповне было за восемьдесят!..

В общем, «Тани» театра выстроились в тайную очередь и ждали моего провала. И, на их взгляд, дождались...

«Прощание в июне» мы начали репетировать в Москве, продолжили на гастролях в Красноярске. Там же и выпускали.

На красноярскую премьеру прилетел из Иркутска Александр Вампилов.

Я не помню, как я играла, настолько волновалась. Но помню, как на сцене у меня всё время было неодолимое желание скрыть, какая я толстая. Костюмы нам ещё не сшили, и на мне была совершенно неподходящая замшевая юбка «из подбора», которая никак меня не красила. Я ходила по сцене слегка бочком — как краб, полагая, что так «немножко спрячу свои недостатки».

Вот потом и за эту замечательную походку мне тоже досталось на обсуждении спектакля худсоветом театра. Дальше — больше. Пламенную речь произнёс один уважаемый артист, который искренне считал, что роль Тани должна сыграть его супруга. И он завершил своё выступление словами о том, что, «если мы не хотим, чтобы роль главной героини была завалена, нужно срочно заменить Варлей на другую исполнительницу»! И большинством голосов худсовет решил меня с этой роли снять...

Присутствовавший на обсуждении Александр Валентинович Вампилов попросил слова. И сказал, что единственное, что его абсолютно устраивает в спектакле, так это назначение на роль Тани Натальи Варлей. «Именно такой я и писал свою героиню, и артистка всё очень верно почувствовала и движется в правильном направлении», — заметил Вампилов. «Остальное — придёт в процессе репетиций и спектаклей, когда актриса поверит в себя!» — добавил он. Потом сделал некоторые замечания режиссёру и актёрам, кого-то похвалил, кого-то поругал. А в завершение всех ошарашил заявлением, что Виторган на роль Колесова не подходит никак — он слишком взрослый, «слишком не студент», хотя и хороший артист...

В результате меня Вампилов отстоял. Виторгана с роли Колесова сняли, а на его место назначили Васю Бочкарёва, который уже играл в спектакле другую роль. И репетиции продолжились...

Красноярская премьера состоялась 20 июня. А 22-го был мой день рождения. Мы собрались в тесном гостиничном номере. Пришли почти все участники спектакля. Пришёл и Саша Вампилов. Было много цветов и тостов. Пели песни, рассказывали всякие истории. В какой-то момент Юра Гребенщиков (он замечательно играл в спектакле роль Гомыры) начал гадать по руке всем желающим. Взял руку Вампилова. Посмотрел на его ладонь и молча отпустил. Все почему-то притихли. А Саша произнёс: «Ну что же ты замолчал? Боишься сказать, что линия обрывается?! Да, я знаю, что у меня жизнь короткая...»

Всем стало как-то не по себе. Но не настолько, чтобы прервать праздник: многим показались слова Вампилова бравадой или неудачной шуткой. А они, как выяснилось, были пророческими...

Девятнадцатого августа Александру Вампилову исполнялось тридцать пять лет. И мы уже сочинили ему поздравительную телеграмму от театра. Но не успели отправить. Вечером 17 августа пришло сообщение о Сашиной гибели.

С братом они отправились на рыбалку на Байкале в районе Листвянки. Когда возвращались обратно, лодка натолкнулась на «топляк» и перевернулась почти у самого берега. Брат выплыл. А Саша не сумел. Он был в тёплой одежде, которая намокла и потянула его ко дну. Наверняка его можно было бы спасти — на берегу были люди, — если бы он позвал на помощь. Но он постеснялся кричать. И в этом был он весь...

На подъезде к Листвянке стоит скромный памятник Вампилову — недалеко от того места, где он утонул. Когда я бываю в тех краях, обязательно оставляю цветы — необыкновенному, талантливому драматургу и прекрасному тонкому человеку, который дал мне путёвку в жизнь в театре.

Удивительно, сколько людей сегодня берётся писать о Вампилове, о его творчестве и жизни, при этом позволяя себе и неточности, и недостоверности!

Почему-то «летописцы» сообщают, что первым спектаклем по пьесе Александра Вампилова в Москве стала постановка в театре им. Ермоловой «Прошлым летом в Чулимске», которая вышла зимой, уже после гибели драматурга. Поэтому при жизни ему не довелось увидеть спектаклей по своим пьесам.

Но это совсем не так. Первой постановкой в Москве был спектакль А.Г. Товстоногова «Прощание в июне» в театре им. Станиславского, который Саша Вампилов УВИДЕЛ на премьере в городе Красноярске и дал ему добро. Этот спектакль очень долго был в репертуаре театра и шёл с большим успехом.

Да, Вампилову не довелось увидеть постановки своих спектаклей практически на всех театральных сценах страны и за рубежом. Не увидел он и прекрасные работы актеров в кинофильмах, снятых на основе его пьес и рассказов. Наверняка его бы очень порадовали Евгений Леонов, Коля Караченцов, Наташа Егорова, Светлана Крючкова и Михаил Боярский в телевизионном фильме Виталия Мельникова «Старший брат».

А впрочем, «сослагательных наклонений история не терпит». Никто не может знать, что понравилось бы Саше Вампилову из постановок по его произведениям — он был человеком сложным.

Счастье — то, что он родился и так ярко заявил о себе в творчестве, что написанное им актуально и сегодня.

«Мсье де Пурсоньяк»

Конечно, сыграть в первый же сезон в спектакле, который стал, как сейчас сказали бы, хитом, да ещё такую роль — серьёзная заявка. Но в то же время и опасения — а будут ли последующие работы не менее яркими и интересными? И вообще... будут ли?!

Опасения не оправдались, к счастью. Каждый сезон приносил мне в подарок как минимум две прекрасные роли, над которыми я с наслаждением работала. Менялись очередные

284

режиссёры, назначались новые главные, которые в труппе театра Станиславского надолго не задерживались...

А я всё играла, играла, играла...

Лесь Танюк поставил на сцене нашего театра мюзикл по пьесе Мольера «Мсье де Пурсоньяк», где Пурсоньяка играл ведущий актёр театра, он же — муж Майи Менглет, он же — парторг театра Леонид Сатановский...

Я получила роль молодой героини Жюли. Спектакль был красочный, озорной, с яркими, красивыми костюмами. Пели мы, естественно, вживую, под оркестр, который располагался там, где ему и положено, — в оркестровой яме, с дирижёром. У каждого персонажа была своя музыкальная тема. Конечно, жанр позволял и импровизировать на сцене, и даже иногда хулиганить. В то же время музыкальный спектакль требует и особой подготовки, и собранности — ведь пели мы не под фонограмму, поэтому важно и слышать партнёра, и не петь «мимо нот», и вовремя вступать. К тому же пели мы без микрофонов...

Однажды случился казус. В роли доктора был занят артист Кругляк, наш профорг. И вот артисты на сцене поют по тексту: «Дóктора, дóктора!.. А! Вот он и сам, вот он и сам, вот он и сам идёт!..»

Дальше музыкальное вступление: «ум-па, ум-па, ум-па, ум-па...» И выходит доктор, который поёт свои куплеты:

> Я человек науки —
> Я доктор-психиатр...
> Я эти ваши штуки —
> Весь этот ваш театр —
> Ну, прямо ненавижу,
> Не переношу!
> Афишу увижу —
> От ярости дрожу!..

ну и т. д.

Тексты к музыкальным номерам писал, насколько я помню, сам режиссёр, Лесь Танюк.

И вот артисты кричат своё: «Доктора, доктора!..» И прошли уже четыре такта вступления. А Кругляка нет. Артисты, понимая, что он опоздал, кричат громче: «Вот он и сам...» и т. д. А оркестр ещё раз проигрывает своё вступление: «умпа... ум-па...» Но на сцену никто не выходит... Что делать?!

Когда третья попытка проваливается — «доктор» так и не появляется, — кто-то находит выход и кричит как бы вслед удаляющемуся «доктору»: «Вот он и сам... ой, нет, прошёл!» Так и сыграли без Кругляка.

Естественно, доложили директору. Наш «Кальтенбруннер»-Жарковский вызвал артиста «на ковёр» и потребовал написать объяснительную. Тот написал: «Я, артист Кругляк, опоздал на свой выход в спектакле «Мсье Пурсоньяк», потому что был в туалете и потерял ощущение времени». На следующий день на доске приказов висел строгий выговор «артисту Кругляку».

Жарковский вообще постоянно требовал «объяснительные» по разным поводам: оговорка, «отсебятина», опоздание, выход в нетрезвом виде и т. п.

Эммануил Виторган писал однажды объяснение, почему он сказал на сцене «лучше перебдеть, чем недобдеть». Эмме не удалось доказать, что это от слова «бдительный». Получил выговор «за отсебятину».

В театре Станиславского была очень талантливая артистка Лида Савченко. Яркая, характерная, с юмором. Правда, любила выпить. Но играла блистательно. Я уж не помню, в чём она провинилась, помню только, что развеселила всех, подписав объяснительную на имя директора Жарковского: «Целую. Лида».

Кто у нас главный?..

Когда Сандро Товстоногов (так Александра Георгиевича звали в кулуарах и друзья) начал ставить «Прощание в июне», в театре заговорили о том, что его и назначат главным после ухода Бобылёва.

Но всё произошло иначе — главным режиссёром театра Станиславского Министерство культуры назначило Владимира Николаевича Кузенкова, любимого ученика Олега Николаевича Ефремова. Молодой (около тридцати), крепкий, обаятельный и решительный — новый главный сразу «влюбил» в себя самую «опасную» часть труппы, которая тут же начала петь ему дифирамбы, ожидая взамен интересных ролей. Но этого не случилось. Кузенков пошёл своим путём и тем самым подписал себе приговор. К тому же, видимо, подражая своему учителю, который, работая в «правительственном театре», поставил во МХАТе «Сталевары» по пьесе Бокарева, — Кузенков взял к первой постановке тоже «производственную» пьесу, того же Геннадия Бокарева. Только значительно слабее «Сталеваров» (хотя, на мой взгляд, все правительственные награды и за эту пьесу, и за её постановку — просто дань времени, а пьеска-то...).

Кузенков пригласил Бокарева на читку пьесы «Испытание». Пьеса оказалась скучной и бездейственной. Я опять получила в ней роль молодой героини — девушки Кати. Репетировали, а потом и играли с молодым актёром Володей Крашенинниковым. Хотя играть там было нечего. И ничего наш энергичный главный не смог вытянуть в этой постановке. Она получилась вялой и неинтересной.

К тому же в копилке «просчётов» Кузенкова появился «непростительный и возмутительный» факт — он влюбился, как мальчишка, в Нину Веселовскую, нашу актрису. Она в своё время прекрасно сыграла Дашу в фильме «Хождение по мукам», была очень красивой, высокой, холодноватой, хорошо пела (правда, острый на язык Алик Филозов сказал однажды, что она «поёт, как вьюга»).

Не знаю, что уж так взбудоражило труппу — то ли то, что Нина была лет на десять старше Кузенкова, то ли то, что она была замужем, то ли то, что она репетировала главную роль в другой его постановке, то ли то, что... влюбился он именно в неё. Влюбился!.. Можно было войти в зал во время

287

репетиции и увидеть такую картину: Нина на сцене играет, а за режиссёрским столом сидит наш Владимир Николаевич, не делая ни одного замечания, и, не отрываясь, восторженно смотрит на сцену. При этом держит в руках сигарету, не стряхнутый пепел которой уже длиннее самой сигареты...

Ну, влюбился человек — трогательно и самозабвенно, так порадуйтесь за него! Но в труппе началась «мышиная возня» — и не потому, что все такие моралисты, а потому, что нужно было побольше поводов для недовольства помимо того, что «молодой главный не оправдал надежд».

А Кузенков тем временем провозгласил, что в своей работе будет опираться на молодёжь (а это чем не дополнительный повод?!). Ну и... «А не замахнуться ли нам на Вильяма нашего Шекспира?» — говорил герой Евстигнеева в фильме «Берегись автомобиля»...

Взяли пьесу «Два веронца». Поставить спектакль пригласили Юрия Александровича Мочалова, который приехал в Москву из Красноярска и успел сделать несколько удачных спектаклей на столичных сценах — например, в ТЮЗе и в «Ленкоме».

Будет уже не смешно, если я скажу, что в вывешенном на доске объявлений распределении ролей я увидела себя в одной из главных ролей — роли Джулии. (А тема получения мною главных ролей «через постель» так и не была снята вплоть до моего ухода из театра!)

В процессе репетиций из первоначального состава осталась, по-моему, только я. Остальных артистов поменяли — кого-то сам Мочалов, кого-то Кузенков, кого-то — худсовет. В результате на вторую главную женскую роль — соперницы Джулии — была назначена Аллочка Балтер. На главные мужские роли были назначены Тимофей Спивак и Юра Крюков, мой сокурсник.

Юра Крюков, который умер несколько лет назад, был близким другом Володи Тихонова. Они вместе играли самостоятельные отрывки. У них был собственный юмор — шутили с бесстрастными лицами, но так, что все падали от хохота. И вообще, они хорошо понимали друг друга — наверное, потому, что их связывал Павловский Посад — подмосковный городок, где родился Вячеслав Васильевич Тихонов, где жили его родители, где провёл своё детство до 13 лет Володя, откуда родом был и Юра Крюков.

Юра был очень способным, очень творческим человеком. Любил поэзию. Всегда строил планы. Занимался инсценировками, поэтическими композициями. Душа у него была абсолютно русская: страдания, мечтания, а в тупике — «к цыганам!»... Рогожин!..

Мочалов репетировал своеобразно: от внешнего к внутреннему — то есть он предлагал внешний рисунок роли, вплоть до мизансцен, а наполнить образ содержанием — это была уже задача актёров, задача непростая, но интересная. Мне нравилось работать и в таком ключе. Но далеко не у всех в театре это вызвало восторг.

На мой взгляд, спектакль получился. Ему не хватало только «обкатки», чтобы роли стали глубже и объёмнее, чтобы «заиграла» задумка режиссёра. Но, к сожалению, «Два веронца» шли на сцене непростительно редко.

Я этот спектакль любила. И за «шекспировские страсти» — любовь, ревность, счастье обрести взаимность: разве не этим мы живём? И за то, что я могла сыграть Джулию — влюблённую, но избалованную и капризную девушку, и Джулию — униженную, преданную, но храбро бросившуюся за возлюбленным, переодевшись мальчиком. Вторая Джулия понимала цену счастью и боролась за свою любовь, почти отрёкшись от собственного эгоизма — ради того, чтобы любимый был счастлив. И в этом она становится сильной. И побеждает.

Если на сцене «шекспировские страсти» кипели не так часто, как хотелось бы, то внутри театра они бушевали всегда, хотя внешне это был тихий омут. «Тихий омут» как-то бесславно «всосал» Кузенкова.

И опять начались «гадания», кто же теперь будет главным режиссёром. Поговаривали, что назначат Мочалова. Думаю, он тоже надеялся на это.

Но «инициативная группа товарищей» ходила по инстанциям, министерствам, кабинетам. Рассматривался даже вопрос о коллегиальном управлении театром. Но в министерстве, видимо, справедливо решили, что такой трудный театр без настоящего руководства оставлять нельзя. И в один прекрасный день труппе был представлен в качестве художественного руководителя драматического таетра им. Станиславского народный артист СССР Андрей Алексеевич Попов, который привёл в труппу ещё и трёх своих любимых учеников: Анатолия Васильева, Бориса Морозова и Иосифа Райхельгауза...

Почти по Булгакову

Можно было надеяться, что в театре наступит наконец эра согласия и творчества. Но она, увы, не наступила: наши «ходоки», сумевшие подтянуть такие мощные творческие силы, не получили от нового художественного руководства того, на что претендовали. Полагаю, потому, что за долгие годы интриг попросту разучились работать. Поэтому новое руководство тоже было обречено.

Не сразу, но довольно быстро приступили к поеданию Андрея Алексеевича Попова. Ему «вменялось», что он «слишком мало занимается театром». Он действительно был ещё и главным режиссёром другого театра — Театра Советской Армии, а это махина о-го-го какая! Кроме того (а может, это и главное), он был действующим актёром, причём актёром большим. Он играл на сцене руководимого им театра, играл в кино и на телевидении. Но ведь он и пришёл в театр Станиславского именно на таких условиях: молодые режиссёры ставят свои эксперименты, а он осуществляет художественное руководство. Кроме того — и это немаловажно, — он пользовался огромным авторитетом во всех кругах, был вхож во все кабинеты самой высшей власти и, конечно, мог бы принести театру большую пользу. В конце концов, Андрей Алексеевич Попов был мощной ЛИЧНОСТЬЮ — и в искусстве, и в повседневной жизни. И даже просто соприкосновение с такой личностью, просто присутствие его в театре нужно было воспринимать как счастье, как удачу...

Но «труппа» снова начала выражать своё недовольство и «пилить сук, на котором сидела». И через некоторое время Попова в театре уже не было. А его «верные ученики» ничего не сделали, чтобы остаться с учителем во главе театра. Я думаю, каждый в душе претендовал на место главного. Но жизнь предательства не прощает. И «молодых, талантливых экспериментаторов» «ушли» из театра по одному.

Я поставила «молодых, талантливых...» в кавычки совсем не потому, что они таковыми не были — как раз были! Но сути это не меняет. Они не были вместе. Каждый надеялся «выскочить» в одиночку. Но корабль без капитана утонул. Вот так я вижу ситуацию сейчас. Так же воспринимала её и тогда. Хотя...

Недавно прочитала интервью одной из актрис, которая начала работать в театре Станиславского именно в ту пору. И она рассказывает совершенно другую историю. Даже, говоря про время ухода Попова из театра, утверждает, что он ушёл самым последним. Что это? Ранний склероз? Или подтасовка фактов — может, и подсознательная? Конечно, красиво и правильно, когда капитан покидает тонущий корабль последним. Но... так не было.

Однако вернусь к теме «молодых и талантливых». Все три молодых режиссёра поставили в театре очень интересные спектакли.

Борис Морозов — «Брысь, костлявая, брысь!», где великолепно играли Юра Гребенщиков и Галина Петрова.

Галя Петрова сейчас очень успешно играет в телевизионных сериалах — очень хорошая и лирическая, и характерная актриса — трогательная, смешная, глубокая...

Юра Гребенщиков — артист гениальный. Но он, к несчастью, давно и нелепо погиб. Его сбил машиной поэт Межиров. Сбил и от страха уехал. Позже сам поехал в милицию — каяться и «сдаваться». Но Юра, долго пролежав в снегу без помощи, умер... Это тот самый Юра, который когда-то гадал по руке Саше Вампилову...

Сейчас много и плодотворно снимается сын Юры и Наташи Орловой — Кирилл Гребенщиков, который с возрастом становится всё больше и больше похож на отца...

Но вернусь к «молодым режиссёрам».

Анатолий Васильев поставил в театре Станиславского один из самых выдающихся своих спектаклей — «Взрослая дочь молодого человека». Спектакль долго гремел в театральной жизни не только Москвы, не только страны, но имел большой успех и за рубежом. Нет смысла писать об отдельных работах актёров — это был ансамбль, и все играли блестяще — и Юра Гребенщиков, и Алик Филозов, и Лида Савченко. Остановлюсь на этих именах, иначе просто придётся перечислять всех, кто играл в этом спектакле. А играли все с блеском. Потом Васильев выпустил спектакль «Васса Железнова», где блистательно играла Мила Полякова, одна из самых любимых актрис Анатолия Васильева.

Иосиф Райхельгауз поставил спектакль для малой сцены — «Автопортрет». Но этот спектакль я не видела. И даже не знаю, шёл ли он вообще. Это может показаться странным — ведь я долго репетировала одну из главных ролей. Но дело в том, что я решила уйти из театра. И ушла. Почему? Причин много.

Петя Штейн
и «Повесть об одной любви»

За год до моего ухода из театра мы выпустили спектакль по пьесе Тоболяка «Повесть об одной любви». Поставил его Пётр Штейн, молодой и талантливый режиссёр, уже известный своими постановками и в театре Моссовета, и в Ленкоме. Инсценировка была написана по повести, напечатанной в журнале «Юность». Это история искренней, безоглядной любви двух совсем юных, семнадцатилетних, молодожёнов, Кати и Серёжи. История, потрясающая чистотой и верностью мудрых, но всё-таки детей.

Семнадцатилетнюю Катю играла я, тридцатилетняя. Но я тогда была совсем тоненькая и как бы подсвеченная изнутри — такой был период в моей жизни. Серёжу играл Александр Пантелеев.

А редактора газеты в далёком северном посёлке, куда приезжают молодые, сыграл один из ведущих актёров театра, Владимир Анисько. Сыграл точно и пронзительно — тоску по ушедшей юности с её максимализмом и целеустремлённостью, зависть к этим детям, которые умеют так вдохновенно и работать, и любить, и защищать друг друга, и отстаивать свои взгляды. И надежду, что не всё ещё потеряно, что душа не уснула окончательно...

В спектакле все замечательно играли — и Лида Савченко, и Мила Полякова, и Наташа Каширина, и Владимир Кутаков. И атмосфера, в которой создавался спектакль, была удивительной — мы репетировали и общались с таким удовольствием! Конечно, во многом благодаря Пете Штейну, человеку очень интеллигентному и остроумному. Мы много шутили и с любовью работали. Хотя сам спектакль был очень сложным не только психологически, но и технически.

По задумке режиссёра и художника-оформителя, из столов, которые катались по сцене на роликах, выстраивались декорации — то это была комната, то редакция, то больница, то кровать. Перемены декораций и мизансцен, переодевание костюмов — всё это осуществлялось на музыкальных паузах в абсолютной темноте: включался свет, и уже игралась новая сцена. Сначала мы репетировали при ярком свете — не так-то просто выбежать из-за кулис и с разбегу вспрыгнуть на столы, причём в костюме и в обуви на «платформах», или — быстро переодеться, сбросить с себя обувь и босиком, в лёгком халатике пробежаться по столам, выстроенным в длинную дорогу, читая драматический монолог.

Понятно, что репетировалось всё это очень долго. Понятно, что только физическая подготовка позволяла мне выполнять, казалось бы, невозможное. Но когда мы стали «впрыгивать» в сцену уже в полной темноте, что называется, «на память физических действий», — тогда потребовалась уже ювелирная точность движений, тем более что музыкальные паузы были недлинные и необходимо было успеть трансформироваться, чтобы войти в новую сцену...

Но всё получилось. Движением и пластикой спектакля занимался с нами Володя Грамматиков, когда-то снимавшийся со мной в фильме «Большой аттракцион», а сейчас он — очень известный кинорежиссёр. В спектакле была очень красивая музыка. И мы рассказывали прекрасную историю любви...

Я этот спектакль очень любила и думаю, что роль Кати Кротовой — одна из самых удачных моих работ в театре. Спасибо Пете Штейну! Мы с ним очень подружились и часами разговаривали по телефону. Мама недоумевала: о чём можно так долго говорить, тем более после двух репетиций, то есть целого дня общения? И правда, о чём? Но ведь говорили! Смешно: все участники спектакля Петра называли Петей и были с ним на «ты», а я долго звала его «Пётр Александрович, вы...». Потом всё-таки стала называть «Петя», но всё равно — «вы»...

Спустя много лет Пётр Штейн пригласил меня сыграть роль Шарлотты в антрепризном спектакле «Оскар». Я согласилась и не пожалела об этом: спектакль получился яркий, красочный, музыкальный, остроумный и пользовался большим зрительским успехом. И для всех участников «Оскар» был радостью — Петя нас собрал, и мы все любили друг друга, поздравляли с праздниками, днями рождения...

Когда я уехала в Германию оперировать ногу, спектакль не играли — ждали моего возвращения. И это было очень трогательно.

«Счастье — это когда тебя понимают» — в старом добром фильме «Доживём до понедельника» один из школьников пишет эту фразу в своём сочинении. На самом деле цитата, если не ошибаюсь, из Конфуция, а не мысль этого ученика. Не важно! Фраза «ушла в народ» — ведь действительно счастье, когда тебя понимают...

Умер Петя Штейн. Не так уж много за тридцать лет нашей дружбы — симпатии — влюблённости — сотрудничества — мы с ним виделись и общались, особенно в последние годы. Другая жизнь. Другие приоритеты и контакты — и у меня, и у него...

А вот не стало его, и ушла большая часть «счастья, когда тебя понимают»...

Мы с Сашей, младшим сыном, были на его похоронах. Прощание состоялось в Доме актёра на Арбате. И всего несколько человек произнесли прощальные речи — остальные молчали, просто не в силах произнести ни слова. Не смогли — так всех потрясла эта смерть, хотя Петя болел. Я тоже сидела в рядах, как будто скованная льдом, как будто парализованная и онемевшая...

Придя с гражданской панихиды домой, я налила себе и Саше по рюмке коньяка и сказала сыну: «Сань! Давай выпьем за Петю. Не так много на земле людей, с которыми не страшно быть непонятой...» Саша меня понял...

Спектакль «Оскар», на котором уже не мог присутствовать наш дорогой режиссёр, перестал нас радовать. А ещё через год умерла наша любимая, замечательная Алёна Бондарчук, исполнительница главной женской роли. Мы как раз собирались на гастроли в Израиль. Мы всё-таки слетали туда, сыграли спектакли с другой актрисой. Но — вернулись в Москву, и «Оскара» закрыли — спектакли тоже умирают, если умирает их душа...

Но я ещё не закончила свой рассказ о «Повести об одной любви», спектакле, который любили и исполнители, и зрители.

«Нет повести печальнее...»

Я рассказала уже, что спектакль был очень сложен технически. Он был фактически трюковой. Но поскольку мы долго оттачивали каждое движение, то вскоре я могла запрыгивать на столы, перебегать из сцены в сцену, на ходу переодеваясь, а иногда и перечёсываясь, — в полной темноте, вслепую. Я чувствовала себя почти кошкой, которая ориентируется в темноте. И мне это очень нравилось.

Но молодым режиссёрам, возглавляющим театр, спектакль Штейна, видимо, не сильно нравился. Иначе чем можно было объяснить то, что, не посоветовавшись с Петей, на гастролях в Воронеже вдруг решено было ввести вместо Саши Пантелеева, игравшего Серёжу Кротова, недавно взятого в труппу молодого актёра Древицкого.

Я права голоса не имела и вынуждена была подчиниться театральной дисциплине. К тому же я собиралась уходить из театра. Я устала от дрязг и сплетен, от бесконечной чехарды режиссёров, от отсутствия творческой атмосферы, от зависти, наконец.

Однажды я пришла на спектакль в новой кофточке, которую привезла из Шри-Ланки, где я была на кинофестивале. Повесила её на спинку стула в гримёрной. Ушла на сцену, играть. После спектакля начинаю одеваться и вижу на моей кофточке огромную дырку, прожженную, очевидно, сигаретой. Я к вещам отношусь спокойно, но тут стало и противно, и обидно...

Подобных этой историй могу рассказать много. Но не в них дело. Причин, чтобы подать заявление об уходе, накопилось достаточно, в том числе и сугубо личных. И я его подала — ещё весной. По всем законам через две недели я могла уйти из театра. Но меня не отпускали, объясняя это тем, что в течение короткого времени просто не успеют ввести дублёрш на роли, которые я играла в репертуаре театра.

Конечно, это неправда. Ролей у меня действительно было много, но, когда я играла на сцене, в кулисах всегда стояли две-три актрисы с выученным текстом, готовые, если я вдруг упаду, выскочить вместо меня. Так что проблем с вводами не должно было быть...

Меня просто не отпускали. Тянули время. Ждали, что я передумаю. Периодически вызывали к директору, уговаривали. Вводили в спектакли второй состав, но как-то вяло...

Но в конце концов во всех спектаклях у меня появились дублёрши. Кроме «Повести об одной любви»...

Август. Конец гастролей в Воронеже. Последние дни перед отпуском. Жара. Воронежский оперный театр. Идёт репетиция по (зачем-то!) вводу Древицкого в этот сложный спектакль.

При первой же вырубке света, когда мы с ним должны были разбежаться в разные стороны, чтобы начать после музыкальной паузы совсем новую сцену, парень в ужасе заметался в темноте и закричал: «Наташа! Я не знаю, куда мне идти!»

Музыкальная пауза — короткая. Я бросилась к нему на помощь, схватила за руку и отвела на место его «дислокации» на сцене. Музыка почти заканчивалась, поэтому я рванула к своему месту, но, к сожалению, в этих дополнительных пробежках потеряла ориентиры и вбежала на всей скорости... в оркестровую яму.

А оркестровая яма в оперном театре — глубокая!!! Вес у меня тогда, к счастью, был минимальный, физическая подготовка хорошая, поэтому за те несколько секунд, пока я летела вниз головой, я успела сгруппироваться. Ну и, слава Богу, я пахом ударилась об угол музыкальной колонки, которая оказалась на пути моего падения. Хотя я очень сильно ударилась и приземлилась на голову, но по касательной — колонка, опять-таки к счастью, немножко изменила траекторию моего полёта.

Поэтому, упав, я шею не сломала (а все шансы были!). Только потеряла сознание. А когда пришла в себя, приподнялась на локте и бодренько так сказала: «Не волнуйтесь! Всё в порядке! Можно продолжать репетицию...» И попыталась встать, но не смогла...

Приехала «Скорая». Мне сделали какой-то противошоковый укол. На этом медицинская помощь и закончилась. Как и моя работа в этом театре...

Сейчас-то я понимаю, что в театре должны были оформить «травму на производстве». Но это было «чревато последствиями» для руководства. Поэтому меня скоренько отвезли в номер гостиницы. А я была счастлива, что осталась жива. Кроме того, я никогда не знала своих прав. Во всяком случае, когда в моё здоровье вмешались последствия этого падения, когда пришло время оформлять пенсию и инвалидность, бумага из театра не помешала бы точно. Но её не было... Ещё одна причина моего наплевательского отношения к собственному состоянию — то, что со мной на гастролях был мой сын Васенька, который, кстати, во время злополучного падения сидел в той самой оркестровой яме рядом со звукооператором.

Потом, оправившись от шока, он рассказывал всем: «В темноте слышу страшный грохот! Подумал, что это упала колонка. Включается свет. Наташи нет на сцене. Поворачиваюсь — и вижу: оказывается, не колонка упала, а Наташа лежит!..»

Но это он позже так шутил. А мне артисты потом говорили, что, когда включился свет и все увидели меня, лежащую в оркестровой яме неподвижно, никто не знал, жива ли я. И актриса Наташа Каширина, сидящая на репетиции в зале, первым делом бросилась к Васе, чтобы увести его из зала под странным в такой ситуации предлогом: «Васенька! Пойдём обедать!» На нервной почве, конечно.

А Васенька отвечал: «Пойду, если вы мне гарантируете, что Наташа жива!» Вот такой диалог состоялся у оцепеневших от ужаса людей...

Но тут я ожила...

И мы с Васенькой прожили в Воронеже эту оставшуюся до отъезда неделю. Я хромала, но не сильно. Так что мы ходили в магазины, я готовила на плитке еду сыну (у него после болезни была строгая диета). Гуляли. Вместе со всеми вернулись в Москву.

Только труппа отправилась в отпуск. А мне не только не оформили «травму на производстве», но не заплатили даже отпускные — решили: зачем? Ведь у меня с весны лежало заявление об уходе. Самое время его подписать — руководство театра было уверено, что я стану инвалидом. А зачем инвалида-то кормить?!.

Конечно, я в Москве сразу отправилась к медикам, но те мне сказали, что определить сейчас, что там с ногой — трудно: слишком большая гематома. И так же теперь невозможно определить, было ли сотрясение, — надо было сразу ставить диагноз...

Всё. То, что был компрессионный перелом, станет понятно очень не скоро. Я ещё ДВАДЦАТЬ ПЯТЬ ЛЕТ проскакала на больной ноге! Пока не встретила умного и внимательного врача. Но время было упущено...

Спасительный «Ливень»

В тот сентябрь, вернувшись с гастролей, я вообще не знала, как жить дальше. Без денег. Без работы. Травмированная. Преданная театром...

Именно в тот год умерла бабушка Тата. А потом случился инфаркт у мамы. Отец пришёл из рейса и приехал в Москву. И у него случился инсульт. Вот так — беда не приходит одна! Всё это произошло весной и летом. К осени и мама, и папа немного оправились. Но о том, чтобы оставлять Васю с ними, не могло быть и речи — они сами нуждались в поддержке и помощи.

И вот я сижу, подперев голову кулаком, и думаю, что делать. Сижу так неделю... Десять дней...

А на одиннадцатый раздаётся звонок из Ташкента. Мне предлагают главную роль в фильме «Ливень» по пьесе киргизского писателя Мара Байджиева, успевшего в достаточно молодом ещё возрасте стать классиком. На роль Нази была утверждена Дилором Камбарова, узбекская кинозвезда, но она вышла замуж за режиссёра Владимира Хотиненко и собралась рожать.

Я попросила прислать сценарий, и на другой день мне его привезли. Роль мне очень понравилась. Сценарий тоже. Я перечитала его раза три за ночь. А утром я должна была дать ответ. И я, конечно, засомневалась, а смогу ли я с травмой, прихрамывая, сниматься. Но режиссёр фильма, Учкун Назаров, отмёл все сомнения. Он сказал, что съёмки будут проходить на Иссык-Куле, а жить мы должны в военном санатории в Тамге, где и грязи, и радоновые ванны, и массажи, и так далее. В общем, «мы вас вылечим...».

И я полетела. И в первый же съёмочный день с криком «Э-ге-геей!», раскинув руки, я бежала по берегу Иссык-Куля «за птицами» — так начинается фильм «Ливень» — много дублей!!! А в конце съёмочного дня меня почти на руках вносили в автобус — так набегалась, что не могла идти...

Но меня действительно подлечили. Я перестала хромать. А главное, я испытывала огромное счастье, потому что меня окружали добрые люди, с любовью и с открытыми сердцами. Мы все очень дружили. И атмосфера к тому же была и творческой, и интеллигентной...

В начале октября съёмочная группа отпустила меня на кинофестиваль на Кипр. И я привезла на Иссык-Куль в подарок ящик кипрских вин, которыми меня одарили во время посещения винного завода в Лимассоле...

На съёмках со мной был Васенька. Несмотря на свои шесть лет, он был очень самостоятельным. По утрам я собирала ему рюкзачок: бутерброды, термос с чаем, альбом, фломастеры, книжка. Он уходил за большие камни и только изредка выглядывал и спрашивал: «Я не в кадре?» И я могла за него быть абсолютно спокойной. Он тоже был счастлив на Иссык-Куле и даже вполне по-взрослому влюбился в двадцатидвухлетнюю костюмершу Фирузу. Интересно, что в январе на день рождения Васи — его семилетие — из Ташкента в Москву прилетели две Фирузы: костюмерша и гримёрша!..

Работали мы без перерыва на обед. Весь световой день. А после съёмок готовили бешбармак или шашлык и ужинали вместе.

Каждый вечер мы с Васенькой шли на переговорный пункт, чтобы заказать разговор с Москвой — поговорить с родителями, узнать, как там они. Дозвониться не всегда удавалось: всё-таки разница во времени, да и местечко, где мы жили, находилось «вдали от цивилизации». Но это было даже здорово! Горный воздух! Рыбалка!

Однажды нас повезли на другое озеро — ещё выше, в горах на границе с Китаем. Рыба ловилась просто неправдоподобно! Мой Василий наловил целое ведёрко. Правда, потом выпустил обратно в озеро — стало жалко рыбёшек...

А какая там красота! Когда я в первый раз вышла на берег Иссык-Куля, я задохнулась от восторга и избытка чувств! Передо мной — бескрайнее, хрустально-чистое озеро. А на горизонте — белый пароход! И сразу всплыли слова Чингиза Айтматова: «Здравствуй, белый пароход! Это я...»

У меня были замечательные партнёры — Исамат Эргешев и Шухрат Иргашев. Умные и содержательные актёры. Полное понимание в работе...

Я очень подружилась с режиссёром Учкуном Назаровым и драматургом Маром Байджиевым и их семьями. Когда мы прилетали с Васей во Фрунзе (сегодня киргизская столица называется Бишкек), Мар встречал нас в аэропорту и вёз к себе домой, где нас уже ждали его очаровательная жена Люба и дети, а на столе стояли горячие манты, восточные салаты и сладости, овощи, фрукты...

Мар и сейчас приходит на спектакли, когда я бываю на гастролях в Бишкеке. Мы вспоминаем то золотое время, когда снимался «Ливень»...

Конечно, сейчас очень изменились обстоятельства. Разные страны. Другие отношения. Многое уже непоправимо. Жаль...

Изменился и Иссык-Куль. Настроено много коттеджей, санаториев, развлекательных заведений. Хрустальная вода помутнела...

Но теперь я хочу вернуться в то время, когда я стою на берегу прекрасного чистого озера и смотрю вдаль — на маленький белый пароходик. И сердце заходится от того, что испытываешь потрясение и чувствуешь единение с этой удивительной природой...

А все театральные проблемы, интриги, недоброе отношение — всё разлетается в пух и прах и становится ничтожным на фоне этой невероятной, первозданной красоты!..

Я не только подлечила последствия моего нелепого падения, но и очистилась душой!..

Каким образом в театре узнали, что я не только не осталась уродом и инвалидом, но и вполне благополучно и счастливо снимаюсь, — не знаю! Но меня завалили телеграммами, в которых просили вернуться в Москву, так как «сезон открывается спектаклем, в котором вы играете главную роль»! Каково?!!

Я сказала маме по телефону, чтобы она на звонки из театра отвечала, что я близко к этому театру не подойду, мало того, постараюсь обходить его стороной.

И, в общем, так я и поступала — до тех пор, пока в театр им. Станиславского главным режиссёром не назначили Александра Георгиевича Товстоногова.

Прощальная «исповедь»

Придя в театр в качестве главного, Товстоногов вынес на обсуждение худсовета инсценировку книги Герцена «Былое и думы». И сказал, что Герцена будет играть только Владимир Анисько, а его жену, Наталью Александровну Захарьину, — только Наталья Варлей. Ему, не без злорадства, сообщили, что Варлей из театра уволилась. «Значит, будем возвращать!» — ответил Сандро, обладающий жёстким, решительным и деспотичным характером.

Дальше — в течение трёх месяцев я испытывала ежедневный прессинг! Сандро ходил ко мне на Суворовский, как на работу. Приносил варианты инсценировок. Взахлёб рассказывал о том, как и какой он собирается ставить спектакль. И уговаривал, уговаривал, уговаривал...

Я в это время уже пришла в актёрский штат киностудии им. Горького, где снималась, дублировала зарубежные фильмы. И меня вполне это устраивало.

Но Товстоногов предложил мне прийти в театр «на роль». То есть, не уходя из штата киностудии, играть роль Натали, получая за один спектакль значительно больше, чем тогда, когда играла до двадцати пяти спектаклей в месяц. И он сказал, что в спектакле будет только один актёрский состав: если кто-то, не дай Бог, заболел — отмена...

Деньгами соблазнить меня трудно. А вот в роли я умею влюбляться. Сандро раскрыл так много интересных фактов и деталей в судьбах персонажей произведения! И чем больше я погружалась в материал, действительно глубокий и драматургически необыкновенно богатый, тем больше мне хотелось сыграть в этом спектакле.

И в конце концов я согласилась. Начались репетиции...

Я вернулась в театр, который обещала обходить стороной. Хотя и на других, чем раньше, условиях, но...

Нет, нельзя возвращаться на пепелище! Нельзя пытаться дважды войти в ту же воду! Ну, какие ещё подошли бы сюда афоризмы?!.

Я вернулась В ТОТ ЖЕ ТЕАТР, В ТОТ ЖЕ КОЛЛЕКТИВ. Ничего не изменилось. Мне вроде бы и обрадовались, и даже улыбались. Но в улыбке сквозила насмешка — мол: «Что же ты!.. Уходя — уходи!..»

Спектакль получился красивый, сложный и очень драматичный. Роль моя — нежной и наполненной смятением и трагизмом. В спектакле был и любовный треугольник, и страшная семейная драма. Ведь сын четы Герценов, Коленька, утонул вместе с бабушкой, когда потерпел катастрофу лайнер, на котором они плыли...

После спектакля я подолгу не могла прийти в себя...

А между тем булгаковский «театральный роман» в исполнении театра Станиславского продолжался. Обострилось противостояние. Ведь в театре продолжал работать Анатолий Васильев. И кабинеты Товстоногова и Васильева были рядом. У них были абсолютно разные взгляды на театр. У Васильева были «свои» актёры. У Товстоногова — свои. Но Товстоногов был ГЛАВНЫМ РЕЖИССЁРОМ. И какие-то вопросы решались в приказном порядке.

Например, когда заболела Лида Савченко, Васильев просил отменить спектакль «Взрослая дочь молодого человека», заменив его на другой. Ведь он, так же как и Товстоногов, считал, что должен играть один состав.

Сандро упёрся, сказав, что «представление должно продолжаться», и потребовал ввести Алю Константинову — причём в приказном порядке. Васильев подчинился. Аля бесславно сыграла один спектакль. Потом выздоровела Савченко.

Но «принципиальность» Сандро вскоре сыграла против него же. Или против меня. Я заболела, попала в больницу, мне сделали операцию.

Когда я только-только вышла из наркоза, в палату вошла изумлённая медсестра: «Вам звонят из театра и просят подойти. Говорят, что это очень срочно!» Она помогла мне дойти до телефона в коридоре. Звонила... Аля Константинова, которая просила — ни много, ни мало — «продиктовать по телефону»... текст моей роли...

Я положила трубку...

Через два дня в репертуаре стояла «Исповедь». Я позвонила Сандро. «Александр Георгиевич! Как же так?! Ведь вы сами заявляли, что если кто-нибудь из исполнителей заболевает, то спектакль отменяется...» На что Товстоногов спокойно ответил своим вальяжным басом, что теперь не может не поступить «зеркально» — ведь он же заставил Васильева, чтобы его спектакль был сыгран с вводом. «И вообще, — сказал вдруг Сандро, — в труппе считают, что вы, Наташа, должны для себя решить: если играете на сцене театра Станиславского, то должны в нём и работать. У нас нет практики «приглашённых артистов»...» То есть сам перечеркнул все наши договорённости...

Так я покинула театр Станиславского во второй и в последний раз. Я приходила туда спустя несколько лет — меня приглашал на свой юбилей и бенефисный спектакль Володя Коренев. Посмотрела спектакль, посидела на банкете. Новый директор театра снова завёл разговор о моём возможном возвращении. Но — нет!.. Та же атмосфера. Те же глаза...

И все лучшие артисты театра его покинули, уйдя кто в другие московские коллективы, кто в кино...

Эта книга прочитана и закрыта. Когда я прохожу по Тверской мимо «Электротеатра «Станиславский», сердце не ёкает, хотя я проработала в этом здании десять лет и сыграла здесь свои лучшие роли. К сожалению, кроме «Повести об одной любви», мои спектакли на плёнку не были записаны, поэтому можно только поверить мне на слово...

Я получала много предложений из разных театров. Но отказывалась. Боль долго мешала мне даже представить себе, как я прихожу в новый коллектив. Статус «свободного художника» меня вполне устраивал.

А потом наступило время, когда театральные залы опустели, — девяностые годы. Моду стали диктовать «малиновые пиджаки», вкус которых требовал «хлеба и зрелищ». Мнимая свобода привела к чудовищному кризису в кино и театре. Все запреты были сняты, а потому на сценах театров и на экранах стало твориться такое!!!

Антреприза

В «нулевые» вошла мода на антрепризу, которая не очень-то котировалась у театралов. Чаще всего это были дешёвенькие пьески для невзыскательной публики, наскоро слепленные в спектакль с известными, как стали говорить, «медийными лицами», то есть с теми, кто «не вылезал из телевизора». Действительно, многие из спектаклей были откровенной халтурой — два стула на сцене и два актёра. Но зрители на спектакли бежали — не только чтобы «отдохнуть и расслабиться», а чтобы «хоть посмотреть» на любимых артистов, которые в девяностые исчезли с экранов...

Посыпались предложения из антреприз. Я долго отказывалась. Но в 2000-м согласилась ввестись в уже готовый спектакль «Хочу купить вашего мужа» по пьесе Михаила Задорнова «Последняя попытка». Спектакль на троих. Мне предложили сыграть роль, которую до этого играла блистательная, но уже немолодая Людмила Касаткина. Девочку, которая «хочет купить мужа», играла Ирочка Жорж. А самого мужа — Валентин Смирнитский...

Трудно сейчас сказать, кто или что сломило моё предубеждение в отношении антреприз — актёрский состав, режиссёр спектакля Ольга Шведова или то, что это была пьеса моего друга, Миши Задорнова. Наверное, всё вместе. Но Мишино имя довело ситуацию до победного конца. Я опять стала после большого перерыва играть в театре. Именно В ТЕАТРЕ — я не делю спектакли на антрепризные и идущие в стационарных театрах. Главное, КАК ты относишься к своему пребыванию на сцене: выкладываешься каждый раз до конца или «кайфуешь» от того, что тебя узнали и захлопали.

К сожалению, есть достаточно большая часть артистов, которые играют именно ради денег и узнавания. В основном это молодые или относительно молодые люди. Встречаться с ними на сцене — мука. Они, как на эстраде, «жмут», заигрывают с залом, позволяют себе выйти на зрительскую аудиторию, приложившись перед этим к бутылке. Мне приходилось партнёрствовать с такими артистами. Нет, «партнёрствовать» в этом случае не годится, потому что они, к несчастью, — в первую очередь для себя, — не знают по-настоящему, что такое партнёр на сцене. Поэтому пытаются сыграть на узнавании, на обаянии, на органике (которая чаще всего ограничивается «шептанием под себя», игрой в правду).

Что-то я застряла на этой невесёлой теме. Но, в самом деле, эта категория «артистов» подпортила мне много крови и отняла много сил, которые можно было бы потратить на что-нибудь более полезное или важное...

Но, слава Богу, большая часть моих партнёров по антрепризе — люди творческие и самоотверженные в профессии. И воспоминания о них вызывают у меня чувство радости и гордости, оттого что мне довелось с ними встретиться в работе — это и молодые (по крайней мере, тогда, когда мы начинали работать, они были совсем молодыми!) — Танечка Арнтгольц, Олеся Яппарова, Ирочка Жорж, Дима Исаев, Илья Соколовский, Ира Мануйлова, Анюта Чернышкова, Даниил Мирешкин, Сергей Митрюшин...

И артисты среднего поколения — Витя Супрун, Андрей Харитонов, Машенька Рубина, Игорь Мосюк, Дима Быстревский, Игорь Угольников, Володя Ерёмин, Танечка Лютаева, Алёна Бондарчук, Саша Носик, Саша Лойе, Любаша Толкалина, Катюша Климова...

Если кого-то забыла упомянуть — не обессудьте!!!

И, конечно, замечательные, дорогие мои артисты старшего поколения — вот у кого нужно учиться отдаче в работе, профессионализму, интеллигентности, вниманию к партнёрам. Вот кто качество спектакля предпочтёт составлению «райдера».

Если кто-то не знает, что такое «райдер», — поясню: это пришедшее к нам от западных «звёзд» перечисление требований к устроителям гастролей. Предположим, номер в лучшем пятизвёздочном отеле, фрукты и коньяк в гримёрной, машина класса «люкс» к трапу самолёта, обеды и ужины в лучших ресторанах. Ну и прочая мура, происходящая от гордыни, от невозможности сообразить, что в каком-нибудь северном городке ОДНА, и далеко не «пятизвёздочная», гостиница — дай Бог, чтобы туалет и душ были в номере. Что прокатчики не всегда могут продать зал целиком — гастролёров много, а зарплаты у людей крошечные. И так далее...

Настоящие артисты, особенно артисты старшего поколения, редко обращают внимание на эту «атрибутику» — разве что по здоровью попросят «что-нибудь рыбное» заказать на ужин. И чтобы номер «был тихий». Но какое наслаждение находиться с ними на сцене. И какое счастье они доставляют зрителям!..

Мои любимые партнёры: Слава Шалевич, Саша Белявский, Алик Филозов, Аристарх Ливанов, Валентин Смирнитский, Евгений Тиличеев, Николай Денисов! Спасибо вам за радость общения и радость совместного творчества!..

Господи! Многих уже нет с нами! Но о них, о каждом отдельно, я обязательно расскажу, возможно, в следующей книге...

Фильмы, фильмы, фильмы...

Я снялась в шестидесяти одном фильме. Дублировала и озвучила — около двух тысяч...

Конечно, ни один фильм с моим участием не превзошёл успеха, выпавшего на долю «Кавказской пленницы» и «Вия», которые вышли на экран в моём «звёздном», 1967 году. Хорошо это или плохо? Не обидно ли за остальные мои работы — ведь в них вложены и любовь, и труд, и надежды?.. И да, и нет. Зрители, критики, время — выбрали так, как сложилось. И сегодня понятно, что я — пожизненная «Нина». И с этим приходится мириться и соглашаться. Потому что вряд ли судьба может преподнести мне сегодня такой же щедрый подарок, как тогда, много лет назад, когда меня утвердили на эту роль...

Картина «Кавказская пленница» стала, как сейчас говорят, «культовой». И никакие бездарные «ремейки» не уничтожат народную любовь к прекрасным фильмам, снятым талантливыми людьми в 60–70-е годы. Я попала в эту обойму, и это здорово...

Но это не отнимет у меня любовь к остальным своим ролям, которые были сыграны в разные годы, тогда, когда в съёмки фильмов вкладывалось больше сердца, души и любви к кинематографу, чем денежных средств...

О каждой картине, о каждой роли, о своих партнёрах в этих фильмах я могла бы рассказать многое, но просто не хватит времени и формата книги, а читателям — терпения...

Но немножко всё-таки расскажу.

После большого перерыва, связанного с учёбой в Щукинском (если помните, я дала слово не сниматься, пока учусь), я вернулась в кино в конце третьего курса. Мне подписали разрешение на работу в фильме «Золото» по роману Б.Н. Полевого. Видимо, то, что я хорошо училась, в какой-то степени сыграло свою роль. А может, имели значение имя и авторитет Бориса Николаевича Полевого, автора многих известных произведений, в первую очередь, конечно, это «Повесть о настоящем человеке». К тому же он был главным редактором журнала «Юность», возглавлял Союз писателей...

И я снялась в главной роли в этой картине, сломав стереотип, на который меня обрекла всё та же «Пленница». Я помню, как мой муж, Володя Тихонов, написал мне, когда я была в Ленинграде на съёмках какого-то очередного фильма, а по телевизору показали «Золото». Он рассказывал, как они с матерью смотрели картину, не отрываясь, а потом Нонна Викторовна, не очень-то щедрая на похвалы, сказала: «Молодец, Наташка! Надо же, как интересно и неожиданно сыграла. И как точно! И ни в одном кадре не сфальшивила!..» Надо ли говорить, какова для меня ценность этих слов...

Хотя были очень интересные предложения и до «Золота». И я, нарушая все обещания, ездила на кинопробы. И кинопробы были удачными. И меня утверждали. Но из института на съёмки не отпускали...

Особенно жалко было, что не удалось сняться в фильме «Пять дней отдыха» по повести Иосифа Герасимова. Очень хотелось сыграть эту нежную, пронзительную и трагическую историю о любви совсем юных героев в блокадном Ленинграде...

Но... как говорится, «актёр — это кладбище несыгранных ролей...».

Зато, вернувшись к съёмкам, я стала сниматься практически безостановочно, вплоть до своей беременности Васенькой, а потом — после небольшого перерыва — продолжила опять...

Ещё учась в Щукинском училище, кроме «Золота», я снялась в нескольких фильмах: в «Семи невестах ефрейтора Збруева», в новогодней картине «Бушует «Маргарита», в болгарской картине «Трое», в «Беге» и в «Чёрных сухарях»...

Да! Ещё в «Двенадцати стульях» Гайдая — в роли Лизы. Той самой Лизы, которая живёт с мужем-студентом (его играл замечательный артист Витя Павлов), вынужденным вегетарианцем, в студенческом общежитии. А поссорившись с ним, принимает предложение Кисы Воробьянинова пойти в ресторан, где тот угощает её солёными огурцами и водкой, а опьянев, требует: «Поедем в нумера!..» И Лиза убегает, дав напоследок Кисе пощёчину...

Кису Воробьянинова сыграл Сергей Филиппов, и я уверена, что это его лучшая роль. Хотя пробовалась на роль Лизы я в паре с Анатолием Папановым, который впоследствии сыграл Кису в телевизионной версии Марка Захарова.

Но при всём моём обожании Папанова, на мой взгляд, настоящий Киса — всё-таки Сергей Филиппов. И вообще я считаю фильм Гайдая удачнее, точнее и по отношению к произведению Ильфа и Петрова, и по выбору актёров...

Сложнее всего было играть сцену с пощёчиной, потому что я боялась по-настоящему ударить Филиппова. В результате Гайдай снял 12 дублей, чтобы добиться правды. Вошёл в фильм, естественно, как самый удачный, первый дубль...

А вообще-то, мне очень хотелось сыграть в «Двенадцати стульях» другую роль — Эллочки-людоедки. Есть даже фотопроба. Но Гайдай убедил меня, что моя роль — это Лиза...

В том же году я снялась в маленькой роли в фильме Алова и Наумова «Бег» по роману Михаила Булгакова. Алов и Наумов возглавляли кинообъединение, где снимался и фильм Вятича-Бережных «Золото». Они обратили внимание на исполнительницу главной роли (то есть на меня), очень сожалели, что на все роли в «Беге» актрисы уже утверждены. И тогда они придумали для меня эпизод, который после выхода фильма на экран отмечали критики. Хотя это эпизод практически без слов...

Несутся навстречу друг другу красная и белая конницы... Топот копыт... Сумасшествие... Грязь... Месиво...

Неожиданно на поле боя появляется девушка, которая бежит и тащит за собой на верёвке козу. Бежит, падает в грязь, вскакивает и опять бежит. И что-то кричит. Её почти не слышно за топотом и грохотом, но по артикуляции понятно, что она пытается остановить бой, братоубийственную бойню.

Она кричит: «Стойте, подождите, что вы делаете!..» Бой начинается. Падают кони. Погибают люди...

Тогда она, в безысходном отчаянии, опускается на землю и закрывает руками глаза своей козочке со словами: «Хоть ты не смотри на них...» И в этот момент в неё попадает шальная пуля. Она садится и, прежде чем упасть, замирает на мгновение. В глазах — удивление и непонимание... Бой продолжается...

Вот такой эпизод вписали в структуру булгаковского произведения Алов и Наумов. Они вообще мастера таких вкраплений, ярких деталей в своих картинах. Очень точных.

В том же фильме есть эпизод: всеобщая паника, смятение, бег... А на фоне этого безумия на тротуаре спокойно сидит мальчик, печатая на неизвестно каким образом оказавшейся здесь пишущей машинке...

Этот маленький мальчик — сын Владимира Наумовича и Эльзы Леждей Алёша. Наумов и Леждей к тому времени разошлись, но Владимир Наумович обожал своего сына и рассказывал о нём с невероятной нежностью...

Меня Владимир Наумович называл «маленьким принцем» — наверное, за сочетание маленького роста, романтического сияния в глазах и короткой стрижки «горшком». Мне пришлось коротко подстричься после «Золота» — меня красили в фильме в блондинку. А так как волосы у меня росли необыкновенно быстро, то красили их чуть ли не через день. Чем тогда красили? Перекисью водорода. Поэтому сожгли волосяные луковицы. И я, до того времени носившая рассыпанные по плечам роскошные волосы, почти год щеголяла стриженой головой...

Это была не единственная «неприятность», которая стала последствием съёмок в «Золоте». Огромную часть фильма мы снимали под Мончегорском. Моя героиня спасает золото, которое несёт через леса и болота, а потом сквозь снега и метели, до тех пор, пока её, замерзающую, не находят партизаны...

К слову, это не выдуманная история. Муся Волкова написана с реальной героини Великой Отечественной войны. Женщина, ставшая впоследствии эстрадной певицей (как мечтала и героиня фильма), жила в Киеве. Когда мы с ней говорили о событиях, которые легли в основу фильма, она заметила, что в реальности с ней происходило на её пути в 600 км по вражеским тылам такое, что, если бы это нашло отражение в книге, а потом в кино, в это могли бы и не поверить... Так вот...

«Сквозь снега и метели» мы снимали зимой, на Севере. И почти весь съёмочный день я сначала шла, по колено утопая в снегу, а потом — лежала, «замерзая», — почти по-настоящему. Конечно же, меня простудили. Под конец съёмок «зимней натуры» я заболела бронхитом и, простите за подробность, заработала воспаление придатков...

«Чёрные сухари»

Вылечили. И всё бы ничего. Но на картине «Чёрные сухари», которая снималась по повести Елизаветы Драбкиной совместно киностудиями «Ленфильм» и «ДЕФА» (Германия), меня на съёмках продержали целый день на чугунном паровозе — лёжа! Много дублей! Зимой! Хоть и подкладывали под меня тулуп, но от промёрзшего чугуна он меня не спас...

Я опять простудилась, но значительно сильнее, чем раньше.

Помню, мы едем рано утром из Берлина на съёмку под Потсдамом. Режиссёр, Герберт Морицевич Раппопорт, и оператор, Эдик Розовский, сладко посапывают. А я корчусь от боли на заднем сиденье. На меня в зеркало заднего вида с ужасом смотрит водитель-немец...

Дорога и так-то длинная, но мне она кажется бесконечной. Наконец мы подъезжаем к съёмочной базе, где находятся костюмерная и гримёрная. Я практически доползаю до костюмерной, молча срываю с вешалки тулуп, бросаю его на пол и падаю на него. Больше я не в силах даже пошевелиться от боли.

Раппопорт крутится рядом и причитает: «Наташенька! Ну, может быть, как-нибудь встанешь?! Может, снимешься сегодня?!» Какое там! Я не могу даже ответить ему — даже слова причиняют боль...

Посылают за врачом. Немецкий врач делает укол и, со свойственным немцам чёрным юмором (а может, это как раз отсутствие юмора?!), предупреждает меня, чтобы я не пугалась, «если ножки отнимутся»!

Меня отвозят в отель, в Берлин. Укладывают в номере в постель...

Да! Я же не рассказала, о чём эта картина. В повести Драбкиной — тоже реальные события, только уже 18-го года. Тогда по приказу Ленина голодающая Россия послала в дар голодающей Германии эшелон с хлебом — чёрными сухарями. Поезд сопровождает помощница комиссара прод-отряда комсомолка Таня. В поезде едут интернационалисты из разных стран — итальянцы, французы, американец, англичанка...

В Германии их встречают. Не только друзья, но и враги революции. В результате состав разбомблён и разгромлен. Таня тяжело ранена. Поезд отправляют назад в Россию...

В фильме есть и линия любви. Таня оказывается не такой «железной», какой хочет выглядеть. Она влюбляется в немца Курта. Любовь взаимна, но жизнь их разлучает...

Вот такая, вкратце, история, которую я довольно коряво пересказала...

Режиссёром-постановщиком фильма был, как я уже написала, Герберт Морицевич Раппопорт, по происхождению австриец. Он знаменит своими фильмами «Воздушный извозчик», «Два билета на дневной сеанс» и многими другими...

Интернационалистов играли актёры из разных стран. В основном, конечно, немцы. Но, например, американца играл Бруно Оя, наш (тогда!) прибалт. Он хорошо известен был по знаменитому фильму Витаутаса Жалакявичуса «Никто не хотел умирать».

Бруно был женат на молоденькой польке Анечке, очень смешной и трогательной. Она всё время приходила ко мне в номер поесть «супчик из пакетика», которыми мы питались иногда в целях экономии...

А итальянца играл болгарин из Германии. И не просто болгарин, а лучший врач-гинеколог Берлина. Но вот была у него такая мечта — сняться в кино. И он напросился «сыграть хоть что-нибудь» в нашей картине. На моё счастье! Потому что он меня очень быстро вылечил. Через несколько дней я опять лежала «раненая» на паровозе.

А доктор Марлешки (так звали болгарина), когда приехал в Москву уже на премьеру фильма, узнав, что я родила сына Васю, радостно закричал: «Так это же практически мой сын!» В принципе это действительно так — благодаря тому, что он оказался рядом, моя простуда на съёмках обошлась без последствий, и я смогла родить здорового сына!..

Кинематограф вообще испытывал меня на прочность. Среди моих работ есть и фильмы о цирке. В одном из них, правда, я играю не цирковую артистку, а буфетчицу цирка, Таю. В этом фильме Наталии Збандут я снималась на Одесской студии вместе с цирковым клоуном Анатолием Марчевским. Фильм снят по повести Драгунского «Сегодня и ежедневно».

Несмотря на то что я не исполняла в картине никаких цирковых трюков, работать было сложно. Толя — хоть и способный актёрски, но всё-таки непрофессиональный артист. Поэтому репетировали и снимали долго.

А началась моя работа в картине «Клоун» вообще странно...

Я прилетела из Москвы. И меня... забыли встретить. (Водились такие грешки за одесскими «помрежками» — невнимательность и лень.)

Я подъехала, взяв на последние деньги такси, к Одесской студии, пошла в гостиницу напротив студии, которая испокон веков называлась почему-то «Куряж», а она оказалась наглухо закрытой. На мой отчаянный стук никто не ответил. Пробарабанив минут двадцать, я сдалась. И пошла к проходной киностудии. К счастью, охранник оказался

315

славным малым. Он меня узнал, пожалел, напоил горячим чаем и уложил на свою лежанку-времянку. Я свернулась клубочком и заснула.

А утром на киностудию первым пришёл Слава Говорухин. Он увидел спящий клубочек. Спросил, кто это? А узнав, немедленно разбудил меня и повёл в гостиницу-общежитие «Куряж», где они жили втроём в одной комнате: он, жена, а за шкафом было отгорожено место, где стояла кровать их сына Серёжи. Сын был в школе, и Говорухины уложили меня на его кровать досыпать, а сами пошли на работу, на студию. Где нашли бессовестно не встретивших меня сотрудников киногруппы «Клоун», и те пришли за мной, извиняясь и смущаясь, и отвели на грим-костюм, чтобы приготовиться к съёмке...

Больше накладок во время работы над «Клоуном» не было...

В двух других фильмах о цирке — «Соло для слона с оркестром» и «Большой аттракцион» — я выполняю трюки в большом количестве и сама...

«Большой аттракцион»

В «Большом аттракционе», который на «Мосфильме» снимал режиссёр Виктор Георгиев, я сыграла роль девушки с конного завода Даши Калашниковой. Она живёт высоко в горах с дедом, бывшим лётчиком, а теперь диспетчером на маленьком аэродроме, куда прилетают только почтовые самолёты...

Ну и, естественно, Даша бредит цирком. Мечтает стать воздушной гимнасткой. Дед, конечно же, сопротивляется, но в конце концов на допотопном аэроплане сам доставляет её к цирку, куда она спрыгивает с парашютом...

И начинаются её приключения и злоключения. Но понятно, что, «пройдя через тернии», она «устремляется к звёздам» — становится воздушной гимнасткой, летает под куполом. И всё такое...

Напоминает фильмы Александрова (или Пырьева) с Любовью Орловой (или Мариной Ладыниной) в главной роли, не так ли? Думаю, что Георгиев именно так и задумывал. Ремейки тогда не приняты были. Но перекличка во времени и в сюжетных линиях не случайна. Недаром дед Матвей (а играл его Сергей Мартинсон) говорит моей героине знакомые слова: «Надо, Даша! Надо!..»

Главного героя, циркового гимнаста, в картине сыграл Гунар Цилинский, латышский актёр, фактурный и красивый. Хотя, когда у меня была кинопроба на роль Даши, со мной вместе пробовался Валентин Гафт. Он в ту пору был ещё молодым, крепким и спортивным, и эта роль ему очень подходила. Но Валя — человек сложный, самолюбивый и ранимый. Поэтому, когда Георгиев стал делать ему на репетиции замечания, довольно глупые, Гафт рассвирепел и, сказав режиссёру что-то вроде: «Это тебя надо пробовать, а не нас!» — гордо удалился и больше на площадку не вернулся...

И на эту роль утвердили Гунара Цилинского.

Что касается меня, то и здесь всё было непросто. Хотя, казалось бы, роль как будто для меня написана...

Но на роль Даши было ещё несколько кандидатур, а главная из них — спортивная гимнастка Ольга Карасёва, в которую Георгиев неожиданно влюбился и никого больше не хотел видеть, кроме неё, в этой роли, хотя в результате худсовет утвердил меня.

В конце концов Виктора Георгиевича убедили, что мои пробы значительно лучше. Но он никак не мог окончательно смириться с «потерей», ему казалось, что я жёстче, грубее Карасёвой, и голос у меня «какой-то низкий» (хотя уж чего-чего, а низкого голоса у меня отродясь не было!). В результате он попросил меня в фильме «говорить повыше», и я почему-то сдуру согласилась. Теперь смотрю картину и думаю: «А пищать-то зачем?!.»

Если бы не «мышиный писк», роль можно было бы считать удачной. Мог быть удачным и фильм. Но не обошлось без вмешательства худсовета. В конце фильма по сюжету Даша и её учитель (Гунар Цилинский) идут по бульвару, красивые и влюблённые... Вот по этому поводу члены худсовета и восстали, сказав, что моя героиня — ребёнок по сравнению с героем Гунара, и получается просто «совращение малолетней»...

Доигрались с «высоким голоском»!.. И финал отрезали. А этого безумно жаль — была красивая и логичная точка...

На самом деле я не была в это время «ребёнком» — вполне себе взрослая женщина двадцати пяти лет от роду, у которой уже был двухлетний сын.

Я работала в театре, занималась английским на языковых курсах, летала на кинофестивали. И при этом кроме тетрадей, книг и сценариев под мышкой я обычно волокла ещё и сумки с продуктами, чтобы кормить семью...

Гунар однажды не выдержал и, по-прибалтийски медленно и с расстановкой, сказал про меня: «Я понял, на кого похожа эта маленькая женщина! Она похожа на маленького ослика, который несёт непосильную поклажу...»

Поскольку в картине я играла воздушную гимнастку, а из цирка я ушла уже давно, мне нужно было заново возвращаться в цирковую форму и заново привыкать к высоте. И я снова пришла в цирковое училище — к Юрию Гавриловичу Мандычу.

Юрий Гаврилович посмотрел на меня так, как будто я была здесь только вчера, и велел мне переодеваться и разминаться. Когда я размялась, он приказал: «А теперь — к верёвочной лестнице. И — быстро наверх...» И, повинуясь его воле, я, неожиданно для себя и для окружающих, взлетела по верёвочной лестнице наверх, под самый купол. «Вот так надо взбираться по лестнице!» — назидательно сказал Мандыч стоящим рядом студентам...

Честно говоря, я от себя не ожидала такой прыти. Верёвочная лестница всегда была моей коронкой. Но чтобы вот так, сразу!..

Это был какой-то гипноз. Сработала мышечная память. Юрий Гаврилович понимал, что либо я буду возвращаться в форму долго и трудно, либо он вернёт меня усилием воли. У него это получилось.

«А теперь на мостик!» — скомандовал он. Я перебралась на мостик.

«А теперь, Саша, возьми её в руки и покачай!» — велел он висящему вниз головой ловитору. Мы сцепились руками в «замок», и я покачалась...

«А теперь в «мёртвой точке», Саша, отпускай её, а ты, Наташа, падай в сетку!» — неожиданно произнёс Юрий Гаврилович.

«Нет!!!» — в ужасе заорала я. «Саша, отпускай! А ты — прыгай!..» — повторил он жёстче и громче.

Саша расцепил «замок». «Замок» тем и гениален, что гимнасты сцепляются захватом за кисти друг друга. Накрепко! Но если один разжал руку, второй удержаться не может...

Я полетела в «мёртвой точке» вниз. Пока я долетела до сетки, щёки у меня стали мокрыми от слёз, которые покатились от ужаса...

Но за один приём я психологически одолела страх высоты! Опять сработала мышечная память. И я уже смогла сниматься в воздухе, не репетируя месяцами...

Много эпизодов из фильма снималось в цирковом училище. И я делала всякие «колёсики», «мостики», «шпагатики» — на родной арене, как будто и не было этих десяти лет перерыва...

Правда, эти же «колёсики» я делаю в картине, когда убегаю от деда Матвея по полю, а он гонится за мной. Тут уж надо сказать, что «удрать» от Мартинсона было не так-то просто. В свои восемьдесят он бегал быстрее меня!.. Вот она, старая гвардия!..

Поскольку моя героиня — «с конзавода», мне пришлось в картине много скакать на лошадях. Казалось бы, что тут такого? Я прекрасно держалась в седле — не только занималась на ипподроме, не только снималась уже верхом в других картинах, но и начинала в цирке репетировать второй номер — «Па-де-труа на лошадях» (это когда на крупах двух лошадей стоят две наездницы, а третья, у них на плечах, проделывает разные трюки)...

Но на съёмках «Большого аттракциона» многое было организовано из рук вон плохо.

Однажды я прилетела из Кишинёва, где снималась в эпическом молдавском полотне «Дмитрий Кантемир» в роли главной героини, Родики (кстати, в этой картине я тоже скакала верхом на коне, только по льду!), буквально на несколько часов — на другой день у меня был утренний спектакль на гастролях в Минске.

Но меня «потеряли», вовремя не встретили в аэропорту, и к тому времени, когда меня привезли на площадку, на горы опустился туман — сплошное «молоко». Чтобы не терять времени, «опытный лошадник», наш режиссёр Виктор Георгиев, попросил джигитов, гарцующих в ожидании начала съёмок, чтобы они пока «дали обкатать актрисе самого лучшего коня». Те с готовностью кивнули. Но что такое в понимании карачаево-черкесского наездника «лучший конь»? Правильно, самый горячий конь! И ко мне подвели взмыленного жеребца, который, как в песне Боярского, «косил лиловым глазом». Я взлетела в седло, и он с места рванул и унёс меня в туман.

Он нёсся галопом в одну сторону, потом вставал в «свечку», потом летел со свистом в другую — и опять вздымался в «свечку»...

Я поняла, что он пытается меня сбросить. И закричала своему коню: «Хренушки тебе! Я в седле буду держаться до последнего!»

Как мне потом рассказали, джигиты, увидев, куда помчался их «самый лучший, самый горячий конь», побледнели и помчались за ним, в молочный туман...

Дети

С сыновьями, 1986 г.

Васе — восемь месяцев

Васе — полтора года

Васе — три года

Василий
в первом классе

На отдыхе в Батуми

Василий — с сыном Женей,
Саша — с кошкой Асей

Василий с бабушкой Ариадной Сергеевной

В ожидании Сани с кошкой Муркой

Саня родился!

С Саней

Саня — двойник Джоржа Харрисона
(кавер группы «Beatlove»)

Саша на съемках собственного фильма

Дядя с племянником.
Саша и Женька

Тост: «За Наташу!»

С Женей, Сергеем Бабуриным и его женой Таней
(я — крестная их сына Володи)

С Женькой на даче

Присяга

Взрослый Женя

Отец Алексей (Грачев)

Я и Женя с нашим духовным отцом Сергием после крещенского купания

В храме Большое Вознесение

Родословная

Прабабушка Нина Степановна и прадедушка
Евгений Николаевич Барбот де Марни.
Октябрь 1926 г.

Потомки Барбот де Марни. На переднем плане
слева — сестра Ира, на заднем плане моя тетя
Ира, справа ее сын Сергей Селиванов

Театр

В роли Тани в спектакле
«Прощание в июне»

С Василием Бочкаревым
(Колесов) в спектакле
«Прощание в июне»

В роли Маши в спектакле
«Живой труп»

В роли Софьи в спектакле «Тени» по пьесе Салтыкова-Щедрина
в постановке великой М.О. Кнебель

В роли Джулии в спектакле
«Два веронца» по пьесе
Шекспира

С Владимиром Анисько в спектакле «Исповедь»

С Александром Пантелеевым в спектакле «Повесть об одной любви»

С Леонидом Сатановским в спектакле «Мсье де Пурсоньяк»

С Валентином Смирницким в спектакле «Хочу купить вашего мужа» по пьесе М. Задорнова

В роли Шарлотты в спектакле «Оскар»

С Дмитрием Исаевым в спектакле «Шашни старго козла»

Студенты литературного института имени Горького Андрей Крючков, Раиса Абубакирова и Наталья Варлей

С Георгием Милляром в пионерском лагере «Артек»

После сольного концерта в Кишиневе с актерами оперного театра

С Колей Караченцовым после концерта

Юбилей «Кавказской пленницы» в Доме кино

Когда они наконец взяли бунтаря в кольцо, я спрыгнула на землю, но уже не могла стоять на ватных ногах.

«Ну, ты молодец! Крепко держишься в седле!» — похвалили меня кавказцы...

Самое печальное, что после такого риска в «обкатке коня» я не снялась в тот день ни в одном кадре. Туман так и не рассеялся. А мне пора было ехать в аэропорт, чтобы лететь в Минск...

Съёмочная группа перебиралась на другой день в Крым, в Феодосию, для продолжения съёмок. И предполагалось, что теперь мне будут искать подходящего коня там...

Через некоторое время я прилетела в Крым. Эпизод, когда Даша скачет верхом, подгоняя табун лошадей, должны были снимать где-то под Белогорском. Мы приехали на площадку. И увидели, что перед нами вместо кавказских ахалтекинцев, племенных красавцев, табун кобылиц, половина которых — беременные...

Что поделать: «чем богаты — тем и рады»... Стали готовиться снимать то, что есть...

Надо сказать, что оператором в «Большом аттракционе» тогда была Эра Савельева (которую Георгиев за глаза звал ЭПОХА Савельева), дама действительно сильно возрастная. Но за её плечами — список очень сильных операторских работ (увы, в далёком прошлом). Тем не менее она была очень активна и громкоголоса и всё время искала для съёмок какие-нибудь нестандартные положения и «подвески»...

Георгиев, видя, как она карабкается на операторский кран, чтобы, чуть ли не вниз головой, снимать этот самый бег табуна, тихо и безнадёжно попросил её: «Эра Михайловна! А нельзя ли поставить треногу и снимать всё со статичной точки?..» За что был ею «предан анафаме». И она повисла...

Я поскакала по самому краю обрыва — этот путь мне определила Эра Михайловна, — рискуя сорваться в пропасть. Табун «беременных кобылиц» скакал рядом, опять в сплошном молочном тумане — только на сей раз он был рукотворный: оператор «для выразительности кадра» попросила пиротехников «немножко подымить»...

Когда пришёл проявленный материал, мы, сидя в просмотровом зале, увидели на экране очертания лошадей в сплошном дыму. Меня было не видно совсем.

«Что это, Эра Михайловна?!» — насколько мог грозным, но на самом деле отчаянным шёпотом спросил Георгиев. «Это просто плохо напечатали!» — не моргнув глазом ответила она...

В картине осталось: из тумана выныриваю я, верхом на коне. Никакого табуна практически не видно. Я скачу, спрыгиваю и бегу по полю к деду Матвею...

Хорошо хоть так... И хорошо, что не свалилась в пропасть...

В картине много танцев и песен. Танцы ставил Юрий Взоров, чей «Ритм-балет» у нас был хорошо известен. А потом он уехал в Америку на ПМЖ. Поэтому его имени даже нет в титрах. Тогда с этим было строго. Но танцы остались...

В «Большом аттракционе» снимались и Георгий Михайлович Вицин, и Евгений Александрович Моргунов, и Савелий Крамаров, и Майя Менглет, и Володя Грамматиков, и, как я уже рассказывала, Сергей Мартинсон, и Гунар Цилинский...

Актёры прекрасные. Задумка — интересная. И все возможности были, а вот фильм не очень получился. Почему? Трудно ответить. Просто одно — талантливо. А другое — не очень...

Сеня Морозов

В картине Виталия Мельникова «Семь невест ефрейтора Збруева» я снялась в роли одной из невест — Галины Листопад, комсомольского секретаря молодёжной стройки...

Мельников — очень интересный и своеобразный режиссёр. Он замечательно работает с актёрами и сделал много прекрасных фильмов. Я считаю, что лучшие его картины —

«Мама вышла замуж» и «Старший брат», где просто блестящие актёрские составы. Но, на мой взгляд, в «Старшем брате» из великолепного актёрского ансамбля можно ещё отдельно выделить потрясающе сыгранные роли Евгения Леонова и Коли Караченцова...

В «Семи невестах» роль у меня небольшая. Зато мне выпало счастье поработать не только с Мельниковым, но и с чудесным актёром и человеком Сеней Морозовым...

Сеня — актёр уникального комедийного дарования, актёр прекрасно поющий. Хотя наш расточительный кинематограф очень мало использовал Сенин талант...

А в жизни Семён очень скромный, тонкий, даже сентиментальный человек. И в то же время он обладает редким чувством юмора. Вот такое сочетание!..

Сеню сразу прославила его первая роль — в кинокомедии «Семь нянек». Он был в этой картине невероятно смешной и трогательный. Конечно, роль «затмила» его суть...

И мне он поначалу не показался ни тонким, ни трогательным, ни чутким в жизни — совершенно наоборот: грубый, прямолинейный, нагловатый. Однажды на съёмках мы с ним даже поссорились. Видимо, и я ему показалась такой «самоуверенной звёздочкой»...

Потом мы друг в друге разобрались. И в лице Сени я обрела настоящего друга. Он меня очень поддерживал на съёмках. И не только на съёмках.

Видя, какой я до глупости непрактичный человек, он, при необходимости, направлял меня. Например, когда мы с ним уже снимались вместе в другом фильме — «Три дня в Москве», — он однажды спросил, почему у меня такая низкая актёрская ставка. Я очень удивилась и сказала, что обычно мне приходят из актёрского отдела открытки с извещением о повышении категории и ставки. Оказалось, что в моём случае при переходе из первой категории в высшую уже нужно было писать заявление в актёрский отдел. Если бы Сеня меня не вразумил, я бы так и ждала «у моря погоды»...

В другой раз он спросил у меня, являюсь ли я членом Союза кинематографистов. Я ответила, что нет. Он спросил тогда, сколько у меня главных ролей. «Двадцать» — ответила я. «Так почему же ты не в Союзе?! Некоторые артисты, снявшись в двух-трёх картинах, уже вступают!» — закричал на меня Семён. Я так же глупо ответила, что думала, что, если я достойна, меня примут...

И Сеня заставил меня при нём написать заявление и сам отнёс в отдел кадров, а там страшно удивились, что я всё ещё «не член». И быстренько меня приняли. Опять-таки благодаря Сене...

«Три дня в Москве» режиссёра Алексея Коренева — наша вторая совместная работа с Семёном.

Коренев приглашал меня до этого и в картину «Вас вызывает Таймыр» на роль Дуни (её потом замечательно сыграла Леночка Коренева, его младшая дочка, тогда ещё не актриса), и в «Большую перемену», предложив мне на выбор несколько ролей. Но, в силу разных обстоятельств, я не смогла в этих картинах сняться. Жаль, конечно, но мне тогда и сценарии показались какими-то вымученными и примитивными...

И только потом, поработав с Кореневым над картиной «Три дня в Москве», я поняла, что это его стиль, его ниша — и эти странные сценарии с водевильными ситуациями, в которые попадают герои, и эти нескладные персонажи, и наивные слова, которые они говорят...

А в целом — получается доброе и светлое кино, которое так любят зрители. Это кино очень талантливого режиссёра Алексея Коренева, который, к сожалению, рано ушёл из жизни. Хотя... он ушёл тогда, когда ушла эпоха «его кино»...

С Сенечкой мы играем в картине двух милиционеров: я — городского, он — деревенского. Оказавшись в Москве, герой Семёна гуляет по городу, любуется им и вдруг видит девушку-милиционера, которая едет верхом на коне по Каменному мосту...

Он влюбляется. Их пути то пересекаются, то расходятся. Есть в картине и «любовный треугольник» — в Олю влюблён ещё один юноша (его играл в фильме тогда ещё совсем молоденький и худенький Стасик Садальский).

Недоразумения, рождающие недопонимание. Побочные линии, которые вдруг меняют ход событий и взаимоотношений...

Я люблю эту картину. Мне нравится, как она снята — с любовью и содержанием. Очень люблю эпизод, когда Оля поёт двум своим ухажёрам: «Одна снежинка — ещё не снег...» Мне нравится сцена в метро, когда Оля танцует вальс сначала с метростроевцами, а потом с Сеней, вернее, его героем, которого зовут незатейливо — Иван...

Люблю актёров, которые снимались в фильме. Многих, к сожалению, уже нет в живых. Моего отца сыграл эксцентричный и остроумный Евгений Весник. «Бабушку» героя Сени (которая оказывается вовсе не бабушкой, а самозванкой!) — прекрасная и трогательная Валентина Сперантова. Очень точно сыграл своего героя — мерзавца, в общем-то, но его по-своему жалко, — Стас Садальский...

Но, конечно, номер один в картине — Сеня Морозов!

В фильме есть эпизод, когда наши герои оказываются запертыми вдвоём в квартире. Оля звонит отцу, чтобы тот приехал и её вызволил. Но пока он едет, герой разыгрывает «сценку семейной жизни», входит в комнату, где сидит Оля, с чашками чая на подносе...

Ну, входит и входит. Как это сыграть? Коренев не может придумать ход. Я тоже. Сеня говорит: «Я знаю как! Давайте снимать!..»

Коренев командует: «Мотор!» Сеня входит с подносом, я беру чашку... И у меня начинается истерика: в чашке с чаем горка сахара поднимается из воды, как египетская пирамида. Но по сцене — я пью чай. И я пью, хотя пить это невозможно, и хохочу до слёз. Сенька — тоже. И на этом хохоте мы ведём диалог...

Коренев в восторге! Он кричит: «Молодцы! Здорово! Дублей снимать не будем!..»

Так в картину и вошла эта сцена. Правда, пришлось помучиться на озвучании, потому что тот непосредственный, искренний смех повторить было трудно...

Я очень люблю Сеню. Радуюсь тому, как сложилось всё у него в семье. У него замечательная жена. Дочка, Наденька, уже выросла. Но их взаимоотношения остались такими же нежными и трогательными. А главное, они понимают и берегут друг друга. Говорят, что атмосфера семьи зависит во многом от женщины. Но я полагаю, что без мужской любви, без желания свою семью защитить гармонии в доме быть не может...

Несколько лет назад я узнала, что Сеня серьёзно заболел. Я молилась за него. И, наверное, не я одна. Он выкарабкался, слава Богу...

У хороших людей всегда есть враги. Но тех, кто их любит и кто молится за них в трудную минуту, — больше. И они — сильнее...

Коля Караченцов
и Люда Поргина

Когда случилась беда с Колей Караченцовым — он попал в страшную аварию, был в коме, и врачи не давали надежды, — за него молилось так много любящих его людей, что он вышел из комы и вернулся к жизни. Случилось настоящее чудо!..

Конечно, это уже не тот Коля, который блистал на сцене и экране, который заряжал своей энергией. Но главное, что он был жив!!!

Я пишу в этой главе о Коле и его жене, Люде Поргиной, потому что эти имена неразрывно связаны.

Люда — святая женщина. Святая в своей силе, в желании удержать Колю на этой земле. И не просто удержать, а дать ему, насколько возможно в этих обстоятельствах, достойную жизнь. Её многие ругают и осуждают за то, что она мучает Колю, выводя больного и немощного на люди. Но она считает по-другому: надо, чтобы он участвовал в мероприятиях, ездил на выставки, на премьеры спектаклей, торжественные встречи. Важно, чтобы он чувствовал, что нужен и любим. Чтобы не замкнулся на своей беде. Она убеждена, что он всё понимает. Она сама понимает его, казалось бы, неразборчивую речь, как понимает мать лепет своего ребёнка. А может, что-то и домысливает...

Ну и что! На мой взгляд — правильно. А уж обвинять её в том, что она устроила «показательное венчание», «пиаря себя»... Это уж как-то совсем не по-христиански! Разве можно такими событиями играть?!.

Люда — очень сильная женщина. Сильная даже в том, что она продолжает следить за собой, находится в хорошей форме...

Как-то мы с ней очень долго говорили о Коле, о том, что происходит с ними сейчас. И Люда мне сказала: «Понимаешь, Натуля! Самое главное, что он жив! Я просыпаюсь утром и сразу потрогала Коленьку — спит, живой... и это уже счастье! И ему я говорю: «Коленька! Ты столько сделал для людей! Столько сил, любви, энергии истратил, что можно немножко и отдохнуть. Просто сейчас у тебя другая жизнь. Мы на даче. С тобой — родные. Наша собака. Цветы. Это ведь тоже радость!...»

Удивительно, правда?!. Недавно я прочитала книгу Коли Караченцова «Я не ушёл». Замечательная книга получилась! Она составлена из Колиных записей за многие годы, его размышлений, его воспоминаний. Конечно, она собрана и подготовлена Людой. И ею написано несколько глав, в которых она рассказывает о событиях с момента той страшной аварии до сегодняшних дней. О своих переживаниях, действиях — и в экстремальных обстоятельствах, и в обыденной, повседневной жизни вместе с нынешним Колей...

Эта книга не столько о преодолении, сколько о любви. О двух прекрасных людях, которые умеют ЛЮБИТЬ!..

До трагедии, которая с Колей произошла, я не так часто пересекалась с ним по жизни. Но, когда мы виделись, я всегда, во всех обстоятельствах поражалась именно его оптимизму и умению любить людей. Поэтому и они отвечали ему взаимностью.

Наша последняя встреча до трагических событий была такой...

Я уезжала в Питер на гастроли. Мне нужно было попасть на Ленинградский вокзал. Заказанное такси почему-то не пришло — что-то там, как всегда, сломалось. Другую машину вызывать было уже поздно. И я потащилась с тяжёлым чемоданом на Большую Никитскую улицу, встала рядом с храмом Большого Вознесения и начала голосовать. Но никто не останавливается. Потихоньку меня охватывает ужас: ещё немного — и я опоздаю на поезд...

И вдруг, немного проскочив мимо, тормозит красивая иномарка. Потом задним ходом подъезжает ко мне. Из неё выглядывает Коля Караченцов и кричит: «Девонька! Садись!» Он даже не спрашивает, куда мне. Я забираюсь в машину. Тогда только он меня расспрашивает. Едем на Ленинградский вокзал. И я у него интересуюсь, что, ему в ту же сторону? А Коля так беспечно мне отвечает: «Нет, мне на «Мосфильм». Мы с Дунаевским сегодня пишем песни для новой картины!» Я ахаю: «Коля! Так это же в другую сторону!» А он мне говорит: «Ну и что! Опоздаю немножко! Как же я мог проехать?! Смотрю — родной человечек стоит и отчаянно голосует! И ни одна свинья не останавливается!..»

И он довёз меня до вокзала. А пока ехали, рассказал, что он едет на запись после спектакля, а потом у него ещё и съёмка на телевидении...

Вот так он жил! Столько работал! Так относился к людям! И в этом весь Коля Караченцов!!!

Поэтому столько людей, болеющих за него, за них с Людой! Ребята, дорогие мои, любимые! Дай вам Бог сил и здоровья!!! А Бог — есть ЛЮБОВЬ.

В роли мамы

К ролям мам, которые мне в кино с какого-то момента начали предлагать, я перешла с удовольствием. Потому что была к ним внутренне готова. С рождением Васеньки я поняла, что это для меня — главное в жизни. И если в кино мне предлагалось сыграть не среднестатистическую «маму вообще», а интересный характер в интересной истории, я с радостью соглашалась...

Так появились мои «мамы» в картинах: «Талисман» по повести Виктории Токаревой, «Так и будет» по мотивам пьесы Константина Симонова, «В защите не нуждаюсь», «Не хочу быть взрослым!» Юрия Чулюкина (за этот фильм я даже получила Государственную премию РФ)...

Много лет спустя я сыграла роль Матери Кендарат в картине Николая Лебедева «Волкодав из рода Серых Псов» по повести Марии Семёновой. И эта роль, несмотря на то что она небольшая по объёму, для меня очень дорога...

Тут я должна признаться в своей любви Коле Лебедеву, режиссёру «Волкодава». Мы с Сашей были поклонниками его фильма «Звезда» по повести Казакевича, замечательной картины о войне. Тем более замечательной, что снята она молодым человеком — но с такой любовью к этой теме, так умно и так бережно. Эта картина открыла дорогу в кинематограф большинству актёров, снявшихся в ней: Игорю Петренко, Кате Вуличенко, Алексею Панину и многим другим...

Фильм стал лауреатом Государственной премии России в области кинематографии...

Когда Саше, моему сыну, предложили поработать на съёмках «Волкодава...» помощником режиссёра у Лебедева, счастью его не было предела. Саше тогда было девятнадцать. Он ещё учился на факультете режиссуры кино и телевидения в мастерской Елены Цыплаковой, и работа на большой и сложной картине была для него хорошей практикой...

(Позже Саша решил, что окончания университета ему недостаточно, и поступил на Высшие режиссёрские курсы в мастерскую Владимира Хотиненко, которые два года назад окончил.)

Сначала на картине Лебедева начал работать Саша. Я осторожно спросила у него, какую ему определили зарплату, на что сын страшно обиделся, сказав, что он «будет заниматься любимым делом, да ему ещё что-то будут за это платить!». И Саня действительно с головой ушёл в работу на этой очень сложной во всех отношениях картине, большая часть которой снималась в Словакии...

Ближе к концу съёмок в Словакии, когда мы отмечали двадцатилетие Сани, и Николай Лебедев, и директор картины поблагодарили меня за сына, который «на сто процентов оправдал надежды и работал самоотверженно»...

Меня на роль Матери Кендарат пригласили значительно позже, чем Сашу в качестве помощника режиссёра. Не скрою, мне было очень приятно, когда сын со знанием дела водил меня на костюм, на грим, провожал на кинопробы...

Ох, простите!.. На кастинг!!! Сегодня это называется только так. Понятие «кинопроба» считается архаикой. Хотя на самом деле «кастинг» — это просто перевод с русского языка...

В повести Марии Семёновой Мать Кендарат, по сравнению с моей героиней в фильме Лебедева, совсем другой персонаж — это Учитель восточных единоборств и философии для Волкодава...

Николай трактовал в своей картине этот образ как Образ Матери, духовной учительницы Волкодава, его ангела-хранителя. Она убеждает Волкодава, что не месть, не зависть, не вражда правят миром. «Миром правит любовь...» — говорит она в решающие минуты своему ученику. И «добро, которое ты отдавал людям, возвращается...».

Мне эта трактовка ближе, она, на мой взгляд, убедительнее. И именно поэтому я с радостью снялась в этой картине, у режиссёра, работать с которым было для меня счастьем...

И, конечно, здорово, что на этом фильме я работала вместе с сыном. Как бы ни критиковали фильм Лебедева, я считаю, что первая Сашина работа в кино — участие в создании «Волкодава» — прекрасное начало и очень верная точка отсчёта...

Саша снял несколько короткометражных художественных фильмов, но я считаю лучшей его работой на сегодняшний день — однокадровый фильм «Сон грядущий». Это учебная работа, но в ней — чёткая позиция зрелого человека, может, и интуитивные, но ясные ориентиры в сегодняшнем мире. Я этой Сашиной работой горжусь — без всяких натяжек, без всякой «материнской слепой любви», — чистая, искренняя, настоящая история. И замечательно играет девочка — хотя, казалось бы, ничего не играет. И очень точная музыкальная тема, которую написал Серёжа Таюшев-младший, Санин друг, сын моих близких и любимых друзей — Сергея Таюшева-старшего и Тани Рузавиной, непревзойдённого вокального дуэта...

Удивительно, как всё скручено и переплетено в этой жизни...

«Миром правит любовь...»

Эта простая, казалось бы, фраза, несколько раз произносимая моей героиней в «Волкодаве», — жизненная идеология, урок, который она преподаёт Волкодаву.

И эта мысль созвучна одному из главных постулатов христианства:

«Любовь есть Бог. Бог есть любовь...»

Ну вот я и пришла к теме, без которой не обойтись в этой книге. Теме сокровенной. Очень личной. Это тема Веры. Веры в Бога...

О вере, о Боге нельзя говорить всуе. Правильно рассуждать на эту тему могут, наверное, только священнослужители...

Я и постараюсь не рассуждать. Просто я не могу не рассказать о том, как пришла к вере, чем она является в моей жизни, в моей судьбе, в судьбе моих близких...

В детстве меня не крестили — время было такое. Мой отец был первым пионером, первым комсомольцем, первым членом партии. Какое крещение ребёнка?!.

Я крестилась сама, будучи уже совсем взрослой. Мало того, я была уже мамой Василия. Мало того, я была секретарём комсомольской организации театра им. Станиславского...

Вроде бы всё складывалось хорошо. Родные живы и более или менее здоровы. Работы и в театре, и в кино — много. Полно сил. Любима. Ребёнок — счастье и свет в окошке...

А вот гармонии в душе — нет.

И однажды на гастролях в Херсоне ноги сами привели меня к храму. Я постояла у икон, поставила свечи. А потом подошла к свечнице и сказала прямо: «Помогите мне, пожалуйста! Я хочу креститься. Что для этого нужно?»

И свечница, милая и уже немолодая женщина, которая назвалась «тётей Надей», рассказала мне, что для взрослого человека крёстные мать и отец при крещении не обязательны. Но что если я захочу, чтобы они у меня были, то я должна найти надёжных, но главное, верующих женщину и мужчину, которые будут меня в дальнейшем наставлять в духовной жизни и молиться за меня...

Она спросила, смогу ли я прийти креститься в субботу или воскресенье, чтобы она заранее договорилась со священником. И ещё она сказала, что они не будут вносить меня в книгу записей, чтобы у меня не было «на работе неприятностей». Вот об этом я, честно говоря, даже и не думала. Решила — и всё...

В субботу меня окрестил настоятель храма. К сожалению, запамятовала уже его имя. Крёстным моим я попросила стать одного из своих комсомольцев, Витюшу Николаева, рабочего сцены. Я знала, что он глубоко верующий. А крёстной моей стала Надежда Узкая, та самая свечница храма. Мы долго потом писали с ней письма друг другу. Я часто спрашивала у неё совета. Она отвечала — подробно и с любовью. Потом письма от неё прекратились. Думаю, что она давно ушла из жизни — ведь она была человеком пожилым...

Несколько лет назад, оказавшись в Херсоне, я нашла храм, где была крещена. Стала спрашивать у служителей храма о тёте Наде по фамилии Узкая. Никто не знает. Никто не помнит...

Батюшка, крестивший меня, после крестин подарил мне маленький старинный молитвослов в кожаном переплёте. И с тех пор я читала по нему молитвы дома и возила его с собой на гастроли. Молитва часто помогала мне в трудных ситуациях. Я могла помолиться и за себя, и за своих близких...

Мама с папой после инфаркта и инсульта жили в «щадящем режиме». И Васеньку я начала возить с собой на съёмки и на гастроли с трёх лет...

Перемена мест и климата на него действовали далеко не всегда благоприятно. Часто — приезжаем в новый город, и сын заболевает. То простуда, то не та еда или вода — всё-таки он был ещё маленький...

Это позже я приспособилась таскать с собой плитку, готовить еду в номере, варить кашку из толокна, которую он очень любил, овощные лёгкие супчики, готовить котлетки на пару. А поначалу — металась в отчаянии. Приехали — заболел. Что делать? Все лекарства дала, покачала на руках, убаюкала...

Он спит, а я стою на коленях перед иконкой, читаю молитвы и плачу... Утром он проснулся — вроде бы здоров, молитва помогла, слава Богу...

Но мне как-то даже и в голову не приходило, что надо было его крестить. Представить невозможно было, как отреагировали бы на это мои родители. И я полагала, что достаточно того, что я за него молюсь. Тем более что между нами существовала такая крепкая связь, такая нежная любовь, такое понимание, что мы чувствовали это даже на огромном расстоянии, как будто мы были одним целым...

Сейчас отвлекусь ненадолго, но иначе я не смогу поведать одну удивительную историю, которая с нами произошла...

Поездки в Сирию и Шри-Ланку

Как-то вернулась я с очередного кинофестиваля — из Сирии, куда мы летали с Олегом Видовым. А в Сирии нас принимал Абу-Ганем, прокатчик советских фильмов, любимой картиной которого была «Кавказская пленница». Понятно, что он расстарался, и мы с Олегом каждый день еле вылезали из-за столов после обедов и ужинов. Как в «1001 ночи»: «...третья перемена блюд... десятая перемена блюд...» А еда вкусная, но — баранина и блюда из неё, острые и жирные. А восточные сладости!..

В общем, вернулись мы из поездки, я пошла на курсы английского языка, и во время занятий мне стало так плохо, что я еле успела дойти до дома и вызвать «Скорую помощь». После чего грохнулась на пол, потеряв сознание, и очнулась, только когда врачи уже звонили в дверь. Узнав, что я прилетела из Сирии, медики решили везти меня на Соколиную гору в инфекционную больницу. Но я, зная, что там инкубационный период как минимум две недели, умолила, чтобы они повернули в Боткинскую. Уговорила.

В Боткинской меня положили в бокс, отдельно. Через день выяснилось, что у меня острый холецистит — желчный пузырь не выдержал такой нагрузки! Но так как отделение было инфекционное, ко мне всё время просачивались дизентерийные больные «за автографом». И я испугалась, что подхвачу ненароком какую-нибудь пакость...

Я вышла под расписку из больницы и... через два дня улетела на Цейлон, в Шри-Ланку, опять с киноделегацией, конечно, ещё слабая, не успев прийти в себя от болезни...

Мы приземлились в Шри-Ланке. В иллюминаторы увидели маленькое здание аэропорта...

Когда наша делегация спускалась по трапу самолёта, внизу нас встречали прекрасные цейлонские девушки с гирляндами бело-розовых цветов — лотосов и орхидей, которые они на нас надели, как сказочные ожерелья...

Это было, конечно, очень красиво, но я боялась упасть в обморок, потому что, когда я вышла из самолёта, у меня было ощущение, как будто я попала в стоградусную парилку в бане...

Мне было ужасно плохо. Слава Богу, нас быстренько рассадили по машинам с кондиционерами. И мы подъехали к самому первому по пути придорожному кафе — закуток из сплетённых каких-то диковинных растений. Из холодильника худенький темнокожий бармен достал кокос, расколол его прямо у нас на глазах специальным топориком и протянул мне спасительную прохладную жидкость, которую я с жадностью выпила прямо из ореха...

И я вернулась к жизни. И обо всех «болячках» на этом необыкновенном острове больше я даже и не вспомнила...

Неделю советского кино мы провели во всех отношениях замечательно. Встречались с ланкийцами на самых разных уровнях. Зажигали «Золотого петуха» — символ дружбы. Нас возили на чайные плантации высоко в горы, и мы увезли с Цейлона огромные мешки подаренного нам прекраснейшего чая. Мы присутствовали на грандиозном празднике Выноса

Зуба Будды. И хотя праздник буддистский, в нём участвовали представители всех религий — и индуизма, и ламаизма, и других. Все в своих красочных костюмах, со своими песнями и танцами. И во время шествия слонов в нарядных попонах на одном из них везли под бархатным балдахином Зуб Будды... Это незабываемо!..

У меня было ощущение, что я попала в рай на земле. Оно возникло, когда нашу делегацию — Витаутаса Жалакявичуса, литовского кинорежиссёра, Алёну Чухрай, актрису, и меня — привезли в первый раз на берег океана...

Нежный светло-бежевый песок, изумрудный океан, над которым склонились под углом высоченные пальмы, синее без единого облачка небо — всё это казалось нереальным. И вот мы бежим с Алёнкой по этому мягкому, горячему песку, вбегаем в тёплый океан и безостановочно кричим, две взрослые дурочки: «За что?!!» От счастья...

А ещё я испытала потрясение в местном зоопарке. Мало того что на огромной территории, как на воле, разгуливали экзотические животные и птицы с волшебными опереньями — я наблюдала так похожие на человеческие взаимоотношения в семье гигантских орангутангов.

Посреди большущего вольера возлежала огромная обезьяна-дама и, как истинная женщина, кокетничала с публикой, вернее, «работала на публику», — она принимала разные позы, кривлялась, но чувствовалось, как она сама себе нравится.

А в глубине вольера-клетки у решётки-окна, выходящего на противоположную сторону, сидел спиной к зрителям здоровенный самец-орангутанг. Пока народ хохотал над выходками его «второй половины», он выражал своё полное безразличие к происходящему — именно изображал, потому что спина его была напряжена (я это ощущала актёрским чутьём!). И в какой-то момент он не выдержал, повернул голову, посмотрел на свою даму долгим взглядом, встал, подошёл к ней, размахнулся и... изо всех сил влепил ей ручищей по заднице. Звонкое эхо прокатилось по острову Цейлон!.. Народ ахнул. А какой-то русский мужичок восторженно сказал: «Надо же! Всё как у людей!..»

Обезьяниха моментально подобралась, села «прилично» и перестала кокетничать. А самец меланхолично вернулся к своей решётке, опять сел спиной к публике и продолжил созерцать что-то неведомое и нами не видимое...

Ровно через десять лет мы полетели в Шри-Ланку с Аликом Филозовым. И всю дорогу я ему рассказывала о Цейлоне с восторгом. А когда приземлялись, я, в предвкушении повторения счастья, сказала ему, что сейчас нас будут встречать девушки с гирляндами цветов...

И... ничего этого не было. Перед нами, когда мы вышли на трап, было новое, большое, из стеклобетона, здание аэропорта. Над головами — серое, затянутое тучами небо. Вместо прекрасных девушек нас встретил унылый сотрудник нашего посольства. И сразу же предупредил, что в стране «непорядки», воюют тамилы с сингалами, теракты, взрывы, стрельба и прочее. И велел нам из отеля никуда не выходить...

А выходить-то, в общем, было и некуда. Нас никуда не возили — ни на чайные плантации, ни на праздники — война! Мы вышли на сцену на открытии, участвовали в пресс-конференции, выступили перед нашим посольством...

И только один раз нас вывезли к океану, где мы покатались на слонах и искупались. Я познакомилась с очаровательным крошечным слонёнком, грустные глазки которого запечатлелись у меня в сердце, и я написала про него стихи...

Но солнце так и не выглянуло. Мы в основном сидели в отеле, правда, очень хорошем, плавали в бассейне. Ненадолго вышли, прошлись по набережной, нарушив «посольские запреты». Но это радости не принесло: небо было хмурым, океан — серым, а где-то неподалёку постреливали. И мы вернулись в отель. И за обедом пришли к выводу, что это Бог так наказывает людей за то, что и в раю им не живётся мирно...

Ну вот! Опять я увлеклась и попутно рассказала и про второе путешествие на Цейлон. А история приключилась в первом...

Я всегда очень тосковала по дому, по Москве, по родным, но особенно по Васеньке. Из всех точек земного шара я звонила домой по телефону, во что бы это мне ни обошлось...

В первый же день я пыталась через посольство связаться с Москвой. Но не получилось — не было связи. Всё-таки расстояние. Да и техника была ещё слабой...

Я тосковала и волновалась. А когда легла спать, долго не могла заснуть и всё думала, как там мои...

Ночью я проснулась от того, что... меня звал Вася. Он громко кричал: «Мама!!!» Я села на кровати. И больше не смогла заснуть.

Несколько раз безуспешно пыталась позвонить в Москву, но так и не дозвонилась...

Когда через шесть дней, влетев в квартиру на Дмитровском и расцеловав маму, я первым делом спросила, как Васенька, мама ответила, что всё нормально, здоров. Но что на другой же день после моего отлёта он проснулся утром и сказал: «Адя! А меня сегодня мама звала...» Мама спросила: «Как, Васенька?» А он ответил: «Так тихо-тихо, издалека: «Ва-ся...»

И всё это время у мамы болела душа за меня. А у меня — за Васю...

А мы просто-напросто позвали друг друга ночью — через огромное расстояние...

Когда я вбежала в комнату, где в кроватке спал сынишка, он проснулся и бросился ко мне. Я крепко прижала к себе родное тельце, а он мне прошептал: «Ты слышишь, как у меня сердце щёлкает?.. Это от любви!..» Васеньке тогда было два года...

Василий

Это только одна из множества историй, в которых удивительным образом проявлялась наша связь. Василий был настоящим моим другом. Всё свободное время, которого у меня было, к сожалению, немного, я старалась проводить вместе с ним. Мы гуляли, очень любили ходить в зоопарк. Ходили в театры, музеи...

Как-то вечером бродили мы с ним по залам музея им. Пушкина. Задержались перед натюрмортами голландцев. Я с умным видом восхищалось тем, как прописана дичь, фрукты... И вдруг шестилетний Василий сказал мне грустно-грустно, глядя на картину: «Наташенька! Если бы ты знала, как есть хочется!..»

Мне стало стыдно, и мы заторопились домой. Кстати, лет до 16 он звал меня Наташей. А потом — как обрезало. И он перестал меня называть хоть как-нибудь. Просто «Привет!» или «Как дела?» — без имени...

Женька, внук, которому исполнилось уже 23 года, тоже с младенчества зовёт меня Наташей. И пока продолжает звать...

А Саня всегда звал и зовёт меня «мама»... Мои дети даже в этом очень разные. Хотя я вижу и сходство, и как они перенимают друг у друга привычки и словечки. И вообще, я воспринимаю их не как двух сыновей и внука, а как трёх сыновей. Между Василием и Саней — разница в двенадцать с половиной лет. Между Саней и Женей — в десять...

Ни разу в жизни я не отдыхала, не ездила в отпуск или в путешествие одна — без детей. Сначала ездила с Васей, потом с Васей и Саней, потом с Саней и Женей...

Без них мне было плохо. Я и сейчас очень тоскую, когда они не со мной. Но теперь все они взрослые и ездят по белу свету без меня...

Василий с детства был очень разумный, спокойный и самостоятельный. И очень обо мне заботился. Обязательно подавал мне руку, когда я выходила из транспорта. Старался сделать так, чтобы к моему приходу из театра в доме было убрано. Мы очень любили делать друг другу сюрпризы, подарки, оставлять записки или смешные рисунки...

Он по-взрослому беспокоился, если я задерживалась. На съёмках «Ливня», обычно после ужина, мы собирались в номере у режиссёра Учкуна Назарова на репетиции. Васю я, не волнуясь, оставляла в нашем номере. Время было спокойное. Он читал, рисовал, лепил из пластилина. А потом умывался и ложился спать...

И вот однажды я немножко задержалась после репетиции. Вхожу в свой корпус, а администратор мне говорит: «А ваш сын выходил из номера. Очень о вас беспокоился!»

В номере — тишина. Василий сладко спит. На стуле рядом аккуратно сложенная одежда...

Утром спрашиваю его: «Ты зачем выходил?»

«Тебя искать!» — отвечает он.

«Зачем меня искать? Ты же знал, что у меня репетиция...»

«Я волновался. А вдруг тебя украдут и увезут в горы?!»

«Да, ладно! Кому я нужна?!»

«А знаешь, сколько таких, никому не нужных, увезли в горы!» — отвечает мне мой рассудительный шестилетний сын...

В доме у нас постоянно были какие-нибудь животные.

Как-то, когда Василию было лет восемь, он тайно от меня купил в «Зоомагазине» на Арбате (том самом!) хомячка и долго прятал его от меня в стеклянном аквариуме, придумав какую-то фантастическую историю про то, как «непонятным образом в аквариуме оказался хомячок». Когда я его «разоблачила», мы вдвоём занялись воспитанием хомячка. Покупали ему клетку, кормушки, корма, опилки. Назван хомячок был в честь любимого литературного героя — Снусмумрик...

Но неблагодарный хомячок умудрялся, протиснувшись сквозь прутья, сбегать и теряться на просторах квартиры.

Один раз, когда мы уже отчаялись его найти, а всхлипывающий от горя Василий всё никак не мог заснуть, я неожиданно обнаружила зверька в огромной банке, которые соседка Лидия Дмитриевна всю зиму собирала на кухне для летних заготовок...

Хомяк, уже потный от невероятных усилий, тщетно пытался выбраться наружу...

Сколько же было счастья в глазах Васьки, когда я внесла в его комнату нашего беглеца!..

Была ситуация, когда мне даже пришлось отодвигать от стены огромную, тяжеленную деревянную стенку, чтобы вызволить забежавшее за неё вольнолюбивое животное...

Я уже не говорю о найденном за диваном большом гнезде, которое хомяк соорудил из крошечных кусочков бумаги — жертвой острых зубов зверька стали наши любимые книги, стоявшие на нижней полке...

Саша и Паша

Однажды, гуляя по Арбату, мы остановились у витрины всё того же «Зоомагазина». И Василий прочитал: «Цыплята мясные. 37 коп. штука». И спросил меня: «Наташа! А что такое «мясные»?»

Я где-то «плавала» мыслями и машинально ответила: «Наверное, потому, что на мясо...»

Вася ахнул. А потом твёрдо сказал: «Давай спасём хотя бы двух!» И мы спасли. Двух цыплят дома разместили в большой картонной коробке, куда был проведён свет и которую мы затянули марлей. Нас обоих потрясло, что цыплята едят «себе подобных»: мелко нарубленные крутые яйца и толчёную яичную скорлупу...

На этих кормах наши «мясные цыплята» начали очень быстро расти и развиваться, прогрызать марлю и бегать по комнате. А так как они питались теперь ещё и зёрнышками, то, съев маленькую горсточку зерна, они умудрялись обкакивать всю комнату...

Я просыпалась утром — и мыла пол. Приходила с репетиции — мыла пол. Перед спектаклем — мыла пол. И на ночь — мыла пол...

Саша и Паша (так мы назвали «мясных цыплят», поскольку не могли определить ИХ пол) в результате оказались петухами. Да ещё какими-то очень породистыми — у них были какие-то особенные гребешки и бороды. А нам-то что?! Они ели, пили, какали и устраивали длительные петушиные бои...

Становилось понятно, что наша совместная жизнь начинает становиться невыносимой. Я говорила Васе: «Давай их отвезём в деревню и подарим какой-нибудь бедной женщине!»

«Да! А она сварит из них суп!» — отвечал Василий.

«А давай мы поставим на них клеймо!» — предлагала я.

«Но она и с клеймом сварит из них суп», — резонно возражал сын.

Понятно, что этого допустить было нельзя. Но что делать?! Время шло. А петухи росли...

И вот однажды я ждала после спектакля гостей. Испекла два больших пирога — сладкий и капустный. Поставила их на стол. Ушла играть спектакль...

Прибегаю после спектакля домой. Василий спит в своей комнате. А в другой комнате на столе рядом с включённой настольной лампой — два пирога, но начинка склёвана. И сверху, распластав крылья, в каждом пироге лежит по петуху. Они, обожравшись, спят, разомлев от тепла и света...

А через пятнадцать минут должны прийти гости...

Моё терпение лопнуло, и я заорала: «Я из вас суп сварю!..»

Хотите верьте — хотите нет, но два петуха замахали крыльями от таких слов и взлетели, как два орла, и некоторое время полетали... А так как я, изумлённая увиденным, перестала на них орать, они приземлились и с достоинством ушли в свою коробку...

Гостей пришлось угощать колбасой, сыром и наскоро сваренной картошкой...

Ситуация становилась безвыходной. Но буквально через пару дней один знакомый сообщил мне, что в «Уголке Дурова» для представления требуются петухи. И наших Сашу и Пашу с радостью приняли в звериную труппу. Так они стали артистами. Династия!..

Мурка

Но главным нашим приобретением стала кошка Мурка.

Вообще-то, мы поехали на Птичий рынок, чтобы купить котика. И не просто котика, а такого, что «вот мы посмотрим в его глаза и поймём: "Наш!" И только тогда купим».

И вот мы бродим по Птичьему рынку. Хорошеньких котят — море, а «нашего» всё нет. Мы решили: ну, нет так нет, в другой раз...

Как раз в это время мы с Василием подошли к бабульке, у которой на дне сумки сидело нечто пушистое. И своими грустными зелёными глазищами эта кроха заглянула нам обоим прямо в душу...

Мы переглянулись и в один голос спросили: «Мальчик?» — «Мальчик!» — откликнулась бабулька. «Котик?» — захотели убедиться мы. «Котик-котик!» — подтвердила старушка.

И мы у неё этого котика купили, то ли за рубль, то ли за три — не помню. Пушистое создание ехало домой в такси за пазухой у Василия, всю дорогу попискивая...

Дома мы его накормили-напоили, поиграли и спать уложили. И жизнь закрутилась вокруг этого жизнерадостного игривого котёнка, которого мы сразу полюбили, только вот имени никак не могли придумать...

Но через два дня я заметила около ушка у котёнка непонятную ранку, потом ещё одну. Я быстренько завернула малыша в тёплый шарфик и повезла его в клинику на Цветном бульваре — тогда там была очень хорошая, естественно, бесплатная ветеринарная лечебница. В отличие от той невероятно дорогой клиники, в которую она превратилась в годы «перестройки». В этой дорогой, «пальцы веером», клинике за очень большие деньги мне погубили сначала собаку, а через три года — любимого кота...

Но не буду сейчас о грустном. Хотя история с котёнком тоже не совсем весёленькая. В общем, направляюсь я на Цветной бульвар и в троллейбусе встречаюсь с кем-то из цирковых артистов. Парень едет в цирк на репетицию. Узнав, куда я везу котёнка, он мне говорит: «А зачем в ветеринарку? У нас в цирке такая замечательная девушка-ветеринар, Верой зовут». Ну и отправилась я сразу к Вере. Она определила, во-первых, что это не котик, а кошечка. А во-вторых, выключила свет и зажгла специальную синюю лампу. И тут мы увидели, что кошечка стала вся изумрудного цвета.

«Лишай... — ахнула Вера. — Что будете делать? Усыплять?»

«Что вы, Вера?!» — задохнулась я.

«Ну, тогда не ходите в ветеринарные клиники, там за такой случай не возьмутся — велят усыпить. Будем лечить. Но предупреждаю, что лечение будет долгим».

«Хорошо», — успокоилась я...

Вера, дорогая! Не знаю, где вы, как сложилась ваша жизнь. Мы, к сожалению, потерялись после того, как вы ушли из цирка. Но если вдруг вы прочитаете эту книгу, я хочу вам сказать, что всю жизнь вас вспоминаю! Вашу доброту, вашу самоотверженность, вашу любовь к животным! Дай вам Бог всего самого хорошего!!! И ещё раз за всё — спасибо!..

Эта хрупкая, совсем молоденькая девушка оказалась настоящим Доктором Айболитом — умелым и бескорыстным.

Каждый день она приезжала к нам на Суворовский бульвар и лечила нашу Мурку. Котёнку приходилось несладко — ей давали лекарства, делали уколы, обрабатывали ранки препаратами, которые, вероятно, жгли. Мурка выла страшным басом — даже представить трудно было, что эта кроха может издавать такие низкие звуки. Но Вера была спокойной, уверенной и ласковой...

Денег с нас она практически не брала — что-то совсем символическое...

В доме был «карантин». На мебели — чехлы, полы я постоянно протирала с чем-то вроде хлорки. Василию было запрещено контактировать с Муркой — собственно, и «карантин» был введён потому, что я боялась, что сын может подхватить лишай...

Но позже Василий признался, что не в силах был устоять, когда под дверью скреблась кошачья лапа — котёнку хотелось играть, ребёнку тоже. Вот они и играли, оказывается, весь карантинный период...

Через полтора месяца Вера сказала: «Ну, всё! Искупайте вашу кошечку и можете брать в постель, можете обнимать и целовать — она почти стерильна!!!» Тут и настал Муркин праздник! Она и так-то была «девушка» избалованная, а тут мы её просто затерроризировали своей любовью...

Мурка была очень умной и верной кошкой. Настоящим другом. На даче она ходила с нами в лес и на речку. Шла, отвлекаясь на бабочек, жучков, травинки и ручейки, — прямо как Красная Шапочка по дороге к бабушке. В высокой траве теряла нас из виду и жалобно мяукала. «Мы здесь, Мурка! Мы тебя ждём!» И она, счастливая, нас догоняла...

А пока мы плавали в речке, сидела, высунув язык от жары — она же была очень пушистая, — под мамиными зонтиком, и мы приносили ей в мисочке из речки холодной водицы...

Всё, останавливаю рассказ о Мурке. Иначе остаток книги будет только о ней! Обещаю, что в книге о кошках, которую, я надеюсь, допишу, о Мурке будет написана большая глава. Как говорят телеведущие: «Будет очень интересно!»

Мои сыновья и внук, так же как и я когда-то, в четыре года уже умели читать. А Васенька ещё очень любил слушать пластинки. Фирма «Мелодия» выпускала тогда великое множество замечательных детских пластинок — на любой вкус: и сказки, и музыкальные инсценировки, и детские песенки, и рассказы...

Василий, конечно, любил длинные истории на долгоиграющих пластинках: «Бременские музыканты», «Голубой щенок», «Малыш и Карлсон» и много всяких других. Они были с хорошей музыкой, сыграны и спеты лучшими артистами. И Вася их слушал — и тогда, когда садился обедать, и когда ложился спать...

Обычно, если у меня не было вечером съёмки или спектакля, я ему перед сном читала. А если я уходила в театр, он под пластинку ужинал. Под пластинку засыпал. Фирма «Мелодия» заменяла ему няню.

На оплату няни у меня, конечно, денег не было. Поэтому, если я была в цейтноте, с Василием приходили понянчиться и девушки из райкома комсомола, и артистки театра, и мои приятельницы.

Я пробовала отдать Васю в один из самых лучших тогда детских садов — детский сад Большого театра. Туда водили своих детей многие знаменитости, и устроить ребёнка в сад было трудно. Я приложила максимум усилий. Но... есть такое понятие — «не детсадовский ребёнок». Так вот, у меня оба сына оказались «не детсадовскими» — только по разным причинам. Саня — оттого что не мог ни есть, ни спать, так перевозбуждался и заводил всех детей — от рождения артист и режиссёр! А Василий — в детском саду страдал. И после того, как однажды я оставила его в детском саду переночевать — мне нужно было в Ленинград на съёмки, — мне пришлось его из детского сада забрать, так он плакал и говорил воспитательнице: «Я всё понимаю, маме надо по работе, но я без неё не могу! Она — самый близкий мне человек...» Всё! После этого случая выкручивалась, как могла, — возила с собой, пока он не пошёл в школу. А потом — просила кого-нибудь остаться с ним. Хотя соседки у меня были хорошие и, в случае чего, могли вполне денёк за Васей присмотреть, тем более что он был совершенно не проблемный, золотой ребёнок. Как его назвал однажды Мар Байджиев, «самоигральный мальчик».

И ещё Василий с рождения был очень талантлив: он прекрасно рисовал, лепил из пластилина, вырезал деревянные фигурки, писал стихи, рассказы и даже сценарии. В шесть лет он написал замечательный сценарий, который назывался «Что такое жизнь?» — это вам не «серенький козлик»!..

У нас была трудная, но вполне счастливая жизнь. Я помню, как мы встречали Новый год вдвоём. Стоял ужасный мороз — градусов под сорок! Батареи грели вовсю, но в домах было всё равно холодно. «Евроокон» ещё не существовало, и я на зиму заклеивала и законопачивала рамы, но всё равно дуло! На кухне в открытой духовке горел газ, хоть немножко добавляя тепла. Мы сидели за накрытым столом в зимних пальто и в зимней обуви! Горели свечи. Я приготовила и пирог с капустой, который Вася очень любил, и курицу, и салаты. Передо мной стояла бутылка шампанского, перед Василием — бутылка лимонада. Перед нами лежали листочки папиросной бумаги и карандаши, чтобы загадать желание и потом сжечь записку на свечке, бросить в бокал и под бой курантов всё это выпить...

И вот, когда мы уже написали записки и вот-вот должны были начать бить куранты, раздался телефонный звонок в коридоре — звонила мама, чтобы поздравить нас. Я поговорила с ней и позвала к телефону Васю. И, пока он разговаривал, я подумала, а если подсмотреть, о чём он попросил «Дедушку Мороза», я ведь смогу исполнить его желание, купить то, о чём он мечтает. И я заглянула в его записку. «Пусть мама будет счастливее всех женщин!» — было написано там аккуратным детским почерком...

Лет с одиннадцати, когда начался переходный возраст, я с ужасом поняла, что мой сын от меня отдаляется, отделяется — в какую-то неведомую ни мне, ни ему жизнь. Мы оба от этого страдали. Особенно я, потому что не знала, как и чем ему помочь. Конечно, в таком возрасте для мальчика особенно важно, чтобы рядом был отец, мудрый, сильный и мужественный. А тут была я — вполне мужественная и сильная, но — мать...

Сыновья

Я могу только предполагать, как переживал Вася появление брата Александра. Но внешне он вёл себя молодцом и очень по-мужски. Он взял на себя заботы о Сане в моё отсутствие. Он мог и покормить, и помыть, и развлечь младенца — хотя последним не очень-то баловал своего братца.

Когда Саня немножко подрос, Вася, покормив его ужином, отправлял спать. Просто выключал свет и строго, «по-мужски», говорил: «Спокойной ночи!» Саня не сопротивлялся, брата Василия слушался, но до моего прихода не спал — сидел в темноте и ждал... Как-то прихожу часов в одиннадцать с озвучания на телевидении. В доме тишина. Василий выходит меня встречать в коридор. «Спит?» — спрашиваю я, кивая в сторону комнаты, где жили мы с Саней. «Давно!» — отвечает Вася.

В это время раздаётся громкий крик: «Мама!» И из комнаты вылетает Саня. Одетый. Сна ни в одном глазу!..

Василий ахает: «Ну и сын у тебя! — изумлённо говорит он. — Два часа молча просидел в полной темноте!..»

Уложить Саню было занятием совсем непростым. Для начала надо было его отловить: он бегал по комнате — по спинкам кресел и дивана, а казалось, что и по стенам — с лёгкостью и скоростью непостижимой.

Потом, уже умытый и переодетый в пижамку, он начинал фонтанировать просьбами: «есть — пить — на горшок — почитать — рассказать сказку — включить магнитофон». Он тоже любил послушать что-нибудь из детских спектаклей. Но ещё больше любил слушать мои сказки, которые я сочиняла «на ходу»...

Как правило, я засыпала раньше, но периодически включалась, чтобы по его требованию «продолжить рассказ». И только немножко поспав, я вставала и шла на кухню — писать рефераты и стихи, готовиться к экзаменам, и готовить обед на следующий день, и стирать бельё...

В принципе, всё это делалось одновременно, параллельно: кипел суп, стрекотала стиральная машинка, стучала пишущая...

Но это было моё время. И самое счастливое время в моей жизни. Спали дети. Спали кошка Мурка и пёс Томка. В доме царили покой, умиротворение и гармония. И сердце моё переполнялось радостью!..

По большому счёту, квартира была не слишком удобной. В одной комнате жил Вася. В другой — я и Саня. Работала по ночам я на кухне, которая была далеко в конце коридора, и мне приходилось периодически бегать проверять, спит ли младший. На кухне я принимала поздних гостей, когда нужно было, чтобы разговоры не мешали детям спать. А вообще, под гостиную была приспособлена прихожая, в которую я втиснула мебель загорской (Сергиев Посад тогда ещё был Загорском) фабрики, стилизованную под старину: шкаф-буфет, стол, два стула и диванчик. В этой «гостиной» проходили все семейные торжества. Там же снимались многочисленные интервью и передачи для разных каналов. И ничего — никаких комплексов, хотя тесно было — не повернуться. Зато был длиннющий коридор, который вместил все многочисленные полки с книгами, а на противоположной стене Саня устраивал постоянно свои выставки рисунков. Он рисовал много, быстро и сериями с продолжениями. И — очень выразительно и смешно, особенно смешными были подписи к рисункам...

Саня вообще был такой эксцентричный персонаж. Одна моя знакомая до сих пор вспоминает, как она пришла ко мне в гости. Саня спал. Мы потихоньку пили чай на кухне. Вдруг — звон, грохот. Я говорю испуганной гостье: «Это моя лягушонка в коробчонке едет!» И из-за поворота в коридоре на трёхколёсном велосипеде выезжает на огромной скорости двухлетний ребёнок с льняными волосами и абсолютно голый...

Сейчас вспомнила, как в этой же «гостиной» снимался один из первых выпусков передачи «Пока все дома». Молоденький Тимур Кизяков тогда был только ведущим и работал под руководством режиссёра. Это была одна из первых его передач. И вот сидим мы за столом: я, папа и шестилетний Саня. Причём для съёмки Саня «соответственно» оделся и вышел к телевизионщикам в моей шляпе и сапогах, в колготках в резиночку, которые собрались «в гармошку», и утверждал, что он мушкетёр...

Тимур задал вопрос о происхождении фамилии Варлей, и папа начал обстоятельно рассказывать. Саня внимательно слушал, а потом задумчиво сказал: «Вот, оказывается, откуда взялась наша фамилия...»

«А тебе нравится твоя фамилия?» — подхватил тему Тимур. «Честно говоря, не очень!» — ответил откровенный Саня. «Ну, а если бы у тебя была возможность выбирать, ты бы какую фамилию себе выбрал?» — продолжал расспрашивать неугомонный Кизяков. И, не задумываясь ни на секунду, мой младшенький ответил: «Ну, например, Дзержинский!»

Раздался «звук падающих тел» — это рухнули от смеха и Кизяков, и режиссёр, и оператор...

К сожалению, в передачу эта гениальная реплика не вошла — тогда как раз готовились сносить памятник Дзержинскому на площади его имени. А почему так ответил Саня, я поняла почти сразу — раньше на площади, рядом со станцией метро «Дзержинская», был замечательный «Детский мир», куда мы с Саней ездили за игрушками, за одеждой, а то и просто посмотреть, как начинают бить часы в самом большом зале и из часов выезжают любимые сказочные персонажи. Дети всегда ждали этого волшебства. Поэтому и фамилия «Дзержинский» у Сани ассоциировалась со сказкой, радостью и подарками...

Кино в «перестройку» практически не снималось — в основном «кооперативные» и «коммерческие» проекты, от которых я отмахивалась руками и ногами, потому что всерьёз к ним относиться было невозможно. Ну, например, за мной неделями ездил один так называемый «режиссёр», уговаривая сняться в его шедевре.

А сюжет там примерно такой: за парнем гонятся бандиты. Он влетает в метро и бросается целовать первую попавшуюся женщину. Приняв их за влюблённую парочку, бандиты пролетают мимо. Женщина приводит парня к себе домой. А живёт она... в грузовом лифте — там даже стоит двухспальная кровать, — потому что в её законной квартире... прорвало канализацию и квартиру залило г... Дальше следуют эротические сцены на двухспальной кровати... В лифте...

Правда!!! Не выдумываю! Этот режиссёр до сих пор вполне благополучно снимает. И даже снял «ремейк» «Кавказской пленницы»!..

Поэтому я предпочитала заниматься дубляжом, ездить выступать в концертах. Вполне хватало на то, чтобы прокормить детей. Чтобы спокойно можно было сидеть ночами и писать стихи...

Но иногда приходилось уезжать с концертами на несколько дней. Тогда в доме на Смоленской набережной появлялись папа с мамой, которые оставались с ребятами до моего возвращения...

И вот однажды, когда я приехала из очередной поездки, мама рассказывает мне, что была в гостях наша родственница, тётя Шура, и подарила Сашеньке золотой крестик. Я напряглась, потому что считала, что крестик могут подарить ребёнку только либо священнослужители, либо родители, либо крёстные...

А надо сказать, что в суете я так и не крестила своих детей. И тут я понимаю, что надо срочно их крестить. Звоню нашей тёте Шуре и спрашиваю, как она относится к тому, чтобы стать крёстной моих сыновей. Тётя Шура отвечает, что она счастлива, потому что одинока и всегда мечтала о детях...

Тогда я начинаю мучительно думать, кто же будет крёстным. И ничего не могу придумать. Но опять происходит удивительная история...

Много лет у меня был странный поклонник — майор-афганец, которого мы все звали майор Вова. Он писал письма, звонил, настаивал на встрече. Ситуация обычная после выхода на экраны «Кавказской пленницы». Писем тогда я получала мешки. Иногда отвечала. В этой переписке у меня даже появились друзья и подруги — немного, но зато настоящие.

Ленка и Сашенька

Долгое время мне писала незнакомая девочка из Витебска. Письма были умненькие и содержательные. Я начала ей отвечать. Девочка незамедлительно приехала. Вела себя настырно и навязчиво. Объяснить ей, что у меня своя жизнь, маленький ребёнок, куча проблем, — оказалось невозможно. Так она меня и преследовала. Приезжала в города, где гастролировал театр. Смотрела мои спектакли и фильмы. Очень точно и тонко всё рецензировала в письмах...

Постепенно я к ней привыкла. Да и она стала не такой агрессивно-экзальтированной. Потом мы с ней подружились.

Приезжая в Витебск, я бывала у неё дома. Необычная, творческая, славная и интеллигентная семья. Мама — известная детская писательница. Отчим — художник. Ленка тоже замечательно рисовала, да и писала талантливо — даже письма! Кроме того, она прекрасно пела. В конце концов она начала петь в какой-то группе, поехала с ней на гастроли, влюбилась в одного из музыкантов. И забеременела. А парень её бросил...

Она позвонила мне, рыдая. В семье начался кошмар: мама требовала, чтобы Ленка сделала аборт. И она уже была к этому готова! А срок беременности приближался к шести!!!

Я ей ЗАПРЕТИЛА ДАЖЕ ДУМАТЬ ОБ УБИЙСТВЕ РЕБЁНКА!..

И Ленка родила девочку Сашку, которая стала её счастьем, и радостью, и светом в окошке...

Я — Сашкина крёстная. Сейчас она уже взрослая. Вышла замуж за поляка, родила двоих детей. Муж-поляк — журналист. Ленка — бабушка пятилетнего Ерёмы и десятилетней Полины. Ездит к ним в гости. Они приезжают в Витебск.

Обо всей этой истории Лена бесстрашно, всё как есть, рассказала в витебской газете, где очень меня благодарила за то, что я не позволила ей совершить самую страшную в жизни ошибку. И, конечно, поведала о нашей дружбе.

К моему юбилею Ленка прислала мне сказки собственного сочинения — на мой взгляд, очень необычные и талантливые, написанные прекрасным языком. Это стало для меня открытием: Ленка — и вдруг сказки! Потом поняла, что моя подруга теперь дважды бабушка, поэтому всё как раз естественно и закономерно.

От её мамы, Маины Боборико, я получила в подарок книгу стихов. И для меня это тоже стало открытием, потому что до этого я читала только детские книги Маины Боборико. А стихи — удивительные. Вот непредсказуемая семья!..

Ну и, конечно, Ленка прислала мне письмо, фрагмент из которого я (естественно, с Ленкиного разрешения) привожу на этих страницах:

«...Здравствуй, мой давний и верный, любимый друг, моя Наташка!

Нет, не будем о возрасте, о минувших годах, пытавшихся подмять нас своими танковыми гусеницами, — мы всё те же и немножко другие. Но наступает в период зрелости такая пора, когда всё прожитое видишь под другим углом зрения, всех идущих или шедших по жизни рядом — ценишь на вес золота.

Твой вклад в мою жизнь неоценим!

Не знаю, как ты видишь нашу встречу в этой жизни, но для меня осталось большой тайной, как так случилось, что из тысячи писем к тебе ты заметила мои? И ответила. И попросила писать тебе. И предложила свою дружбу. Сейчас ты скажешь, что это было провидение. Я тоже знаю, что нет в жизни случайных встреч. Ты — пришла в мою жизнь, чтобы я стала ЧЕЛОВЕКОМ, и дала жизнь другому человеку, и получила в награду внуков, и была бы этим счастлива к закату своей жизни.

Вот они — эти плоды — на фотографиях. Семья Зелиньских из Варшавы: Саша + Тадеуш + Поля (10 лет) + Ерёмушка (5 лет).

Сашка преподаёт русский в Варшавском университете, собирается писать диссертацию, занимается для души фигурным катанием (!). Поля унаследовала наши способности к рисованию и пению, а Ерёмка — будущий инженер, большая умница.

Спасибо тебе!..»

Чувствуете, каким талантливым человеком написаны эти строки!..

Я счастлива, что благодаря моей непреклонной настойчивости Ленка в своё время родила. Получается, что с моей помощью выросло это прекрасное семейное дерево...

Вот так опять, слово за слово, я ушла от «магистральной» темы. Но о Ленке и Сашеньке я не могла не рассказать.

Кстати, дома у меня несколько Ленкиных замечательных рисунков и гравюр. И ещё она мне обещала прислать свои новые сказки. С нетерпением жду...

Майор Вова и батюшка Алексей

Возвращаюсь к истории с майором Вовой. Он долго писал эмоциональные письма, требовал встреч. Но в конце концов, видимо, решил, что «если гора не идёт к Магомету...».

Однажды, когда у меня были гости, я варила на кухне кофе, а вернувшись в комнату с подносом, вдруг обнаружила, что в компании сидит какой-то неизвестный мне человек и очень убеждённо рассказывает, что «обязательно на Наташе женится, а Васю завернёт в одеяло и вместе со мной увезёт к себе жить». Гости очень веселились...

Когда я поняла, что речь идёт о нас с сыном, я засмеялась и сказала, что вряд ли одиннадцатилетний Вася позволит себя «завернуть в одеяло»...

Как выяснилось, пока я возилась на кухне, раздался звонок. Кто-то из гостей открыл. В дверях стоял молодой симпатичный человек с букетом цветов, который сообщил, что он «к Наташе». Его впустили. И он с ходу начал рассказывать компании моих друзей о своей невероятной любви. Этот человек оказался майором Вовой...

Несмотря на своеобразную манеру поведения, он стал периодически возникать на горизонте. Продолжал писать романтические письма. И как-то постепенно превратился в странного, но постоянного «друга семьи»...

«Афганцы» вообще народ парадоксальный — война отложила тяжелый отпечаток на тех, кто воевал в Афганистане. В девяностые они вписывались трудно. Их травмы, ранения, искалеченная психика — мало волновали «хозяев жизни» того периода. И они сами выкручивались, кто как мог: объединялись в «братства», шли в охрану или «в бандиты». Многие пришли таким витиеватым путём к вере в Бога...

Я всё думала, кто бы мог стать крёстным отцом моим детям. И ничего не приходило в голову...

Сейчас, когда я вспоминаю, как мы с трёхлетним Саней вдвоём съезжали на санках с крутой горки во дворе на Смоленской, рискуя разбиться о ступеньки или чугунный забор, или как мой малыш съезжал с самых высоких детских горок, или как мы вместе катались на каких-то «мёртвых петлях» в парке, — меня охватывает ужас. Но тем не менее так было. Я была совершенно бесстрашная, и Саня тоже рос таким.

И вот однажды, когда мы с Саней собирались в очередной раз поехать в парк им. Горького, мне позвонил майор Вова и спросил, что я делаю и нельзя ли приехать в гости. Я сказала, что мы собираемся на прогулку. Он обрадовался и предложил нас до парка подвезти. Тут уж обрадовалась я. И майор Вова за нами заехал...

По дороге в парк он рассказал удивительную, почти мистическую историю: «Стою я в храме на службе. И мне очень понравилась одна девушка, которая стояла неподалёку. Служба закончилась. Я подошёл к этой девушке и предложил подвезти её до дома. Та обрадовалась, поблагодарила и сказала, что это очень кстати, потому что она опаздывает. И я её повёз. Подъехали к её дому, и девушка предложила к ней зайти. Я, конечно, с радостью!.. Она открывает дверь ключом. Мы входим, и к ней навстречу спешат муж и трое детей. Я в смятении. Но муж ласково приглашает меня к столу, пообедать вместе. Я сажусь. Мы обедаем. Хозяин дома предлагает выпить по бокалу за знакомство. Выпиваем. И тут меня, как всегда, понесло. Я рассказал, что я очень люблю Наташу Варлей и хочу на ней жениться. Хозяин дома в изумлении говорит: «Наташа Варлей?! Так я её хорошо знаю!..»

Короче говоря, выяснилось, что майор Вова попал в гости к Алексею Владимировичу Грачёву, нашему с Саней спасителю и ангелу-хранителю, врачу роддома. Но теперь он не Алексей Владимирович, а отец Алексей, потому что он окончил Духовную семинарию в Троице-Сергиевой Лавре... Не чудо ли?!.

Все «пазлы» сошлись. Я позвонила отцу Алексею, сказала, что не могла ему дозвониться и счастлива, что разговариваю наконец с ним. Он тоже искренне обрадовался и поведал, что ему пришлось уйти из дома, потому что родители не приняли его решения изменить свою жизнь — расстаться с работой в родильном доме и вообще с медициной и стать священником. Поэтому я и не могла его разыскать. Они с матушкой Ириной и детьми живут в квартире друзей, которые уехали по работе за границу...

Конечно, я сказала, что мне очень жаль, что он больше не работает микропедиатром, ведь он спасал жизни стольким новорождённым. Но отец Алексей мне ответил: «Спасение душ не менее важно. А потом — я буду помогать детям прихожан и как врач...»

Забегая вперёд, скажу, что, когда отец Алексей служил, в храме всегда стояли коляски, в которых сидели розовощёкие, сияющие младенцы. И это в Пасхальную ночь, когда служба длинная!.. Я спрашивала у родителей младенцев, как зовут детей. «Это — Параскева, а это — Феодосий». — «А почему такие необычные имена?» — любопытствовала я. «По святцам!» — отвечали родители.

Выяснялось, что медики им строго «не советовали» рожать, мол, дети или родятся уродами, или появятся на свет мертворождёнными. А отец Алексей говорил опечаленным родителям: «Всё будет хорошо — по молитве!..» И — вот что творит вера...

А когда я спросила у отца Алексея, не согласится ли он стать крёстным моих сыновей, он опять очень обрадовался и поблагодарил меня за то, что я «вверяю ему своих детей».

Мне пришлось сказать ему, что Вася уже взрослый и крещению сопротивляется. Что моя вина, что я не сделала это вовремя. Я очень по этому поводу переживаю и не знаю, что теперь можно сделать...

И отец Алексей пообещал с Васей поговорить. Он к нам приехал. Они с Василием совсем недолго разговаривали. И Вася, слава Богу, вышел и сказал, что он согласен...

Мои сыновья крещены в Богоявленском Елоховском соборе. До строительства храма Христа Спасителя это был Патриарший собор...

У меня стоит перед глазами всё, что происходило в тот прекрасный день. Мы сидели в маленьком домике-крестильне на территории храма: отец Алексей, тётя Шура, я с детьми и ещё две семьи с маленькими детьми — в ожидании таинства. Ждать пришлось долго — часа полтора, потому что священник, который должен был крестить, отпевал усопшего в соборе. Маленькие дети начинали то носиться по крестильне, то ныть...

А Саня, от природы «моторный», сидел на удивление спокойно и умиротворённо. Когда началось крещение, я не могла оторвать глаз от моих сыновей, такими они стали красивыми, так заблестели их глаза от огоньков свечек, которые они несли в руках, и просто — от вдохновения. Саня, обычно бледненький, разрумянился...

Когда мы уже подъезжали к дому на Смоленской набережной, я даже забеспокоилась — такой он был необычно притихший, — не заболел ли, и поделилась своими опасениями с отцом Алексеем. Но в тот момент, когда я открыла дверь в квартиру, Саня с диким «индейским кличем» бросился вскачь по коридору. «Нормальный ребёнок...» — улыбнулся отец Алексей...

Так у моих сыновей появились крёстные родители, а у всей нашей семьи — духовник. И началась совсем другая жизнь, которая теперь была тесно связана с церковной. Мы с Василием ездили на исповедь в храм в Крылатском к отцу Алексею, и я впервые почувствовала, что такое исповедь и причастие: когда грехи изливаются вместе со слезами, а потом ты как будто делаешься невесомой...

На праздники мы ехали в храм втроём — Вася, Саня и я. Сначала — в Крылатское, а потом, когда отец Алексей получил приход в Рождествено, — туда: в Пасху — на всю ночь, а утром, разговевшись, домой. Саню после крестного хода укладывали спать — в маленькую комнатку на втором этаже — в пристройке храма, потом будили его, чтобы причастить, и опять укладывали...

А после службы все поднимались на колокольню — в Пасху всем разрешено звонить в колокола!..

В отце Алексее было столько света и любви, что хватало на всех. Конечно, мы, его духовные чада, как и все чада, были эгоистичны и мучили его своими проблемами — день и ночь. Но он с такой готовностью и радостью откликался, что не всегда приходило в голову, что в такое время суток можно было бы и поберечь батюшку — ему и так тяжело: ранние службы, крестины, отпевания, он ещё преподавал сёстрам милосердия, помогал, как медик, молодым прихожанам-родителям и их детишкам. А ведь у самого — трое детей и молодая жена-красавица...

А ещё он занимался восстановлением храма Рождества Христова в Рождествено. Искал художников, которые будут расписывать храм, когда снаружи он уже был восстановлен, и батюшка нежно называл церковь «моя белая лебёдушка»...

Тогда к церкви от автобусной остановки шла дорога, которая, немножко поизвивавшись в берёзовой роще, приводила прямо к храму. Дорога к храму...

Помню, как я повела на исповедь к отцу Алексею своих студентов, когда в институте, где я преподавала мастерство актёра, начались какие-то пакостные интриги, поделившие курс на две части...

И вот мы шли по осенней грязной дороге. Вдруг деревья расступились, как в сказке. Перед нами стояла белая церковь с золотыми куполами — чистая, светлая. Девчонки заплакали. А у парней — заблестели глаза...

Если спустишься от храма по тропинке вниз к озеру — окажешься у родника со святой водой. В Крещение на озере вырубалась иордань — прорубь крестом, куда в праздник окунались все желающие...

Позже, когда на месте славной деревеньки Рождествено вырос «коттеджный посёлок Рождествено», дороги к храму не стало. Путь к нему, проходящий через этот посёлок, везде, где можно и нельзя, перекрыли шлагбаумы. И добираться до церкви теперь приходилось в объезд...

Деревянные домики одиноких старушек выкупили «новые русские», снесли их и построили на их месте безвкусные громадные дома. Озеро ушло. Родник иссяк...

Но это всё произошло уже тогда, когда не стало отца Алексея...

Пока он был жив, всё как бы озарялось его светом...

Я могла посоветоваться с батюшкой по любому вопросу. А их было много. Потому что 90-е годы не только расслоили общество на «богатых и бедных», но и внесли смуту в семьи. Люди, выросшие в советское время, верили напечатанному в газетах и журналах слову, верили словам, звучащим в телевизионном или радиоэфире...

«Комсомольская юность моя»

До 93-го года я была абсолютно аполитичным человеком. Нет, я была искренней и прилежной пионеркой, даже «членом совета отряда». Как меня не приняли в комсомол — я уже рассказала. А вот как и когда приняли — совершенно не помню. Хотите — верьте, хотите — нет. Но точно, когда училась уже в Щукинском. После «Кавказской пленницы» самая пора была «студентке, спортсменке, комсомолке» выступать на всяких съездах, участвовать в комсомольских мероприятиях. Вот я и стала комсомолкой. И участвовала — тоже добросовестно и искренне: выступала на трибунах с докладами «о проблемах творческой интеллигенции», делегировалась на всякие слёты и форумы...

Например, был такой симпозиум — «Молодые федералисты мира» (как тогда не знала, так и сейчас не знаю, что такое «федералисты», — мне объясняли, но я благополучно забыла). Помню только, что они, «федералисты», призваны были защищать народы Лаоса, Камбоджи и Вьетнама «от происков империалистов» (каким образом предлагалось их защищать — тоже не помню). Мы принимали какие-то резолюции, писали письма-воззвания, заседали. Выслушивали доклады маленьких лаотян, камбоджийцев и вьетнамцев на их птичьих языках...

На этот форум съехалось несметное количество гостей — «федералистов» из разных стран во главе с Люсьеном Хармегинсом, сыном министра обороны Бельгии, который совершенно определённо нас, советских, не любил. И вёл себя даже как-то агрессивно. Но нам велено было с этими «агрессивными» дружить. Мы и дружили — водили по музеям, концертам и театрам. Гуляли с ними по Москве. Ходили на Красную площадь...

Мне была поручена культурная программа. Вот я как раз и возила делегацию в цирк, театры, на дипломные спектакли в ГИТИС и к нам, в Щукинское. На «Снегурочке» Островского, где я играла Снегурочку, агрессия Хармегинса была сломлена. Он в меня влюбился, резко «помягчел», а когда мы провожали европейскую часть делегации на Белорусском вокзале, глаза Люсьена наполнились «скупыми мужскими слезами». И я не могу сказать, что меня это не тронуло. Люсьен стал присылать мне письма. Первое начиналось словами: «Дорогая моя Снегурочка из далёкой заснеженной Москвы...» (хотя «Молодые федералисты» приезжали к нам в конце мая, снегом не пахло и было очень тепло!). Потом пошли письма с приглашениями приехать к нему в гости, в Бельгию. «Если хочешь, приезжай с подружкой», — писал он. Люсьен был мне симпатичен, но отвечать на его письма я не стала, потому что наши взаимоотношения с Володей Тихоновым достигли апогея...

Перед отъездом «федералистов» по домам в ресторане гостиницы «Юность» (была такая у метро «Спортивная») был прощальный банкет. «Застолье» вёл первый секретарь ЦК ВЛКСМ Тяжельников, а я выступала в качестве «хозяйки бала»...

От Комитета молодёжных организаций, от ЦК и МГК ВЛКСМ я летала в составе творческих делегаций в разные страны...

Многие во время таких мероприятий «устраивали свою жизнь», решали многие проблемы. Мне же «комсомольская юность моя» принесла большое количество медалей и грамот от КМО, ЦК, МГК, РК и прочих организаций ВЛКСМ. И никакого «карьерного роста»...

В своём участии в комсомольской жизни страны ничего крамольного не вижу. Никаких «ритуальных сжиганий» комсомольских билетов, никаких разговоров о том, что я «была лазутчицей в чужом стане», не предпринимала, когда всё это ушло. Это история — моя и моей страны, которую я никогда не называла «ЭТА страна». Я жила, как считала правильным и справедливым, подлостей не делала, в суть не углублялась...

Я помню, как плакала мама, когда объявили по радио о смерти Сталина. Искренне плакали очень многие — соседи, знакомые. Был всенародный траур...

Меня это никак не тронуло. Я была слишком маленькой. Сталин для меня был человеком с портретов и из песен...

Спустя какое-то время, уже в Мурманске, одноклассница страшным шёпотом произнесла мне на ухо, что «Сталин — враг народа». Для меня это тоже было абсолютно непонятно, как это...

Хрущёвская «оттепель» памятна мне тем, что мы почти поверили, что может наступить момент, когда войдёшь в магазин и («каждому по потребности») — возьмёшь, что захочешь...

И ещё помню стук ботинком по столу в ООН, речи с подвизгиванием и навязчивое желание засадить всё кукурузой. И мультфильм того времени про кукурузу, которая пела:

Я — культура хлебная,
Я и ширпотребная:
Я и мыло, и картон,
И тройной одеколон...

Брежневское время было для меня фоном моей, уже трудовой цирковой жизни. Было спокойно, безопасно, стабильно. С самим Брежневым меня связывала дружба с Наташей Милаевой, дочкой Евгения Милаева, народного артиста СССР, циркового эквилибриста, который был женат на Галине Брежневой. Двойняшки, Наташа и Саша, были детьми Милаева от другого брака, но жена Милаева при родах умерла. Детей Галина приняла — она была человеком добрым, открытым, хоть и взбалмошным, и влюбчивым. Впоследствии она ушла от Милаева к молодому Игорю Кио...

Но в ту пору, когда она была замужем за Милаевым и родила ему дочь Вику, Наташа и Саша звали Брежнева «дедом».

Однажды Наташа пригласила меня поехать на дачу к «деду». И мы поехали. Дача была довольно скромной, а по сегодняшним меркам вообще «бедненькая», хоть и двухэтажная. Единственное, что поражало воображение, — кинотеатр в подвале дома (тоже не очень-то большой, просмотровый зал).

В общем, мы поели-попили, посмотрели какое-то кино и поехали по домам на одной машине, втиснувшись туда всей компанией, которая состояла из шести человек. Так что мне пришлось сидеть на коленях у Юры Брежнева, сына Леонида Ильича, красивого, синеглазого, худощавого и скромного парня...

Возвращение в девяностые

В 91-м году, в августе, мы были с маленьким Сашей на отдыхе в Доме творчества кинематографистов в Пицунде. И, как сейчас помню, мне было очень страшно за Васю, который остался в Москве. Ему было семнадцать лет, и я боялась, что он полезет на танки или баррикады. Телевизор показывал зловещее, как тогда казалось, ГКЧП, которое «хотело погубить нашу страну» (это потом стало понятно, что они-то как раз хотели её спасти!). Вместе со всеми я рыдала над гибелью трёх ребят, которые погибли под гусеницами танков. Спустя десятилетия я увидела те же картины во всех странах, куда внедрялись «оранжевые революции»...

Страшный перелом в сознании и прозрение наступили в тот момент, когда спускался красный флаг. Вот когда я поняла, что произошла подмена: торжество не демократии и свободы, которые нам были обещаны, а разрушения и предательства...

Ни страны, ни флага, ни гимна («ни страны, ни погоста...»).

Слово «русские» надолго выпало из нашего обихода. А слово «патриот» стало ругательством...

В 93-м году, после всех страшных событий, я дала большое интервью газете «Завтра» — целый разворот. Оно называлось «Жизнь смертью не заканчивается». Оно было обо всём — о жизни, о вере, о детях, о судьбе театра и кино, о поэзии и об отношении к политике тех, кто у власти. И целая полоса моих стихов...

Отец смолчал. А мама, естественно, ужаснулась и сказала, что теперь «из-за моей глупости квартиры мне не видать!». А документы на трёхкомнатную квартиру взамен двухкомнатной были уже несколько лет назад подписаны во всех инстанциях. Решение было «положительным», но квартиру мне всё не давали. В стране сменились и власть, и строй. Время шло, но жильё мне всё так же не светило...

А тут ещё это интервью...

Однажды я получила письмо от главы немецкой медицинской компании, в котором он приглашал меня стать попечителем одного из корпусов детского реабилитационного центра. Немцы этот центр построили в подмосковном городке Деденёво. Я отправила ответное письмо с согласием и с благодарностью «за оказанную мне честь».

В день открытия центра за мной заехала сверкающая чёрная машина — новенькая BMW — и повезла меня в Деденёво. Среди «попечителей» и почётных гостей были и Никита Михалков, и Наина Иосифовна Ельцина, и Юрий Михайлович Лужков, и Юрий Энтин, и много ещё знаменитостей — артистов, писателей, композиторов, политиков...

По тому, что Наина Иосифовна сама подошла ко мне, была очень приветлива и сказала, что «теперь мы будем часто встречаться», я поняла, что интервью моё она не читала. (Она тогда ввела в моду собирать известных женщин у себя на чаепитие.) Но поскольку впоследствии приглашений не последовало, я поняла, что УЖЕ ПРОЧИТАЛА.

А Лужков, увидев меня, побагровел и, здороваясь, что-то пробурчал. «Читал!» — поняла я. И вспомнила мамины слова. Но всё повернулось по-другому...

Мы записывали новый диск песен на мои стихи в студии звукозаписи в цирке на Цветном бульваре. В перерыве я пошла в цирковой буфет перекусить. За соседним столиком сидели Юрий Владимирович Никулин и Максим, его сын, о чём-то громко разговаривая. И вдруг я услышала: «Я сегодня иду на приём к Лужкову...» Неведомая сила меня подбросила и понесла к столику Никулиных. Пишу «неведомая», потому что не в моих правилах было влезать в чужой разговор и тем более о чём-то просить. Но тут я просто бросилась к Юрию Владимировичу со словами: «Юрий Владимирович! Пожалуйста, возьмите меня с собой!»

Зная мой характер, Никулин очень удивился и спросил: «Куда, девочка?!» — «К Лужкову!» — продолжила своё неадекватное поведение я.

Тогда Никулин начал меня расспрашивать, в чём дело и зачем мне понадобилось к Лужкову. А выслушав ответ, подумал немножко и сказал: «Нет, девочка! С собой я тебя не возьму — мне надо у Юрия Михайловича решить несколько проблем, связанных с цирком и с цирковыми артистами. А вот принять тебя я его попрошу...»

В тот же день Юрий Владимирович позвонил мне и сообщил, что договорился с Лужковым и тот меня примет — через два дня...

Через два дня я входила в кабинет Лужкова. Он сидел за своим огромным столом — сердитый и красный. Я поздоровалась и подошла. Он буркнул: «Ну!» Я так же кратко ответила: «Вот!» — и положила перед ним на стол пачку заявлений в разные инстанции с резолюциями «решить положительно» за семь лет! А сверху лежало моё нынешнее заявление с кратким изложением моих «хождений по мукам» — депутатская работа пошла мне на пользу: я знала, как входить в кабинет к чиновникам, по-деловому, не сокращая дистанции и не унижаясь...

Лужков пролистал бумаги, снял трубку и по громкой связи заорал начальнику департамента по жилью Сапрыкину: «Сколько можно издеваться над человеком?!» — «Над кем? Над кем, Юрий Михайлович?!» — засуетились на том конце провода.

«Да вот сидит передо мной человек, который занимает далеко не последнее место в искусстве и столько сделал для нашего кинематографа!» — шумел Юрий Михайлович. «Кто? Кто это?!» — допытывался Сапрыкин. «Наталья Варлей!» — наконец торжественно провозгласил Лужков.

«У нас сейчас нет подходящей трёхкомнатной квартиры! А давайте для её старшего сына дадим однокомнатную!» — предложил начальник департамента. На что Лужков ему ответил: «Вот когда своего сына захочешь отселять, тогда и давай ему однокомнатную! А для Варлей ищи трёхкомнатную!!!»

Аудиенция была закончена. Я поблагодарила Юрия Михайловича и пошла домой. А через день у меня в руках был смотровой ордер на трёхкомнатную квартиру в только что отремонтированном, отреставрированном и надстроенном доме № 13 по Мерзляковскому переулку, где мы прожили двадцать один год.

Только Сапрыкин оказался прав — Вася в этой квартире практически не жил. Когда начался переезд, он сообщил мне, что поможет мне переехать, но жить будет у Насти, они решили пожениться, и у них скоро будет ребёнок. И добавил, что «сам рос без отца и хочет, чтобы у его будущего ребёнка отец был...».

Обрушил на меня неожиданные новости и ушёл. А я осталась сидеть на диване в новой квартире с ощущением, что у меня вырвали сердце. Потом потекли слёзы. Потом я взяла себя в руки, стала уговаривать себя, что да, рановато, конечно, в двадцать два года становиться отцом, но... надо принять как данность происходящее и готовиться к новой роли — роли бабушки. Повсхлипывала ещё немножко и успокоилась. Взяла книжку и села читать. А буквы — плывут. Ничего не понимая, я протёрла глаза — всё равно не вижу...

На другой день офтальмолог выписал мне очки, хотя до этого у меня было стопроцентное зрение...

Последний месяц беременности Настя, Васина жена, жила на Мерзляковском. Мы гуляли по Никитскому и Тверскому бульварам вчетвером: я, Саня, Настя и собака Люся, а в Настином животе с нами прогуливался будущий мой внук — Женька!..

Внук Женька

Когда Женька родился, Настя из родильного дома приехала к нам на Мерзляковский. Целый месяц мы жили вместе, я помогала Насте, проводила такой «мастер-класс» по пеленанию, кормлению и купанию младенца.

А когда через месяц мы поехали на дачу в Опалиху, Женька поехал с нами. И так получилось, что сначала на дачу приехали я, Саня, Женька, кошки и собака Люся. Поэтому ребёнком занимались исключительно мы с Саней — купали, гуляли, кормили. И не просто справлялись с «родительскими обязанностями», но делали это с радостью и вдохновением.

Саня, как когда-то Василий по отношению к нему, вёл себя по отношению к Жене и с любовью, и с ответственностью. И с того времени занимался «воспитанием» племянника не меньше, чем родители. А пожалуй, даже и больше...

А я так просто расцвела, обретя ещё одного ребёнка. Поэтому, когда через две недели Настя с Васей неожиданно увезли маленького в Москву, я плакала, скучала и горевала.

Женя так и рос — то у папы с мамой, то у бабушки Лиды с дедушкой Серёжей, то у нас с Саней — всеми любимый.

Вася был тогда студентом. Но ему хотелось быть настоящим отцом семейства, который в силах самостоятельно обеспечить свою семью. Поэтому он устроился сразу на две работы — лаборантом в Институте современного искусства, где учился в мастерской дизайна и сценографии, и монтировщиком путей в метро. То есть он ночами обходил пути в метро, в пять тридцать утра выбирался на поверхность, шёл мимо молочной кухни, чтобы взять Женьке питание (Настя почему-то очень быстро решила не кормить материнским молоком), приходил домой, кормил малыша, стирал и развешивал пелёнки и шёл в институт, где сначала учился, а потом работал...

Естественно, при таком расписании невозможно было не надорваться. Как я ни уговаривала его бросить работу и нормально доучиться — гордость и самолюбие не позволяли ему принимать от меня помощь. Ему самому-то только исполнилось 23 года...

Отец Алексей, когда увидел Василия в этот период, озаботился. Он сказал и мне, и Васе, что от работы, хотя бы от ночной — «в этой преисподней» (так он назвал подземку), нужно отказаться, иначе будет нервный срыв. К тому же Василий перестал ходить в храм (а собственно говоря, когда?!), что тоже отразилось на его душевном состоянии — он стал измученным, уставшим, мрачным и неулыбчивым...

В результате Василий «обиделся», и когда он собрался Женю крестить, то обратился не к батюшке Алексею, а к священнику из ближайшей церкви. Отец Алексей ничего не сказал, но, конечно, очень огорчился...

Естественно, желая утвердиться в статусе «взрослого ответственного мужчины», Вася наделал много ошибок. Но — та же гордыня и самолюбие не позволяли ему ни поделиться со мной проблемами, ни прийти за помощью ко мне. А по-настоящему, ему нужно было позвонить батюшке — ведь у нас был такой любящий духовник! И он из любой ситуации помогал найти выход...

Однажды Настя позвонила мне в двенадцать ночи, перепуганная, и сказала, что Женя начал кашлять, у него поднялась температура и она дала ему парацетамол (младенцу!!!), и теперь у него температура ниже тридцати пяти... Я заметалась по дому. Позвонила батюшке. И он велел мне срочно ехать и делать Жене согревающий компресс, чем-то там поить, чем-то там растирать...

Я вылетела на улицу — зима, холод, улицы пустые, машин нет, мобильных тогда ещё не было. И я бегаю за пролетающими автомобилями — в отчаянии. Наконец останавливается одна машина. Я, не глядя, прыгаю в неё, соглашаюсь на сумму, которую мне диктует водитель бандитского вида, хотя это у меня вообще последние деньги. Приезжаю в Марьину Рощу, где живут Настя и Вася (он, понятное дело, в метро — на работе!), Женька, бледный и безжизненный, лежит в кроватке. Я беру себя в руки, делаю всё, что мне велел отец Алексей...

Через некоторое время «оживший» Женька лежит у меня на руках и пьёт из бутылочки тёплое молочко. Я прижимаю к себе этот бесценный «свёрток». У меня сохранился снимок того времени — я, измученная, но счастливая, с Женькой на руках...

Летом Женька жил то у нас на даче, то у Лиды с Сергеем — бабушки и дедушки с Настиной стороны. Александр оттачивал на нём уже тогда проявившиеся свои режиссёрские таланты. Снимал на камеру фильмы, клипы, интервью. Иногда в его фильмах снимались «приглашённые артисты» — соседские ребята, дедушка Володя, кошки... Но всё-таки главным его артистом, главной моделью был Женька — «мачет Зеня» (мальчик Женя себя так называл). И это было очень здорово!..

Саня, став профессиональным режиссёром, снял несколько короткометражных художественных фильмов, некоторые получали призы на фестивалях. Но я до сих пор считаю его гениальным режиссёрским творением трилогию «Звездолётчик Женя», которую он снимал на Кипре и у нас на Мерзляковском, когда самому Сане было 14 лет, а Женьке — четыре. Пересказать это невозможно — это нужно видеть! Но те, кому довелось посмотреть этот фильм, снятый как серьёзный фантастический, рыдали от смеха до слёз...

Сейчас мне очень жаль, что ни один из моих сыновей, ни внук не «отметились» в «Ералаше». Они были настолько разные: Вася — маленький умница и красавец, Саня — смешной блондин, тоненький, как Буратино, и очень подвижный, Женька — розовощекий, косолапый толстячок. Но все трое — невероятно интересные и неординарные. Хотя, пожалуй, почти все дети интересны и талантливы от рождения...

У нас сохранились очень смешные магнитофонные записи, когда Саня «интервьюирует» Женьку, задавая ему вопросы по Священному Писанию. Евгений отвечает, не задумываясь, абсолютно серьёзно, но каждый ответ — настоящий перл!.. Ну, например, когда Саня спрашивает, чем питался святой Иосиф, когда скитался по пустыне, вместо того чтобы ответить «акриды и дикий мёд», мальчик говорит: «Он ел булу и носту пулиную (перевожу: «булку и ножку куриную»). И сразу понятно, что у ребёнка хороший аппетит и сейчас он тоже не отказался бы перекусить!..

Все Женькины дни рождения (да и не только Женькины!), все встречи Нового года, Рождества, Пасхи — обязательно проходили на Мерзляковском. И воплощалась мечта об огромной семье за столом — родители, дети, крёстная тётя Шура, Настя, Настины родители, Лида и Сергей, ещё кто-нибудь из друзей — Паша и Люба Мощалковы, Галя и Борис Селивановы — все помещались, все веселились, все были накормлены-напоены...

Как бы мне хотелось оказаться в том времени, поставить последнее блюдо на стол, внести торт со свечками, последней усесться!.. Но...

Ушли из жизни и папа, и мама, и тётя Шура, и Боря, и Галя Селивановы, и отец Алексей. А дети и внук — взрослые...

Женька дольше всех был «мой» — единомышленник, верный друг. Как ни смешно, было время, когда он возглавил «фан-клуб Натальи Варлей». Мы вместе пели и читали, летали на Кипр, собирали «Лего». Он показывал мне свои стихи. Вместе с милицией и следователями мы «прочёсывали» Тверской бульвар и дворы в поисках преступника, обворовавшего Женьку среди бела дня (и нашли!!!) — эта криминальная история заслуживает отдельного рассказа...

Вместе с бабушкой Лидой и дедушкой Серёжей мы были у Жени на «последнем звонке» в школе, на присяге — в армии, а потом приезжали к нему в дни посещений — то с Сергеем, то с Лидой и Сергеем, то с Саней. Василий ездил отдельно...

Вместе с Женькой и Саней мы ездили в Заозерье на праздничные службы в храм к отцу Сергию. Со мной внук впервые окунулся в ледяную купель в Крещение (потом мы окунались даже в 30-градусный мороз!)...

Вместе с Женей и Саней ходили в фитнес-клуб. Потом Саня стал ходить отдельно, а мы с Женькой — вместе: спортзал, бассейн, банька...

Летом на даче по вечерам он предлагал мне «пока посидеть в саду на качелях», чтобы приготовить ужин, сделать какой-нибудь новый соус, сочинить коктейль и пригласить меня за красиво сервированный стол с зажжёнными свечами. И мы ужинали и смотрели новый фильм, который потом обсуждали...

Вообще, у Жени была мечта — стать поваром. Но в этом его поддержала только я. Остальные пришли в ужас. В результате он поступил в Институт гражданской авиации...

Обретать профессию, к которой нет призвания, — для молодого человека беда. Тут редко бывает «стерпится — слюбится». И он, очень способный от природы, несмотря на то, что учёба всегда давалась легко, начал заваливать сессии...

В этом нет ничего катастрофического — не все студенты фанатично учатся. Многие заваливают сессии, потом сдают, пересдают...

Не в этом дело. Мне бесконечно жаль, когда меняется на твоих глазах человек. Хочется сказать ему: не надо совсем меняться, лучшее в себе оставь! Но... в любви к детям ты готов отдать всё без остатка, ни на секунду не сомневаясь в том, что это правильно, потому что ты видишь ответную любовь, и благодарность, и понимание. А потом... наступает момент, когда ты стараешься, из сил выбиваешься — и вдруг встречаешь не просто непонимание, а сопротивление, раздражение. И начинаешь думать: за что? Почему? Может быть, потому, что я сама уже не такая молодая, заводная, яркая и интересная?! Потому что не хватает энергии и внутренней силы увлечь за собой, взять в единомышленники...

В общем, «поезд ушёл, а перрон остался»...

Саня уже начал снимать квартиру, чтобы «пожить самостоятельно», а Женька, у которого были свои ключи и от дачи, и от квартиры, жил со мной...

Потом он решил пойти работать в бар бариста, чтобы были «карманные деньги», — появились девушки. Идея подрабатывать — совсем неплоха, если это не мешает учёбе. А тут — помешало!..

Завалил ещё одну сессию. Пошёл в армию. Год отслужил — полагала, что на пользу!..

372

А потом вдруг, втайне от меня, с мамой Настей, которая к тому времени уже жила в Италии в маленьком городке под Вероной с мужем-итальянцем по имени Ренато, они решили, что Женя должен учиться языкам в университете в Вероне. И Женя, только что восстановившийся в Институте гражданской авиации после армии, написал заявление об уходе...

Я узнала обо всём последней и в последний момент — когда был уже куплен билет до Вероны. Конечно, восприняла это как предательство и очень болезненно переживала...

Прошло время. Моя боль улеглась. Женя почти три года учится в Вероне. А уж как и чему научится — покажет время. Работает официантом в ресторане. Так что практически та же картина, только мизансцена другая...

К сожалению, Женя уже не самый близкий друг и единомышленник. «Европейский» менталитет рождает равнодушие и холодную отстранённость. Жаль! Очень надеюсь, что это временно...

Тяжело заболела бабушка Лида. Женя прилетал. Я счастлива была его увидеть. Но того искреннего, доброго тепла — нет. Или сегодняшние молодые люди прячут свои эмоции так глубоко, что и не увидишь...

Моя мечта, чтобы мои дети не просто «оправдали мои надежды», — эта мысль эгоистична и неправильна. Каждого из них Господь наградил от природы талантами, в каждом есть искра Божья. Только бы они не дали ей погаснуть, только бы она разгорелась, светила и грела — не собственное тщеславие, а согревала человеческие души и сердца! (Надеюсь, не слишком пафосно звучит?!.)

Когда я вижу на телеэкране потрясающе талантливых и целеустремлённых детей в передаче «Золото нации», я в пояс кланяюсь их мамам, папам, учителям — переживающих за них за кулисами. Потому что благодаря их любви и вниманию дары, которыми Господь наградил этих удивительных детей, замечены, развиваются, принесут пользу. Конечно, в идеале родители должны начать заниматься воспитанием детей, когда они ещё в материнской утробе, а дальше — вести по жизни, направлять, жертвуя своей карьерой, увлечениями, развлечениями. Но большинство взрослых, не подозревая, как коротка жизнь, часто жертвуют всем ради того, чтобы самому состояться в профессии, а иногда и ради того, чтобы «пожить в своё удовольствие»...

Ох, не люблю сравнений. Но... вслед за передачей «Золото нации» с гениальными детьми идёт передача «Субботний вечер», где «разнообразие» глупости взрослых и самовлюблённых... Стоп!.. Не обсуждать! Не осуждать!..

«Каждый выбирает по себе...» Собственную вину не отрицаю. Что не смогла, не сумела, уже не наверстаю. Остаётся только молиться...

Я верю в то, что за моих детей там, на небесах, молятся и мои родители, и крёстная тётя Шура, и отец Алексей, и отец Иннокентий...

Надеюсь, что им помогают молитвами и Нонна Викторовна, и Вячеслав Васильевич, и Володя. Правда, своего внука — Женьку — Володя увидеть уже не успел. Наверное, порадовался бы. Хотя представить Володю дедом — невозможно: ведь он умер в 40 лет...

Отец Алексей и отец Роман

Переезд со Смоленской набережной в Мерзляковский переулок был долгим и трудным. Хорошо ещё в ту пору не было такого сумасшедшего автомобильного движения, потому что приходилось ездить туда-обратно по многу раз.

Помогали все: и Ирин муж Коля, и цирковые — Слава Борисенко и Борис Руденко (тот, что когда-то отказался помогать мне в волгоградском цирке из-за того, что я не согласилась стать его женой!). Огромная нагрузка легла на Василия, который ночевал на Смоленской — упаковывал вещи в коробки, выбрасывал то, что считал ненужным, носил, грузил...

Наконец переехали. Квартира была просторная, большая, светлая, но... Видимо, строители, которые ремонтировали и реконструировали дом, за счёт этого очень сильно поживились. Практически всё в квартире нужно было менять: двери, окна, полы, сантехнику, проводку, выравнивать стены, клеить новые обои и т. д.

Но, как говорил Горбачёв, — «главное, нáчать!»... Вся квартира была заставлена коробками, но мы уже перебрались!.. Правда, Вася теперь жил у Насти, но мы с Саней и тремя кошками — Асей и её дочками Варенькой и Феней — впервые ночевали на новом месте («приснись жених невесте!»).

Как бы не так! Какой там «приснись, жених», если я всю ночь не спала — всю ночь котёнок-подросток Феня выла! Выла страшным, тонким голосом. Я начала было дремать, но вскочила от этого жуткого звука. Выбежала, натыкаясь на коробки и мебель, в коридор, пытаясь сообразить, что бы это могло означать, откуда звук. Поняла, что это воет одна из кошек. Решила, что кого-то из моих хвостатых чем-то придавило. Но, когда включила свет, увидела, что Феня стоит, глядя в сторону туалета, вся дрожит и воет. Что или кого она там увидела, невидимого нам, — об этом до сих пор можно только догадываться... Рядом — в смятении — мама Ася, которая пробует её успокоить, и маленькая пушистая трёхцветная Варька, которая тоже не знает, что делать...

Я попыталась подойти к Феньке, но та завыла на октаву ниже и ещё громче. Я пробовала её «уговорить», погладить — не даётся! Через полчаса она вроде притихла. Я пошла спать. Но вой раздался с новыми силами!..

Так продолжалось всю ночь — то затихая, то усиливаясь. Утром, когда проснулся Саня, я в ужасе рассказала ему о происходящем и пожаловалась, что не знаю, что делать. «Как что? — удивился мой разумный сын. — Возьми святую воду, побрызгай на Феньку, а я пока почитаю молитвы!» (Саня уже ходил в воскресную школу при Свято-Даниловом монастыре — по совету отца Алексея — и был вполне воцерковлён.)

И действительно, всё прекратилось и больше не повторялось, Фенька успокоилась. Но я, конечно, позвонила батюшке и рассказала о ситуации и попросила совета. Отец Алексей заволновался и сказал, что срочно квартиру надо освятить — мало ли кто здесь жил раньше и неизвестно, кто делал ремонт...

И мы договорились, что они приедут к нам на освящение жилья: батюшка с детьми и матушкой Ириной и близким другом отца Алексея, архидиаконом Романом, экономом Свято-Данилова монастыря...

На другой день мы встречали гостей.

Когда я вспоминаю об этом вечере — улыбаюсь светло и радостно. Батюшка освятил квартиру, и мы сидели за трапезой за столом среди не разобранных вещей. Матушка Ирина привезла для отца Романа целую кастрюлю рыбы, которую специально для него приготовила. Все остальные ели мясо, курицу, капустный пирог — это я приготовила для гостей. Но отец Роман — иеромонах и животную пищу не ел...

Судьба у отца Романа удивительная. Он был актёром «Ленкома». Когда я спросила его, почему он вдруг (и вдруг ли?) решил уйти из театра, он широко улыбнулся и пробасил: «Я в театре играл в детском спектакле лягушку! И вдруг однажды я подумал: «Ужас! Какими же глупостями я занимаюсь!..»

Отец Роман, отец Алексей и отец Сергий (он уже много лет, после ухода из жизни отца Алексея, наш духовник) учились вместе в семинарии в Троице-Сергиевой Лавре. Они — три самых близких друга.

Отец Роман — огромный, толстый, добрый, рыжий, громогласный. Они с батюшкой Алексеем замечательно пели на два голоса песни отца Романа. Отец Алексей аккомпанировал на гитаре. Эти удивительные песни звучат по сей день — и в разных домах, и в концертах, и в магнитолах машин православных. «Русь называют святой» — одна из самых известных песен о. Романа и о. Алексея...

А в тот вечер мы наслаждались их пением у нас дома. Сидели долго, почти до утра. Пели, ели, пили, веселились — батюшки были жизнерадостными и остроумными...

И освящённая квартира стала светлой и гостеприимной. В ней бывали и горькие моменты, но больше — счастливых и сердечных. И люди в ней бывали прекрасные — плохие не задерживались. Наше жильё освящали два батюшки — сами по себе невероятно светлые...

Одна из моих крестниц, Ирочка Фёдорова, рассказывала, что, когда отец Алексей входил в кабинеты мэрии, как будто солнце всходило — так становилось светло...

С Ирочкой Фёдоровой мы познакомились и подружились на депутатской работе. У нас был общий день приёма избирателей. Потом, когда я закончила своё «депутатство», Ирочка продолжила. Стала депутатом городского совета, а потом много лет служила в Государственной думе...

А дружба наша с Ирочкой продолжалась. И однажды вдруг выяснилось, что у неё проблемы со здоровьем — подозрение на онкологию. Вернее, это не было «вдруг» — Ирочка с мужем Михаилом с концертами своих авторских песен выступали в Чернобыле после аварии. В результате Ирочка заболела.

Я привела её на консультацию в онкологический центр на Каширке. Там работали родственницы Бориса Николаевича Полевого — дочь Алёна, а позже — внучка Настя, замечательные женщины и прекрасные профессионалки. Ирочке была назначена операция...

За два дня до операции я ей позвонила, сказала ей, что всё будет хорошо, она в добрых руках, чтобы не переживала. Но она призналась мне, что очень волнуется. Я ей пообещала за неё молиться. И тогда она мне сказала упавшим голосом, что за неё молиться нельзя, потому что она некрещёная...

Я спросила, а не было ли у неё желания креститься. И выяснилось, что она «много раз заходила в храм, но что дальше делать, не знала, а спросить не решалась... и уходила».

Я тут же позвонила отцу Алексею. И он живо откликнулся. На следующий день храм был закрыт — выходной, но батюшка всё организовал, договорился с одним из служителей храма, чтобы тот помог...

К нашему с Ирочкой приезду церковь была открыта, вода нагрета и стоял обогреватель — храм ещё не отапливался...

Ирочку отец Алексей крестил. Я стала её крёстной. Операция прошла благополучно. Ирины жизнь и карьера тоже сложились успешно. Она человек общественный, позитивный и талантливый. Когда я попадаю в тупик с решением проблем, связанных с бытом или законом, я всегда могу обратиться за советом и помощью к Ирочке...

Так же срочно нужно было креститься Лёше Полевому перед отъездом в Америку. И батюшка охотно это сделал...

Он вообще откликался на просьбы легко и радостно, если это было связано с пользой для души. А уж когда надо было собрать прихожан в храм на Пасху или Рождество, отец Алексей на своей маленькой машине курсировал от метро до церкви, как маршрутка, перевозя человек по десять за один рейс. И делал это с шутками, добрыми и ласковыми словами. И праздник начинался уже от метро...

На исповедь к нему всегда стояла длинная очередь — именно у него все хотели исповедоваться, потому что он никогда не торопил, внимательно и сочувственно выслушивал, давал советы...

В 96-м отец Алексей Патриаршим указом был назначен настоятелем храма Животворящей Троицы при институте им. Склифософского. Когда-то князь Шереметев после смерти своей любимой жены, актрисы Прасковьи Жемчуговой, построил в память о ней Странноприимный дом (приют для нуждающихся), а при нём — церковь, которая в советские годы была закрыта.

К тому моменту, когда отец Алексей был назначен настоятелем храма, там обосновался какой-то кавказский делец. В здании церкви он соорудил игорный дом, а под алтарём открыл ресторан с кощунственным названием «У покойника». Вот такое глумление! А так как церковь у нас отделена от государства, то никто, кроме служителей церкви, не может исправить ситуацию. А в данном случае — этим должен был заниматься сам отец Алексей, поскольку настоятелем был назначен он.

Вот такой замкнутый круг. Девяностые! Беспредел!.. Батюшка ходит по инстанциям, но никто ему помочь не может. Он обращался и к Лужкову, поскольку отпевал его тёщу, но и Лужков не стал помогать...

А владельцы ресторана и казино в «Склифе» начали отцу Алексею угрожать — и завуалированно, и открыто. Батюшка грустно рассказывал мне: «Я теперь знаю, что не умру своей смертью. Мне звонят и говорят: «Святой отец! Уйди с дороги! Хребет сломаешь...»

И, с одной стороны, вроде бы всё нескладно. А с другой стороны — жизнь налаживается: батюшка наконец получил долгожданную квартиру в Митино, недалеко от храма — «белой лебёдушки», где уже почти закончился ремонт и готовились к внутренним работам и росписи храма. (Батюшка, кстати, мечтал, что Вася поработает над росписью церкви вместе с художниками, и, кто знает, может, по-другому сложилась бы Васина судьба, если бы мечта отца Алексея реализовалась...)

В газете «Православная Москва» в начале 97-го года появилось интервью с отцом Алексеем, где он с радостью, счастьем и надеждой рассказывал о своей жизни, о том, что удалось, о храме, о семье, о детях, о квартире, о планах и мечтах, о любви к тем, кто рядом. Интервью называлось «Жизнь моя состоялась!». И мы все вздрогнули. Потому что верующие люди знают, что, когда человек выполняет свою миссию на земле полностью, Господь забирает его...

Четвёртого мая я готовилась ко дню рождения моего внука Женьки — 5-го ему исполнялось два года, и всё наше, тогда ещё многочисленное, семейство должно было собраться у нас, на Мерзляковском. Я пекла, жарила, резала салаты, готовила посуду...

И вдруг ближе к вечеру, часа в четыре, в комнату вбежал испуганный и расстроенный Саня и сказал: «Мама! Рафаэльчик умер...» Рафаэльчик — наш маленький черепашонок, названный так не в честь художника, а в честь одного из модных тогда «черепашек Ниндзя». Он прожил у нас года два — тихий и неприхотливый...

И я, неожиданно для себя, громко закричала — странная, не типичная для меня реакция...

На следующий день я готовилась к приходу гостей. Накрывала стол. Расставляла бокалы. Мы решили собраться часа в три...

Неожиданно позвонила Ира Баталова, близкий мне человек, одна из прихожанок храма, где служил отец Алексей. «Ты что делаешь?» — спросила она как-то осторожно и загадочно. Я ответила, что готовлюсь к приходу гостей. «А ты сидишь или стоишь?» — так же странно продолжила она. «Стою...» — растерялась я.

«Тогда сядь...» Я обмякла. И тут Ира зарыдала в голос: «Нашего батюшки больше нет!..»

С того дня прошло больше двадцати лет, но даже от воспоминаний я начинаю обмирать. А представляете, что со мной было тогда...

Накрыт стол. Все пришли. Привезли «юбиляра» — двухлетнего Женьку. Ничего уже не отменишь. Я глотаю слёзы, но угощаю гостей...

Дальше — «со слов» матушки Ирины и отца Сергия. Матушка Ирина рассказывала мне потом, что после Пасхальной службы, после детского праздника, после Светлой седмицы — отец Алексей и отец Роман решили поехать в деревню под Луховицы, где был дом отца Романа, где купил дом и отец Алексей, чтобы отдохнуть...

Пасха была в том году поздняя, но дни стояли тёплые. Я с Саней поехала к началу службы. Вася, который в последнее время не ездил к батюшке, всё-таки приехал в Рождествено, чему батюшка был несказанно рад. Вася приехал после работы, усталый и раздражённый, но приехал! И потом сам удивлялся, что же заставило его самого себя пересилить — видимо, предчувствие прощания...

А служба была радостная, и на колокольню поднимались после, и разговелись, и попели. А потом батюшка вызвался нас отвезти на машине домой и, как я ни сопротивлялась, повёз. И у него ещё были силы не только вести машину, но и шутить...

И вот через несколько дней после Пасхи отец Алексей и отец Роман решили поехать в Луховицы...

Матушка Ирина говорила, что она, тоже уставшая за праздники, когда отец Алексей уехал, легла и крепко заснула. А когда проснулась, «ни одна струна не дрогнула, никаких предчувствий не было...».

То, что случилось, случилось четвёртого около четырёх часов, как раз тогда, когда я закричала, узнав, что помер черепашонок...

А что случилось — до конца так никто и не узнал. Известно только, что, когда батюшка и отец Роман добрались до своей деревни, они решили съездить в соседнюю — в магазин, скорее всего, за хлебом. Между двумя деревнями шла абсолютно прямая и ровная дорога...

И вот на середине этой дороги, уже на обратном пути, что-то и случилось...

Перевёрнутая машина лежала справа от обочины. В ней — два святых отца с ДЕЙСТВИТЕЛЬНО ПЕРЕЛОМАННЫМИ ХРЕБТАМИ и со странно зажмуренными глазами...

Машина не помята. То есть они никого не сбили, ни от кого не уворачивались — следов встречной машины тоже не было... Как не было ни человеческих следов, ни следов животного...

Отец Сергий, третий их друг, поехал на это место. Побродив вокруг, он нашёл неподалёку канаву, которая проходила под дорогой. В канаве лежали пустые бутылки из-под дорогого спиртного и большое количество окурков дорогих импортных сигарет. Скорее всего, батюшек ждали. Скорее всего, полоснули лазером по их глазам, они потеряли управление и на большой скорости перевернулись...

Отец Сергий поделился наблюдениями со следователем. Через некоторое время они вместе поехали на место происшествия. В канаве было пусто...

Так это дело и осталось нераскрытым. Девяностые...

На отпевание батюшки Алексея приехали сто двадцать священников. Прихожан храма, духовных чад отца Алексея, тех, кому он помог как врач, и просто тех, кто его любил и хотел с ним попрощаться, оказалось столько, что в храме они не поместились. Пришлось вынести гроб с телом батюшки в церковный двор...

Я не могла осознать, что нашего батюшки больше нет. Представить себе, что в трудную минуту или в радости я не смогу ему позвонить или приехать к нему на исповедь, было невозможно. Проснувшись утром, я резко садилась на кровати, потому что мысль о батюшкиной смерти пронзала моментально. По щекам сразу текли слёзы, и я ничего не могла поделать с собой. Мама в конце концов не выдержала и сказала мне: «Возьми себя в руки! Посмотри, на кого ты стала похожа! Ты же актриса!..» Но не получалось «взять себя в руки». И не удавалось успокоить себя мыслями о том, что батюшка с нами, батюшка о нас молится. И собственные молитвы не помогали...

Позвонила Марина Викторовна — «любимый врач» отца Алексея, а потом и мой. И она подсказала способ смягчить боль — отправиться в паломнический круиз по северным рекам с посещениями монастырей: Толгского, Кирилло-Белозерского, Валаамского...

И мы с Саней отправились. Две недели мы плыли по рекам и озёрам. Молились в монастырях, большинство которых было в самой начальной стадии восстановления. В каждом монастыре оставляли сорокоусты о упокоении иерея Алексия и архидиакона Романа. Путешествие было непростым — на Ладожском и Онежском озёрах мы попадали в сильный шторм. На корабле было предостаточно «новых русских», которые «отдыхали» семьями и беспардонно тащили с ними «погулять», а объяснить им, что мне это совсем не в радость, было практически невозможно...

Но когда из-за поворота вдруг нам открылась строгая и чистая красота Валаама, когда видны стали проглядывающие сквозь пышную зелень деревьев золотые купола, описать состояние души можно только словами поэта:

> И счастье я могу постигнуть на земле,
> И в небесах я вижу Бога...

И как последний, очищающий и освящающий душу аккорд — монастырский хор, звуки которого улетали под купол храма, а потом в те самые небеса...

Мы вернулись в Москву, и я поняла, что могу жить, что рана утраты, конечно, не заживёт никогда, но с самой страшной болью, которая не давала думать ни о чём, кроме самой утраты, я справилась. И ещё я стала ездить на могилу отца Алексея — его похоронили рядом с храмом. Теперь я чувствовала связь с ним, я знала, что он слышит мои молитвы. А когда я опускалась на колени рядом с могилой, я ощущала то тепло, которое от неё шло. Это были тепло, доброта и любовь отца Алексея. Слёзы текли, но когда, поговорив с батюшкой, я поднималась с колен, мне становилось легко, как после исповеди...

Но... видимо, когда тебе приходит в голову, что ты теперь всё в жизни понимаешь, это чаще всего — результат гордыни. А вокруг — искушения, с которыми трудно справиться, и почти невозможно избежать ошибок...

Искушение

Итак, мы вернулись, успокоенные, насколько это возможно, очистившиеся душой и умиротворённые. Вот тут бы мне и вспомнить наставления отца Алексея...

Я спросила у него однажды, почему довольно часто после исповеди и причастия, когда ты выходишь из храма просветлённой, почти сразу начинают происходить неприятности — от мелких до крупных? И батюшка мне ответил, что за душу каждого человека постоянно борются силы зла, особенно в начале его воцерковления, или, бывает, ополчаются, если человек редко бывает в храме, или редко исповедуется и причащается. Тогда, выходя из храма после таинства, вдруг обнаруживается, что пропал кошелёк, или происходит что-нибудь посерьёзнее — например, заболевает кто-то близкий. А это сразу наталкивает на греховные мысли: «Как же так? У меня всё было хорошо, а сходил в церковь — и пошли неприятности! Может, лучше не ходить?» И — человек, ещё не окрепший в вере, прислушивается к этим мыслям, которые кажутся ему собственными. А это мысли от лукавого...

Вернувшись из паломнического путешествия, я чувствовала себя наполненной любовью, благодарностью и... ожиданием чуда. Я не сказала себе: «Стоп-стоп... А это откуда?» Я не подумала о том, что, помолившаяся в стольких храмах и монастырях, я уязвима. Наоборот, я чувствовала себя сильной. И — произошло то, что произошло...

Мы с Саней затеяли замену окон — те, которые нам достались вместе с квартирой, приходилось зимой заклеивать, потому что из всех щелей дуло...

Но когда новые окна были уже вставлены, выяснилось, что дырки в стенах, изуродованные подоконники и откосы должны теперь заделать совсем другие люди.

Тут и появились эти вежливые «кавказцы», которые «за небольшие деньги» соорудили что-то такое, что вообще не сохло. По «еврооокнам» текли горючие ручьи. В квартире стояли смрад и сырость. И было непонятно, что делать дальше...

И тут позвонил мой когда-то сосед по Суворовскому бульвару Миша Кожухов. Узнав про мои проблемы, он предложил «прекрасных мастеров», которые, по его словам, не только являются профессионалами, но с ними к тому же ещё и «очень интересно общаться...».

На другой день мне позвонил молодой человек, назвавшийся Володей, сказал, что он от Миши Кожухова по поводу ремонта, мы договорились, что он придёт через два дня. И он «на всякий случай» оставил мне свой номер телефона, кокетливо добавив, что «звонить ему можно в любое время, потому что он холостяк». Это «дополнение» мне очень не понравилось: я не люблю в мужчинах кокетства, да и в женщинах, честно говоря, тоже не люблю: жеманство, кокетство — чаще всего попытка прикрыть суть. Ну, а если это и есть суть — тогда совсем беда...

Через два дня я открыла дверь, и в квартиру стремительно вошёл высокий черноволосый молодой мужчина с огромной охапкой жёлтых цветов. Он театрально упал на колено (или на оба, не помню), поцеловал руку и сказал, что счастлив меня видеть, и, мол, спасибо за всё, что я сделала в кино. И назвался тем самым Володей, который разговаривал со мной по телефону...

С одной стороны, я не очень люблю такие «инсценировки», в которых есть элементы бразильских сериалов. А с другой стороны — приятно. К тому же душа-то «открыта для чуда»... Это потом я задавалась вопросом, почему цветы были жёлтые — ведь в народе считается, что это «цвет измены»...

В ту ночь я увидела странный и страшный сон. Приснилось мне, что в мою квартиру рвётся... чёрт — юркий и кривляющийся. Я стою в дверях и не пускаю его, но он проскальзывает, как змея, между моих ног и оказывается внутри квартиры. Я ловлю его — он ускользает и выскальзывает. Наконец мне удаётся его поймать, и я разрезаю его огромными портновскими ножницами на мелкие лоскутки. Но в тот момент, когда я уже облегчённо вздыхаю, лоскутки сползаются, и существо, похожее теперь на лоскутное одеяло, опять строит мне рожи и показывает «длинный нос»...

Вот такой сон. Но вот тут я как раз послушалась совета отца Алексея «не придавать значения снам». И — «не придала». И благополучно про этот сон забыла. А вспомнила о нём уже постфактум. И подумала, а не послал ли мне тогда этот сон-предупреждение сам отец Алексей. Но до осознания этого должно было пройти достаточно времени. Искушение тем и опасно, что всё воспринимаешь «с точностью до наоборот». И то, что со мной произошло, я восприняла... как «подарок от отца Алексея», как его благословение...

Ремонт в квартире шёл долго. Каждый день мы с Владимиром часами беседовали — утром, вечером, днём. Нам действительно было интересно вместе. И Саня потянулся к нему, а это для меня было одним из главных составляющих во взаимоотношениях с мужчиной. А Володя и играл с ним, и разговаривал по-взрослому, и даже начал было учить его водить машину...

Честно?! Мне хочется поскорее проскочить мимо этого факта моей биографии и забыть!!! Но это было. И это было моим самым большим заблуждением. Что это было? Любовь? Страсть? Желание любви? Радость обретения родственной души?! Возможность создания наконец настоящей семьи?! Да, наверное, всё-всё это было. Но с самого начала в нашу историю вплелись и предательство, и обман. Я увидела, переживала, но решила «закрыть на это глаза», «быть мудрой и простить... враньё». Глупости всё это! То, что начинается с вранья, не может вырасти ни во что доброе и хорошее!..

Это даже не смешно, но я собралась наконец прожить счастливую семейную жизнь, о которой мечтала. Я поверила в искреннюю взаимную любовь «до конца дней». Я решила, что за все мои муки, страдания и ошибки (и во искупление их!) батюшка Алексей вымолил для меня в утешение последнюю любовь. Ничто не казалось мне в ней бутафорским. Это сейчас, пролистывая всю эту, по большому счёту нелепую, историю, я вижу все фальшивые жесты, слышу все фальшивые звуки. Как же так?! Ведь я всегда обладала тонкой интуицией и абсолютным слухом! А — просто ОЧЕНЬ ХОТЕЛОСЬ ПОВЕРИТЬ. И... наверное, всё-таки что-то настоящее было...

Но... мои счастливые, сияющие глаза вписались в эту «мексиканскую мелодраму», видимо, из какой-то другой пьесы...

Мой герой, который взялся — ни много ни мало — осчастливить меня и моих детей, — оказался слабым. Желание увидеть в нём «героя» — в первую очередь не делает чести мне...

Что творит с женщиной любовь (или ожидание её!) и вера в неё — полагаю, предмет особого исследования: сколько обид прощено, сколько обмана и пошлости — оправдано, обелено и освящено...

Покойный отец Иннокентий сказал мне после нашего визита вдвоём к нему: «Наташенька, девочка! Я плакал, когда вы ушли. Я вздрогнул, увидев вас вместе!» А позже он советовал «не сердиться и не обижаться на Володеньку, молиться за него — он несчастный...». И я молилась, и старалась не обижаться. Так и металась между «чудовищем» и «несчастным». А почему?! Я ничего не могла изменить, но гордыня говорила: «Можешь!..»

Но это всё было уже постфактум...

Отец Сергий, друг отца Алексея, который стал нашим духовником, уговаривал меня подумать, подождать. Но... мы с Владимиром настояли и венчались. Венчание было в храме в Заозерье. Пел церковный хор — а он в Заозерье необыкновенный! Свидетельницей с моей стороны была Ирочка Баталова. С Володиной — его старый друг. Всё было красиво и светло. Но Саше в храме во время венчания стало плохо, и он вышел...

Наверное, Сашино чувство среагировало быстрее и тоньше...

«Доброе отношение» к моим детям быстро перешло в неприятие, а потом и в ненависть. Безосновательная попытка стать «в доме хозяином» — провалилась. Нежность, любовь и понимание сменились раздражением. И мы расстались. Это был мой, но единственно возможный в этой ситуации выбор. И единственный выход...

Боль затмевала свет. Я ходила в храм Большого Вознесения, подолгу стояла на службах. Отпускало...

Однажды во время службы ко мне подошёл молодой прихожанин и протянул сложенный в несколько раз лист бумаги. Он сказал, что наблюдал за мной долго. Видел нас в храме и вдвоём с Владимиром, и втроём — с сыном. И ещё он прочитал мои опубликованные в каком-то журнале стихи. Всё понял. Просит на досуге прочитать стихи, которые он написал. Я прочитала дома. Стихи хорошие, эмоциональные. Ну и конечно, в них о том, как «лежал поверженный Кавказ у ног спортсменки-комсомолки — а взгляд прекрасных карих глаз — как в сердце выстрел из двустволки...». И так далее. Не буду приводить их полностью — только последние строки:

> ...А в жизни всё не как в кино —
> В ней нет ни дублей, ни монтажной...
> И всё, чему не суждено,
> Звенит строкой в степи бумажной.
>
> А сколько в сердце припасла —
> Всего не выскажешь словами...
> А он... глупей того осла,
> Что всюду следовал за вами...

Как ни странно, эти стихи помогли мне немножко расправиться...

И можно было бы поставить на этом точку. Но...

У нас ведь всё-таки было много общего. Может, мне казалось? Да нет! Нам нравились одни и те же книги. Иногда я читала ему вслух... ·

Володя пристроил между стенами домов ещё одну, ставшую самой красивой в квартире, комнату — «для любимой»...

Мы слушали одни и те же песни. Я очень любила песни Николая Носкова и Олега Митяева. Володя тоже их полюбил. И мы вместе ходили на их концерты...

Кстати, в самом начале, когда ещё не поздно было всё остановить, я, включая радио, всегда почему-то натыкалась на одну и ту же песню Максима Леонидова:

> Где-то далеко гудят поезда,
> Самолёты сбиваются с пути...
> Если он уйдёт — это навсегда.
> Значит, просто не дай ему уйти...

У меня сжималось сердце. И я «не давала уйти»...

Володя был неверующим. Я помогла ему прийти к Богу. Надеюсь, это принесло свои плоды, если приход был искренним...

Но есть главное, за что я ему благодарна. Думаю, что именно поэтому я не имею права вырывать из своей биографии эту страницу...

Когда тяжело заболел мой отец, мы с Володей забрали его из больницы к себе на Мерзляковский. И если бы не Володя, я не справилась бы ни за что! Он папу носил мыть в ванну. Мы водили отца гулять, пока он ещё мог ходить. Владимир относился к моему отцу с любовью и заботой, как к самому родному человеку...

Вот здесь я и поставлю точку. Я не буду вспоминать боль, горечь, обиды. Я скажу: СПАСИБО ТЕБЕ ЗА ДОБРОЕ, ХРИСТИАНСКОЕ ОТНОШЕНИЕ К МОЕМУ ОТЦУ, ВОЛОДЯ!

Было ли расставание для меня болью? Да, конечно, — и сильной болью, и растерянностью. И вот однажды, когда «в слезах и соплях» я сидела, размышляя над своей участью, позвонил мой друг, Володя Качан, и я вылила на него весь ушат своей горечи. Мудрый Вова помолчал, а потом процитировал мне строки из стихов Игоря Губермана:

...И понял я, что поздно или рано,
И, как бы ни остра и неподдельна,
Рубцуется в душе любая рана —
Особенно которая смертельна...

Я записала эту цитату на первой странице своей записной книжки. Я читала эти строки каждый день. И рана зарубцевалась...

В результате я не «провалилась в старость», как могло бы произойти.

Как птица Феникс, я восстала, воскресла и пошла дальше.

Белый медведь

К своему 55-летию я чувствовала себя опять молодой и полной сил. Самой себе я написала поздравление к этой дате, в котором были такие слова: «Я ставлю сегодня себе две пятёрки...» Ну и так далее в том же духе...

Действительно, несколько лет было очень плодотворных. Много гастролировала со спектаклями, было много концертов и встреч со зрителями. Я записывала новые песни, писала новые стихи. Участвовала в акции «Любимые артисты — труженикам Подмосковья», которая была проведена по инициативе кандидата на пост губернатора Подмосковья Бориса Громова. Пришлось исколесить всю Московскую область, которая оказалась невероятно большой. Это было очень тяжело, потому что дороги в области, мягко говоря, не везде нормальные (слово «хорошие» не подходит). Полдня в дороге, 2–3 выступления, к ночи возвращались...

Иногда приезжали к клубу, ржавый замок, который висел, видимо, с начала «перестройки», открывали. Мы входили в отсыревшее помещение с двумя розетками по стенам, с одной лампочкой под потолком, с провалившейся дощатой «сценой» и лавками в зале. Но «у нас с собой было»... Устанавливали и свет, и аппаратуру, и генератор, чтобы всё это заработало. И потом два часа я не сходила со сцены. Народ был в восторге. Я уезжала, а на крыльце стояли, провожая меня, жители этого посёлка, и девочки-подростки плакали и спрашивали: «А вы не могли бы к нам приехать ещё завтра?!» Ради этого стоило жить. И, конечно, все дорожные муки забывались сразу, и, вдохновлённая зрительской любовью, я возвращалась в Москву, чтобы поспать несколько часов, а рано утром мы уже ехали в другую сторону Московской области...

Как-то мы отправились в город Рошаль. И так-то это очень далеко. А добирались мы вообще невероятно долго — по пробкам и плохим дорогам. Суставы и позвоночник меня к тому времени уже очень беспокоили. Я еле доехала. Приезжаем — на крыльце встречает директор дворца, приглашает попить чайку перед выходом. Я плетусь за ней и ворчу про себя, что никакого желания нет идти на сцену, все силы растеряла в дороге. А она услышала моё бурчание и говорит: «А вот вы сейчас на сцену выйдете, и силы появятся!»

И вот я вхожу в зал, битком набитый, иду по проходу на сцену под музыку из «Кавказской пленницы», которую включил местный радист, поднимаюсь по ступенькам. А там меня ждёт маленькая девочка, которая протягивает мне мягкого игрушечного медведя — в человеческий рост. Я беру его, целую девочку. А зал скандирует, хотя я не сказала ещё ни слова...

Выступление прошло замечательно — добрая энергия зала подарила и силы, и вдохновение. Так бывает, даже если ты представить себе не можешь после длительного и тяжёлого переезда или перелёта, где взять ресурсы, чтобы сыграть сложный спектакль или отработать концерт. И вот выходишь и мысленно посылаешь в зал: «Я люблю вас!» И зал отвечает тебе тишиной или аплодисментами. И это ответ, это условный сигнал: «И мы тебя любим...» Хотя бывает, что зал не откликается, особенно если спектакль начался по каким-то причинам с опозданием (по моей вине — никогда, я в театре — за два часа до начала, это железное правило!). И тогда приходится публику «завоёвывать» — такие спектакли играть во много раз труднее...

Так вот. Вернусь обратно в Рошаль 2002 года. После концерта директор, отпаивая меня чаем, рассказывала, какой для них праздник — мой приезд. Потому что они с начала «перестройки» всеми забыты. В когда-то промышленном городе жизнь замерла. Предприятия, в том числе и большой химзавод, закрыты. Они ничего не производят. Работы в Рошале нет. Взрослое население встаёт в четыре утра и добирается около пяти часов на электричке на работу в Москву, откуда возвращается к десяти часам вечера. Вот и вся жизнь...

Мне стало страшно. И стыдно за своё ворчание. Огромный белый медведь сидит у меня на диване уже шестнадцать лет...

Охватить географию моих разъездов по стране, да и не только по стране, а по всему земному шару — невозможно. Проще сказать, где я не была: в Антарктиде, в Австралии, в Новой Зеландии и в Индонезии.

А так — в некоторых странах я бывала по нескольку раз: например, в Шри-Ланке и в Сирии, в Бенине, в Германии, в Америке, во Франции и... список можно продолжать...

Добрые люди.
Фонд Николая Чудотворца

Как замечательно, что есть люди, готовые прийти на помощь даже тогда, когда самим нелегко! Какое счастье, что жизнь сводила меня с такими людьми! По чьей великодушной воле они оказывались рядом со мной в самые трудные, иногда казавшиеся безвыходными моменты?.. Господь помогал мне? Ангел-хранитель? Но помощь в последнюю минуту приходила чаще всего в человеческом облике. И я очень благодарна этим людям за то, что они услышали и откликнулись на Волю Божью — прийти и помочь...

Жаль, что я не могу написать ОБО ВСЕХ приходивших мне на помощь. Но они ВСЕ в моей памяти, в моей душе, в моём сердце. Чем я могу им ответить, кроме своей признательности, любви и молитв о здравии (а за многих, к сожалению, уже и о упокоении)?!.

О своём давнем падении на репетиции в театре я рассказывала. Травмы были серьёзные. Но отнеслись к ним несерьёзно практически все, в том числе и я — мне было просто не до этого: так складывалась жизнь...

Прошло много лет — вернее, «годы пролетели, как один день». И в какой-то момент травмы заявили о себе в полный голос. Вот тогда и начались проблемы. Мне стало не всё равно, сколько часов и на каком автомобиле ехать, сидя или лёжа, сколько лететь, на чём спать и есть ли в гостиничном номере ванна с горячей водой. А так как основную часть своей жизни я проводила в дорогах, то наступило время, когда между спектаклями (если такая возможность выпадала!) я лежала, наглотавшись болеутоляющих таблеток, перед спектаклями вынуждена была проезжать мимо поликлиник, чтобы мне сделали укол. Так и жила...

Мама однажды вдруг поняла, что я не «упархиваю» на гастроли, а вкалываю — через силы, через боль. Случилось это так.

Последние дни перед Новым годом для меня всегда были пределом физических возможностей. Потому что семейный праздник (а мне всегда хотелось, чтобы это был настоящий праздник с сюрпризами, подарками, неожиданным приходом Деда Мороза) я готовила практически всегда одна...

Конечно, помогал Саша. Но больше по «художественной части», потому что именно он был Дедом Морозом из года в год (первый Дед Мороз в его исполнении был десятилетним!). И часть подарков и сюрпризов «доставлялась» в его мешке, и он сам придумывал смешные загадки, вопросы и предложения «выступить с номером» для всех членов семьи и к нам примкнувших...

Ну, а я выбивалась из сил, затаскивая тяжеленные сумки с подарками и продуктами (а тяжести мне вообще было противопоказано таскать!). А потом готовила блюда для новогоднего стола, накрывала, сервировала, писала открытки, раздобывала ёлки (именно ёлки, потому что у нас было принято, чтобы в каждой комнате было своё новогоднее дерево!)...

И вот после встречи Нового года мы все разошлись по разным комнатам. Все заснули. Мы с мамой легли спать вместе, разложив во всю ширину диван. Мама уснула, а у меня от хозяйственных перегрузок так разболелись позвоночник и суставы, что я, конечно, не могла не только заснуть, но и лежать. Я встала и начала делать гимнастику — всякие растяжки — в надежде на то, что хоть немного полегчает. Куда там! От боли по щекам текут слёзы...

Неожиданно я почувствовала, что мама не спит. Поворачиваюсь — она сидит в постели, смотрит на меня с ужасом и говорит: «Бедная ты моя! Оказывается, ты так мучаешься!» И с того момента у неё как будто открылись глаза на мои болячки и на мою профессию...

Не буду долго описывать мои «хождения по мукам» — по всяким клиникам и врачам, которые опробовали на мне все «новейшие средства медицины», вкалывали в суставы дорогостоящие уколы. Но уже ничего не помогало. И в результате приговор был суровым — необходима операция по замене сустава.

Я вернулась домой в полном отчаянии. Два дня лежала, уткнувшись лицом в подушку. А потом позвонила отцу Сергию...

Отец Сергий посоветовал мне съездить в Боровско-Пафнутьевский монастырь к отцу Власию — старцу и провидцу. И моя подруга Лариса и её муж отвезли меня в Боровск.

К старцу просто так попасть невозможно — к нему своей очереди ждут по нескольку дней, живя в местной гостинице.

Но я попросила заблаговременно свою другую подругу — Галю, которая живёт недалеко от Боровска, в Малоярославце, заранее записать меня на приём. У отца Власия тогда секретарём был замечательный человек Андрей Андреевич Смирнов. Он сразу откликнулся на Галин звонок — и сказал, в какой день и к которому часу можно подъехать...

Конечно, я очень волновалась. Но когда я вошла в келью к отцу Власию, увидела его добрые, всё понимающие глаза, немножко отлегло. А когда он вдруг запел «где-то на белом свете», мне стало совсем легко, и я заулыбалась.

Отец Власий сказал: «Деточка! Если бы ты пришла ко мне хотя бы год назад, я бы тебе помог сам. А сейчас уже нужна операция — сначала одной ножки, а потом другой. Только делать операции ты должна в Германии!» Я опешила: «Как в Германии?! А где же взять деньги?!» И отец Власий спокойно и уверенно ответил: «Деточка! Деньги найдутся!»

И я поехала домой, нагружённая подарками от старца — конфеты, иконы, молитвы — и невероятно радостная, впервые за долгое время. Хотя, по большому счёту, ситуация усугубилась — ведь старец сказал, что оперировать нужно обе ноги, да ещё в Германии. Но я, как ни странно, ехала и радостно улыбалась...

Когда мы вернулись в Москву, я позвонила маме и подробно рассказала ей о том, как встречалась с отцом Власием. И мама на другом конце провода тоже заулыбалась и сказала: «Какое счастье!» Видимо, отец Власий вселил в меня такую уверенность, нет, ВЕРУ в то, что всё будет хорошо, что она передалась и маме!..

Начались поиски клиники в Германии. Я действовала «методом тыка» и натыкалась-таки на какие-то авантюрные организации, «гарантирующие лечение и отдых» в Германии, Швейцарии и других странах. Но цены назывались такие, что непонятно было, что делать дальше. У меня опускались руки...

Помогла Ирина — подруга, жившая со мной в одном подъезде, — она связала меня с Василием Горбачёвым из Кёльна. Он окончил наш Первый медицинский и работал в Германии. К Горбачёву Михаилу, он, слава Богу, никакого отношения не имел! И мы обо всём договорились, я переслала анализы и снимки. Вскоре был назначен день операции — 13 мая. Это была пятница. И в немецкой клинике в маленьком городе Мехерних меня спросили, как я отношусь к тому, что операция будет В ПЯТНИЦУ, ТРИНАДЦАТОГО? Я ответила, что не суеверна...

Оставалось только найти деньги. То, что было у меня в наличии, назвать деньгами было нельзя. Оставалось совсем мало времени, да ещё майские праздники впереди, когда вообще никого не найти...

А сумма была очень большая. Союз кинематографистов обещал помочь, но что-то не торопился...

Не буду утомлять подробностями. Но... началось с того, что Ирочка Жорж, моя партнёрша по спектаклю, позвонила мне и сказала, что их с Володей (её мужем) друзья, банкиры, готовы целевым назначением перечислить мне на лечение деньги. Сумма была невелика, но это было начало. Я очень благодарна Ирочке и Володе за то, что они первыми откликнулись...

А дальше уже пошло — «копеечка к копеечке». Очень многие мне помогли — кто сколько мог, но от души... Иосиф Кобзон сам улетал на лечение за границу, но связал меня со своим офисом и тоже мне очень вовремя помог! Дай Бог ему здоровья! Он очень добрый и готовый прийти на помощь человек!..

Наконец сумма набиралась — с учётом того, что обещал выделить Союз кинематографистов. Уже был взят билет на Дюссельдорф. Оставался последний день, когда можно было перечислить деньги, — наступали праздничные дни. И тут один из секретарей Союза просто убил меня сообщением, что сумму сокращают чуть ли не в половину!.. Я звоню в банк, куда должна была привезти деньги, чтобы их перечислили на счёт немецкой клиники, и рыдаю в голос!..

И девушка на другом конце провода с символическим для ситуации именем — Надежда — просит перезвонить через десять минут. Я звоню и выясняю, что за это время она связалась с Никитой Сергеевичем Михалковым, объяснила ситуацию, и тот выделяет из своего благотворительного фонда необходимую сумму. До конца своих дней я буду благодарна Никите Сергеевичу за мгновенную реакцию и помощь. Перед отъездом на операцию я написала ему письмо, в котором сердечно благодарила его и желала ему и всей его семье здоровья и благополучия. Я молюсь за него — ведь действительно человек познаётся в беде...

Сама я тоже не сидела сложа руки. Я подрядилась работать на все майские праздники. Улетала я 10 мая. А девятого мая я ещё вела огромный концерт в двух отделениях — на каблуках, как андерсеновская Русалочка, превозмогая боль. Но мне надо было хоть какие-то деньги оставить дома и хоть немножко взять с собой. После концерта я заехала к маме на Дмитровское. Привезла ей цветы и подарки: ведь она тоже внесла свой вклад в Победу — в эвакуации, будучи ещё школьницей, работала на оборонном заводе! И очень гордилась тем, что это и её праздник!..

Мама была счастлива безмерно! Она никак не ожидала, что я успею с ней до отлёта повидаться, да ещё поздравлю. Она сияла и всё повторяла: «Нет, ты святая!» — и это обо мне, грешной!!!

В Дюссельдорфе меня встретил Василий Горбачёв и повёз в Кёльн. Там сразу же повёл меня в Кёльнский собор, действительно необыкновенный. Я, конечно, почти не могла идти от боли, но красота и величие собора на меня произвели огромное впечатление, хотя мне больше всего на свете хотелось прилечь, и Василий отвёз меня в отель, где я переночевала.

А на другое утро мы поехали в клинику в Мехернихе. Меня быстро провезли по кабинетам, чтобы сделать обследования. Всё это заняло не больше часа — чётко, спокойно, без очередей и задержек. Остаток дня был свободным, и я решила прогуляться по маленькому уютному городку.

Вечером ко мне зашла медсестра Лиза — крупная рыжеволосая молодая немка из наших, переехавших в Германию из-под Семипалатинска. Поэтому она хорошо говорила по-русски. И я должна была ответить ей на вопросы анкеты перед операцией. Вопросы, в общем, стандартные, но один меня немножко вывел из равновесия. Она спросила: «ЕСЛИ ЧТО — кому звонить?» Я не сразу поняла смысл этого «если что», а когда поняла — стало не по себе. И дала телефоны сыновей. А потом она попросила подписать бумагу, смысл которой сводился к тому, что я не против переливания мне чужой крови в случае необходимости. Кровь проверяется, и возможность заражения через эту кровь всякими пакостными заболеваниями ничтожно мала. Но всё-таки такое может случиться. И я должна была подписать бумагу, что я предупреждена.

То есть выходило, что в любом случае, «если что» — они снимают с себя ответственность. Ничего себе — подумала я, но бумагу подписала, потому что хотела спать...

Под окном моей палаты, просторной и стерильно чистой, росло огромное раскидистое дерево, на котором днём и ночью пели птицы...

Я позвонила маме, пожелала ей спокойной ночи. Потом позвонил Саня и пожелал спокойной ночи мне. Засыпая, я подумала: отец Власий сказал, что всё будет хорошо...

Утром мне сделали сначала успокоительный укол. А немного позже — наркоз. Поэтому я помню только свои мысли, когда очнулась после операции: «Жива!» Боли не чувствовала, потому что болеутоляющие средства вливались в меня напрямую к месту, которое соперировано. Мало того, почувствовав боль, я могла нажать на кнопочку, которая висела у меня перед носом, и лекарство по трубочке опять бежало куда надо...

Первое, что я сделала, придя в себя, — позвонила маме. Она почти закричала от радости. И у меня появилось чувство, похожее на счастье. Самое удивительное, что оно меня не покидало до конца моего лечения и реабилитации в Германии. Мало того, в этом состоянии я вернулась в Москву и через два дня участвовала в концерте в МВТУ им. Баумана...

Откуда эта радость, эта эйфория? Ведь я перенесла сложнейшую операцию. Я не могла ни шевельнуться, ни повернуться от боли. По ночам (все полтора месяца лечения и реабилитации) мне приходили делать уколы в живот — чтобы не образовался тромбоз. И в течение дня меня не один раз кололи. На третий день пришёл спортивный врач и начал разрабатывать ногу, переворачивать меня с боку на бок — я старалась сдерживаться, но почти кричала — так нестерпимо больно было...

На третий же день мне принесли костыли, и тот же врач-тренер поставил меня и начал учить передвигаться по палате на костылях. На следующий день я на костылях ходила по коридору, и меня учили спускаться на них по ступеням вверх и вниз по лестнице. Потом я начала заниматься в спортзале — лёжа, потихоньку, не чувствуя ещё своего тела, а тем более соперированной ноги...

Потом я стала выходить во двор больницы. А к концу недели — расхрабрилась и начала выходить одна на костылях в город. Погода была прекрасная, и я радовалась тому, что возвращаюсь к жизни...

Каждый день я звонила маме — утром и вечером. Сыновьям — раз в день. Мне звонили из театра — и из антрепризы Пети Штейна, и Оля Самаркина, организатор гастролей антреприз Ольги Шведовой. Звонили друзья. Все ждали моего возвращения. Все за меня переживали. И это меня очень поддерживало. Но я не чувствовала себя «больной после операции» — мне было удивительно легко и хорошо. Во многом, конечно, и от атмосферы в клинике...

Каждое утро я просыпалась от радостного: «Морген!» — это входила «русская» немка Лиза, сияя так, как будто видеть меня — самое великое для неё счастье...

Маленькое отступление. Так же лучезарно улыбались все сотрудники этой клиники — от потрясающего хирурга-гения доктора Фитцека до волонтёров, которые помогали санитаркам выносить «утки» из-под больных. Такой менталитет. И такая школа. Мне рассказали, что для того, чтобы ДОПУСТИЛИ ДО ЭКЗАМЕНА, после сдачи которого можно было начинать работать медсестрой, человек ГОД должен прослужить в клинике волонтёром, выполняя любую сложную работу, делая уколы и разнося подносы с едой, вынося «утки» и отвозя больных на тяжёлых кроватях на разные процедуры — по этажам, лифтам. И всё — с улыбкой, бодрым настроением и абсолютным, искренним вниманием. И всё это — внимание!!! — СОВЕРШЕННО БЕСПЛАТНО. И если за этот год — ни одного замечания или, не дай бог, жалобы от пациентов, — тогда иди себе на экзамен. Если сдашь — тогда ты уже медсестра (или медбрат), и ты получаешь хорошую зарплату. Можно даже стать помощником врача (у нас нет такой должности в медицине), а это ещё выше рангом, и зарплата уже совсем замечательная...

Когда медсестра Лиза мне это рассказала, я задумалась. Я представила себе, как наших студентов-медиков на год отправляют на БЕСПЛАТНУЮ практику, к тяжёлым больным, ухаживать за ними, выносить горшки. Ну, с этим они, может, и справились бы. Но вот... чтобы не кислая мина на лице, а лучезарная улыбка...

По утрам сияющая Лиза делала мне укол, потом утренние «водные процедуры»: три дня после операции на руках поднимала меня, ставила рядом с кроватью и мыла. Потом я стала сама принимать душ. Когда я выходила из душа, на постели уже лежало белоснежное свежее бельё, а на столике стоял поднос с завтраком (завтраки, обеды и ужины я выбирала сама, отмечая в меню на неделю)...

Часто меня навещал врач, Василий Горбачёв. Кстати, во время моей операции он ассистировал доктору Фитцеку и накладывал швы — очень удачно, потому что Горбачёв некоторое время после приезда в Германию работал в косметологии, а потому — шов косметический...

Василий приезжал и привозил мне книги, потому что те, которые я захватила с собой, я быстро прочитала.

В этой же клинике в то же время лежал отец Василия, который тоже приехал из Москвы на операцию, только на сердце — если не путаю, то ему делали стентирование. Вася меня сводил к нему в отделение, познакомил. А когда мы (Васин отец и я) немножко оклемались, он повёз нас в местный Диснейленд (не помню, как точно называется немецкий парк развлечений), и мы катались на всевозможных аттракционах, я — откинув костыли в буквальном смысле...

И ещё меня навещали «наши бывшие немцы» — из Казахстана, Сибири, Поволжья... Их в Мехернихе оказалась целая колония. Они приходили, приносили — трогательно — кто кефир, кто коробочку конфет. Подолгу сидели, плакали, тосковали по Родине, с которой уехали, рассказывали, что никак не приживаются в Германии. «Там, в России, мы были немцами, — говорили они, — а здесь мы — русские».

К сожалению, когда рухнула, не без участия нашего «минерального секретаря» (так с лёгкой руки остроумного Лёни Филатова называли Михаила Горбачёва за его «антиалкогольную компанию»), стена, немцы из Восточного Берлина так и остались немцами «второго сорта». Ну, а «наши» немцы — попали в «третий сорт». Только тот, кто приехал в детстве, сумел адаптироваться. А взрослые в основном жили на пособие. Женщины с высшим образованием работали чаще всего уборщицами. Мужчины — в лучшем случае грузчиками или водителями фургончиков, развозящих продукты. Большая же часть — лежала на диване, грустя о прошлом и растрачивая пособие на пиво...

Мою палату приходила убирать «русская немка» — хмурая, неприветливая. Думаю, что она-то и «рассекретила» меня. И под конец недели тяжело было даже не то, что ко мне стекались бывшие соотечественники, — больно было за их сломанные судьбы...

Хотя, конечно, бывали исключения. Например, ко мне несколько раз приезжала счастливая пара: он, Фёдор, этнический немец из Белоруссии, художник, она — местная немка, плохо говорящая по-русски, но улыбчивая и доброжелательная...

Через десять дней Василий перевёз меня в Мармаген — городок совсем маленький. Среди лесов и полей — несколько улочек с домиками, как будто игрушечными или пряничными, с черепичными крышами и цветущими палисадниками. А немного в стороне от городка — многоэтажное здание реабилитационного центра...

Наши врачи, когда делают аналогичную моей операцию, требуют НЕ ВСТАВАТЬ С КРОВАТИ В ТЕЧЕНИЕ ТРЁХ НЕДЕЛЬ. А о бассейнах не разрешают даже думать как минимум ТРИ МЕСЯЦА.

Я уже рассказала, как буквально на третий день после операции меня начал «мучить» физкультурный врач. А в Мармагене меня сразу посадили на велосипед-тренажёр — крутить педали: сначала 5 минут, потом 10, потом полчаса. И сразу же назначили занятия в бассейне. Вот это было гениально: спускаться по ступенькам было ещё трудно, поэтому нас опускали на подъёмнике, а выходили из воды мы уже по ступенькам сами. Но самое главное — то, что ты СТУПАЕШЬ по дну бассейна и понимаешь, что нога — живая и ты скоро пойдёшь. И от этого хочется взлететь!!!

А ещё в Мармагене я любила гулять, проходила на костылях километра полтора: там в поле паслись рыжие коровы — красавицы с длинными ресницами. Скуча о своих кошках, я с ними здоровалась и беседовала. Они по-русски не понимали, но внимательно слушали...

Ещё через десять дней Вася Горбачёв перевёз меня в Бонн, в реабилитационный центр в Кайзер-клиник. И там я провела месяц. Главным врачом клиники был красавец — доктор Зойзер. Но главное его достоинство, кроме того, что он был прекрасным специалистом, было в том, что, во-первых, он помнил имена и фамилии всех пациентов, а во-вторых, увидев пациента издалека, он сиял счастливой белозубой улыбкой и приветствовал: «Морген, фрау Варлей!» Пациенты его обожали и улыбались ему в ответ. Своим позитивом он как бы программировал их на благополучный исход лечения.

Доктору Зойзеру я сразу заявила, что должна приехать через месяц в Москву БЕЗ КОСТЫЛЕЙ и желательно без палочки. Доктор изумился и спросил: «Варум?» (почему?) Я объяснила, что у нас очень «добрые» журналисты и не оберёшься фотографий на костылях в «жёлтой прессе». Доктор Зойзер понял и сказал, что теперь всё зависит от меня, — придётся усиленно заниматься, чтобы успеть накачать новые мышцы (ведь во время операции все мышцы и сухожилия перерезаются, а потом сшиваются).

Я вставала в шесть утра. Шла под душ, чтобы очнуться: я уже говорила, что по природе и по образу жизни, как и большинство творческих людей, — сова. Спускалась в кафе выпить кофе. И дальше — весь день я только и перебегала с одной процедуры на другую, из одного спортзала в другой... Бассейн... Массажи...

В результате, когда подруга Лариса приехала со своим мужем меня встречать в аэропорт Шереметьево, она удивилась, увидев меня на телеэкране в зале прилёта: «А где костыли?» — был её первый вопрос...

Через два дня я уже выступала в концерте...

Я вернулась домой счастливой и, как мне казалось, абсолютно здоровой. На даче в Опалихе я отправилась в магазин на станции за продуктами — без палочки. Но русские женщины ненормальные. Я набрала продуктов — и вес оказался неподъёмным. Я еле доползла до дачи — умоляя Бога, чтобы он позволил мне дойти, а не упасть замертво на полпути...

Больше одна я за продуктами на станцию не ходила. Хотя и сегодня я никогда не могу остановиться — и это нужно, и то, и во второй раз идти не хочется...

Почти два года я полноценно работала. Но потом вторая нога стала напоминать о себе — всё сильнее и сильнее. Отец Власий ведь предупреждал меня, что придётся оперировать и вторую ногу. Это «закон парных чисел»...

Я старалась отгонять от себя и боль, и мысли о том, что мне предстоит ещё одна операция. Потому что вообще непонятно было, где можно найти деньги на этот раз...

И вдруг мне звонят и приглашают в гастрольную поездку по Кубани и по кубанским станицам — вести большую концертную программу. В концерте пели звёзды: Ренат Ибрагимов, Тамара Гвердцители, Сергей Захаров, оперные певцы, выступал скрипичный детский ансамбль. Принимали на «ура». Жители кубанских станиц такие сердечные, такие гостеприимные! Каждый день мы переезжали на новую площадку, в другую станицу. А жили в гостинице в Ейске. Переезды для меня — всегда самое трудное. Усталость накапливалась. Нога начала болеть.

И вот однажды, когда мы возвращались с концерта, ко мне подошёл президент Фонда Николая Чудотворца — Михаил Иванович Чепель. Он сказал: «Наташенька! Я за вами наблюдаю всё это время. На сцену вы выходите на высоких каблуках и прекрасно держитесь. Но, когда заканчивается концерт, я вижу, что вам трудно идти. У вас какие-то проблемы?» И я ему всё рассказала. И тогда Михаил Иванович, ещё один мой ангел-хранитель, предложил помощь фонда — перевести деньги в клинику на операцию. Я растерялась. Михаил Иванович, человек невероятной доброты и душевной щедрости, меня понял и предложил не торопиться с ответом. А когда я пойму, что пришла пора делать операцию — все телефоны фонда у меня есть...

Мы вернулись в Москву. Я продолжала играть спектакли, сниматься, летать и ездить на гастроли. И хотя я чувствовала себя всё хуже и понимала, что долго так продолжаться не может, мне было неудобно звонить в фонд и просить о помощи. Гордыня, конечно, — ведь помощь была предложена искренне и от души...

И мне позвонили из фонда, не дожидаясь моего звонка, и спросили, не пора ли, «ножка ещё не созрела»? И я созналась, что давно пора. Тут же на счёт клиники были перечислены денежные средства. И я проделала весь тот же путь, что и два года назад. И так же прилетела не на костылях и без палочки...

Я молюсь о здравии тех, кто мне помог! Я молюсь о здравии Михаила Ивановича Чепеля. Теперь он иеромонах отец Михаил — вот так иногда поворачивается жизнь. Хотя во всех ипостасях — Чепель человек огромной души. И я очень ценю его доброе отношение к себе. А он называет меня сестрёнкой...

О старости и совести

После операции, лечения и реабилитации в Германии я по-настоящему поняла, чем принципиально отличается ИХ медицина от НАШЕЙ.

У нас сейчас множество прекрасных практикующих врачей, которые могут сделать операции не хуже, если не лучше. Есть современное высококлассное оборудование и оснащённые медицинские клиники и центры. НО...

Там идёт борьба за сохранение жизни и избавление от болезней и недугов — НЕЗАВИСИМО ОТ ВОЗРАСТА. То есть самоценна жизнь любого человека! У нас же существует «выбраковка возрастом»...

В немецкой клинике и в реабилитационном центре я была, наверное, самой «молоденькой» пациенткой с таким диагнозом.

А в Германии на такие операции ложатся старики и старушки, которым за восемьдесят, под девяносто...

И сразу предчувствую типичный для нашего менталитета вопрос: «А зачем им в таком возрасте делать операции? Доживали бы так!»

Вот и вся разница!!! У нас в этом возрасте люди «списаны», не нужны никому!.. «Возраст дожития...» А там...

В столовую на завтраки-обеды-полдники-ужины входили люди с палочками и на костылях, въезжали на инвалидных колясках. Но они были неизменно ухоженными, чистыми, душистыми, причёсанными (женщины — с укладкой от парикмахера: в клинике была парикмахерская, и с маникюром!). И все были принаряжены. Женщины меняли блузочки, надевали украшения. Мужчины — в чистых накрахмаленных рубашках, вечером — с галстуком. Было такое ощущение, что они приходят в клуб по интересам. И действительно, пообедав или поужинав, они долго не расходились — сидели за столами, улыбались друг другу и вели оживлённые беседы. Никаких «потухших глаз» и страданий об ушедшей молодости и утраченном здоровье... Что вы?! Всё впереди! Нас вылечат, а в жизни ещё столько интересного!.. Они ЖИЛИ ПОЛНОЙ РАДОСТИ ЖИЗНЬЮ!..

Ну почему в моей горячо любимой стране старики не живут ТАК?! Почему сидят на завалинке еле передвигающиеся и никогда не следящие за своей внешностью старушки, чьи старички уже умерли?!.

Где достойная их самоотверженной работе в течение всей жизни пенсия?!. Почему стоит у кассы бабушка, пересчитывая в сухонькой ладони мелочь, боясь, что не хватит на хлеб и молоко?!. А ведь, возможно, это бывшая учительница или библиотекарь. А может быть, это ветеран войны и труда, теперь получающая за свои заслуги от государства жалкие гроши! Почему?!

Почему ОБСУЖДАЕТСЯ, что в течение пяти лет все ВЕТЕРАНЫ должны получить полагающееся им жильё?! Да они же не доживут!!! Почему не ЗАВТРА, нет, СЕГОДНЯ — ведь их так мало осталось! Неужели не стыдно?!

А в это время по телевизору показывают светские вечеринки «высшего общества» (почему эта безвкусная свора, обворовавшая недра страны, — «высшее общество», почему она именует себя «элита»?!). А наглые детки «нефтяных и газовых магнатов» БЕЗНАКАЗАННО сбивают прохожих и демонстративно гоняют по детским площадкам на своих многомиллионных машинах?!. «Оштрафован на 5 тысяч рублей», — торжественно объявляют в сводках! ПОЧЕМУ?! Почему не сидит? Почему не конфискована машина?!. Не стыдно?!

В то же время по телевизору в новостных сводках показывают молодого и наглого начальника «Почты России» с жуликоватым лицом, выписавшего самому себе премию в конце года — 95 миллионов «за хорошую работу почты» (ха-ха-ха!), а полагалось-то ему... ВСЕГО 15 миллионов. Простите, за что?! Это что такое?!? Когда большинству жителей нашей страны такая сумма и присниться не может!!! Это как?!.

Или — немолодой нашей актрисе оплачивают лечение Чубайс и Ходорковский (так пишут, по крайней мере!). Спасибо им, конечно, за это, если это так, но они-то за какие заслуги получают эти десятки и сотни миллионов?! За то, что сумели «прибрать к рукам» бывшую государственную собственность, пока остальная часть населения в такт их речам «хлопала ушами»?!.

А актриса, звезда и красавица, — ладно уж, не хотела, но назову имя: речь идёт о Наталье Фатеевой, — почему она сама бедствует?! Ведь фильмы с её участием принесли стране такой доход!..

Эй, ребята у власти!!! Когда с телеэкранов льются речи о «прожиточном минимуме» и «потребительской корзине» — не стыдно ли вам?! Вы пробовали прожить, если «минимальная пенсия» намного меньше десяти тысяч?! А у «начальника почты» новогодняя премия — 95 миллионов (а положено было «ВСЕГО 15»)!!!

А какая зарплата у «начальницы» Центробанка?! Вам лучше не знать!.. Люди! Ау!.. (Если вы, конечно, люди!)

Как получается, что во властные коридоры выбираются (или пробираются!) люди без совести?!

Я очень люблю и уважаю Путина, горжусь им, желаю ему здоровья и многая лета! Голосовала и буду за него голосовать, потому что он вернул стране самоуважение, флаг, гимн и понятие «патриотизм», которое его предшественники успели сделать чуть ли не синонимом фашизма. Он сильный, именно такой лидер необходим нашей стране, окружённой странами, объединившимися в своей ненависти к России! Но... неужели он не видит, что происходит рядом с ним, внутри страны, среди его соратников?! Не до этого? Или не хочет видеть?!.

Добиться правды и сочувствия у людей без совести — невозможно! Что уж говорить о справедливом уважении к старости, которую НУЖНО поддержать и постараться создать все условия, чтобы она была достойной!..

Я помню день, когда у моей бабушки Таты случился инсульт. Вызвали «Скорую». Она оказалась не очень скорой, но всё-таки приехала. Молодой «эскулап», даже не осмотрев больную, разузнал у нас, что случилось, и спросил, сколько бабушке лет. Когда мы сказали, что ей 76, врач сказал буквально следующее: «Да что же вы старому человеку умереть спокойно не даёте?!» Это сказал врач!..

ВСЁ! 76 лет! Списан человек! Он уже не имеет права на жизнь и здоровье!..

Когда я рассказала об этом в Германии Васе Горбачёву, он не поверил, сказал: «Не может быть!» Может, к сожалению...

С бабушкой эта история произошла много лет назад. А что изменилось? Да к лучшему — ничего! Ведь медицина у нас теперь платная. Заплатил — мы тебя лечим, да и то не всегда, и особенно неохотно, если ты пожилой или, не дай бог, старый человек!..

Я уже замечаю, что, несмотря на то что у меня (простите за нескромность фразы!) «есть имя», чем старше я становлюсь, тем больше ко мне «теряют интерес» врачи. То есть пока ещё не старая известная актриса — лечить её интересно и даже престижно и даже можно «сдать» журналистам, что «у нас лечится известная актриса»... А дальше-то что?..

А дальше — даже сама профессиональная наша среда теряет интерес к «уходящей натуре». Я помню, как на одном фестивале «президент» этого сборища, глядя на сидящих на пляже наших великих актрис (а это были, между прочим, и Инна Макарова, и Алла Ларионова, и Римма Маркова, и Нонна Мордюкова!), сказал жуткую фразу: «Сколько можно бесплатно кормить этих пенсионерок?!» Вдумайтесь! Ведь эти «пенсионерки» создавали славу отечественного кино, а лучше-то, по большому счёту, ничего и не создано!..

И что, что-нибудь изменилось?! Да нет! «Пенсионеркам» на фестивалях сейчас тем более нет места! В то время как во всём мире зал встаёт, когда входят актёры, чьи имена прогремели десятилетия назад!..

НЕТ у нас уважения к старости — разве что в кавказских или азиатских краях, да и там поубавилось! Человек остаётся со своими проблемами, когда из него уже выжаты все соки. Он уже никому не нужен — не всегда даже собственным детям...

Нет у нас и понятия «за былые заслуги». Предположим, ввели такое положение: для представления к званию необходимо предоставить список работ ЗА ПОСЛЕДНИЕ ПЯТЬ ЛЕТ. А если актёр, отдавший кинематографу и театру всю свою жизнь, свои силы, свой талант, — последние пять лет болеет?! Ах, болеет?! Ну, так и пусть себе болеет на здоровье! Вон сколько у нас в очереди — молодых, наглых, скандальных, чьи имена-то никто не знает и лица путает, но зато они «не вылезают из телевизоров», перескакивая из чудовищных сериалов в не менее чудовищные «ток-шоу»... Стреляют глазками, вовремя «хлопочут лицом» перед начальством. Вот кто достоин званий, регалий, наград и похвал!..

А старики — кому они теперь нужны?!!

Когда у нас распался институт семьи? Когда семья — это все вместе, во главе с самым старым и уважаемым членом семьи (может, генетическая память и вызывала мои детские фантазии о дружной семье за большим столом?). Когда понятие «семья» обесценилось? В 17-м?! Может быть. Но ведь после войны, после с такими утратами доставшейся победы — те, кто остался жить, вновь научились ценить любовь, дружбу, семью. Не так ли?!

В 90-е попёрла идеология американцев: окончил школу — свободен, живи самостоятельно, живи, как хочешь, советов у родителей не спрашивай, лезть в «свою жизнь» — не позволяй! Ты — сам по себе, они — сами по себе! «Бой-френды», «пробная сексуальная жизнь», «секс-символы» — это откуда в нашей православной стране?!.

Вот и нет взаимной любви и уважения. Нет уважения к старшему поколению — тем более что не только помоечный Интернет, но и наше доблестное телевидение делает всё для того, чтобы у молодёжи было ощущение, что мы «и не жили вовсе», так, «жалкое, серое, голодное существование». И вот они — «живут», разучившись общаться, не вылезая из «гаджетов»... У них нет необходимости друг в друге! И нет необходимости каждый день слышать родные голоса — зачем, когда можно обойтись краткой эсэмэской? Изредка!..

На самом деле это трагично! Потому что, когда РВУТСЯ РОДСТВЕННЫЕ СВЯЗИ, растёт количество несчастных, по сути, одиноких детей-эгоистов, которые заморочены своими выдуманными проблемами и никогда НЕ УСЛЫШАТ одиноких и несчастных стариков, которые жаждут их любви, тепла и уважения...

Или — хотя бы понимания...

Встреча с родиной.
Леонид Сергеевич Мосин

Конечно, Родина моя — СССР, Россия. Я прожила здесь всю свою жизнь, и никогда у меня не возникало мысли уехать.

Но в Румынии, в Констанце, мама произвела меня на свет. Я зарегистрирована в Советском консульстве в Констанце. И несмотря на то, что меня в месячном возрасте уже везли на корабле в Советский Союз, в паспорте моём: место рождения — Констанца. И, конечно, я очень хотела побывать там, где родилась. Но как-то всё не складывалось.

И вдруг, когда мне было уже тридцать, я получила приглашение на Декаду советских фильмов в Румынию. Не раздумывая, согласилась.

Итак, через тридцать лет я попала на родину — прилетела с киноделегацией. Делегация у нас была маленькая, но очень славная. Глава — Леонид Сергеевич Мосин, заместитель председателя Госкино, тогда ещё молодой, но уже очень известный, талантливый и чрезвычайно смешливый, кинорежиссёр Сергей Соловьёв, ну и я...

Леонид Сергеевич был удивительным, даже редким начальником — он любил и уважал людей. Он заботился не только о «нуждах кинематографии», но и о кинематографистах, старался, как мог, помочь им. Он умел вникать в проблемы и умел сочувствовать...

Какое-то время спустя (может, через год) после нашей поездки, когда я ушла из театра и находилась на положении «свободного художника», Леонид Сергеевич неожиданно позвонил мне и попросил прийти к нему в Госкино. Я пришла. Мы пили чай в его кабинете. Выяснилось, что он знает о моей ситуации. Я хорохорилась, упрямилась и говорила, что у меня всё нормально. Но Леонид Сергеевич очень строго и резонно возразил. Он сказал мне, что «висеть в воздухе нельзя, если это не цирк», и что «человек должен жить в доме, а у этого дома должна быть крыша». И предложил мне пойти в штат киностудии им. Горького, где меня ждут и с радостью примут. Что в результате я и сделала и за что очень благодарна Мосину по сей день...

Он спешил делать добро не только потому, что, несомненно, был прекрасным, душевным человеком, но и потому, что знал, что тяжело и неизлечимо болен. Но он не подавал виду, и об этом никто из окружающих (видимо, кроме самых близких и родных) даже не подозревал...

Незадолго до смерти он позвонил мне из Кремлёвской больницы и очень тепло поздравил меня с Новым годом. Я заволновалась: под Новый год в больнице?! Спросила, можно ли прийти, чтобы проведать его и поздравить. Но он категорически отказался и сказал тоном, не терпящим возражений: «Вот выйду из больницы, тогда и повидаемся! Обязательно...» Но он не вышел. Через месяц он умер от рака мозга...

Вероятно, когда мы были с ним в Румынии, он уже тяжело болел. Но тогда это и в голову не приходило — настолько Леонид Сергеевич был лёгким в общении, светлым, энергичным. И неутомимым...

Не нужно забывать, что в ту пору кино снималось активно. Поэтому невозможно даже представить, какой могла быть нагрузка у заместителя Председателя Госкино СССР!..

Леонид Сергеевич пробыл с нами всего три дня. Но три дня вместе за границей — это очень много. Три дня, до краёв загруженных фестивальной жизнью: просмотры, пресс-конференции, интервью, экскурсии, визиты, встречи, выступления на сцене, представления фильмов, переезды, возложения венков, рукопожатия, объятия, банкеты, приёмы...

В отель мы попадали за полночь. Мы с Соловьёвым валились с ног, потому что вставали очень рано, а неугомонный Мосин зазывал нас к себе в номер, доставал из холодильника холодную водку, закуску, включал «на всякий случай» радио, и мы часами сидели, беседуя на все темы. Он гениально рассказывал анекдоты — мы с Сергеем хохотали, забыв об усталости. Он читал свои стихи. Да! Леонид Сергеевич писал замечательные стихи и прекрасно их декламировал. Как жаль, что я не могу воспроизвести ни одного по памяти — забылось. Если бы знать, что это наши первые и последние общие посиделки!..

Мы очень подружились за это короткое время — так и за годы общения не сходятся. Не так уж часто встречаешь людей «одной группы крови»! Леонид Сергеевич был и головой, и душой, и сердцем нашей маленькой компании. И когда через три дня он улетел по своим государственным делам в Москву, а мы с Соловьёвым двинулись дальше по Румынии, мы сразу поняли, что Мосин был среди нас самый молодой, умный и живой, а мы — ленивые и старые...

В остальные фестивальные румынские города мы продвигались на машине. 400–500 километров при напряжённом графике были очень утомительны, хотя машины нам выделяли самые комфортабельные. При желании можно было расслабиться, но вот этого-то я и не умею сейчас и не умела тогда. Я сплю только в горизонтальном положении. Поэтому обычно я всю дорогу сидела с напряжённой спиной, как филин, хлопая усталыми глазами и следя за дорогой. А Соловьёв садился рядом с шофёром, и не успевала машина тронуться с места, как он, к моей чёрной зависти, ронял голову набок и самозабвенно всхрапывал — переливисто, с подсвистываниями и подхрюкиваниями, заглушая «лёгкую румынскую музыку», льющуюся из приёмника.

Нас сопровождала переводчица Нина, из «бывших русских». Она изумлённо смотрела на странную делегацию: она (я!) — как филин на сосне, а он — по первому движению «пускает слюну на грудь» (это выражение самого Соловьёва!)...

Так мы добрались до Мамайи — курорта в километре от порта Констанца. Я, конечно, мечтала сразу махнуть «на родину», но в Мамайе у нас был целый ряд мероприятий.

У меня была фишка: я всегда готовила речь на языке страны (даже на суахили!), и это приводило зрителей в восторг. В Румынии я выступила на румынском языке. Но так как я сразу сказала, что это моя родина, все решили, что язык я знаю с рождения, и мой лингвистический подвиг не произвёл должного впечатления...

Закончилось всё роскошным обедом на берегу моря, плавно перетёкшим в ужин. Мы наелись и напились невыносимо. В память о моём посещении родины румыны подарили мне великолепный огромный макет парусника. А ещё нам с Сергеем дали по красивой бутылке какого-то ценного румынского вина, сказав мне при этом, чтобы я распила его с родителями в Москве...

Нас отвезли в отель в Констанце, по пути заехав к консульству, где мои юные папа с мамой зарегистрировали меня, младенца. Сентиментальничать рядом со зданием времени не было — хозяева вечера торопились. А фотографироваться было уже темно...

Через несколько часов мы должны были возвращаться в Бухарест, а через день — вылетать в Москву. И оставалось только идти в номера, упаковывать вещи. Но когда машина с румынами скрылась за поворотом и уже не нужно было темпераментно махать руками вслед, Соловьёв неожиданно повернулся ко мне и сказал: «Наташа! Я очень хочу есть!» Я подумала и совершенно искренне ответила: «Ты знаешь, я тоже...» И мы пошли к ближайшему супермаркету и накупили всяких салатов, нарезок, консервов, хлеба и вина. Самое удивительное, что, придя в отель, мы всё это быстренько съели и выпили. Нетронутыми остались только консервы, которые нам было нечем открыть...

После этого, конечно же, стали звонить в Москву своим родным. Сергей — своей красавице Марьяне, на которой он тогда был женат и всё время о ней с восторгом рассказывал, покупал ей подарки и всякие красивые и дорогие обновки, которые заставлял меня примерять...

А я звонила маме-папе-бабушке-сестре, но главное — моему любимому маленькому сыну Васе!

После общения с близкими мы решили допить подаренное вино, чтобы «не тащить тяжесть», а закусить консервами. Их нам открыл страшно напуганный швейцар, которому Соловьёв сумел с помощью «мимики и жеста» объяснить, что он очень хочет это съесть.

Почему на нас напал такой необъяснимый жор?! Видимо, это была какая-то разрядка после окончания утомительной десятидневной программы. Мы ели-пили-беседовали, а по радио играла «лёгкая румынская музыка», и под эти «танцевальные ритмы» мы вдруг пустились в пляс! Это были какие-то папуасские танцы, причём Соловьёв заливисто хохотал, а я, глядя на него, — просто за живот держалась от хохота. Периодически Сергей выскакивал на балкон и страшно пугал редких прохожих приветствиями: «Хелло, Джейн!» или «Хелло, Билли!». Прохожие испуганно озирались и ускоряли шаг.

Неожиданно Соловьёв выдавил: «Видел бы нас сейчас глава нашей делегации!» И мы просто заплакали от смеха...

Но тут вдруг меня осенило, что на своей родине я даже не подошла к морю, по которому меня сюда привезли, а потом отсюда увезли...

И я стала предлагать Сергею сходить к морю, чтобы «хотя бы руки опустить в море». Почему вдруг «опустить руки»? Потому что в ноябре купаться ночью не очень хотелось? Или это романтический ход мысли после вина, заимствованный из песни: «когда домой придёшь в конце пути, свои ладони в воду опусти...»? Сергей горячо подхватил мою бредовую идею...

Совсем уже обалдевший от нас швейцар показал, в какой стороне море. И мы пошли. Причём вся Констанца была погружена в кромешную тьму — после 23 электричество, в целях экономии, во всей стране отключалось. Свет был только в нашем отеле — от движка. Море мы нашли по плеску волн. И я подошла к кромке и опустила руки в совершенно ледяное море. И даже, «сверх программы», ополоснула лицо. Но когда я исполнила свою мечту (вернее, блажь!) и нужно было возвращаться в отель, мы вдруг с ужасом поняли, что в этой чёрной ночи, в которой нет ни огонька, ни звёзд, ни луны, мы не знаем, в какой стороне отель и как его найти. Мы тупо бродили, замёрзшие, по берегу. Иногда вдруг «что-то смутно белелось в темноте». Мы шли в сторону ориентира и... натыкались на пляжный сортир. И так мы, поддерживая друг друга, чтобы не сломать ноги, ковыляли от одного «белого домика» к другому, до тех пор пока не наткнулись чудесным образом на ступеньки, по которым и покинули заколдованный пляж. А потом нашли дорогу и вернулись в отель, где кипятильником приготовили чай, согрелись и наконец расползлись по номерам...

В Бухаресте мы узнали, что два дня назад открылась ещё и Декада советской книги. В нашей, тогда ещё самой читающей, стране хорошие книги были в дефиците, и мы с Сергеем метнулись в местный Дом книги. И, к своему ужасу, увидели там тысячные толпы, которые стояли в очередях у магазина, ломились в него, выдавливая витрины, и прочие кошмары...

Когда с помощью наших торгпредских работников нас провели какими-то окольными путями внутрь, выяснилось, что самый дефицит ещё в первый день распродан, но всё равно мы накупили много книг по искусству, прекрасные детские книжки с замечательными иллюстрациями, кое-что из зарубежной литературы, классику...

В аэропорт мы вошли, не только волоча тяжёлые чемоданы, но и несли (делая вид, что это легко!) огромные плотные пакеты, заваливаясь от тяжести на один бок, но при этом держа их чуть ли не двумя пальчиками, чтобы не заподозрили «перевес». Сверху в моём пакете торчал парусник. «Что это?» — спросили, кивнув в сторону пакета, изумлённые таможенники. «Сувениры!!!» — не моргнув глазом гордо ответила я и «грациозно» протаранила ношу через границу к самолёту.

«Сувениры!» — с достоинством произнёс Соловьёв и, тоже «легко и непринуждённо», колобком покатился по полю к самолёту. И тут его пакет прорвался, и книги рекой хлынули на лётное поле. Таможенник, увидев это, бросился было за ним, но потом махнул рукой — мол, хрен с вами, ненормальные русские, читайте! И вернулся на место...

Хохоча и чертыхаясь, Соловьёв собрал свои книжки в охапку. Мы еле поднялись по трапу. И, слава Богу, полетели в Москву.

Так закончилось моё второе путешествие в Румынию. Но «бог любит троицу» — надеюсь, оказаться там ещё раз. Чтобы направленно поехать в Констанцу, побродить по городу. И... окунуть руки в море.

Как мы с Черновым спасали всех от аварии

Была такая передача — сначала на радио, а потом на телевидении — «В нашу гавань заходили корабли»...

Как-то гуляли мы с маленьким Саней на Клязьме по лесам-полям (это было в ту пору, когда мне, как депутату, можно было там снять дачу со скидкой), и вдруг на мостике встречаемся с Эдиком Успенским, который, как почтальон Печкин, едет себе на велосипеде. Оказывается, у него дача неподалёку. Обрадовались. Разговорились. Он спрашивает, знаю ли я какие-нибудь «дворовые песни». Я говорю: «Конечно, знаю, и немало. Но ещё у меня есть собственные песни, на свои стихи. Может, это лучше?» — «Нет, — отвечает Эдик, — не лучше: мне нужны дворовые! Мы затеваем новую передачу».

Обмениваемся телефонами. И довольно скоро Эдик звонит и просит приехать на запись передачи. Я в ту пору была легка на подъём. Одеваюсь, наряжаюсь, крашусь (оказывается, напрасно так готовилась — я думала, что передача телевизионная, а она была сначала на радио!). За мной заехал Саша Шевченко, и мы поехали в Останкино. И там я вспомнила кучу «дворовых» песен, которые пела моя сестра Лариска, когда мы были маленькими. Спела. А ещё Гриша Гладков написал музыку к стихам девочки из Алтайского края «Ты уехал», которую я тоже тут же спела. И сразу вписалась в формат передачи. А эта песня долгое время была хитом программы и вошла в альбомы «Гавани...».

Это было в начале девяностых, когда народ уже одурел от кошмарной попсы и «кооперативных» фильмов. И задумка Успенского прошла «на ура»! Поначалу в основном участвовали в ней известные люди — актёры, поэты, телеведущие...

«Примой» и заводилой была блестящая Кира Смирнова, которая до последних своих дней пела самые озорные и самые «актёрские» песни. Принимали участие в передаче в разное время — и Коля Караченцов, и Клара Новикова, и Ира Муравьёва, и многие другие. Но был «костяк», в который входили Гриша Гладков, поэт Валентин Берестов, Юра Чернов, Николай Николаевич Дроздов. К ним часто присоединялась и я...

Я помню наши выступления в Доме журналистов, в Политехническом музее — всегда народ «висел на люстрах», а пели всем залом. Потом передача перебралась на телевидение. И ещё мы стали выезжать на гастроли...

И вот однажды после большого концерта — если не путаю, в городе Серове, на Урале, — мы долго ужинали. Местное начальство произносило много тостов, и гостеприимное застолье никак не завершалось...

В общем, выехали ночью. В микроавтобусе. Зима. Дорога отвратительная, узкая, да ещё мороз градусов под тридцать — всё заледенело...

Легкомысленный народ после еды-питья быстро угомонился и заснул. А мы с Юркой Черновым — люди бдительные. Смотрим, наш водитель как-то странно виляет. И понимаем, что он на этой скользкой дороге ЗАСЫПАЕТ!..

Я сижу впереди, рядом с шофёром. Поворачиваюсь к Юре и говорю: «Юр! Давай споём!» Он всё понял. Подсел поближе. И мы с двух сторон от водителя начали буквально орать песни — практически ему в уши. Водитель от нас, по-моему, ошалел, но «проснулся» — перестал вилять...

Я даже представить не могла, что мы с Юркой вспомним столько песен — наверное, штук триста! То есть пока шофёр не затормозил у гостиницы, мы всё голосили — и романсы, и попсу, и блатные. Если бы не доехали ещё — вспомнили бы и оперные, и опереточные арии...

Наши коллеги и спутники назавтра сказали нам, что у них было огромное желание нас убить, потому что мы орали дурными голосами и мешали спать. «Дураки! Мы же вас спасали!» — ответили мы с достоинством...

«Отойдите от оленя...»

Мы с Юрасиком Черновым раньше часто выступали в концертах вместе — и в Москве, и по стране ездили. А что? Мы оба в прошлом цирковые, лёгкие на подъём, народ нас знает. Да ещё Юрка, когда я затягивала обязательную свою «Где-то на белом свете», вырывался на сцену в тулупе и меховой шапке и, приводя в восторг публику, начинал твистовать...

Когда меня пригласили полететь на 350-летие Самбурга и попросили посоветовать кого-нибудь из актёров, чтобы одно отделение отработала я, а второе — он, я, не задумываясь, сказала: «Юра Чернов!» И мы отправились в путь...

Мне часто и раньше приходилось летать на маленьких самолётах и вертолётах — это характерно для северных направлений. А для Юры во многом эта поездка стала «боевым крещением». Ну, то, что до Ноябрьска мы летели на винтовом самолёте, — он воспринял с опаской, ещё полбеды. Но когда мы в Ноябрьске подошли к вертолёту, на котором нам предстояло лететь в Самбург, Юра побледнел. «А какого года выпуска вертолёт?» — вкрадчивым голосом поинтересовался он у стоящих рядом пилотов. Те честно ответили: «1965-го!» Юра обмер и надолго замолчал. В вертолёте он в ужасе спросил у меня, показывая на какой-то бак, прикрученный проволокой: что это такое? Я, не задумываясь, сказала, что это бак с горючим. А на Юрин вопрос в отношении странной дырки в днище вертолёта я пояснила ему, что это «мужской туалет». Бедный Юра побледнел ещё больше. А когда «агрегат» затарахтел и начал взлетать, Чернов просто позеленел и прошептал, что ему плохо.

Я, со знанием дела, достала таблетку валидола — Юрке под язык — и приоткрыла окошко иллюминатора. «Ты что?! Нас же вытянет!» — ахнул мой друг. «Куда, Юрочка? Ты посмотри, как мы низко летим!!!»

Наконец вертолёт пошёл на посадку. Когда осела снежная пыль от винта вертолёта, мы увидели, что нас встречают все жители Самбурга — такая довольно большая толпа — и несколько оленей...

Нас приветствовали, нам радовались. Нам сказали, что для нас приготовлена самая лучшая и самая благоустроенная квартира (гостиниц в Самбурге, естественно, не оказалось!), и предложили на выбор — пешком дойти до жилья или поехать на снегоходе. Все сказали: «Пешком!» — и пошли. Я сказала: «На снегоходе!» За «штурвал» сел гордый «ямалоненец». Меньше чем через минуту снегоход, с шиком стартовавший, перевернулся и вывалил меня в глубокий снег...

Все пришли к дому, где нам предстояло жить, а я ещё долго выковыривалась из сугроба...

Квартира была трёхкомнатная — по комнате каждому: мне, Юре и администратору Оле Каймаковой. Тепло, даже жарко — раскалённые, как это бывает в Заполярье, батареи. Есть ванна, туалет. Есть вода, но... только горячая и ржавая, а холодной — нет!..

А у меня пунктик — утром я должна обязательно помыть голову! А волосы в ту пору у меня были почти до пояса. И вот с утра мы с Юрасиком выходили с лопатами и наполняли тазики снегом, потом этот снег разбавлялся ржавым кипятком, и состоялся процесс помывки...

Зато волосы, промытые снегом, блестели, как никогда. И когда мы с Юрой шли после очередного концерта, за нами брели две местные жительницы (а там много бывших заключённых и живущих «на поселении») и спорили: «Парик!» — «Да нет, свои!» — «Да нет, парик!» — «Свои...» В конце концов, одна из них, не выдержав, подошла, дёрнула меня за волосы и удовлетворённо резюмировала: «Свои!»

На первом концерте в Самбурге я никак не могла закончить вступительную речь, потому что в первом ряду сидела «аборигенка» и со всей своей непосредственностью через каждое моё слово вставляла: «Наталья Варлей?!. Приехала?!. К нам?!! Не может быть!.. А может, это не она?!. Или она?..» — причём во весь голос. А народ веселился...

Мы пробыли в Самбурге четыре дня. Дали три концерта, которые замечательно прошли. По вечерам нас угощали «строганиной» — кто не знает, это сырая замороженная рыба, которая нарезается острейшим ножом очень тоненькими ломтиками, макается в острый соус (уксус, соль, перец) и обязательно запивается водкой или спиртом — рыба-то всё-таки сырая!..

Перед отъездом у нас спросили, не хотим ли мы покататься на оленях — в санях, естественно. Юрка закричал: «Да, конечно!» Я засомневалась. Потому что я всё-таки с детства знакома с Севером и позже много раз бывала в Заполярье. Мне знакомы были и местные обычаи, и менталитет. И... некоторые нюансы...

Ну, например, то, что чукчи, ненцы, ханты, манси (и другие представители северных народностей), выезжая из своих стойбищ в «центры», часто ужасно напиваются. Дело в том, что у местного населения такая реакция на алкоголь — они вообще не могут пить: организм не принимает, но если всё-таки начинают — становятся алкоголиками, и им достаточно даже малого количества спиртного... А напившись, они падают в сани, и олени довозят их до дома. Но... Север всё-таки. Мало ли что — пурга, сани перевернулись, а олени — не останавливаются. Бывает...

Я Юрке это рассказала и предостерегла — хотелось бы, чтобы Валя (Юрина жена) дождалась мужа из дальних странствий. А то вдруг сани перевернутся...

Чернов задумался. А потом сказал, что «побывать на Севере и не покататься на оленях — неправильно». Хорошо! Решили ехать...

Утром я, естественно, помыла голову, мы вышли на мороз и отправились в условленное место. На местной площади стояли сани с впряжёнными в них оленями — какими-то ужасно убогими, с окровавленными (видимо, отпиленными на панты) рогами. Тут уж и Чернов засомневался. Но, раз уж пришли, надо хотя бы сфотографироваться. Встали в героические позы на фоне оленей...

Дальше в рассказе я опущу одно слово (просто поставлю вместо него три точки — но без этих точек колорита сценки не понять; хотя, конечно, это нужно рассказывать «в лицах» и особым северным горловым звуком)...

Когда мы щёлкнули фотоаппаратом, распахнулась дверь дома напротив, и на крыльцо вышел коротенький, кривоногий, абсолютно пьяный абориген, который выкрикнул голосом тюленя (или моржа): «Отойдите от оленя на ...!»

Вежливый Чернов, дрожащим от неожиданности голосом, стал говорить, что «мы артисты из Москвы и нас пригласили покататься...». «Отойдите от оленя на ...!» — повторил своё заклинание абориген. И ушёл обратно в дом.

Через минуту вышел второй ненец, ещё более кривоногий и ещё более пьяный, который на октаву ниже повторил ту же «мантру»...

Мы побрели домой. Через несколько часов мы улетали в Москву (через Ноябрьск). У вертолёта нас провожало местное население во главе с мэром Самбурга. Нам подарили по мешку клюквы и... по голове оленя с рогами — о, ужас!..

В Ноябрьске была большая задержка рейса — часа на четыре. Юрка умудрился сесть в красивой новенькой дублёнке на свой мешок с клюквой и ходил по зданию аэропорта с «задом макаки», не выпуская из рук оленью голову. Мы с ним отбивались от двух кавказцев, которые умоляли «продать рога — по два миллиона за голову!» (Тогда в обиходе были миллионы. Не помню, сколько это в переводе на доллары или на сегодняшние деньги, но — немало!)

Позже в Москве я пожалела, что отказалась от кавказских миллионов. Как только я вошла в квартиру, мои кошки, увидев оленью голову с рогами и унюхав запах «чужого» зверя, сошли с ума. Мне пришлось закинуть свой «дорогой подарок» на шкаф в маленькой комнате, но мой волшебный чёрный кот Тондин, который умел открывать двери, повиснув на ручке, запускал туда ночью всю банду. Они скидывали «добычу» на пол, пытались выковырять стеклянные глаза чучела, при этом кошачьи глаза горели хищническим, охотничьим пламенем. В общем, триллер...

В конце концов нашлись те, кто обрадовался «подарку с Севера». Мои близкие друзья Паша и Люба Мощалковы сказали, что им для украшения охотничьего домика оленьи рога с головой — как раз то, что надо! И все остались довольны...

С Пашей и Любой я когда-то познакомилась в Африке, в Гане, — я была там на кинофестивале, а они работали в посольстве. Нашей дружбе — уже сорок лет!..

«Не ходите, дети, в Африку гулять...»

Я часто путешествовала по Африке, и у меня есть множество экзотических историй, связанных с поездками по этому континенту. Расскажу несколько коротеньких...

Африканские страны очень интересны, своеобразны и совершенно не похожи одна на другую, как может подумать обыватель («в Африке акулы, в Африке гориллы, в Африке большие злые крокодилы...»). Природа — разная, обычаи, языки, даже цвет кожи и рост — разные...

Но я буду рассказывать не об этом.

Когда я впервые оказалась в Африке — а у нас была длинная поездка, три страны: Гана, Того, Бенин, — выяснилось, что там так много опасных бактерий, которые в жаре замечательно размножаются, что помимо прививок и лекарств считается обязательным с утра и натощак выпивать не меньше ста граммов крепкого алкоголя — виски, джина, водки, коньяка и т. п. Когда мне это сказали, я заохала и наотрез отказалась от подобной профилактики — мероприятий много, все ответственные, и что же — я буду с утра пьяной?! Да ещё в жару!..

Но за своё упрямое сопротивление я поплатилась почти сразу — в Гане я слегла с какой-то желудочной хворью, потому что на границе Того и Ганы мы с представителем «Совэкспортфильма» Серёжей Кузьмичёвым умудрились съесть по куску «мяса с кровью» (он сам нас инструктировал, что этого делать в Африке нельзя, и вдруг в сказал, что ИМЕННО В ЭТОМ РЕСТОРАНЕ — можно!!!). Ну, и всё... Сутки я просто умирала. Меня поднял — уколами — врач из посольства, но предупредил: чтобы не было последствий, лучше сделать промывающую, какую-то серьёзную, инъекцию, после которой нужно спать 16 часов. Но... наш посол в Гане сказал, что переносить открытие «недели советского кино» не будет, потому что это «политическое мероприятие». И вечером мы стояли на сцене местного Дворца культуры (а может, кинотеатра) в столице Ганы Аккре — актёр Борис Токарев, представитель «Совэкспортфильма» Сергей Кузьмичёв и я. Я стояла посередине в длинном платье, с длинными волосами, бледная и с кругами под глазами — просто Панночка из «Вия». Мне было очень плохо. И последствия этого отравления периодически отзываются в моём организме до сих пор...

Больше я не сопротивлялась. С утра послушно выпивала свои «боевые сто грамм», таблетки от малярии, и начинался рабочий день...

Возвращаясь из Ганы и Того в Бенин, наша делегация находилась в приподнятом настроении — программа выполнена, скоро улетать в Москву. В машине играла замечательная музыка — пел Джо Дассен. Дорога шла вдоль океана. Окна открыты. Слышно, как плещут волны...

Переполненные чувствами, мы решили остановить машину на берегу, вышли и стали самозабвенно танцевать. Странная, наверное, была картина: три человека, каждый их которых танцует «свой» танец...

Секунд через тридцать — не больше — к нам с рёвом подъехали два мотоцикла с полицейскими, которые очень сурово, даже грубо, потребовали у нас паспорта. Увидев «краснокожие паспортины», они были немножко ошарашены. Когда Кузя (так ласково мы звали нашего Кузьмичёва) объяснил, что мы «делегация советских кинематографистов, возвращаемся с фестивальных мероприятий», полицейские смягчились (к нам тогда в большинстве стран относились с любовью и уважением), но велели быстренько отсюда уезжать...

Мы робко спросили: «А вообще-то, в чём дело?» И нам разъяснили, что мы и так-то выбрали место на берегу океана как раз НАПРОТИВ Дворца президента Того, да ещё и танцуем. Так что нам крупно повезло, что в нас не стали стрелять без предупреждения...

Мы сказали «мерси», «оревуар», «лямур», «тужур», попрыгали в машину и моментально уехали. Минут пять мы ехали в полной тишине. А потом начали безудержно хохотать...

Занятная история произошла со мной в другой африканской стране — на Островах Зелёного Мыса (Кабо Верде). Я была там с кем-то из чиновников Госкино...

Когда мы прилетели на эти Острова, выяснилось, что ничего зелёного там практически нет — выжженная земля, да и только. Засуха. Оказывается, население уже которую неделю молит своих богов о том, чтобы они послали дождь, который так необходим!.. Но — дождя нет...

Мне, честно говоря, не понравилось в этой стране. Как-то ничего и не запомнилось, кроме красивого названия, не очень чистого моря и выжженной засухой земли. Но «неделю советского кино» мы открыли. И со сцены, приветствуя местных зрителей, я пожелала им всяческих благ и ОБЯЗАТЕЛЬНО, ЧТОБЫ КАК МОЖНО БЫСТРЕЙ ПОШЁЛ ДОЖДЬ. Все громко и одобрительно зааплодировали...

На следующее утро мы улетали. Я проснулась в отеле — за окном шумел сильный ливень. Представитель принимающей стороны, провожая нас в аэропорту, пошутил, сказав мне: «Жаль, что вы улетаете! Вы теперь здесь уже национальная героиня: пожелали дождя — и вот он пошёл!»...

В Гвинее-Бисау «неделя» открывалась «Кавказской пленницей». На открытии во всех странах обычно с нашей стороны присутствовали: посол, консул, сотрудники посольства, торгпредства и консульства. «Неделя советского кино» считалась политическим мероприятием. Поэтому, пока шёл фильм, до тех пор пока посол был в зале, никто из советской делегации не мог уйти...

И приходилось в миллионный раз смотреть свои картины — на разных языках. Ну и наблюдать, как принимают кино местные зрители...

Так вот. На открытие «недели советских фильмов» пришло очень мало гвинейцев. Наших — несколько рядов, а местных — представители «принимающей стороны» и разрозненные кучки зрителей. Начался фильм. Мы сидим. И видим, как и эти «разрозненные кучки» встают и выходят из зала. Что можно подумать? Провал!..

Но через несколько минут они возвращаются, ведя с собой «кучки» побольше. И так — несколько раз за первые пятнадцать минут фильма — народ подтягивался. К тому моменту, когда Шурик и Эдик собираются делать Моргунову-Бывалому укол гигантским шприцем, зал был уже переполнен, проходы забиты, зрители сидели на ступеньках, на полу...

И я наблюдала уникальную реакцию на этот смешной эпизод: слева от меня на ступеньках сидела молодая негритянка с младенцем на руках. Когда, глядя на экран, она хохотала, она подбрасывала своего ребёночка вверх — не меньше чем на метр! Хохотала она, верещал младенец. Параллельно с нашей кинокомедией, рядом со мной разыгрывалась другая комедия, не менее интересная...

Виталик Соломин

Будучи опытной «африканкой», я наставляла тех, кто отправлялся в Африку впервые. Объясняла, почему необходимо выпить натощак, например...

С Виталиком Соломиным мы полетели в Танзанию и Эфиопию как раз в то время, когда Горбачёв развернул свою «антиалкогольную кампанию». И, естественно, «сухой закон» должны были соблюдать все сотрудники нашей дипмиссии. Это было смешно и грустно...

Приём в посольстве в честь нашей делегации. Много иностранных гостей. Официанты — с подносами, на которых всевозможные алкогольные напитки. Иностранцы спокойно берут и пьют. Наши манерно говорят: «Кола!.. Спрайт!..» А на самом деле ото всех наших попахивает крепким перегаром. И понятно, что они тайно друг от друга «ночью под подушкой» пьют, чтобы не заболеть...

Но Виталик Соломин — человек озорной и творческий. Он смотрит на это представление и говорит громко: «А я сегодня буду выпивать! Наташа Варлей мне сказала, что в Африке без этого нельзя! И у меня сегодня день рождения!..» И на глазах нашего посла, во взгляде которого читается ужас, один за другим выпивает два бокала коньяка...

У нас была очень интересная поездка. Танзания и Эфиопия — страны африканские, но это как будто абсолютно разные планеты...

Танзания — тропики — жаркая, влажная. Соответственно, с огромным количеством всяких «гадов» — летучих, ползучих, безвредных и ядовитых. Сафари... Львы, пантеры, тигры...

Однажды мы приехали ночевать в отель после мероприятия. С трудом этот отель нашли, потому что во всей округе не было электричества (в Африке это обычное явление!). Отель в тропическом саду. На ресепшене, давая ключи, портье предупреждает, чтобы мы «ночью из номеров не выходили, потому что на территории стоит клетка со львицей, а к ней иногда из джунглей приходит лев»...

Мы расходимся по номерам в разных частях этого тропического сада — Виталик, я и «совэкспортфильмовец». Я вхожу в свой номер на первом этаже. Думаю: «Жаль, что нельзя почитать или телевизор посмотреть! Ну да ладно! Есть свечи, есть бумага. Попишу стихи...»

Беру со стола бювар с бумагами, раскрываю и...

О, ужас! Внутри копошится большой клубок то ли маленьких змей, то ли крупных червей!.. Но для меня нет существенной разницы!!!.

Забыв про львицу и приходящего к ней льва, я несусь по тропинке в сторону домика, в котором остановился Виталий, с диким криком: «Виталик! Там змеи!..» (Виталик потом очень точно и смешно меня «показывал», рассказывая эту историю.)

Соломин живёт на втором этаже, и он, как истинный джентльмен, меняется со мной номерами...

После открытия «недели» в Танзании нас повели на ужин в ресторан отеля «Килиманджаро», который находился на крыше отеля. Мы ужинаем и наблюдаем за ресторанным певцом. Он одет в «бубу» (такое свободное африканское одеяние), на голове — широкополая соломенная шляпа. Его «фишка» в том, что он, подходя к столику, спрашивает, из какой страны посетители, сидящие за этим столиком, возвращается на своё место и поёт самую известную в ЭТОЙ СТРАНЕ песню. Французам — французскую, немцам — немецкую, финнам — финскую. И те подпевают. И все в восторге.

Наконец он подходит к нашему столику. Мы говорим, что мы — из Советского Союза. И ждём, что он запоёт что-нибудь вроде «Калинки-малинки» или «Катюши». Он берёт микрофон и задушевно выводит: «Я в весеннем лесу пил берёзовый сок...» Когда он своими толстыми губами-пельменями старательно выговаривает: «С ненаглядной певуньей в стогу ночевалЬ...» — Соломин уже рыдает от хохота. Я тихонько «плачу»...

Потом мы его расспросили, откуда он знает эту, как ему казалось, «самую известную» у нас песню. «Ларчик открывался» проще, чем мы думали, — предыдущая делегация подарила ему пластинку «Песни советского кино». Вот он и выбрал...

В Эфиопии народ не совсем чернокожий, а такие смуглые «пушкины». Причём там много христиан...

Когда мы находились там, страна была на военном положении, поэтому после двадцати трёх часов повсюду вступал в силу комендантский час. На открытие кинофестиваля в залы дворца нужно было проходить сквозь металлоискатели. Сейчас это повсеместная норма, а тогда это было дико и страшновато...

Мы с Виталиком выступали и перед нашими лётчиками и подружились с ними. В знак дружбы и признательности они предложили нам «полететь искупаться на Красное море». Мы, авантюристы, конечно, согласились. И, тайно от наших посольских, отправились на двух вертолётах «купаться». Почему тайно? Да нас никто не отпустил бы — опасно: лететь нужно было над горами, покрытыми густым лесом, в котором засели сепаратисты, а они не стали бы вникать, зачем мы летим на пляж. А почему два вертолёта, а не один? Да по той же причине — опасно. И если «один вертолёт собьют, то те, кто летел в другом, смогут об этом рассказать...».

Несмотря на опасности, мы, конечно, полетели. Картинка была ещё та!.. Пляж на Красном море. Вдруг над водой у берега зависает вертолёт, поднимая волны и брызги крутящимся пропеллером. Из вертолёта выбрасывается верёвочная лестница, по которой спускается странная «группа товарищей» и по воде идёт к пляжу...

Мы искупались, выпили по кружке пива и полетели обратно...

Ещё одна «вертолётная» история. Мы полетели из Аддис-Абебы в какой-то маленький городок в горах — тоже на вертолёте. И в полёте один из пилотов предложил мне повести вертолёт. Я сначала испугалась, что не сумею, но мне сказали, что «ничего сложного»: штурвал вверх — штурвал вниз, вправо-влево. И я села за штурвал...

Вверх-вниз... Получается! Тут я спохватилась, что не знаю, в каком направлении лететь. И пилоты надо мной подшутили, сказав, что для меня ориентир — «серпантин» внизу, и что лететь надо, как раз повторяя все его извивы. Вот я и полетела, виляя и петляя...

Через пять минут в кабину ворвался Виталик Соломин с криком: «Варлей! Ты что, с ума сошла?! Меня укачало!..»

Перед самым отъездом в Москву нашу делегацию Эфиопская кинокорпорация пригласила на ужин. Но Виталик вспомнил, что нужно ещё успеть заехать в госпиталь, который наши построили в подарок Эфиопии. Московские друзья попросили его привезти какое-то редкое лекарство, которое у нас купить было невозможно.

Мы приехали в этот госпиталь — потрясающий, построенный по последнему слову техники, фантастически оснащённый, — нашим бедным больным такое и не снилось! Разыскали главврача, познакомились с ним. Виталик передал просьбу московских товарищей. Лекарство тут же принесли.

Но, узнав, что мы должны идти на ужин, врач посуровел, запер дверь кабинета изнутри, открыл сейф, достал оттуда бутылку коньяка и разлил по трём стаканам со словами: «Пока не выпьете, я, как врач, вас отсюда не выпущу!..»

Мы что-то проверещали и посопротивлялись, но доктор был серьёзен и непреклонен. Я давилась, но пила. Виталик не давился, просто выпил...

Уже очень скоро, на ужине, мы поняли, насколько был прав врач, и много раз поминали его добрым словом, даже тогда, когда вернулись в Москву...

На ужине перед нами поставили круглые соломенные столики, и официанты быстренько прямо на них раскатали гигантские, во весь стол, блины. А потом потащили начинку и начали раскладывать на блинах. Наш «совэкспортфильмовец» каждый вид начинки сопровождал комментариями. Посреди блина выложили горку жареного мяса («это можно есть!»), потом понесли рис («можно!»), потом тушёные овощи («можно!»), потом что-то типа брынзы («вот это не обязательно!»).

А по краю разложили абсолютно сырой мясной фарш («нельзя, это смерть!» — прошипел наш представитель)...

Тут председатель эфиопской кинокорпорации встал, поблагодарил нашу делегацию за замечательно проделанную работу. Сказал, что надеется не раз нас увидеть в их прекрасной стране. А в благодарность нам, как почётным гостям, будет предложен куш (всё это переводил наш «совэкспортфильмовец»). Я не успела дождаться ответа на свой вопрос: «А что такое куш?» — маленькая эфиопская ручка с длинными тонкими пальцами оторвала и быстро скрутила в трубочку часть блина — со всеми видами начинки — и таким же молниеносным движением засунула это мне в рот. Я поняла, что «смерть» уже внутри меня, но, «как настоящий советский человек», я выплюнуть это не могу...

Я «тщательно пережёвывала» куш. С выпученными глазами, из которых уже готовы были покатиться слёзы. А Соломин, глядя на меня, давился от смеха — до тех пор, пока заместитель кинокорпорации не произнёс тоста в честь Виталика и не запихнул блин с начинкой в него...

Мы оба сидели, выпучив наполненные слезами глаза, и жевали. Потом — проглотили...

Напоминаю, что в СССР в это время был горбачёвский «сухой закон», поэтому нашего спасителя — главврача госпиталя — мы вспоминали в течение вечера, а когда он закончился, кинулись к «совэкспортфильмовцу», требуя, чтобы он вёз нас к себе и пичкал какими-нибудь снадобьями, чтобы нам не помереть. Он повёз, но ничего, кроме бутылки виски, дома не нашёл...

В отель он нас повёз, когда уже наступил комендантский час — в половине двенадцатого. Машина ехала в абсолютно полной темноте с выключенными фарами, открытыми дверцами и со скоростью 20 км в час. На вопрос «почему» нам ответили: «Так надо...» И в это время раздалась громкая автоматная очередь — явно в нашем направлении (Виталик мне потом сознался, что от страха у него было ощущение, что эта очередь прошла его насквозь!). Наш водитель зажёг свет в машине. Из темноты к нам шагнули вооружённые военные...

На объяснение, кто мы и откуда, ушло довольно много времени. Но когда патруль понял, что это советская кинодeлегация, нас отпустили. Мы доехали до отеля и наутро благополучно улетели. А в Москве ещё долго созванивались, чтобы узнать, обошёлся ли нам наш эфиопский прощальный ужин без последствий...

Рождение «Афродита»

Я рассказывала, что привезла из поездки на Кипр в подарок съёмочной группе «Ливня» целый ящик лимассольских вин.

На Кипр в первый раз я попала после войны киприотов с турками. Тогда киприоты надеялись, что освободят от турок свой остров. Но получилось как раз наоборот. Турки победили, и лучшая часть острова с хорошо развитой инфраструктурой, благоустроенными городами и лучшими пляжами досталась им.

Когда мы со знаменитым кинорежиссёром Эльдаром Рязановым прилетели в Никосию, нас поселили в отель, в котором окна наших номеров выходили на турецкую сторону. И мы могли наблюдать турецких «пограничников» с оружием и в очень колоритной военной форме. Хотя границы как таковой не было — стояли какие-то пирамиды, сооружённые из бочек, а за ними уже начиналась турецкая часть острова.

Немножко придя в себя после перелёта, мы с Эльдаром Александровичем решили прогуляться. Стоял ноябрь, но было ещё совсем тепло — градусов 20–25. На деревьях висели созревшие апельсины, мандарины, лимоны...

Мы медленно прогуливаемся, дышим полной грудью, а перед нами идёт молодой человек с мальчиком. Мальчик побежал вперёд, споткнулся и упал. Спокойно поднялся и снова побежал. А молодой отец как-то даже и не среагировал. И Рязанов говорит: «Надо же, какой молодец ребёнок — упал и не заплакал! И папа молодец — наш бы начал ахать, сюсюкать, баюкать...» И тут парень поворачивается к нам и говорит радостно: «Вы — русские?!» Удивительно, что первый же встреченный нами в Никосии человек оказался выпускником Института дружбы народов имени Патриса Лумумбы!..

Та часть острова, которая досталась после войны киприотам, была ещё почти совсем не освоена. На месте Лимассола, нынче огромного города, было крошечное поселение вокруг завода кипрских вин. Естественно, нас туда повезли на экскурсию. Показали производство, накормили-напоили и с собой дали неподъёмную ношу — по паре ящиков самых лучших вин...

В Пафосе вообще ничего не было, кроме развалин древнего амфитеатра и раскопок. Туда нас тоже свозили, хотя ещё далеко было до строительства сегодняшней скоростной дороги и ехать пришлось очень долго по узкому серпантину.

Естественно, по пути нас завезли к тому месту, где, по преданию, родилась из морской пены и вышла на берег Афродита. Сопровождающие нас киприоты рассказали: считается, что, если женщина искупается в этом месте, она будет всегда молодой, красивой и любимой. Услышав это, я моментально разделась и полезла в воду — к ужасу наших сопровождающих: в ноябре они не купаются! На самом деле было немножко прохладно, потому что день был пасмурный, но вода тёплая — градуса 22. Я с верой в то, что «будет мне счастье», поплыла. И тут Рязанов не выдержал. Со словами: «Я тоже хочу быть Афродитом!» — он скинул с себя одежду и бултыхнулся в море. И потом он всем рассказывал, что «в этот момент море вышло из берегов»...

Лет через десять мы с Эльдаром Александровичем опять оказались в одной связке — полетели на кинофестиваль в Сингапур. И вот после всех мероприятий, перед отлетом в Москву, принимающая сторона решила нам устроить день отдыха и вывезти на катере в море. Рязанов потом всем рассказывал: «После поездки я эту женщину возненавидел! (Это про меня.) Представляете: жара 40 градусов! Я, толстый человек, сижу в каюте под кондиционером, обливаясь потом! В руках — стакан воды со льдом! И вдруг в иллюминатор вижу, как по раскалённой палубе — в бикини, с полотенцем через плечо, идёт артистка Варлей! Расстилает на палубе полотенце и ложится загорать!!! Если бы вы были на моём месте, вы бы тоже её возненавидели!..»

Юрий Владимирович Никулин

Есть один человек, о котором я не могу не рассказать, просто не имею права — Юрий Владимирович Никулин. Не только потому, что я снималась с ним вместе в «Пленнице» и ещё нескольких фильмах. Не только потому, что мне в детстве посчастливилось вместе с ним выходить на один манеж.

А потому, что это был человек, которого любили все, потому что он умел творить добро...

После похорон Никулина я сидела дома, обливаясь слезами, и писала для одного из изданий статью «Памяти Никулина». Она длинная, поэтому полностью приводить её не буду — процитирую несколько отрывков...

«Дорогой, нежно любимый всеми Юрий Владимирович! Добрый клоун из моего детства...

«Дядя Юра» — звали Никулина мы, ученики студии при Московском цирке на Цветном бульваре, цирке, который позже стал Цирком Никулина. Мне тогда было 12 лет...

Сейчас столько лет моему младшему сыну. Он так мечтал взять у Никулина автограф, просил меня. И — всё думалось: успеется!.. Но... никогда нельзя откладывать на завтра — завтра может быть поздно!..»

Нет ни у Саши, ни у меня автографа Юрия Владимировича!.. Зато есть предисловие к одной из моих книг стихов...

По замыслу издателей моя книга «Кружась над золотыми куполами» должна была выйти с предисловием Никулина, и они попросили меня обратиться к Юрию Владимировичу, что я и сделала. Юрий Владимирович очень серьёзно выслушал меня и попросил занести на служебный вход цирка подборку моих стихов, чтобы он мог их прочитать...

Через два дня Никулин сам позвонил мне и сказал: «Девочка! Я прочитал твои стихи. Они мне понравились. Я напишу предисловие». А ещё через несколько дней он передал мне вариант предисловия. Оно было написано абсолютно «никулинским языком» — что, с моей точки зрения, означает простоту, искренность и абсолютную незаштампованность мысли. Юрий Владимирович умел очень точно и тонко выражать свои мысли и эмоции — лаконично, ёмко и в то же время естественно и легко...

Приведу его полностью — не только потому, что оно небольшое, а потому что оно очень точно передаёт и атмосферу событий, и характер самого Юрия Владимировича:

«У грибочка шапочка
и тонкая ножка...

так начинается первое стихотворение из четырёх строк, которое придумала четырёхлетняя девочка Наташа Варлей. Кончалось оно невесело:

...Нет у ножки тапочка.
Нету и сапожка».

О том, что Наталья Владимировна пишет стихи, я узнал сравнительно недавно, когда участники и создатели комедии «Кавказская пленница» собрались в санкт-петербургском Доме кино, чтобы отметить двадцатипятилетие фильма.

Во время торжественного вечера Наташа спела несколько песен на свои стихи... Это было неожиданным для меня приятным открытием. Помню, похвалил песни, и за них мы выпили по бокалу шампанского. В этот вечер Наташа подарила Леониду Гайдаю и мне по пластинке. Это была первая пластинка с её песнями.

Прошло с тех пор четыре года, и вот передо мной рукопись книги стихов Наташи Варлей. Прочитав одним духом, без отрыва, несколько десятков избранных стихотворений, смело можно назвать автора зрелой, серьёзной поэтессой. Я не литературовед, я простой читатель и воспринимаю стихи сердцем так, как понимаю их. Стихи в большинстве своём лирические. Описывая русскую природу, времена года или рассказывая о звоне колоколов, о птице кукушке, о льве или змее в цикле «Зоопарк», о «вечернем такси», Наташа одновременно говорит о любви, о радости встреч и печали разлук, воспевает нежность и доброту.

Всё это написано простым, понятным языком. И это трогает... Пусть мало весёлых строчек. В большинстве своём стихи овеяны некоторой печалью, невесёлыми размышлениями:

> Неожиданно, как ножик в спину,
> Осень в жизнь мою вошла с рассветом.
> Вот и прожила я половину
> Жизни, не успев проститься с летом.

А впечатление после прочтения остаётся светлым. Стихи, даже очень грустные, если они написаны талантливо, оставляют после себя радость в сердце. И праздник на душе от того, что выходит в свет книжка стихов поэтессы Наташи Варлей. И будут её читать на земле люди, любящие поэзию, и найдутся поклонники её стихов и в жарких странах, и «где-то на белом свете, там, где всегда мороз».

И подпись-автограф — Ю. Никулин. 18.03.96.

Так что можно считать, что автограф Юрия Владимировича у меня всё-таки есть!

А память крепко хранит всё, что у меня связано с этим удивительным, талантливым человеком — с того времени, когда мы, дети, стояли в проходах цирка и ловили каждый жест, каждую новую интонацию — клоунов, творящих на арене. Не каждому даётся удивительный дар — умение импровизировать, изобретать новые пристройки, шутки, оценки поведения партнёра и реакции зрительного зала, который был их главным собеседником. Вот это своё состояние — восхищения от того, что чудо рождается у тебя на глазах, — помню так, как будто всё это было только вчера...

Судьбе было угодно, чтобы мы вновь встретились с Юрием Владимировичем — на этот раз не на арене, а на съёмочной площадке «Кавказской пленницы».

В цирке (да и не только в цирке!) ходит легенда, что именно Никулин посоветовал Гайдаю снимать в кино цирковую гимнастку Наташу Варлей. Это не имеет никакого отношения к действительности...

Но какое это имеет значение! Юрий Владимирович сыграл в моей жизни огромную роль! И я, которая всегда смотрела на него снизу вверх, преклоняясь перед никулинским талантом и человеческими качествами, смогла стать его партнёршей по кино!..

Дорогой Юрий Владимирович! Мой добрый, умный, чуткий и тактичный партнёр по экрану! Как же вы помогали мне обрести веру в себя на съёмочной площадке. Сколько внимания, доброты и терпения было у Гайдая, у вас и других моих замечательных партнёров!

А как Юрий Владимирович умел шуткой, анекдотом разрядить атмосферу, когда она вдруг «накалялась» во время съёмок!..

Он гениально рассказывал анекдоты — абсолютно ничего «не играя», не раскрашивая, даже как-то индифферентно, без интонаций, — но так точно донося суть и юмор, что любой анекдот становился у него маленьким произведением искусства и вызывал гомерический хохот. Любой!!!

Я хорошо помню, как смотрела по телевизору «целевой» концерт. Праздновал какую-то свою дату то ли крупный банк, то ли ещё какая-то «крутая» организация. За столиками сидела «шикарная публика», а на сцену выходили артисты и эту публику развлекали, кто как мог... Это было году в 94-м, то есть в самые «лихие 90-е»...

И вот вышел Юрий Владимирович. Он был уже старый, седой и располневший. В «капитанской» фуражке, в которой он вёл телепередачу «Белый попугай», где артисты, писатели и другие известные люди рассказывали анекдоты. Публика оживилась, захлопала. Никулин подошёл к краю сцены и рассказал... ужасно пошлый анекдот. При этом на лице его — полное отсутствие мимики...

После анекдота воцарилась тишина. Публика смотрит на Никулина. Никулин — как бы «без выражения» — на публику. Секунд через десять грохнул смех. Все хохотали и не могли остановиться, наверное, минуты две!..

А как он пел — своим хрипловатым, тихим, далеко не «вокальным» голосом! Мне посчастливилось в наших общих посиделках слышать, как он, аккомпанируя себе на гитаре (тоже далёкой от гавайской!), задушевно поёт свои любимые песни: «По Смоленской дороге — снега, снега, снега...», «Королева Непала — Раджна-Раджмия-Лакшми...», «С моим Серёгой мы шагаем по Петровке...». В его репертуаре было много песен Окуджавы...

Большой артист обладает не только искренностью, но и детской наивностью и открытостью. Эта открытость и доброта Юрия Владимировича располагала и притягивала к себе. Хотя, конечно же, в жизни он был намного серьёзнее и глубже, чем его экранные и цирковые персонажи...

Я видела, как ему бывает неприятно, когда после обрушившейся на него невероятной популярности на улице в него тычут пальцем и вообще относятся как-то «зоологически», бесцеремонно рассматривая его и обсуждая вслух свои впечатления. Но он находил верный тон общения и умел повести себя так, что даже «поставленный на место» невежа не чувствовал себя обиженным, а соглашался...

Когда мы наконец встретились после большого перерыва в общении на двадцатипятилетии фильма в Петербурге, это была удивительная встреча.

Через двадцать пять лет стало понятно, что картина актуальна и любима и ей предстоит ещё долгая жизнь. И — как ни странно — стёрлась возрастная и профессиональная дистанция. Встретились люди состоявшиеся и зрелые. Нам было чем поделиться, чем гордиться.

На двадцатипятилетии картины с нами не было только Фрунзика Мкртчяна. На тридцатилетии — уже и Леонида Иовича Гайдая, и Саши Демьяненко, и Евгения Александровича Моргунова...

На юбилейный вечер в Доме Ханжонкова в Москве собралось много народа. Приехал и Юрий Владимирович. Шутил. Зал, как всегда, восторженно его принимал...

А в марте в «Метрополе» проходила церемония награждения и чествование победителей премии «Лица года». Меня попросили приехать, чтобы поздравить и поприветствовать моего дорогого партнёра. Юрий Владимирович сильно прихварывал и лежал у себя на даче, но его очень просили, и он пообещал!.. И приехал!..

Я вообще подозреваю, что он не в силах бывал отказаться, когда его просили, поэтому он постоянно появлялся на всевозможных акциях, презентациях, заседаниях, в концертах и телевизионных передачах. Он был любим, и его хотели видеть все и везде!..

Но здесь был немалый повод — ведь он недавно отметил своё семидесятипятилетие, и теперь его награждали премией «Лица года»...

Меня, как назло, скрутила боль в позвоночнике настолько, что я не могла встать. Но не приехать я не могла!..

«Добрые» журналисты напугали мою маму, когда она прочитала заметку о том, что «на церемонию открытия Наталью Варлей буквально внесли на руках — у неё тяжёлая травма позвоночника...». Конечно, враньё — я вошла на своих двоих и старалась «держать фасон». Я поздравила Юрия Владимировича, и мы с ним вдвоём спели «Где-то на белом свете...». Мы расцеловались. Никулин выглядел очень растроганным. А у меня сжалось сердце: я внезапно поняла, как он постарел...

Это был последний раз, когда мы виделись. Перезванивались. А в последний раз его голос я слышала по телефону 23 июля. Мне нужен был его совет, и я набрала его номер. Мы поговорили. Но голос Юрия Владимировича был очень грустным. Я спросила, что случилось, и он ответил, что ложится на операцию и что «ужасно не хочется». Сейчас в передачах говорят, что у него не было предчувствия. Это не так. Он мне сам сказал, что боится. Значит, было...

Я долго не могла осознать, что Юрия Владимировича нет.

Не понимала, как это может быть, хотя была на похоронах и бросила на его гроб комочек земли...

Когда я увидела посреди манежа того самого цирка на Цветном утопающий в цветах гроб, а высоко над форгангом портрет Никулина — не парадный, молодой, как это часто бывает на похоронах, а совсем недавний — добрый, усталый и немного печальный взгляд, — я уже не могла сдержать слёз...

Толпы людей три дня подряд, не переставая, шли и шли в цирк на Цветном бульваре — его дом, его детище, которое он успел реконструировать. Всех объединяло общее горе...

Когда гроб с телом Юрия Владимировича выносили из цирка, раздались аплодисменты — так провожают в последний путь артистов. А над Цветным бульваром и над Москвой полетел вой сирен карет «Скорой помощи» — так медики прощались со своим любимым артистом, любимым клоуном. И вдоль всего пути траурной процессии — от цирка, по Садовому кольцу, до Новодевичьего кладбища — стояли толпы людей, все окна были открыты, и там, и на балконах — всюду стояли те, кто прощался с Никулиным. Машины сигналили вслед процессии.

Поразительная, всенародная любовь! У каждого был свой Никулин. Кто-то любил циркового клоуна, кто-то персонажей кинокомедий, кто-то — фронтовика из фильма «Двадцать дней без войны» Германа. Но для всех он — близкий и дорогой человек...

Рядом с Никулиным было легко и гармонично, потому что один из самых главных его талантов — талант человеческого общения, неравнодушие, искренность, умение откликаться душой и сердцем не только на чужую боль, но и на чужие проблемы. И если это было в его силах, он стремился принести пользу, оказать реальную помощь — тихо, спокойно, не напоказ...

Георгий Михайлович Вицин

Когда было прощание с Вициным, сердце разрывалось на части от боли и горечи. Вицин среди моих партнёров был как голубок — нежный и смиренный.

И похороны его были скромными. Машины не гудели. Люди не свисали с балконов...

А ведь он был очень большим артистом! Можно сказать — великим, да не люблю я этого слова, слишком его за последнее время обесценили...

В любой передаче о Вицине, в любой статье — обязательно возникает тема: «Вицин бедствовал... нищенствовал...» и т. п.

Неправда!!! Да, он жил очень скромно, но ЖИЛ ТАК, КАК ХОТЕЛ. У него была маленькая квартирка, но — трёхкомнатная и в хорошем доме в Староконюшенном переулке с уютным чистеньким двориком и с видом на купола храма Христа Спасителя из окна. И ему совершенно не хотелось её менять — она его вполне устраивала. Он жил в ней со своей любимой женой Тамарой, любимой дочкой Наташей и любимой собакой Мальчиком. И он говорил, что счастлив. Ему не верили, потому что сейчас, к сожалению, многие любят демонстрировать своё «благосостояние» (что на самом деле просто дурной тон, глупость и безвкусица!).

А я ему абсолютно верю. Верю в то, что человек может быть счастлив, довольствуясь только самым необходимым...

«Жёлтая пресса» писала, что, «бедно одетый и неухоженный», Вицин часто на Арбате кормит голубей...

Да! Он одевался очень скромно. И любил кормить голубей. И бездомных кошек и собак. Он брал в Смоленском гастрономе кости и мясные обрезки и кормил ими животных (а не «питался сам», как я прочитала в одном издании!). Кстати, в еде он тоже был неприхотлив. Пищу любил простую. Его спрашивали: «Гоша! Ну почему ты не вставишь зубы?» А он отвечал: «Зачем? Когда я был молодой и ел мясо, мне нужны были крепкие зубы. А сейчас я старый. Я ем кашу. Мне зубы не нужны...»

И так — во всём. Он отказывался сниматься и ездить на гастроли — берёг себя. Здоровье не позволяло уже. Он категорически отказался лететь с нами в Америку, когда нас туда пригласили. И мы полетели без него: Моргунов, Саша Демьяненко и я. Его уговаривали. Но он сказал: «Нет! Далеко. Я не долечу! И как тут мои останутся без меня? Как Мальчик?!.» И остался в Москве...

Он выступал за копейки в сборных киноконцертах в Доме кино по субботам и воскресеньям. На его имени и именах других знаменитых актёров наживались бессовестные администраторы. А Георгий Михайлович был доволен: «Зато недалеко от дома!» — говорил он...

Когда мы снимали «Кавказскую пленницу», Вицин был самый старший из «троицы». Но выглядел всегда моложе и свежее всех! Он очень следил за собой. Стоял на голове — занимался гимнастикой йогов. Он шутил: «Я — йог... твою мать».

Мы снимались вместе ещё и в «Двенадцати стульях», и в «Большом аттракционе». И меня всегда поражало его удивительное свойство — умение совершенно отключаться на короткое время. Представьте себе: съёмочная площадка, суета, режиссёрские команды, артисты играют на полную катушку. А Георгий Михайлович, отснявшись в своём эпизоде, до следующего — шёл отдыхать: просто садился на стульчик где-нибудь в уголочке и среди этого бедлама и под этот шум тут же засыпал сном младенца. Минут через пятнадцать он просыпался — розовенький и свежий — и шёл в кадр, бодрый и полный сил...

Он был потрясающим театральным артистом. Я ходила на спектакли с его участием в театр им. Ермоловой. Он приглашал меня, и чувствовалось, что он очень дорожит своими ролями и гордится ими. Мне он очень нравился в «Лесе» Островского...

Но, по большому счёту, почти каждая его роль в театре и кино — маленький шедевр. Он органичен и трогателен, как ребёнок. Недаром говорят, что ребёнка и животное переиграть нельзя.

Я очень люблю его Бальзаминова — феерическая работа. А ведь он сыграл 18-летнего, когда ему было сильно за сорок! И никаких вопросов не возникает — настолько он наивен и убедителен! Пожалуй, только двум нашим «возрастным» артистам такое удалось не в театре, а на экране — Янине Жеймо в «Золушке» и Вицину в «Женитьбе Бальзаминова».

Когда начинаешь вспоминать его комедийные роли, сразу улыбаешься — такой он яркий, смешной и в то же время удивительно... беззащитный. Он сам придумывал краски прямо на съёмочной площадке. Вицин и Никулин были великими мастерами импровизаций.

«Чей туфля? Моё! Спасибо...» — эпизод родился прямо у нас на глазах в первый же съёмочный день «Пленницы», и все были свидетелями актёрского чуда...

А чего стоит сценка в «Операции «Ы», когда, не приходя в себя от действия снотворного, Трус-Вицин идёт, шатаясь, спрашивает предельно вежливо: «Скажите, пожалуйста, где здесь туалет?» и, не дожидаясь ответа, подходит к пирамиде из ночных горшков и вытаскивает, конечно же, самый нижний. Абсолютно серьёзно. И это смешно — до слёз...

Самая наша последняя встреча с Георгием Михайловичем состоялась, когда нас пригласили выступить перед нашими футболистами — командой ЦСКА. Мы — Вицин, Моргунов, Демьяненко и я — дали концерт: рассказывали о кино, показывали фрагменты. А я ещё пела и читала стихи. Вицин читал рассказы Зощенко и был в особом ударе. Нас всех замечательно принимали, но Вицина — на ура! Он стоял на сцене, смущённый, как будто успех для него — полная неожиданность, и счастливо улыбался...

«Из стихов своих вырастаю...»

Из стихов своих вырастаю...
Нет, не так — удаляюсь,
Ухожу, становясь другой...
Так от меня уходят,
Отдаляясь бесповоротно,
Взрослея, мои сыновья...
Нет-нет, не так — прорастаю
Из стихов своих, детских и светлых,
В сегодняшнюю меня,
Из которой душа ускользает,
Но прорастёт — позднее —
В душах моих сыновей...

Я ещё училась в Литинституте, когда мне предложили издать книгу стихов в издательстве «Советский писатель». До этого были публикация в журналах: «Юность», «Крестьянка», «Звезда Востока», «Памир» и других.

Я понесла в редакцию большую подборку своих стихов, довольно много хороших фотографий, чтобы было из чего выбирать, и автобиографию. Мне сказали, что книгу напечатают очень быстро...

Прошло два месяца. «Ни ответа, ни привета». Не дождавшись обещанного звонка, я позвонила сама. И незнакомый женский голос мне сообщил, что издательства «Советский писатель» больше не существует — теперь есть издательство «Современный писатель». Я поинтересовалась, какова в таком случае судьба моих стихов. На что мне как-то невразумительно ответили: «Приходите — поищем...»

Я пошла на Поварскую. Но на руинах «Советского писателя» мои стихи вместе с фотографиями и автобиографией затерялись бесследно. В этом здании теперь делили кабинеты и имущество. И всем было не до меня. И никто ничего не знал. Ну что ж, значит, не судьба, подумала я...

Прошло ещё какое-то время, и в прямом эфире в одной из телевизионных передач, которую вёл один писатель, меня попросили почитать стихи. А когда я прочитала несколько стихотворений, прислали записку, что стихи очень понравились, и спросили, почему я не издаю книгу. Пришлось рассказать историю с исчезновением моей рукописи в недрах «Советского писателя». После этого я получила в одной из записок предложение от главного редактора издательства «Евророс» (не ручаюсь за правильное написание названия издательства) напечатать книгу моих стихов, причём в очень короткие сроки. И попросили срочно принести рукопись. Буквально на другой день мои стихи были в «Евроросе», который находился где-то в переулке напротив Дома литераторов. Меня любезно приняли, напоили кофе и пообещали позвонить через две недели...

Через три — я позвонила сама. Главный редактор (я помню его фамилию, но не хочу называть её!) смутился, как мне показалось, но сказал, что рукопись сейчас находится на рецензии у поэта Юрия Кузнецова и чтобы я перезвонила через неделю. Я напряглась, потому что была знакома с этим замечательным поэтом, и он мне сам рассказывал, что «очень не любит женскую поэзию». Я подумала, как неудачно, что стихи попали к нему на рецензию, но продолжила ждать. Через неделю мне ответили, что «рукопись всё ещё у Кузнецова, стихи он ещё не прочитал». Тогда я позвонила Владимиру Павловичу Смирнову, профессору Литинститута, который очень ценил поэзию Юрия Кузнецова, они были дружны, и так случилось, что именно он и познакомил меня с поэтом. Я попросила Владимира Павловича, если это удобно, узнать у Кузнецова, почему так долго нет рецензии на мои стихи. На другой день Смирнов перезвонил мне и растерянно сообщил мне, что Кузнецову НИКТО МОИХ СТИХОВ НЕ ДАВАЛ, а следовательно, он их и не читал...

Мне стало сильно не по себе. Я опять дозвонилась до главного редактора. И тот сознался, что его заместитель взял мою рукопись почитать и «СЛУЧАЙНО оставил её в ресторане Дома литераторов». Думали, что найдётся, да вот не нашлась. И, умоляя меня простить за это «недоразумение», редакция очень просит меня принести ещё один экземпляр, и буквально за пару недель книгу издадут...

С христианским смирением я всё это выслушала и... потащила в редакцию последнюю копию своих стихов (ведь стихи тогда печатались на пишущей машинке!). Я ждала два месяца. А когда позвонила, чтобы узнать «когда же?», по знакомому телефону мне ответил незнакомый голос. Мне сказали, что «издательство «Евророс» больше не существует» и что «сейчас здесь совсем другая организация». На вопрос: «Не оставляли ли случайно для меня рукопись моих стихов?» — мне «иронично» ответили, что ни случайно, ни неслучайно — не оставляли...

Что мне оставалось делать? Только ещё раз подумать: «Значит, не судьба...» Это было начало 90-х, и следы людей и организаций легко и бесследно терялись...

В 96-м мне позвонили редакторы издательства «Вагант» Татьяна и Сергей Зайцевы. Они рассказали мне, что готовят к изданию сборник стихов, посвящённых памяти Владимира Семёновича Высоцкого, и спросили, нет ли у меня подходящего стихотворения. Я ответила, что да, есть, именно стихотворение, которое так и называется «Памяти Высоцкого». Они приехали. Мы познакомились, а впоследствии подружились. Они оба — и Татьяна, и Сергей — оказались очень славными и интеллигентными людьми. Я показала стихотворение. Зайцевы его сразу взяли, и оно вошло в сборник:

Памяти Владимира Высоцкого

Внахлёст настигают утраты!
Не скорбь и не боль —
Пустота!
Стираются чёрные даты,
Слабеет беда...

Душа встрепенётся тоскливо —
Вполглаза — назад:
Там кони всё так же —
К обрыву —
Бездумно
Летят!..

И, словно подбитые птицы,
Листки телеграмм...
О, эти прекрасные лица
Из траурных рам!..

И сердце сожмётся от боли —
Но... нету преград:
Безумные кони на волю —
К обрыву летят!..

И как сквозь унылые будни,
Болезни, дела, —
Вглядеться в злосчастные судьбы
И светлый талант?!.
Спасти от ударов и фальши,
Собою укрыв...
А кони несутся — всё дальше!..
А дальше —
Обрыв...

Но ещё до выхода книги Татьяна и Сергей начали меня упорно уговаривать издать в «Ваганте» сборник собственных стихов. А я так же упорно отказывалась, объясняя это тем, что «не судьба» и что из стихов у меня остался только «слепой» и неполный четвёртый экземпляр, разрозненные стихи на листочках, а кое-что вообще безвозвратно потеряно, потому что не все мои стихи сохранились в памяти...

Но Зайцевы были не только упорны, но и терпеливы. Они сказали, что будут ждать, пока я не восстановлю то, что сохранилось, и не принесу рукопись...

И в 96-м вышел сборник моих стихов «Кружась над золотыми куполами» с предисловием Юрия Владимировича Никулина.

На радостях я дарила свои книги направо и налево. И не только близким, родственникам и друзьям, но и некоторым «представителям шоу-бизнеса». А потом была не просто неприятно, а до боли изумлена появлениями песен с фрагментами, мыслями и образами из моих стихов. Не буду называть имена этих непорядочных людей, до той поры мною уважаемых. Бог им судья! Тем более что мне и в голову не приходило, что нужно было «подстраховаться» авторскими правами — ни стихи, ни песни я не относила в РАО. Хотя не уверена, что в моей ситуации это что-нибудь могло бы изменить. Большие деньги шоу-бизнеса позволяют «отбить» плагиат. Сплошь и рядом «цитаты» из очень известных зарубежных композиций звучат в исполнении наших певцов и композиторов. И — ничего...

Книга позже переиздавалась — теперь уже совместно «Вагантом» и Гильдией актёров советского кино. Вышел также маленький сборничек «Любовь».

А в 2009-м мне позвонила из редакции отдела поэзии издательства «ЭКСМО» совершенно замечательная девушка-редактор Маша Смирнова и сказала, что мне предлагают подготовить новый большой сборник стихов. И за полгода я его подготовила...

Внук Женя помогал мне освоить компьютер — потому что моя боевая пишущая машинка «Эрика» вышла из строя, а починить её, как выяснилось, теперь негде. Я страдала, пугалась, когда на экране компьютера появлялись неведомые мне надписи, знаки, рамки, и громко кричала: «Женя! Помоги! Я не знаю, что с этим делать?!» И Женька был со мной терпелив, как со слабоумным ребёнком...

Я подбирала фотографии, написала комментарии к ним. Подготовила эпиграфы и предисловие. Очень хорошие и добрые слова написал мой друг Миша Задорнов, и они украсили обложку книги.

С Мишей мы познакомились ещё в студенческие годы. Он был «другом моих друзей» — таких же, как и он, рижан — Володи Качана и Бориса Галкина, и ашхабадца — Лёни Филатова. А потом стал и моим другом. Мы все, кроме Миши, были щукинцами. А Миша Задорнов был студентом МАИ, но от природы очень творческим человеком: он участвовал в КВН института и уже тогда писал (писательские гены у него, видимо, от отца — писателя Николая Задорнова).

Когда я училась на втором курсе, Володя Качан пригласил меня на зимние каникулы в гости в Ригу, в которой я никогда не была и о которой они с Бобом (так друзья звали Галкина) взахлёб и с такой любовью рассказывали. И город действительно оказался необыкновенно красивым и интересным...

О наших смешных «похождениях», которые случались в процессе того, как друзья знакомили меня со своим любимым городом, Миша рассказывал в нескольких своих книгах. Причём от одной книги к другой одни и те же истории заметно видоизменялись. У меня тоже есть версии этих «приключений», и они от Мишиных сильно отличаются. Но это сейчас неважно. Я не буду эти истории пересказывать. И я не хочу ничего оспаривать. Будем считать это интерпретациями творческого человека. Частично — фантазиями, в которые он сам поверил...

А ещё Миша в несколько своих книг ввёл мои стихи. И мне дорого Мишино доброе отношение к моим сокровенным творениям. Я очень благодарна ему за те щедрые слова, которые он сказал о них в предисловии к моему сборнику. Миша, будучи чутким и внимательным к тому, что делают его друзья, хорошо понимал, как нужна похвала (пусть даже авансом) для того, чтобы человек поверил в свои силы и возможности...

Книгу я назвала «Во мне такая музыка звучит...» (это строка одного из моих стихотворений). На первой странице книги написано моей рукой: «Моим родителям, детям и друзьям посвящаю. Спасибо моим сыновьям Василию и Александру за поддержку и понимание. Особая благодарность внуку Жене за то, что он научил меня печатать на компьютере и помог собрать эту книгу»...

Когда сборник вышел, его презентовали в больших книжных магазинах, где я выступала, встречалась с читателями и проводила «автограф-сессии». Причём в «Молодой гвардии» книгу тут же раскупили...

Конечно, рекламы книги моих стихов не было вообще. Я имею в виду ту «кричащую» рекламу, которой удостаиваются «поп-звёзды», рассказавшие о своей «звёздной жизни». Ну и хорошо. Тираж и так распродан и раскуплен...

Когда меня пригласили на презентацию моего сборника в Женеву, выяснилось, что книги в продаже уже нет. И мне позвонили из Швейцарии устроители поэтического вечера, в ужасе сообщив, что они заказали определённое количество экземпляров в Интернете, но им почему-то ничего не прислали, и просили, чтобы я «выручила» их и привезла с собой столько книг, сколько смогу. «Смогла» я совсем немного: пробежав по всем московским книжным магазинам и их складам, я набрала меньше тридцати экземпляров. Зато вечер прошёл замечательно. Стихи слушали. О них говорили...

А мне очень понравилась Женева. И Швейцария. Особенно понравилось — бережное отношение швейцарцев к своей природе, которая там практически сохраняется в своей первозданности — ничего не вырубается, не застраивается, не осушается. На неправдоподобно зелёных лугах пасутся неправдоподобно чистенькие овцы, коровы, кони. Много страусиных ферм. И архитектура — цельная и продуманная. Охраняются и стиль, и эстетика. Когда я спросила русскую жительницу Швейцарии Ирину, что у них в Женеве стоит дороже — вторичное жильё или новостройки, Ирина растерянно захлопала ресницами. А потом ответила: «А у нас ничего не строят». — «Как?!» — изумилась я. «А где?!» — в свою очередь изумилась она... Тем временем мы проезжали огромный, просто гигантский сквер на берегу Женевского озера в центре города. Там гуляли люди, там катались на велосипедах (по выделенным для этого дорожкам), там были детские площадки и кафе, там по берегу бродили гуси-лебеди, там были огромные цветочные клумбы и лужайки с зелёными газонами, там росли деревья. Но всё это — не налепленное одно на другое, а просторно и свободно раскинувшееся на большой территории — в самом центре столицы...

«Не дай бог вам узнать, что такое «точечные застройки», — пробурчала я себе под нос...

Так! Я же говорила о стихах!..

Недавно меня попросили выступить в Краевой Государственной библиотеке города Красноярска. Как радостно было увидеть, что огромный зал переполнен, что даже на втором этаже и в проходах стоят! Спасибо красноярцам за то, что они такие прекрасные и зрители, и слушатели, и любители поэзии!..

Я часто читаю свои стихи со сцены — на собственных творческих вечерах, в концертах. Когда-то, когда я ещё стеснялась признаться в том, что пишу стихи, я читала, называя в качестве авторов вымышленные имена. Сейчас я, конечно, этого не делаю. Мои стихи — это мои дети, как и мои роли. Я их люблю и горжусь ими, независимо от того, какими они получились. Я их родила и я за них в ответе. Это моя судьба и моя душа...

Как, впрочем, в ответе за всё, за что я берусь. Начала дело, согласилась на него — теперь несёшь ответственность за результат...

Ещё немного
о моих любимых партнёрах

Саша Демьяненко, насколько я его знала и понимала, был человеком и ранимым, и совестливым. Пишу «насколько я его знала» — потому, что в период работы над «Пленницей» я воспринимала его как очень взрослого, просто человеком из другого времени, из другого поколения. Кроме возрастной дистанции для меня существовала ещё и профессиональная: Саша был замечательным актёром, к моменту наших общих съёмок — очень известным и популярным, и я общалась с ним, робея. Правда, от слова «популярный» самого Сашу справедливо коробило. Он долгое время считал роль Шурика, которая стала на всю оставшуюся жизнь его «визитной карточкой», — легковесной и проходной, потому что был прекрасным драматическим артистом, гордился работами в фильмах «Мир входящему», «Сотрудник ЧК» и другими серьёзными ролями в кино и в театре. Но зрители воспринимали его только как Шурика. Саша ужасно огорчался, но от него уже ничего не зависело. В последние годы его жизни он с этим смирился. Понял, что роль-«маска», приросшая к нему, с одной стороны — беда, а с другой стороны — счастье, потому что далеко не каждый артист может похвастаться ролью, по которой его знают ВСЕ! Но в том-то и дело, что Саша был не из тех, кто мог из своей популярности извлечь какую-нибудь выгоду. Его любили. Но он не позволил бы себя называть «звездой», в отличие от однодневных сериальных и эстрадных «звёзд». Он был скромен и требователен к себе, каковыми и являются настоящие артисты...

Я отказалась от предложения сняться в нашем первом сериале «Клубничка». Ну, никак не загорелась идеей! Хотя снимал эту историю хороший режиссёр, а Маша Аронова, которая в результате сыграла, и очень ярко, то, что мне предлагали, стала, благодаря этой роли, сразу и известной, и любимой актрисой.

Саша Демьяненко отказаться от предложения сняться в этом сериале не смог — ему нужны были деньги, в чём он мне признался, ужасно этого стесняясь, когда мы оказались с ним в одном сборном концерте. Но при этом он рассказывал, что они снимают чуть ли не по пять серий (а может, и больше!) в день, а ему дают в конце смены только что, наскоро написанные следующие серии. И он приходит в гостиницу ночью, страшно уставший, но вынужден править и учить текст и разбирать роль САМ, потому что на съёмочной площадке уже не до этого. Сразу в кадр — и понеслось...

Вот насколько он был профессионален. И — я не спрашивала, но уверена, что получал он наверняка значительно меньше новоиспечённых «звёзд». И наверняка очень страдал от принятого в те хамские времена отношения к себе, как к «сбитому лётчику»...

Это поганое выражение вошло в ту пору в моду. И применяли его по отношению к пожилым, замечательным и много сделавшим для кино артистам. Оно означало: «сделал своё дело — не мешайся под ногами, уступи дорогу сегодняшним модным или, как их ещё называли, «медийным» артистам». («Медийный» — от «масс-медиа», то есть вечно крутящееся «в телевизоре» лицо!)

Время расставляет всё по своим местам. И становится понятно, кто чего стоит. Но тогда...

Представляю, как Саше было больно и обидно. Ведь он воспринимался как «постаревший Шурик»...

Только когда Саша ушёл из жизни, стало известно, что у него было больное сердце. И не нашлось денег на операцию. А обратиться за помощью ему было стыдно. И я понимаю, что диктующие тогда свой вкус «братки» действительно могли не обратить внимания на его проблемы и не помочь ему. Но любящих Сашу людей, которые, конечно, не оставили бы его без помощи, было на самом деле много. Но Сашина деликатность и интеллигентность не позволили ему заявить о своей болезни на весь мир. И все только горько ахнули, узнав, что «Шурика» больше нет...

А о том, что ушёл из жизни Фрунзик Мкртчян, стало вообще известно намного позже. Советский Союз распался. И стало как-то не до того, что там, «за границей», происходит. И сообщения оттуда приходили с большим опозданием...

О Фрунзике я тоже могу рассказывать «с оговоркой», потому что только лет через двадцать после выхода «Пленницы» я стала общаться со своими «взрослыми, даже старыми» партнёрами на равных. А до этого смотрела на них «снизу вверх»...

Фрунзика после фильмов Гайдая и Данелии воспринимали только как комедийного артиста. Его реплики из фильмов «Не горюй!»: «Конфетку хочешь? НЭту...», «Мимино»: «Я так ХОХОТАЛЬСЯ...», или из «Пленницы»: «А ты не путай свою личную шерсть с государственной!» — стали крылатыми. Я процитировала только три, но, по сути, каждую фразу, произнесённую Фрунзиком в разных картинах, можно считать шедевром, настолько это ярко и талантливо. Во Фрунзике всё и смешно, и парадоксально: и его огромный нос в сочетании с невероятно грустными глазами; и его пластика, необыкновенно гармоничная — в своей, казалось бы, полной некоординированности; и «неправильные», исковерканные обаятельным акцентом слова. А всё вместе — гениально. Потому что за всем этим, неправильным и нескладным, прячется нежная, добрая и ранимая душа...

Фрунзика, как и Сашу Демьяненко, не устраивало то, что в нём видят только «комика». Он играл в ереванском театре не только драматические, но и трагические роли. Он любил их и играл очень успешно.

Да и сама жизнь Фрунзика была драматичной...

Вот здесь я остановлюсь, потому что Фрунзик никогда не рассказывал мне о своей истории — в силу ли возрастной разницы, или потому что считал лишним посвящать людей, которые не были близкими, в перипетии собственной жизни...

Во всяком случае, с его милой женой, Донарой, сыгравшей в «Кавказской пленнице» тоже его жену, я виделась только в процессе съёмок и в те короткие часы, когда мы собирались всей группой. Она казалась мне славной и спокойной, поэтому известие о том, что и она, и сын Фрунзика оказались психически нездоровыми, стало для меня разорвавшейся бомбой.

Когда я была с творческой встречей в Ереване, Фрунзик пришёл на неё со своим братом Альбертом, а потом они пригласили меня поужинать. На другой день Фрунзик пригласил меня на свой спектакль в театр им. Сундукяна, а после спектакля мы опять пошли поужинать. Мы много разговаривали, но это были разговоры, касающиеся творчества. Фрунзик рассказывал о своём режиссёрском дебюте в кино — фильме «На дне» (единственном своём опыте в качестве кинорежиссёра). Но ничего не говорил о проблемах в семье. А я не спрашивала, считая вопросы бестактными. Как-то не принято было залезать в душу, если человек не собирается её раскрывать...

Так что для меня Фрунзик Мкртчян — только гениальный комедийный и драматический артист с большим режиссёрским потенциалом. И очень закрытый человек.

У армян есть прекрасная фраза-тост, которая дословно переводится «Беру твою боль на себя!». А Фрунзик носил СВОЮ боль в себе...

Папин уход из жизни

Я знаю, что история жизни моего отца заслуживает отдельной книги, и я надеюсь, что успею написать её. Собираю материалы давно. Но и в этой книге я не могу не рассказать ещё немного о папе.

В моей квартире в Москве на стене висит увеличенная фотография в рамке. На фотографии, датированной 38-м годом, курсанты-второкурсники Севастопольского военно-морского училища им. Нахимова. Первый набор. Во втором ряду, второй справа, — мой молоденький отец, Володька Варлей (так его звали друзья-«однокашники» до самой смерти, да и после неё!), курсант номер два первого набора, то есть набора 1937 года. Курсантом номер один был его друг-одноклассник Костя Сотников, а курсантом номер три —

Лаврентий Кузнецов, будущий адмирал флота (отец встречался с ним и дружил до последних своих дней, а я была на похоронах Лаврентия Михайловича Кузнецова, а теперь иногда созваниваюсь с его дочерью Ларисой).

Совсем ещё мальчишки, только недавние московские школьники, прочитав объявление о первом наборе, отправляются через всю страну в Севастополь и поступают. И вот эти мальчишки учатся, сбегают в «самоволку». А в год окончания училища началась война. Вернее сказать так: отец прибывает на место назначения в Севастополь 21 июня. А на другой день начинается война. Командиром «морского охотника» он уходит в бой. Отец участвовал в двух оборонах Крыма, обе из которых были настоящими «мясорубками». Воевал на Чёрном море. Проводил корабли с десантом — морской пехотой. У отца ордена: Красной Звезды, Трудового Красного Знамени, Великой Отечественной войны, «Победа»; медали — за оборону Севастополя, Керчи, Новороссийска, Поти, Туапсе, Одессы и других черноморских городов. И много других боевых наград. Был ранен, контужен...

Севастопольцы считают меня своей. А мои близкие друзья, Танечка Гагина (Таня Клюева в девичестве, сыгравшая Варвару в фильме Роу «Варвара-краса, длинная коса») и её муж, героический моряк-севастополец Дима, 9 мая несут портрет моего отца в шествии Бессмертного полка в Севастополе...

Многое об отце я узнала от Лаврентия Михайловича Кузнецова — уже после папиной смерти.

Сам отец очень мало мне рассказывал о себе — наверное, считал, раз я девочка, то мне и неинтересно — про нахимовское училище, про войну. Да и виделись с отцом мы нечасто и коротко: то он ходил в море, то работал на руководящих должностях, которые требовали сил и отдачи, но, главное, времени. Много лет он посвятил освоению Севера — и работая в «Севморпути», и в Министерстве морского флота, и будучи капитаном-наставником ледокола «Ленин». На несколько лет он уезжал в бухту Провидения на Чукотку, куда его направили начальником порта. А после этого он опять ушёл в море — был капитаном и на ледоколах, и на транспортных рефрижераторах, и на рыболовецких судах — от Мурманского пароходства. В шестидесятые несколько раз ходил на Кубу (только сейчас начинаю понимать, что это было связано с «Карибским кризисом»). В доме было огромное количество редких раковин и кораллов, которые я с радостью раздаривала...

А «оседлую жизнь» папа начал вести тогда, только когда серьёзно заболел. Приехал в отпуск, пошёл на даче за грибами, и у него случился первый и очень тяжёлый инсульт. Он, вопреки прогнозам врачей, оправился. Вернулись и речь, и движение. Но, к сожалению, многое он уже не мог вспомнить.

Отец успел понянчить моих сыновей, которых очень любил. Васю он пытался заразить любовью к футболу (отец в юности играл в профессиональном клубе «Динамо»), даже водил его на стадион. Но Василий остался холоден к этому виду спорта. А когда появился на свет Саша, отец был уже стареньким и футбол смотрел только по телевизору, при этом так громогласно крича «Гоооол!», что мама пряталась в другой комнате. Саню тоже не заинтересовал футбол. Но зато Александр, который с младенческого возраста тяготел к режиссуре, репетировал и снимал с дедом клипы, сам гримировал и одевал его, преображая то в индейца, то в пирата, то в героя вестерна. А отец, от природы артистичный, с удовольствием внуку подчинялся. И барабанил на игрушечных барабанах, загримированный под негритянского музыканта...

А когда отца не стало, Саня неожиданно унаследовал дедову страсть к футболу. А потом передал её и племяннику, моему внуку Жене. Так что на даче у нас не сад, а футбольное поле и ворота. А вся комната Саши увешана шарфиками и флагами разных команд — я привожу их со всех концов света. Правда, все мы болельщики ЦСКА. Раньше мы с Саней ходили на матчи вместе. Но Саня старался садиться от меня подальше — он стеснялся того, что я так громко ору «Гоооооол!». А сейчас Саня ездит на футбол без меня...

Отец тяжело заболел — сказались его ранения и контузия во время войны. Образовалась киста мозга. И началось то, что медики называют «мерцающим сознанием»: вот он совсем ясно мыслит, а потом — приступ отбрасывает его в неведомые дали. Он вскакивает и говорит мне: «Костька! Прыгаем! Давай ты — из этого окна, а я из того...» И он взлетает на окно, с которого я едва успеваю его стащить. В своём сознании он видит меня одноклассником Костей Сотниковым, тем самым, который «курсант номер один»...

Врачи говорили, что нужно отца положить уже до конца дней в неврологию или в психиатрическую больницу, потому что болезнь может развиваться долго и однажды мы попросту можем не справиться, и он выскочит в окно или — мало ли что ещё...

Но я на эту тему даже говорить отказалась. Как это?! В моменты просветления он что же, будет страдать от того, что родственники сдали его в ЭТУ больницу?! Категорически — НЕТ!..

Отцу становилось все хуже. Он слабел. И тогда я осторожно спросила его, как он относится к тому, чтобы я попросила отца Сергия, чтобы он приехал его исповедовать и соборовать. Папа неожиданно обрадовался...

Батюшка вышел из комнаты отца изумлённым: весь обряд папа не только простоял (хотя он был уже лежачим), но и подпевал псалмы и молитвы. И когда отец Сергий спросил: «Владимир Викторович! А откуда вы знаете слова?», папа ответил, что «в детстве бегал в церковь рядом с их домом и пел на клиросе»... Да, неисповедимы пути Господни!..

Мои кошки на протяжении всего времени, пока отец болел, находились в комнате, где он лежал — под его кроватью, в ногах. Поддерживали. Помогали. Но когда они все из комнаты ушли, я поняла, что это конец...

Я сидела рядом с отцом до его последнего вздоха...

Мамина комната

Годовщина маминого ухода. Семь лет. Я поехала на кладбище, хотя начиналась настоящая буря. Чёрное небо, ливень стеной, гром, молнии — ничто меня не остановило. У меня была абсолютная уверенность, что мама меня ждёт, и, если я не приеду, она очень расстроится...

Я знаю, как она ждала всегда, если ей обещали, что к ней приедут, и как огорчалась, если не дожидалась обещанного...

Я купила букет, составленный из любимых маминых цветов. Они были лиловые и жёлтые — мамины любимые цвета. Для папы — букет из красных гвоздик. Для тёти Шуры — меленькие розовые розы. И красные — для отца Алексея.

Не знаю, может быть, это неправильно, но я боюсь их всех огорчить. Как, например, я могу проехать мимо храма, рядом с которым похоронен отец Алексей?! Не поделиться с ним, не помолиться у его могилы?..

Или — принести цветы маме, а отцу и тёте Шуре — нет. Я их чувствую, как живых. Может, это моя защитная реакция от боли утрат?..

На даче я пишу и печатаю — в маминой комнате. Она мамина до сих пор. Никто в ней не живёт, кроме птички-попугаихи, когда она выезжает со мной на дачу. Птичке здесь нравится. Она поёт, верещит. Когда я уезжаю в город, я оставляю для неё включённым радио, чтобы она подпевала и не чувствовала себя одиноко. Иногда на дерево, которое растёт под окном, прилетает какая-то вольная птичка, сидит на ветке и поёт свою песенку, а моя попугаиха ей в тон отвечает. И так они подолгу беседуют. Но больше всего моя птичка радуется, когда прихожу я, — тогда она просто заливается соловьём. Так что на соловьиные трели способны и волнистые попугайчики — когда в их маленьком сердечке бьётся радость...

В маминой комнате всё так же, как было при ней, всё на тех же местах. Мама всегда просила, чтобы я привозила афиши спектаклей и концертов и прикрепляла их на стене её комнаты. Висят они и сейчас. Только две добавились. Одна из спектакля «Отрава для двоих», который я начала репетировать с Володей Долинским и Петей Белышковым меньше чем через месяц после маминой смерти. Это было невыносимо тяжело, но, если бы мы не репетировали, я бы просто не перенесла горя. Мы выпускали спектакль мучительно, но это меня спасло. Хотя просыпалась и засыпала я с болезненной пустотой в сердце и с мыслью: «НИКОГДА...»

Недавно нашла одну свою запись — через год после маминого ухода. Вот она:

«...Мелькающие города. Гостиничные номера, зрительные залы. Усталость, преодоление её. Концентрация сил, любви, энергии — чтобы выйти на сцену и с полной отдачей бросить их в зал, не всегда готовый принять твою открытость или откровенность...

Успех, цветы. И снова дороги — самолёты, машины, поезда. Опять бессонные ночи...

И иллюзия того, что ЭТО НУЖНО. А нужно ли? Кому? Мне? Зрителям? Искусству?! Запомнится или забудется?..

Это ли реальность моего бытия? Или реальность — ДРУГОЕ...

Жизнь моя и моих близких видится мне теперь, как нитка бус. С этой нитки соскальзывает сначала одна бусина, потом другая, третья...

Уходит из жизни папина сестра, потом любимая двоюродная сестра. Бабушка... Отец... Батюшка Алексей... Крёстная тётя Шура... Потерь всё больше. Они всё чаще. Бусин на нитке всё меньше... Бусы всё реже...

И вдруг — нитка лопается... Мамина смерть меняет всё!..

Я — одинокая бусина, закатившаяся в угол. Я никому не видна. Я никому не нужна с такой болью внутри. И есть ли смысл в моём существовании?..

Нам вместе было не всегда гармонично и комфортно. Но мы были вместе — плохо ли, хорошо ли, но — вместе!..

А сейчас?!. Неужели только я, закатившаяся в тёмный угол бусина, так безнадёжно и безвозвратно потерялась? Остальные катятся в уверенности, что так и нужно — они найдутся, их найдут?! Или так же страдают в одиночку?!. Или... для них ничего не изменилось?!.

Я пытаюсь соединить, связать какие-то узелочки, клубочки, но...

Хотя... Дети приезжают на праздники, которые для меня всегда были семейными, — Новый год, Рождество, Пасха... Как я им благодарна! И не столь важно — это их искреннее желание воссоединения или жертва во имя того, чтобы я не задохнулась от боли и одиночества. В любом случае — они в эти минуты рядом. И это хорошо. Ведь их стремление «вырваться из рутины семейных традиций» возникло задолго до того, как «нитка лопнула»...

А мне мучительно хочется, чтобы «рутина семейных традиций» не канула в Лету. Чтобы у моих детей и внуков всегда замирало сердце в ожидании Нового года и Рождества, запаха хвои и мандаринов, запаха пирогов и праздника, в ожидании подарков и в надежде на чудо»...

Ещё одна афиша, которой не было при маме, — афиша спектакля «Блюз одинокой бабочки». Этот спектакль мы выпускали с украинскими партнёрами. И я его очень любила и играла до тех пор, пока на Украине не начался этот кошмар, и он стал постепенно отражаться и на партнёрах, и на водителях, и на администраторах, и на организаторах гастролей. А в результате и на спектакле. Исчезло то, во имя чего актёры выходят на сцену, а зрители идут в театр, — таинство творчества... И я ушла...

Маминой фотографии в рамочке тоже не было при маминой жизни. Она стоит на столе, и мама смотрит на меня — молодая и красивая. Её глаза помогают мне, и не так больно, как раньше, когда я входила в эту комнату. Нет, я не свыклась с мыслью, что мамы нет. Произошла сублимация — я понимаю, что ЕСТЬ, только в другом измерении. Больно, что не могу обнять и поцеловать. Но её присутствие я чувствую...

Родословная

Счастливы те, в чьих семьях всегда чтили память предков и из рода в род передавались семейные ценности, реликвии и предания.

Так случилось в нашей истории, что во многих семьях — по разным причинам — забыли или не интересовались историей семьи, своей родословной.

В девяностые, когда была обретена мнимая свобода, главным завоеванием времени, несомненно, стало то, что начали восстанавливать храмы, и люди перестали скрывать то, что они верят в Бога. Конечно, моментально появилась МОДА ходить в церковь, и телевидение стало показывать государственных деятелей, которые, демонстрируя свою «религиозность», неумело крестились и стояли со свечками в руках. Остроумный наш народ сразу прозвал их «подсвечниками»...

Ну и конечно, все ринулись раскапывать свои «родословные». Причём выяснилось, что большая часть населения, оказывается, «из дворян». И пошел перекос в другую сторону — если раньше скрывали дворянское происхождение, то теперь появились и «Дворянские собрания», и «предводители дворянства» (сразу вспоминается Киса Воробьянинов из «Двенадцати стульев»).

Когда в Москву приехал из Америки епископ Русской православной церкви Василий Родзянко, в Фонде культуры на Гоголевском бульваре была организована встреча с ним. Приглашения получили многие деятели культуры и искусства. Конечно, было много представителей Православной церкви. Были приглашены и те, кто, разыскав у себя «дворянские корни», вступил в «Дворянское собрание»...

О, это были совершенно невероятные персонажи! Женщины — в «бальных платьях» из бархата, парчи и тафты, с насурьмлёнными бровями... А мужчины!..

Возглавлял «Дворянское собрание» князь Андрей Голицын как потомок рода Голицыных. Я не только знакома с Андреем Кирилловичем, но даже снималась с ним в фильме «Клоун» на Одесской студии. Тогда, ещё не будучи «предводителем дворянства», он был скромным и малоизвестным художником, а в картине сыграл маленькую роль. Андрей Кириллович был интеллигентным, вежливым, худеньким, с усами и бородкой. Злые языки рассказывали совершенно не «дворянские» подробности из его юности. Но — во-первых, слухи и сплетни не распространяю, а фактов у меня нет. А во-вторых, мало ли чем в наше неустойчивое время мог заниматься потомок дворян...

Не знаю даже, существует ли сейчас «Дворянское собрание», во всяком случае, под руководством князя Голицына оно просуществовало довольно долго. И довольно активно работало, собирая под свои знамёна «дворян» — настоящих и, полагаю, мнимых тоже — время было такое. И ещё они наводили мосты с зарубежными предками, которые жили в эмиграции.

Честно говоря, мне деятельность «Дворянского собрания» и его контингент казались, мягко говоря, странными. Поэтому «вступить» в это противоестественное сообщество у меня не возникало желания. Но многие отнеслись к нему всерьёз. Моя сестра Ирина, например, долгое время была «правой рукой» Голицына, то есть «служила» в «Дворянском собрании». Забыла, как называлась её должность — то ли секретарь-референт, то ли помощница, то ли ещё как-то. Но она, в отличие от многих, пожелавших стать дворянами, действительно, как и другие члены нашей семьи, — потомок дворянского рода...

Девичья фамилия моей бабушки Таты — Татьяны Евгеньевны Сенявиной (по мужу) — Барбот де Марни. Ясное дело, что в советское время не только нельзя было ходить в церковь, но и напоминать о своём дворянском происхождении не стоило. Поэтому, несмотря на некоторые «дворянские замашки» бабушки, её периодически возникавший высокомерный тон и постоянно прорывающиеся намёки на «прошлую жизнь» и воспоминания об этой жизни, говорить о корнях в семье было не принято. Мы и не говорили. Но в доме всё-таки витала мысль, что бабушка — «голубых кровей», а отец — «рабоче-крестьянского происхождения» (и хотя в анкетах папа именно так и писал, впоследствии выяснилось, что это тоже, мягко говоря, не совсем так).

Вообще, родословные и Барбот де Марни, и Варлей — настолько сложные и запутанные, что впору писать отдельную книгу. И, я думаю, это будет интересный исторический роман. Надеюсь, успею, напишу. А пока попробую изложить кратко, да так, чтобы не запутаться самой и не запутать читателей, откуда у русских людей такие нерусские фамилии. И что это за фамилии.

Сын моего любимого педагога Юрия Васильевича Катина-Ярцева, Миша, учился на историко-архивном факультете. И он предложил мне составить генеалогические древа. Древо фамилии Варлей составил его друг. Древо Барбот де Марни — он сам. Начну с Барбот де Марни...

Жорж Барбот де Марни, французский аристократ, 11 августа 1737 года был принят на службу к Петру Первому. Он был протестантом по вероисповеданию и перешёл на службу к русскому царю вследствие отмены Людовиком Четырнадцатым в 1685 году Нантского эдикта, который гарантировал французским протестантам-гугенотам вероисповедные права. Уже к 1755 году Жорж стал полковником. Он был комендантом г. Вильманстранд, батальонным командиром Выборгского пехотного полка. Умер он в Оренбурге 8 мая 1784 года.

В браке с Фредерикой Луизой фон Брандт, сестрой будущего адмирала Крузе, у них родился сын Егор (уже не Жорж, а Егор Егорович!), который стал основателем горного дела в Забайкалье, под его началом были построенные по его инициативе Нерчинские заводы, при нём впервые в России началась добыча серебра. Он много трудился на благо Отечества — были открыты новые рудники, по его же инициативе был открыт Музей минералов. И ещё многое сделал для

России Егор Егорович Барбот де Марни. Он дослужился до звания коллежского советника, стал кавалером ордена Св. Владимира...

Был он принципиален и неподкупен. Как и многие люди такого толка, склада ума и характера, часто впадал в немилость. И умер в бедности. Вынужден был даже продать свою коллекцию редких минералов...

Но, понятное дело, после смерти Егора Егоровича Барбот де Марни назвали «одним из самых выдающихся руководителей края». Отблеском славы моего предка стал специальный приз губернатора края, который мне вручили два года назад на Забайкальском кинофестивале в Чите. Горжусь!..

Ветвь нашей семьи — от брака Жоржа с Анной Элизабет фон Рейникен (опять-таки — «фон»). И в этой ветви тоже много коллежских советников, регистраторов, секретарей, тайных советников и гвардии полковников, есть и надворный советник, и статский советник.

В нашей ветви генеалогического древа — граф Алексей Константинович Толстой, выдающийся писатель, автор романа «Князь Серебряный», пьес «Царь Фёдор Иоаннович», «Смерть Иоанна Грозного», «Царь Борис», повести «Упырь» и других произведений. «Средь шумного бала, случайно...» — этот всем известный романс тоже написан на стихи моего знаменитого родственника, они были написаны, когда на маскараде он встретил «женщину его жизни» — Софью Бахметеву...

Но более всего в нашей ветви Барбот де Марни тех, кто унаследовал от Егора Егоровича профессии, связанные с горным делом, геологией и минералогией. Был профессором минералогии, профессором горного института в Петербурге мой прадедушка, Евгений Николаевич Барбот де Марни. Бабушкина сестра, Ирина Евгеньевна, вышла замуж за Парфёнова Александра Михайловича, который был профессором в области металлургии, а их дети — моя любимая тётя Ира и дядя Александр — окончили Ленинградский горный институт.

Бабушка Тата вышла замуж за помощника своего отца, Евгения Николаевича, — горного инженера Сергея Николаевича Сенявина. Обвенчались они в Вятке (по другим сведениям — в Омутнинске), когда Сергей Николаевич находился там по роду деятельности. Бабушка любила цитировать стихи, написанные и присланные ей на день венчания её гимназическими подругами:

...Се солнце по небу гуляет
И день великий освещает,
Когда Татулечка Барбот
В церковь Божию идёт...

Причём дедушке Сергею, которого я никогда не видела, в момент женитьбы было 39 лет, а бабушке — 17. Хоть она и была старшим ребёнком в семье Барбот де Марни (кроме Таточки — её младшая сестра Ирина и братья — Павел и Юрий), но ребёнком всё-таки любимым и избалованным, поэтому Сергею Николаевичу часто приходилось непросто со своей юной женой. Но он её очень любил, был человеком добрым и мягким и терпел Таточкины, иногда жестокие, «шуточки». Например, бабушка рассказывала, как однажды, пока муж был на работе, она, изнывая от скуки, придумала, как его напугать. И подвесила на крюк «своё чучело» — кофта, юбка, чулки, набитые тряпками, ботинки. Когда муж начал оседать, увидев «висельницу», она засмеялась и выскочила из укрытия. Ужас!..

Прадедушка и дедушка подолгу жили на Урале, где были горные разработки: Омутнинский Завод, Климковский Завод — так назывались посёлки, где находились заводы в Екатеринбургской и Вятской губерниях. В Омутнинском Заводе 6 ноября 1924 года родилась моя мама.

Бабушка очень трогательно рассказывала о своей беременности. Она была абсолютно уверена, что «тяжело больна». И наивный и доверчивый муж относился к её беременности так же. Во время очередной командировки они оказались в каком-то маленьком городке под Уфой. Поселили их в домике у башкирки. И вот хозяйка приглашает своих постояльцев обедать. Муж садится за стол, а жены нет. «А где же ваша молодая?» — спрашивает хозяйка. «Она лежит, потому что тяжело болеет!» — грустно сообщает дедушка. «Чем?» — удивляется хозяйка. «Она беременна! И она ничего не ест!» — ещё печальнее отвечает Сергей Николаевич. И тогда хозяюшка, женщина простая, прямо-таки вытаскивает к столу «больную» Таточку и ставит перед ней миску со свежеиспечёнными капустными пирожками. И Таточка съедает один пирожок («Такой вкусный!» — рассказывала бабушка), потом второй, потом всю мисочку. И «выздоравливает», к великой радости мужа! И больше не болеет...

Мама с родителями жила в Ленинграде. Но во время войны их эвакуировали в Свердловскую (к тому времени) область — многие металлургические и горнообрабатывающие заводы стали работать на оборону. Мама, тогда ещё школьница, тоже работала — и ездила в переполненном трамвае на оборонный завод. Жили очень трудно. Дедушка Сергей, не старый ещё, умер от сердечного приступа и истощения. Мама рассказывала, как его хоронили под Климковским Заводом: «На телеге стоял гроб. Лошадь с трудом тянула эту телегу по промёрзшей ухабистой дороге. За гробом шли только жена и дочь...»

Когда я бываю в Екатеринбурге, я всегда низко кланяюсь земле, где похоронен мой дедушка. Так завещала мне мама. А могилы его давно уже нет...

Моя любимая тётя Ирочка — блокадница. Она родилась в Ленинграде в 41-м году. Вот она — кладезь истории рода Барбот де Марни. И я надеюсь с её помощью написать отдельную книгу.

Ирочка — очень близкий мне человек. Особенно это стало ощутимо сейчас, когда мы с ней и чувствуем себя в этом мире, и смотрим на мир во многом одинаково.

Жаль, что мы живём в разных городах. Конечно, в телефонных разговорах можно и поделиться тем, что мучает, и попросить совета, и дать совет, и поддержать. Но живое общение — не сравнимо ни с чем. Хотя... Голос родной души очень помогает мне в этой жизни.

Потомки Жоржа Барбот де Марни разбросаны по всему земному шару. Есть наши родственники и в Швейцарии, и во Франции, и в Риге, и в Таллине, и в Алма-Ате. Несколько лет назад мы решили собраться — кто сможет, конечно. И познакомились наконец. И теперь хоть и нечасто, но пишем друг другу, звоним, иногда встречаемся. Как важно даже просто знать, что есть на земле твои родственники и они иногда вспоминают о тебе. А может, и молятся за тебя и твоих детей. И как здорово, когда, оказавшись в чужой стране, ты набираешь номер телефона и слышишь знакомый голос, который радуется твоему звонку...

Есть в моём роду бабушки Кулибины. Так что я связана по крови и с изобретателем паровой машины, и часов, и много чего ещё — Иваном Кулибиным!..

Ну а теперь о фамилии Варлей. И о родословной по этой линии...

В детстве как-то даже в голову не приходило интересоваться происхождением фамилии Варлей. Да и детство у меня было и трудовым, и творческим. А когда такой вопрос возник, мне была озвучена такая версия: век назад из Англии, из Уэльса, приехал в Россию богатый конезаводчик, в его конюшне среди прочих работников были два жокея — братья Варлей. Они женились на русских девушках, обрусели, и с тех пор есть две ветви Варлеев. Этой версии мы и придерживались долгое время, и когда в девяностых журналистов стали интересовать темы происхождения фамилий и родословные, и отец, и я всегда рассказывали эту уже известную историю.

Потом всё тот же Миша Катин-Ярцев принёс мне родословную Варлей, и на деле всё оказалось совершенно иным.

И стало понятно, что отец, большую часть своей жизни находившийся на высоких руководящих постах, будучи убеждённым коммунистом, просто не мог бы рассказывать реальную историю происхождения фамилии, даже если ему и была доподлинно известна родословная Варлей.

Когда распечатанная родословная оказалась в моих руках, отец к этому времени тяжело болел, но подтвердил, что ВСЁ ИМЕННО ТАК, хотя на самом деле многого уже не мог вспомнить...

Так вот, богатые конезаводчики не были «мистерами ИКС», а как раз и были теми самыми братьями Варлей, которые действительно приехали из Уэльса. Это были очень богатые предприниматели, и конный завод был далеко не единственным, чем они владели. Скорее всего, он был их увлечением, связанным с любовью к лошадям. (Сразу возникает понимание, почему я так люблю конный спорт, почему с такой нежностью и любовью отношусь к этим прекрасным животным!) В остальном всё так же — женились на русских, обрусели, есть две ветви фамилии Варлей.

В генеалогическом древе тоже много немецких фамилий. В том числе и фамилия Клодт — он, как известно, знаменитый скульптор конной группы на Аничковом мосту в Петербурге.

Одной из бабушек Станиславского была актриса Мари Варлей.

(И тогда не таким уж странным становится факт моего прихода в актёрскую профессию — при всей, казалось бы, неискоренимой застенчивости и неуверенности в себе!)

Мне ещё придётся долго разбираться в своей родословной, потому что время от времени жизнь преподносит мне сюрприз за сюрпризом. И выясняется, что на этой земле у меня ещё много родственников, которые хотели бы со мной познакомиться. И это здорово и интересно!..

К сожалению, некоторые из тех, кто разыскивал меня и хотел увидеть, уже ушли из жизни. Горько, что я не успела с ними встретиться...

Почти полностью приведу письмо из Германии от тёти Эрны, которая приходилась мне двоюродной бабушкой. Это письмо я получила с большим опозданием от журналистки по имени Лилия, которая почему-то за много лет не смогла меня разыскать (может, оттого что я переезжала?!).

«Лёдингхаузен, 16.09.99. Дорогая Лиличка! Я хочу тебя попросить взять интервью у Натальи Варлей, а если тебя это не интересует, то, пожалуйста, узнай у артистов её адрес. Она ведь наша родственница, но она этого не знает. Её предки — родная сестра нашей матери, Лидия Ивановна Деккер и её муж Евгений Николаевич Варлей. Лидия Ивановна, наша тётя, была немка и родилась она в 1872 году в Саратове, в богатой семье. А умерла она в 1920 году от чёрной оспы, и похоронил её сын (наш двоюродный брат Павел, родился в 1905 году), приехав из Москвы в село, где она жила (против Саратова), ухаживал за больной матерью.

Наша тётя покинула своего мужа в Москве, когда незнакомая женщина в магазине её обвинила, что она отняла у неё мужа. Тётя ей объяснила, что более двадцати лет живёт с Евгением Николаевичем и что у них шестеро детей, на что та женщина ответила, что с Евгением Николаевичем живёт уже пятнадцать лет. Тётя очень растерялась и приехала к нам в село. Это было в 1919 году.

У тёти с Евгением Николаевичем были следующие дети: Владимир, Виктор, Николай (1900 года рождения), Валентин, который в Москве преподавал в Академии Жуковского, Павел, 1905 г. и Лена, 1909 г.

Составляя родословную, у меня ветвь Варлей осталась не совсем ясной, так как связь с ними прервалась и не ясно, чья дочь или внучка Наталья. Наша старшая сестра навестила в Москве, кажется, в 1961 году, Валентина и Павла, многое узнала, но так как была после отбытия почти 20 лет сталинских лагерей и ей уже было за 50, она почти всё забыла.

Пожалуйста, Лиличка, узнай её отчество и имя её деда.

Буду очень благодарна! Всего хорошего! Обнимаю. Эрна Эдуардовна».

Дальше идёт адрес и телефон, а потом ещё приписка:

«Евгений Николаевич был по национальности англичанин. По немецким предкам мы все были родом из Саратова. Наш общий предок с Варлей был Рейнеке, он и его дети были самыми богатыми людьми Саратова. Главные их дома находились на немецкой улице у самой Волги. Первый Рейнеке, приехавший из Германии, был 1727 года рождения».

Вот такое письмо (его орфографию и пунктуацию я сохранила). Вот такая удивительная история. Дочка Ивана Адамовича Деккер и Екатерины Кондратьевны Рейнеке, Лидия, вышла замуж за англичанина Евгения Николаевича Варлей!

Значит, предки мои по папиной линии не только конезаводчики из Уэльса, но и богатые поволжские немцы. И сколько внутри этого письма трагических историй. Гордая прабабушка Лидия, потрясённая изменой мужа (а была ли измена?!) и умершая от чёрной оспы. Сын, приехавший ухаживать за больной матерью, но похоронивший её. Старшая сестра Эрны (видимо, это была Альма), отсидевшая 20 лет в сталинских лагерях (за что? за то, что была немкой?)...

Сколько за этим судеб, о которых я ничего не знаю. А ведь у Деккера с Рейнеке было семеро детей: Александр, Владимир, Луиза, Лидия, Роберт, Эмилия и Элеонора. Александр (адвокат), Владимир (врач) и Роберт (биолог) — были бездетны. О них я больше ничего не знаю.

Только о ветви Лидии мне было известно. То есть как известно? — дядя Валя и дядя Паша приходили к нам в гости, когда мы жили на Бутырской улице, но я их совсем не помню. Помню одну из своих двоюродных бабушек, Елену Евгеньевну. Папа звал её Леночка, это была его тётя. Она часто у нас бывала. Очень красивая, высокая и интеллигентная женщина. Она держалась очень прямо. Курила папиросы, и голос у неё был низкий. А всего у Лидии было шестеро детей: Владимир, Виктор (мой дед!), Николай, Валентин (дядя Валя), Павел (дядя Паша) и Елена (Елена Евгеньевна)...

А у Эмилии, которая была замужем за Эдуардом Шютц, — девять детей! Одну из дочерей звали Эрна. Это она так хотела меня разыскать...

Не буду описывать события и обстоятельства, которые помешали мне сразу откликнуться на письмо тёти Эрны. Трагично то, что, когда я попыталась её разыскать, находясь в Германии, выяснилось, что СОВСЕМ НЕДАВНО тётя Эрна умерла от рака. Унаследовавшие её дом родственники, с которыми я и связалась, звали в гости в город Мюнстер. Но мне после операции было тяжело туда добираться, да и, честно говоря, не возникло особого желания. А вот то, что мне не удалось встретиться с тётей Эрной, меня расстроило до слёз. Пожилая женщина так просила меня найти! Я нашлась. Но... опоздала.

А вот по линии Луизы нашлись родственники во Владимире. От брака Луизы с врачом, которого звали Франц Адлер, родились пятеро детей. Младшего, родившегося в 1909 году, звали Владимир.

Лариса Красина переслала мне письмо, которое ей написали в 1976 году её дядя Владимир и его жена Ольга из Казахстана. Я надеюсь, Лариса не обидится на меня за то, что я приведу несколько фрагментов из письма, адресованного ЕЙ, на этих страницах. Только те строки, что связаны именно с родословной.

«...Отвечу тебе на интересующий тебя вопрос о киноартистке Наташе Варлей, она нам родственница, но по фамилии Адлер. Моя мама имела сестру Лидию. Эта Лидия (моя тётя) примерно в 1895 году вышла замуж за Варлей. У них было пять сыновей и последняя — дочь. Второй их сын, Виктор, в свою очередь имел сына Владимира. Этот Владимир (он жив и сейчас) — видный работник Главсевморпути и вроде бы является капитаном-наставником атомного ледокола «Ленин». Так вот, Наташа является его дочерью. Другими словами, она является внучкой моего двоюродного брата...»

(Дальше идёт пересказ моей биографии, почерпнутый из разных интервью, поэтому опускаю эту часть письма.)

«...Ну, раз ты так интересуешься «интересной» роднёй, то я напишу тебе ещё о кое-какой. Это теперь будет только по линии моего отца. Мать моего отца, или моя бабушка, была из семьи коренных петербуржцев. По семейному преданию, её брат был золотых дел мастер и работал, по-видимому, в мастерской мастера Сазикова. Так вот, его руками будто бы сделана серебряная крышка на евангелие и голубь Святого Духа, которые до сих пор хранятся в Исаакиевском соборе в Ленинграде...

...Сестра же моей бабушки была замужем за скульптором Клодтом (1805–1867), автором знаменитых конных групп на Аничковом мосту и памятника Крылову в Летнем саду в Ленинграде. Им же выполнены при строительстве Исааки-евского собора над царскими вратами главного иконостаса барельеф «Христос во славе» и два барельефа снаружи зда-ния — «Положение во гроб» и «Несение креста» в нишах северного портика. Эти данные мне сообщила недавно своим письмом старший научный сотрудник музея Г.А. Хвостова. Внучка этой же бабушки была замужем за математиком Киселёвым (1852–1940). Он является автором ряда учеб-ников по алгебре и геометрии, арифметики для начальных и средних классов. В 1933 году он был награждён орденом Трудового Красного Знамени...

Ваши дядя Володя и тётя Эмма...»

Это письмо моя родственница из Владимира переслала мне уже после того, как мы с ней познакомились, — я тогда была со спектаклем на гастролях во Владимире. И Лариса пришла с мужем, дочками и другом семьи. «Друга семьи», влюблённого в «артистку Варлей», мои родственники при-вели, видимо, с умыслом — «а вдруг?!». Никакого «вдруг» не случилось, а с Ларисой мы общаемся, перезваниваемся. Когда я бываю во Владимире, видимся. Не так давно на спек-такль «Блюз одинокой бабочки» Лариса приходила с дочками, которые уже стали взрослыми. Очень красивые, умные, интеллигентные и обаятельные девушки.

Старшая — в прошлом году вышла замуж. Младшую, Яну, поздравляла с 25-летием. Она мне ответила. И вот даже от её эсэмэсок — вежливых и в то же время очень открытых — идут тепло и доброта...

К тому моменту, когда Лариса переслала мне обещанное письмо, автора письма, брата её дедушки Павла, дяди Володи, уже не было в живых. Не было в живых и моего отца — он бы порадовался, наверное, тому, что так неожиданно находятся родственники. Отец был по природе своей человеком жизнерадостным и общительным...

С Ларисой видимся редко, но радость и тепло от встреч с ней и её семьёй, да и просто понимание, что быть одинокой на земле, где у тебя столько родных, — невозможно и неправильно, — греют душу и сердце! И душа воспаряет, а сердце бьётся сильнее и увереннее.

И ещё одно, прямо-таки мистическое совпадение: обоих моих прадедов — и по линии мамы, и по линии отца — звали Евгениями Николаевичами: Евгений Николаевич Барбот де Марни и Евгений Николаевич Варлей. А фамилии: фон Рейникен и Рейнеке — в разных родословных — странно перекликаются...

Есть о чём задуматься. Есть над чем ещё потрудиться...

«Подводя итоги...»

Зачем мы так живём, как будто нам
Отпущены не жалкие десятки,
А сотни лет безмерно длинной жизни?..

На каждом этапе жизни человек пробует подводить итоги. Попыталась сделать это и я. Правда, мне не дано знать — это подведение итогов жизни или одного из её этапов. Хочется верить, что за горизонтом — неведомое, желанное, неосуществлённое. Что нужно ставить многоточие, а не точку...

Да, я очень многое успела сделать за свою жизнь — на экране, на сцене, на телевидении... Сколько сыграно ролей! Сколько спето песен! Сколько написано стихов!..

И горы тетрадок, листочков, даже магазинных чеков и просто обрывков бумаги, на которых записи, наброски, записки, пометки, — они ещё ждут своей участи и надеются превратиться во что-то ясное, светлое, доброе... Может, и дождутся.

А я, пробежав галопом по своей жизни, но не передав и не раскрыв даже малой части того, что происходило в ней, оставив чистые страницы для тех, о ком ещё надеюсь рассказать, понимаю, что не успела даже и сотой доли того, что должна была сделать...

Ведь в памяти моей хранятся судьбы удивительных людей, их истории. Сколько их встретилось на моём пути! А путь этот, оказывается, длинный и очень интересный. Я сама увлеклась, заглядывая в дальние уголки моей души, моей памяти, моего мира...

Я очень люблю ранние стихи Евгения Евтушенко. И в одном из них есть такие строки:

> Людей неинтересных в мире нет.
> Их судьбы, как истории планет —
> У каждой всё особое, своё,
> И нет планет, похожих на неё.
>
> И если умирает человек,
> С ним умирает первый его снег,
> И первый поцелуй, и первый бой,
> Всё это забирает он с собой...

Я не буду цитировать дальше это стихотворение. Оно вызывает у меня щемящее чувство тоски — не по «прошлой жизни», а ностальгию по тем временам, когда люди радовались единению и пониманию. Сейчас эпоха виртуального, в основном, общения. Мысли и клише в головы вкладывает Интернет. Люди вроде бы много знают, но «со слов». И отношение к событиям и фактам — редко результат их собственного анализа, их собственный вывод. Любознательность заменило любопытство, а это далеко не одно и то же. И хотя многие «спешат жить», глубинный смысл жизни пролетает мимо, не задевая, не волнуя, не принося пользы и радости. А иногда этот мир спешащих неважно куда людей кажется мне берегом, на котором живут черепахообразные существа, каждый из которых закован в собственный панцирь...

Я тоже чем дальше, тем больше ухожу в свою ракушку, панцирь, скорлупу — не знаю, с чем сравнить или как точнее назвать это состояние. Всё больше отпадает необходимость в общении, потому всё чаще я слышу и понимаю, что, общаясь, многие не контактируют — просто рассказывают свою эгоистическую историю и не стремятся услышать собеседника...

Как дорого сегодня то, что Достоевский называл «три СО» — СОчувствие, СОпричастность и СОпереживание. И как обесценено! Ведь многие воспринимают эти проявления и качества человека как пережиток, как глупость!..

Но знаете, к какому выводу я пришла? Что жизнь моя (и не только моя, вообще жизнь) — закольцована. Не так уж и глупа и нелепа песенка «Любовь — кольцо...». И жизнь — кольцо! Потому что то, к чему, может, неосознанно, тянется душа ребёнка, без чего ему трудно жить в этом мире: любовь близких, верность, справедливость, понимание, — необходимы как воздух и взрослому, пожилому человеку. Только, пожалуй, он ещё сильнее, ещё больше в этом нуждается, потому что этот, уже сознательный вывод — итог всей жизни!..

И самое главное в ней — РОДНОЕ ТЕПЛО, ВЕРА В ЛЮБОВЬ, СПРАВЕДЛИВОСТЬ И ПОКОЙ. А покой, веру, надежду и любовь можно обрести только в СЕМЬЕ, в которой есть забота и понимание. Семья может быть маленькой. Но лучше, если она большая — если в ней много детей. И живы, ЛЮБИМЫ И УВАЖАЕМЫ родители — или ПАМЯТЬ о них...

И ещё замечательно, если есть ДРУЗЬЯ — не те, с кем разделяешь застолье или кого часто видишь. Ты можешь не видеть друзей годами, но знаешь, что они ЕСТЬ, и, если тебе трудно или плохо, ты почувствуешь их помощь и поддержку — даже на расстоянии. А если попросишь — ПРИМЧАТСЯ, НЕ ЗАДУМЫВАЯСЬ!..

Я никогда не любила пустых разговоров, а сейчас тем более стараюсь избегать пустой болтовни, трёпа. Жалко времени — ведь оно улетает, даже улетучивается, так непоправимо быстро...

Наше искусство сегодня — часто пустая болтовня ни о чём. Особенно грешит этим телевидение: споры ни о чём, вопросы — ни о чём, речи и разговоры — ни о чём. Кино — ни о чём. Книги — ни о чём...

Так что же делать?! ЖИТЬ. ЛЮБИТЬ. Восстанавливать родственные связи, которые «американизированное» общество посчитало архаикой!..

Ведь всё равно, сколько бы я ни сделала в своей жизни, главное её достижение — мои ДЕТИ И ВНУК. К ним и к РОДИТЕЛЯМ — самая нежная, самая сильная и непреходящая ни при каких обстоятельствах ЛЮБОВЬ! И самая главная моя мечта — это мечта о том, чтобы и они, мои дети, это поняли, прочувствовали и чтобы строили свою жизнь, своё творчество, свою семью — исходя из этого понимания...

Семья — семь я. Это — огромная сила. Это значит, что ты не один. Это значит, что тебя любят и понимают. Это значит, что СЕМЬЯ, ЛЮБОВЬ И ВЕРА — самое главное. Самое ценное. Самое богоугодное. Иначе однажды можно почувствовать, что твоя жизнь — просто бег в пустоту...

«Подводя итоги» — так называлось произведение Сомерсета Моэма, которое заботливый Лёня Куравлёв принёс мне, восемнадцатилетней, в надежде отучить меня от любви к романтическим историям Александра Грина.

В результате Грина я всё равно люблю! Но — вот уже и итоги подвожу. Так что Лёнины труды не пропали даром. Просто — всему своё время!..

Литературно-художественное издание

Варлей Наталья Владимировна

КАНАТОХОДКА
АВТОБИОГРАФИЯ

Ответственный редактор *Э. Каленюк*
Выпускающий редактор *А. Сергеева*
Художественный редактор *С. Власов*
Технический редактор *О. Лёвкин*
Компьютерная верстка *А. Москаленко*
Корректор *М. Козлова*

ООО «Издательство «Эксмо»
123308, Москва, ул. Зорге, д. 1. Тел.: 8 (495) 411-68-86.
Home page: www.eksmo.ru   E-mail: info@eksmo.ru
Өндіруші: «ЭКСМО» АҚБ Баспасы, 123308, Мәскеу, Ресей, Зорге көшесі, 1 үй.
Тел.: 8 (495) 411-68-86.
Home page: www.eksmo.ru   E-mail: info@eksmo.ru.
Тауар белгісі: «Эксмо»
Интернет-магазин : www.book24.ru
Интернет-дүкен : www.book24.kz
Импортёр в Республику Казахстан ТОО «РДЦ-Алматы».
Қазақстан Республикасындағы импорттаушы «РДЦ-Алматы» ЖШС.
Дистрибьютор и представитель по приему претензий на продукцию,
в Республике Казахстан: ТОО «РДЦ-Алматы»
Қазақстан Республикасында дистрибьютор және өнім бойынша арыз-талаптарды
қабылдаушының өкілі «РДЦ-Алматы» ЖШС,
Алматы қ., Домбровский көш., 3«а», литер Б, офис 1.
Тел.: 8 (727) 251-59-90/91/92; E-mail: RDC-Almaty@eksmo.kz
Өнімнің жарамдылық мерзімі шектелмеген.
Сертификация туралы ақпарат сайтта: www.eksmo.ru/certification
Сведения о подтверждении соответствия издания согласно законодательству РФ
о техническом регулировании можно получить на сайте Издательства «Эксмо»
www.eksmo.ru/certification
Өндірген мемлекет: Ресей. Сертификация қарастырылмаған

Подписано в печать 07.02.2019. Формат 84х108 $^1/_{32}$.
Гарнитура «QuantAntiqua». Печать офсетная. Усл. печ. л. 25,2.
Доп. тираж 1500 экз. Заказ 9266.

Отпечатано в ОАО «Можайский полиграфический комбинат».
143200, г. Можайск, ул. Мира, 93.
www.oaompk.ru, www .оаомпк.рф тел.: (495) 745-84-28, (49638) 20-685

ISBN 978-5-699-96812-1

16+